KOLEKCJA GAZETY WYBORCZEJ

1

Kolekcja Gazety Wyborczej
1

IMIĘ RÓŻY
Umberto Eco

Tytuł oryginału: *Il nome della rosa*
Tłumaczenie z oryginału: *Adam Szymanowski*

© 1980 Bompiani RCS Libri, SpA, Milano
For this edition © Copyright by Mediasat Poland/
International Rights Organization (I.R.O.) KFT
For the Polish translation © Copyright by Marta i Mikołaj Szymanowscy

ISBN 83-89651-50-5

Printed in EU

Mediasat Poland Sp. z o.o.
ul. Mikołajska 26
31-027 Kraków, Polska

Wszystkie prawa zastrzeżone

UMBERTO ECO
Imię róży

Przekład Adam Szymanowski

KOLEKCJA GAZETY WYBORCZEJ

Manuskrypt, to oczywiste

Szesnastego sierpnia 1968 roku wpadła mi w ręce książka pióra niejakiego księdza Valleta, *Le manuscrit de Dom Adson de Melk, traduit en français d'après l'édition de Dom J. Mabillon* (Aux Presses de l'Abbaye de la Source, Paris 1842). Dzieło, dosyć skąpo zaopatrzone w objaśnienia historyczne, przedstawiało, ponoć wiernie, czternastowieczny manuskrypt odnaleziony w klasztorze w Melku przez wybitnego siedemnastowiecznego erudytę, któremu zawdzięczamy tak wiele informacji o dziejach zakonu benedyktyńskiego. To odkrycie naukowe (moje, trzecie w kolejności) dodawało mi otuchy podczas pobytu w Pradze, gdzie czekałem na pewną drogą memu sercu osobę. Sześć dni później do nieszczęsnego miasta wkroczyły oddziały sowieckie. Udało mi się przekroczyć granicę austriacką w Linzu, skąd udałem się do Wiednia, by tam spotkać się z ową osobą, na którą czekałem, i już razem ruszyć w górę Dunaju.

W nastroju wielkiego podniecenia czytałem, urzeczony, straszliwą opowieść Adsa z Melku; pochłonęła mnie do tego stopnia, że prawie za jednym zamachem dokonałem tłumaczenia, zapełniając kilka wielkich zeszytów z Papeterie Joseph Gibert, w których tak przyjemnie pisze się miękkim piórem. I w ten sposób dotarłem w okolicę Melku, gdzie po dziś dzień nad zakolem rzeki strzela pionowo w niebo przepiękny Stift, kilkakroć w ciągu minionych wieków poddawany restauracji. Jak możesz się domyślać, czytelniku, w bibliotece klasztornej nie znalazłem ani śladu manuskryptu Adsa.

Jeszcze zanim przybyłem do Salzburga, pewnej dramatycznej nocy, spędzonej w hoteliku nad brzegiem Mondsee, utraciłem nagle towarzystwo; osoba, z którą podróżowałem, zniknęła, zabierając ze sobą książkę księdza Valleta, choć uczyniła to nie przez złośliwość, lecz wskutek pośpiechu i zamętu, jaki panował przy zrywaniu łączących nas dotąd więzów. I oto zostałem sam z plikiem zapisanych własnoręcznie zeszytów i z wielką pustką w sercu.

Kilka miesięcy później, będąc w Paryżu, postanowiłem wziąć się do gruntownych poszukiwań. Z paru informacji, które wypisałem z francuskiej książki, pozostała mi notatka bibliograficzna, niezwykle drobiazgowa i ścisła:

Vetera analecta, sive collectio veterum aliquot operum & opusculorum omnis generis, carminum, epistolarum, diplomaton, epitaphiorum, &, cum „Itinere Germanico", adnotationibus aliquot disquisitionibus R.P.D. Joannis Mabillon, Presbiteri ac Monachi Ord. Sancti Benedicti e Congregatione S. Mauri. Nova editio cui accessere Mabilonii vita & aliquot opuscula, scilicet „Dissertatio de Pane Eucharistico, Azymo et Fermentato", ad Eminentiss. Cardinalem Bona. Subjungitur opusculum Eldefonsi Hispaniensis Episcopi de eodem argumento et Eusebii Romani ad Theophilum Gallum epistola, „De cultu sanctorum ignotorum", Parisiis, apud Levesque, ad fontem S. Michaelis, MDCCXXI, cum privilegio Regis*.

Zaraz odnalazłem w bibliotece Sainte Geneviève *Vetera analecta*, ale ku mojemu zdumieniu okazało się, że nie zgadzają się dwa szczegóły: po pierwsze, wydawcą był Montalant, ad Ripam P.P. Augustinianorum (prope Pontem S. Michaelis), a po drugie, dzieło nosiło datę o dwa lata późniejszą. Nie muszę mówić, że owe *analecta* nie zawierały żadnego manuskryptu pióra Adsa czy też Adsona z Melku i że chodziło tu, jak każdy może stwierdzić, o zbiór tekstów niewielkiej lub średniej objętości, podczas gdy opowieść przedstawiona przez Valleta ciągnie się przez kilkaset stron. Skonsultowałem się wtedy ze znakomitymi mediewistami, jak drogi mi i niezapomniany Étienne Gilson, ale było rzeczą oczywistą, że jedynymi *Vetera analecta* były te, które widziałem w Sainte Geneviève. Wypad do Abbaye de la Source, klasztoru, który wznosi się w okolicy Pasawy, i rozmowa z przyjacielem, domem Arne Lahnestedtem, przekonały mnie, że również żaden ksiądz Vallet nie drukował książek na prasach (zresztą nieistniejących) opactwa. Znana jest niedbałość, z jaką francuscy uczeni podają informacje bibliograficzne, ale ten przypa-

---

* Dawny zbiór albo wybór kilku starych dzieł i dziełek różnorakich, pieśni, listów, dokumentów i wraz z *Podróżą po Germanii* opatrzonych uwagami kilkoma przez ojca wielebnego pana Jana Mabillona, kapłana i mnicha zakonu Świętego Benedykta ze Zgromadzenia Świętego Maura. Nowe wydanie, rozszerzone o żywot i dziełek kilka Mabillona, a mianowicie o rozprawę *O Chlebie Eucharystycznym, Przaśnym i Na Zakwasie* dla jego eminencji kardynała Bona. Zostało dołączone także dziełko biskupa Ildefonsa Hiszpana na tenże sam temat oraz list Euzebiusza Rzymianina do Teofila Gala *O kulcie nieznanych świętych*. W Paryżu, ulica Levesque, przy moście Świętego Michała, 1721, wedle królewskiego przywileju (łac.).

dek przekraczał wszelkie rozsądne granice pesymizmu. Zacząłem przypuszczać, że mam w rękach falsyfikat. Nawet książka Valleta była stracona (a w każdym razie nie śmiałem zwrócić się z żądaniem zwrotu do osoby, która ją zabrała). Zostały więc jedynie moje notatki, ale i w nie jąłem w końcu powątpiewać.

Bywają takie magiczne momenty wielkiego znużenia i intensywnego pobudzenia motorycznego, kiedy pojawiają się wizje osób znanych w przeszłości (*en me retraçant ces détails, j'en suis à me demander s'ils sont réels, ou bien si je les ai rêvés*). Jak dowiedziałem się później z pięknej książeczki księdza Bucquoy, zdarzają się również wizje książek, które nie zostały jeszcze napisane.

Do dziś zadawałbym sobie pytanie, skąd wzięła się opowieść Adsa z Melku, gdyby nie pewne późniejsze wydarzenie. Otóż w 1970 roku w Buenos Aires, szperając po półkach małego antykwariatu przy Corrientes, nieopodal bardziej znanego Patio del Tango przy tej samej ulicy, natrafiłem na kastylijską wersję książeczki Mila Temesvara *O wykorzystaniu przykładów przy grze w szachy*, którą miałem już okazję cytować (z drugiej ręki) w mojej książce *Apocalittici e integrati* przy okazji omawiania jego późniejszej pracy, *Sprzedawcy Apokalipsy* – chodziło o przekład nieosiągalnego obecnie oryginału w języku gruzińskim (Tbilisi 1934) – i tam właśnie, ku wielkiemu zdumieniu, znalazłem obszerne cytaty z manuskryptu Adsa, aczkolwiek źródłem nie byli tu ani Vallet, ani Mabillon, lecz ojciec Athanasius Kircher (ale jakie dzieło?). Pewien uczony – którego nazwiska nie ma potrzeby tutaj przytaczać – zapewnił mnie później (cytując dane z pamięci), że wielki jezuita nigdy nie wymienił żadnego Adsa z Melku. Ale miałem przed oczyma stronice Temesvara, a epizody, na które się powoływał, były bardzo podobne do tych z manuskryptu przetłumaczonego przez Valleta (w szczególności opis labiryntu nie pozostawiał miejsca na żadne wątpliwości). Bez względu na to, co napisać miał później na ten temat Beniamino Placido*, ksiądz Vallet istniał naprawdę i tak samo niewątpliwie istniał Adso z Melku.

Wyciągnąłem stąd wniosek, że wspomnienia Adsa najpewniej trafnie przedstawiają wydarzenia: przesłonięte wieloma niejasnościami i tajemnicami, począwszy od postaci samego autora, a kończąc na lokalizacji opactwa, którą Adso starannie przemilcza, tak że przypuszczenia pozwalają wskazać jedynie z grubsza zakreślony obszar między opactwami Pomposa a Conques, przy czym można z rozsądnym prawdopodobieństwem przyjąć, że miejsce to znajduje się gdzieś

---

* „La Repubblica", 22 września 1977 (przyp. aut.).

na szlaku wzdłuż grzbietu Apeninów, między Piemontem, Ligurią a Francją (to jakby powiedzieć: między Lerici a La Turbie). Jeśli zaś chodzi o okres, w którym rozgrywają się wydarzenia, jest to koniec listopada 1327 roku; nie wiadomo natomiast, kiedy autor pisał swoje dzieło. Wziąwszy pod uwagę fakt, że, jak sam powiada, w roku 1327 był nowicjuszem, a kiedy spisuje wspomnienia, jest już bliski śmierci, możemy przypuścić, iż manuskrypt powstał w ostatnim dziesięcioleciu lub dwudziestoleciu XIV wieku.

Właściwie niewiele przemawia za publikowaniem włoskiego przekładu z neogotyckiej wersji francuskiej, sporządzonej na podstawie siedemnastowiecznego łacińskiego wydania – dzieła, które napisane zostało po łacinie przez niemieckiego mnicha pod koniec XIV wieku.

Przede wszystkim, jaki styl obrać? Pokusę sięgnięcia do ówczesnych wzorów włoskich odepchnąłem jako całkowicie nieuzasadnioną: nie tylko dlatego, że Adso pisał po łacinie, ale i dlatego, że z całego toku tekstu widać jasno, iż jego kultura (lub kultura opactwa, która w niewątpliwy sposób nań wpływa) nosi znacznie wyraźniejsze piętno minionych czasów; chodzi tu z pewnością o wielowiekową sumę wiedzy i nawyków stylistycznych związanych z tradycją wczesnośredniowiecznej łaciny. Adso myśli i pisze jak mnich nieczuły na awans języka ludowego, przywiązany do stronic zadomowionych w bibliotece, o której opowiada, ukształtowany na tekstach patrystycznych i scholastycznych, a jego opowieść (gdyby pominąć powoływanie się na wydarzenia z XIV wieku, opisane jednak z tysiącznymi zastrzeżeniami i zawsze jako rzeczy zasłyszane) mogłaby powstać, zważywszy na język i naukowe cytaty, w XII lub XIII wieku.

Z drugiej strony nie ulega wątpliwości, że przekładając na swój dziewiętnastowieczny francuski łacinę Adsa, Vallet pozwolił sobie na liczne licencje, i to nie tylko stylistyczne. Na przykład bohaterowie opowieści, wspominając co jakiś czas o zaletach tego czy innego zioła, powołują się wyraźnie na przypisywaną Albertowi Wielkiemu księgę tajemnic, która w ciągu wieków podlegała niezliczonym przeróbkom. Adso z całą pewnością to dzieło zna, ale pozostaje faktem, że cytuje z niego ustępy, które zbyt dosłownie pobrzmiewają bądź przepisami Paracelsusa, bądź wstawkami pochodzącymi bezsprzecznie z epoki Tudorów*. Z drugiej strony sprawdziłem później, że

---

* *Liber aggregationis seu liber secretorum Alberti Magni*, Londinium, juxta pontem qui vulgariter dicitur Flete brigge, MCCCCLXXXV (przyp. aut.).

8

w czasach gdy Vallet przepisywał (?) manuskrypt Adsa, w Paryżu krążyły osiemnastowieczne wydania *Grand i Petit Albert**, wówczas już nieodwracalnie skażone. Skąd jednakże wziąć pewność, że teksty przytaczane przez Adsa lub przez mnichów, których słowa Adso notuje, nie zawierały wśród rozmaitych glos, przypisów i uzupełnień również adnotacji wykorzystanych w późniejszym okresie jako pożywka dla rozwoju kultury?

Wreszcie zachowałem w brzmieniu łacińskim te ustępy, których ksiądz Vallet nie uznał za stosowne tłumaczyć, może chcąc zachować ducha czasów. Nie mam na to żadnego ścisłego uzasadnienia poza poczuciem, być może niewłaściwym, wierności dla mojego źródła... Usunąłem nadmiar, coś niecoś jednak zostawiając. I boję się, że postąpiłem jak marni powieściopisarze, którzy wprowadzając na scenę bohatera Francuza, każą mu mówić: *Parbleu!* i *La femme, ah! la femme!*

I oto w rezultacie jestem pełen wątpliwości. Właściwie nie wiem, czemu postanowiłem zebrać się na odwagę i przedstawić tekst tak, jakby to był autentyczny manuskrypt Adsa z Melku. Powiedzmy: gest człowieka zakochanego. Albo, jeśli ktoś woli, sposób uwolnienia się od licznych zastarzałych obsesji.

Przepisuję, nie troszcząc się o aktualność. W owych czasach, kiedy odkryłem tekst księdza Valleta, panowało obiegowe przekonanie, że pisać należy jedynie, mając na uwadze teraźniejszość i z zamysłem odmienienia świata. Teraz, po co najmniej dziesięciu latach, jest rzeczą pocieszającą dla człowieka pióra (a więc kogoś, komu przywrócono jego wysoką godność), że można pisać z czystej miłości do pisania. Tak więc wiem, że mam prawo opowiedzieć dla prostej przyjemności opowiadania historię Adsa z Melku, a otuchę i pociechę czerpię z tego, iż jest ona tak bardzo odległa w czasie (teraz, kiedy rozbudzony rozum przegnał wszystkie potwory zrodzone podczas jego snu), tak chwalebnie pozbawiona wszelkich związków ze współczesnością, tak ponadczasowo obca naszym nadziejom i naszym pewnikom.

Ponieważ jest to historia ksiąg, nie zaś codziennych strapień, jej lektura może skłonić nas do powtórzenia za wielkim naśladowcą

---

* *Les admirables secrets d'Albert le Grand*, à Lyon, chez les Héritiers Beringos, Fratres, a l'Enseigne d'Agrippa, MDCCLXXV; *Secrets merveilleux de la Magie Naturelle et Cabalistique du Petit Albert*, à Lyon, ibidem, MDCCXXLX (przyp. aut).

z Kempis: *In omnibus requiem quaesivi, et nusquam inveni nisi in angulo cum libro**.

5 stycznia 1980

Nota

Manuskrypt Adsa podzielony jest na siedem dni, każdy dzień zaś na okresy odpowiadające godzinom liturgicznym. Podtytuły w trzeciej osobie dodane zostały prawdopodobnie przez Valleta. Ponieważ jednak ułatwiają czytelnikowi orientację, a zwyczaj ten nie jest obcy ówczesnej literaturze pisanej w języku ludowym, uznałem, że lepiej ich nie usuwać.

W niejakie zakłopotanie wprawiło mnie to, że Adso powołuje się na godziny kanoniczne – ich podział nie tylko zmienia się zależnie od miejsca i pory roku, ale według wszelkiego prawdopodobieństwa w XIV wieku nie przestrzegano z całkowitą ścisłością wskazań ustalonych w regule przez świętego Benedykta.

Jednakże wydaje mi się, że aby zorientować z grubsza czytelnika, można – częściowo wnioskując na podstawie tekstu, a częściowo dokonując konfrontacji pierwotnej reguły z opisem życia zakonnego, podanym przez Edouarda Schneidera w *Les heures bénédictines* (Grasset, Paris 1925) – trzymać się następującej oceny:

jutrznia	(którą czasem Adso określa dawnym terminem *vigiliae*) od 2.30 do 3 w nocy;
lauda	(która w starszej tradycji zwie się matutina) od 5 do 6 rano, tak by kończyła się, kiedy zaczyna dnieć;
pryma	około 7.30, tuż przed zorzą poranną;
tercja	około 9;
seksta	południe (w klasztorze, w którym mnisi nie pracowali w polu, oraz zimą była to także pora posiłku);
nona	między 2 a 3 po południu;
nieszpór	od mniej więcej 4.30 do zmierzchu (reguła nakazuje wieczerzać przed zapadnięciem ciemności);
kompleta	około 6 (mniej więcej o 7 mnisi kładą się spać).

Rachunek opiera się na tym, że w północnych Włoszech pod koniec listopada słońce wstaje około 7.30, a zachodzi około 4.40 po południu.

Prolog

Na początku było Słowo, a Słowo było u Boga, i Bogiem było Słowo. Było ono na początku u Boga i powinnością bogobojnego mnicha jest powtarzać dzień po dniu, jednostajnie i z pokorą, ów jedyny i niezmienny fakt, z którego dobyć można niezbitą prawdę. Ale *videmus nunc per speculum et in aenigmate**, a prawda, nim staniemy z nią twarzą w twarz, wprzód pokazuje się nam po kawałeczku (jakże nieczytelnym) w błędach tego świata, winniśmy zatem odczytywać z mozołem jej wierne znaki również tam, gdzie jawią się nam jako niejasne i prawie podsunięte przez wolę, bez reszty oddaną złu.

Zbliżając się do kresu grzesznego żywota, posiwiały ze starości, wypatrując już chwili, kiedy zagubię się w niezmierzonej Boskiej otchłani, milczącej i pustej, bym miał udział w blasku anielskiej mądrości, przykuty ociężałym i chorym ciałem do celi klasztoru w Melku, tak drogiego memu sercu, biorę do ręki pióro, by na tym welinie pozostawić świadectwo cudownych i straszliwych wydarzeń, w których w mej młodości uczestniczyłem, powtarzając *verbatim** wszystko, co widziałem i słyszałem, nie ważąc się na to, żeby dobyć na światło dnia jakiś zamysł, lecz pozostawiając tym, co nadejdą (jeśli nie uprzedzi ich Antychryst), znaki znaków, ażeby ich odczytywanie stało się modlitwą.

Z łaski Pana Naszego byłem, przezroczysty jak szyba, świadkiem wydarzeń, jakie miały miejsce w opactwie, którego nazwę nawet stosownie i pobożnie jest zamilczeć, pod koniec Roku Pańskiego 1327, kiedy to cesarz Ludwik ruszył do Italii, by przywrócić godność Świętemu Cesarstwu Rzymskiemu, czyniąc podług zamiarów Najwyższego i ku zawstydzeniu niesławnego przywłaszczyciela, świętokupcy i heretyka, co w Awinionie hańbi święte imię apostoła (mówię o grzesznej duszy Jakuba z Cahors, którego ludzie bezbożni czczą jako Jana XXII).

Może byłoby rzeczą słuszną, bym dla lepszego przedstawienia wydarzeń, w które zostałem wplątany, przypomniał bieg spraw w ciągu tego skrawka wieku, tak jak pojmowałem je wówczas, prze-

---

* Widzimy teraz w odbiciu lustrzanym i w zagadce (łac.).
* Dosłownie, słowo w słowo (łac.).

żywając, i tak jak przypominam sobie teraz, wzbogacony o inne później zasłyszane opowieści – jeśli tylko zdołam z powrotem nanizać na sznur pamięci tak wiele niejasnych wydarzeń.

Już w pierwszych latach naszego wieku papież Klemens V przeniósł siedzibę apostolską do Awinionu, pozostawiając Rzym na pastwę ambicji tamtejszych panów: i oto powoli święte miasto chrześcijaństwa, szarpane walkami między możnymi, przemieniło się w cyrk lub lupanar; nazwało siebie republiką, lecz nią nie było, podbiły ją bowiem zbrojne gromady, ulegało przemocy i grabieży. Księża, wolni od jurysdykcji świeckiej, dowodzili grupami buntowników i z mieczem w dłoni dokonywali rabunków, nadużyć, prowadzili nikczemne handle. Jak sprawić, by *Caput Mundi** stało się na nowo, i słusznie, celem każdego, kto chce włożyć na skronie koronę Świętego Cesarstwa Rzymskiego, i jak przywrócić godność temu doczesnemu dominium, które było już niegdyś dominium cesarzy?

Zdarzyło się oto, że w roku 1314 pięcioro niemieckich książąt wybrało we Frankfurcie Ludwika Bawarskiego na najwyższego rządcę cesarstwa. Lecz tego samego dnia na przeciwległym brzegu Menu książę palatyn Renu i arcybiskup Kolonii podnieśli do tej samej godności Fryderyka Austriackiego. Dwaj cesarze na jednym tronie i jeden papież na dwóch tronach – oto sytuacja, która stała się źródłem nie lada zamieszania...

Dwa lata później wybrany został w Awinionie nowy papież, Jakub z Cahors, siedemdziesięciodwuletni starzec, który przyjął imię właśnie Jana XXII, i oby niebo sprawiło, by żaden już najwyższy kapłan nie przyjął imienia tak odtąd znienawidzonego przez ludzi poczciwych. Francuz i oddany królowi Francji (ludzie z tego padołu zepsucia zawsze mają skłonność do sprzyjania interesom ziomków i niezdolni są patrzeć na cały świat jako na swą duchową ojczyznę), popierał Filipa Pięknego przeciw templariuszom, których król oskarżył (jak sądzę, niesłusznie) o haniebne występki, by zagarnąć ich dobra, za wspólnika mając tego kapłana zaprzańca. W tym samym czasie w tok wydarzeń wmieszał się Robert z Neapolu, który pragnąc utrzymać kontrolę na italskim półwyspie, przekonał papieża, by ten nie uznał żadnego z dwóch cesarzy niemieckich, i tym sposobem został kondotierem całego Państwa Kościelnego.

W 1322 roku Ludwik Bawarski pokonał swojego rywala, Fryderyka. Bardziej jeszcze lękając się jednego cesarza niźli uprzednio dwóch, Jan ekskomunikował zwycięzcę, a ten w odwecie oznajmił,

---

* Stolica Świata (łac.).

że papież jest heretykiem. Trzeba tu wspomnieć, że właśnie w owym roku odbyła się w Perugii kapituła braci franciszkańskich, a ich generał, Michał z Ceseny, ulegając naciskom „duchowników" (będę miał jeszcze sposobność o nich opowiedzieć), ogłosił jako prawdę wiary ubóstwo Chrystusa, który jeśli nawet posiadał rzecz jaką wespół z apostołami, to tylko w formie *usus facti**. Ten szlachetny aksjomat miał ocalić cnotę i czystość zakonu, ale nie przypadł zanadto do smaku papieżowi, albowiem być może dostrzegł w nim zasadę niebezpieczną dla tych roszczeń, które on sam jako głowa Kościoła wysuwał, zmierzając do odebrania cesarstwu przywileju wybierania biskupów, natomiast świętemu tronowi przypisując prawo do koronacji cesarza. Z tych czy innych jeszcze powodów Jan XXII dekretem *Cum inter nonnullos* potępił w 1323 roku twierdzenia franciszkanów.

W tym właśnie momencie, jak sądzę, Ludwik dostrzegł we franciszkanach, teraz przeciwnikach papieża, potężnych sprzymierzeńców. Trwając przy tezie o ubóstwie Chrystusa, w pewien sposób wspierali idee teologów cesarskich, to jest Marsyliusza z Padwy i Jana z Jandun. A wreszcie, na niewiele miesięcy przed opowiedzianymi przeze mnie wydarzeniami, Ludwik, osiągnąwszy ugodę z pokonanym Fryderykiem, ruszył do Italii, został ukoronowany w Mediolanie, poróżnił się z Viscontimi, którzy przyjęli go wszak przychylnie, zaczął oblegać Pizę, mianował swoim namiestnikiem Castruccia, księcia Lukki i Pistoi (i, wydaje mi się, źle uczynił, gdyż nie spotkałem nigdy człowieka okrutniejszego, chyba że Uguccione delia Faggiola), a następnie gotował się do wyruszenia na Rzym, wezwał go bowiem Sciarra Colonna, władający tym miastem.

Oto jak przedstawiały się sprawy, kiedy ja – nowicjusz benedyktyński w klasztorze w Melku – oderwany zostałem od pełnych spokoju krużganków klasztornych przez mego ojca, który walczył w świcie Ludwika jako nie najpośledniejszy z jego baronów i który uznał za rzecz mądrą zabrać mnie ze sobą, bym zobaczył cudowności Italii i był w Rzymie przy koronacji cesarza. Lecz oblężenie Pizy spowodowało, że zaprzątały go troski wojskowe. Skorzystałem z tego, by, trochę z lenistwa, a trochę z pragnienia zdobycia wiedzy, podjąć wędrówkę po miastach Toskanii, lecz moi rodzice uznali, że to życie swobodne i nieograniczone żadnymi regułami nie przystoi młodzieńcowi, którego przeznaczeniem jest kontemplacja. Idąc więc za radą życzliwego mi Marsyliusza, postanowiłem zająć miejsce u boku

---

* Rzeczywistego używania (łac.).

17

uczonego franciszkanina, brata Wilhelma z Baskerville, który właśnie miał podjąć posłowanie i dotrzeć do sławnych miast i starych opactw. I tak oto stałem się jego sekretarzem i dyscypułem, a nie żałuję tego, gdyż byłem przy nim świadkiem wydarzeń godnych powierzenia, jak to w tej chwili czynię, pamięci tych, którzy przyjdą po mojej śmierci.

Nie wiedziałem wtedy, czego brat Wilhelm szuka, i prawdę mówiąc, nie wiem tego po dziś dzień, a przypuszczam też, że i on tego nie wiedział, kierowało nim bowiem jedynie pragnienie prawdy i podejrzenie – jakie zawsze w moim przekonaniu żywił – iż prawdą nie jest to, co ukazuje nam się w chwili teraźniejszej. I być może w owych latach powinności doczesne oderwały go od umiłowanych studiów. Jego misja pozostała mi nieznana przez cały czas podróży, a on też o niej nie mówił. Już raczej dzięki urywkom rozmów, jakie prowadził z opatami klasztorów, w których zatrzymywaliśmy się po drodze, wyrobiłem sobie niejasny pogląd na naturę jego zadania. Lecz zrozumiałem je w pełni dopiero, kiedy osiągnęliśmy nasz cel, jak to opowiem dalej. Kierowaliśmy się na północ, lecz nasza podróż nie przebiegała po linii prostej, a my zatrzymywaliśmy się w rozmaitych opactwach. Bywało więc, że chociaż nasz ostateczny cel był na wschodzie, zbaczaliśmy ku zachodowi, wędrując mniej więcej wzdłuż linii górskiej prowadzącej z Pizy w stronę dróg do Świętego Jakuba. Zatrzymywaliśmy się na krótko to tu, to tam, w okolicach, których nie chcę dokładniej określać, albowiem odradzają mi to straszliwe wypadki, jakie później się tam rozegrały. Władcy tych ziem byli jednak wierni cesarstwu, tamtejsi zaś opaci naszego zakonu jak jeden mąż stanęli przeciw heretyckiemu i przekupnemu papieżowi. Urozmaicona podróż trwała trzy tygodnie i w tym czasie miałem sposobność poznać (nigdy nie dość, jak ciągle się przekonuję) mojego nowego mistrza.

Na dalszych stronicach nie będę folgował chęci opisywania osób – chyba że wyraz czyjejś twarzy albo jakiś gest objawią się jako znaki języka niemego, lecz wymownego – albowiem, jak powiada Boecjusz, nie ma rzeczy ulotniejszej niż kształt zewnętrzny, który więdnie i zmienia się niby kwiat polny, kiedy przychodzi jesień, i po cóż mówić dzisiaj o tym, że opat Abbon miał oko surowe, a policzki blade, skoro i on, i ci, co go otaczali, obrócili się w proch i od prochu ich ciała przejęły śmiertelną szarość (tylko dusza, oby Bóg tak zechciał, jaśnieje światłem, które już nigdy nie zgaśnie)? Ale o Wilhelmie chcę opowiedzieć, i to tylko w tym miejscu, gdyż uderzyły mnie jego osobliwe rysy, i jest rzeczą właściwą, że młodzieńcy przywiązują się do jakiegoś mężczyzny starszego i mędrszego nie tylko wskutek oczarowania słowami, jakie ów wypowiada, i bystrością umysłu, ale również powierzchownym kształtem cielesnym, staje się on bowiem im drogi niczym postać ojca, którego gesty i wybuchy gniewu studiuje się, na którego uśmiech się czyha – choć żaden cień pożądliwości nie bruka tej odmiany (może jedynej czystej) cielesnego miłowania.

Dawniejsi ludzie byli wysocy i piękni (teraz są tylko dziećmi i karłami), ale ten fakt jest jednym z wielu świadczących o nieszczęściu świata, który się starzeje. Młodość nie pragnie już wiedzy, nauka upada, cały świat staje na głowie, ślepcy prowadzą ślepców i rzucają ich w przepaści, ptaki podrywają się z gniazd, zanim zaczną fruwać, osioł gra na lirze, woły tańczą. Maria nie miłuje już życia kontemplacyjnego, a Marta życia czynnego, Lea jest bezpłodna, Rachel ma spojrzenie pożądliwe, Katon uczęszcza do lupanarów, Lukrecjusz staje się kobietą. Wszystko zeszło ze swojej drogi. Dzięki niech będą Bogu, że w owym czasie zyskałem od mojego mistrza pragnienie uczenia się i to poczucie prostej drogi, którego nie traci się nawet, kiedy ścieżka staje się kręta.

Tak więc wygląd zewnętrzny brata Wilhelma przyciągał uwagę nawet najbardziej roztargnionego obserwatora. Postawą górował nad zwykłymi ludźmi, a był tak chudy, że zdawał się jeszcze wyższy. Spojrzenie miał bystre i przenikliwe; ostry i odrobinę zadarty nos dawał jego obliczu wyraz cechujący człowieka czujnego, poza chwilami odrętwienia, o których jeszcze powiem. Podbródek świadczył o niewzruszonej woli, chociaż jednocześnie twarz wydłużona i pokryta piegami – jakie często widziałem u ludzi urodzonych między Hibernią a Nortumbrią – mogła czasem wyrażać niepewność i zakłopotanie. Z czasem zdałem sobie sprawę, że to, co brałem za brak pewności, było tylko zaciekawieniem, ale na początku niewiele wiedziałem o tej cnocie, którą miałem raczej za namiętność duszy pożądliwej, albowiem dusza roztropna winna, sądziłem, ją odrzucać, karmiąc się jedynie prawdą (tak myślałem) znaną z góry.

Pacholęciu, którym wówczas byłem, od razu rzuciły się w oczy kępy żółtawych włosów wyrastających mu z uszu, a też krzaczaste i jasne brwi. Miał już z pięćdziesiąt wiosen, był więc bardzo stary, ale jego nieznające znużenia ciało poruszało się z żywością, jakiej mnie często brakowało. W chwilach czynnych wydawało się, że ma niewyczerpane zasoby sił. Ale od czasu do czasu jego duch życia zaszywał się gdzieś niby rak, mojego mistrza opanowywała apatia i widziałem, jak godzinami tkwił w celi, z nieruchomą twarzą, nie wstając z posłania, ledwie wypowiadając jakieś monosylaby. W takich chwilach jego oczy wyrażały pustkę i nieobecność; mógłbym podejrzewać, że jest pod działaniem jakiejś roślinnej substancji sprowadzającej wizje, gdyby oczywisty umiar, który rządził jego życiem, nie skłonił mnie do odrzucenia tej myśli. Nie kryję jednak, że w czasie podróży zatrzymywał się czasem na skraju łąki lub lasu, by zerwać jakieś ziele (mniemam, zawsze to samo), i zaczynał je żuć w skupieniu. Trochę ziela miał zawsze przy sobie i spożywał w momentach największego napięcia (a nie brakowało takich podczas naszego pobytu w opactwie!). Kiedy razu pewnego zapytałem, co to jest, odparł z uśmiechem, że dobry chrześcijanin może czasem nauczyć się czegoś od niewiernych; a kiedy prosiłem, by dał mi spróbować, odrzekł, iż podobnie jak to jest z mowami, które są *paidikoi*, *ephebikoi*, *gynaikeioi** i tak dalej, tak i z ziołami, bywają bowiem takie, co są dobre dla starego franciszkanina, ale nieodpowiednie dla młodego benedyktyna.

W tym czasie, kiedy przebywaliśmy razem, nie mogliśmy prowadzić zbyt uporządkowanego życia; również w opactwie czuwaliśmy nocami i padaliśmy na łoże w dzień, tak że nie zawsze uczestniczyliśmy w świętych obrządkach. Jednak w trakcie podróży rzadko czuwał po komplecie, a obyczaje miał nader wstrzemięźliwe. Kilka razy, jak zdarzyło się to w opactwie, cały dzień spędzał na krążeniu po warzywniku, przyglądając się roślinom, jakby były to chryzoprazy lub szmaragdy, a znowu widziałem, jak spacerował po krypcie skarbca, tak patrząc na kufer wysadzany szmaragdami i chryzoprazami, jakby to był krzak bielunia. Kiedy indziej przez cały dzień nie ruszał się z wielkiej sali biblioteki, przeglądając manuskrypty, jakby szukał w tym zajęciu jedynie swojej przyjemności (podczas gdy dokoła nas było coraz więcej trupów zabitych w straszny sposób mnichów). Pewnego dnia zastałem go w ogrodzie, kiedy przechadzał się bez żadnego widocznego celu, jakby nie musiał zdawać przed Bogiem rachunku ze swoich poczynań. W klasztorze nauczono mnie zupełnie innego rozkładu czasu i powiedziałem mu to. A on odparł, że piękno kosmiczne dane jest nie tylko przez jedność w rozmaitości, ale także przez rozmaitość w jedności.

Te słowa mogła podszepnąć, jak mi się zdawało, tylko prostacka empiria, ale potem dowiedziałem się, że ludzie z jego kraju często określają rzeczy w sposób, w którym oświecająca siła rozumu ma niewielki jeno udział.

---

* Przeznaczone dla dzieci, młodzieńców i kobiet (gr.).

W opactwie zawsze widziałem go z dłońmi pokrytymi pyłem ksiąg, złotem niewyschniętych jeszcze miniatur, żółtawymi substancjami, których dotykał w szpitalu Seweryna. Miało się wrażenie, że myśleć potrafi wyłącznie rękami, co wówczas wydawało mi się rzeczą bardziej godną kogoś, kto zajmuje się machinami (a nauczono mnie, że taki ktoś to *moechus**, że popełnia czyn wiarołomny wobec życia umysłowego, z którym winien być złączony przez czyste zaślubiny); ale również kiedy jego dłonie ujmowały rzeczy niezmiernie delikatne, jak niektóre kodeksy ze świeżymi jeszcze miniaturami lub stronice zbutwiałe ze starości i kruche niby maca, ich dotknięcie było nadzwyczaj subtelne, zupełnie jak wtedy, gdy dotykał swych machin. Muszę bowiem powiedzieć, że ten człek osobliwy miał w torbie podróżnej instrumenty, których nigdy przedtem nie widziałem i o których on sam mówił jako o cudownych maszynach. Machiny, powiadał, są dziełem sztuk, które małpują naturę, naśladując nie jej formę, lecz czynności. Wyjaśniał mi w ten sposób cud zegara, astrolabium i magnesu. Ale na początku bałem się czarów i udawałem, że śpię, kiedy on w pewne pogodne noce brał się (z dziwacznym trójkątem w dłoni) do obserwowania gwiazd. Franciszkanie, których poznałem w Italii i w moim kraju, byli ludźmi prostymi, często nieumiejącymi czytać ni pisać, i dziwowałem się jego wiedzy. Ale odparł, że franciszkanie z jego wysp są z innej gliny ulepieni: „Roger Bacon, którego czczę jako mistrza, nauczał nas, że Boski plan wskaże pewnego dnia wiedzę o machinach, które są magią naturalną i świętą. I będzie tak, że siły przyrody pozwolą zrobić machiny do pływania, by okręty poruszały się tylko *homine regente** i znacznie szybciej niż te pchane wiatrem lub wiosłami; i będą wozy *ut sine animali moveantur cum impetu inaestimabili, et instrumenta volandi et homo sedens in medio instrumentis revolvens aliquod ingenium per quod alae artificialiter compositae aerem verberent, ad modum avis volantis**. I maleńkie narzędzia, które podnosić będą nieskończenie wielkie ciężary, i wozy, którymi jeździć będzie można po dnie morza". Kiedy spytałem, gdzie są te machiny, odparł, że były już zrobione w starożytności, a niektóre nawet w naszych czasach, „poza instru-

---

* Cudzołożnik (łac.).
* Gdy kierował nimi człowiek (łac.).
* Bez zwierzęcia się poruszały w niedającym się zmierzyć pędzie i instrumenta do latania przeznaczone, i człowiek wewnątrz nich siedzący, posiadający umiejętność pewną, dzięki której skrzydła sztuką rzemiosła zbudowane przecinają powietrze na podobieństwo lecącego ptaka (łac.).

mentem do latania, takowego nie widziałem bowiem ani nie wiem o nikim, kto by widział, ale znam uczonego, który go obmyślił. I można robić mosty, które przekraczają rzeki bez żadnych filarów i podpór, i inne nadzwyczajne machiny. Lecz nie powinieneś martwić się, jeśli dotychczas ich nie ma, bo to nie znaczy, że ich nie będzie. A ja ci mówię, że Bóg chce, by były, i z pewnością, nawet jeśli mój przyjaciel Ockham zaprzecza temu, by idee istniały w ten sposób, są one już w Jego umyśle, i nie dlatego, że możemy decydować o Boskiej naturze, lecz właśnie dlatego, że nie możemy wytyczać jej żadnych granic". Nie było to jedyne zdanie sprzeczne, jakie usłyszałem z jego ust, ale nawet teraz, kiedy jestem stary i mędrszy niż wówczas, nie rozumiem do końca, w jaki sposób mógł takim zaufaniem darzyć swojego przyjaciela Ockhama i przysięgać jednocześnie na słowa Bacona, jak to zazwyczaj czynił. To jednak prawda, że żyjemy w mrocznych czasach, skoro człek mądry musi snuć myśli, które są między sobą sprzeczne.

Tak oto powiedziałem o bracie Wilhelmie rzeczy, być może, nie do końca dorzeczne, prawie jakbym raz jeszcze ulegał tym nieuporządkowanym wrażeniom, jakich wówczas, przebywając u jego boku, doznawałem. Kim był i czego dokonał, może lepiej zdołasz, mój dobry czytelniku, wywnioskować z tego, co czynił w ciągu dni spędzonych w opactwie. Nie obiecałem, że przedstawię ci skończony obraz, mogę jedynie przedstawić spis faktów (to, owszem) cudownych i strasznych.

A więc poznając dzień po dniu mojego mistrza i spędzając godziny podróży na długich pogawędkach, o których opowiadał będę stopniowo w miarę potrzeby, dotarliśmy do podnóża góry, dźwigającej na wierzchołku opactwo. I nadeszła pora, by moja opowieść zbliżyła się do niego, podobnie jak wtedy zbliżaliśmy się my dwaj, i oby ręka mi nie zadrżała, kiedy przystąpię do spisywania tego, co się potem wydarzyło.

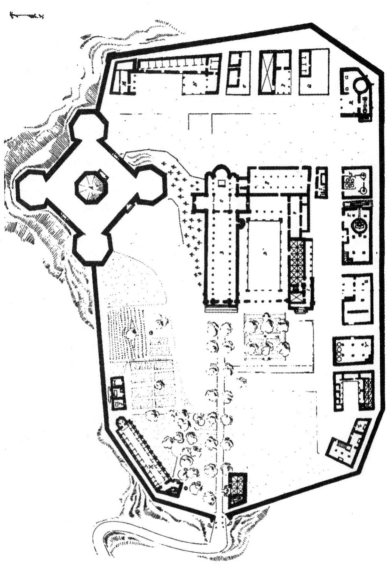

Opactwo

K Szpital
J Łaźnie
A Gmach
B Kościół
D Krużganki

F Dormitorium
H Sala kapituły
M Obory
N Stajnie
R Kuźnia

Dzień pierwszy

Dzień pierwszy

Pryma

*Kiedy to docieramy do stóp opactwa i Wilhelm daje
dowód wielkiej przenikliwości*

Był piękny poranek pod koniec listopada. W nocy napadało trochę śniegu, ale świeży welon okrywający ziemię był nie grubszy niż na trzy palce. Tuż po laudzie wysłuchaliśmy po ciemku mszy w wiosce leżącej w dolinie. Potem, o wschodzie słońca, ruszyliśmy w stronę gór.

Kiedy pięliśmy się urwistą ścieżką, która wiła się wokół góry, zobaczyłem opactwo. Nie zadziwiły mnie mury, które opasywały je ze wszystkich stron, gdyż podobne widziałem w całym chrześcijańskim świecie, ale zdumienie wzbudziła bryła tego, co, jak się później dowiedziałem, nazywano Gmachem. Była to ośmiokątna, wyglądająca z oddalenia jak czworokąt (figura doskonała, wyrażająca trwałość i niedostępność państwa Boga), budowla, której ściany południowe wznosiły się na klasztornym płaskowyżu, podczas gdy północne zdawały się wyrastać pionowo z samego podnóża góry. Patrząc z dołu, miało się wrażenie, że w niektórych miejscach skała sięga w kierunku nieba bez rozdziału barw i materii i dopiero stopniowo ukazuje się jako donżon i baszta (dzieło gigantów, którzy żyli za pan brat i z ziemią, i z niebem). Trzy rzędy okien wyrażały potrójny rytm górnej partii budowli, a w ten sposób to, co było w pojęciu fizycznym kwadratem na ziemi, duchowo stawało się trójkątne w niebie. Kiedy się przybliżaliśmy, widać było, że czworokątna forma wytworzyła na każdym rogu siedmiokątną basztę o pięciu ścianach wychodzących na zewnątrz – tak więc czterem z ośmiu boków wielkiego ośmiokąta odpowiadały cztery małe siedmiokąty, które na zewnątrz prezentowały się jako pięciokąty. I nie ma człowieka, który nie dostrzegłby zadziwiającej zgodności tylu świętych liczb, ujawniających subtelny sens duchowy. Osiem to liczba doskonałości każdego czworokąta, cztery to liczba Ewangelii, pięć – liczba stref świata, siedem – liczba darów Ducha Świętego. Bryła i kształt Gmachu jawiły mi się tak samo, jak później na południu italskiego półwyspu Castel Ursino i Castel del Monte, ale niedostępne położenie sprawiało, że Gmach był straszliwszy i mógł wzbudzać lęk u podróżnego, który zbliżał się stopniowo. Na szczęście wskutek tego, że ten zimowy poranek był niezwykle przejrzysty, na budowlę patrzyłem innymi oczami, niż patrzyłbym w czasie burzy. Nie mogę jednak powiedzieć, by budziła uczucia przyjemne. Odczułem lęk i subtelny niepokój. Bóg wie, że nie były to zjawy mojej niedojrzałej duszy i że właściwie objaśniałem sobie niewątpliwe zapowiedzi wpisane w kamień w dniu, kiedy giganci położyli na nim swoje dłonie i zanim jeszcze wola mnichów, ulegając złudzeniu, ośmieliła się przeznaczyć to miejsce na schronienie dla słowa Bożego.

Kiedy nasze muły pokonywały mozolnie ostatni zakręt zbocza, w miejscu, gdzie główna droga rozgałęziała się, dając początek dwóm nowym, biegnącym równolegle ścieżkom, mój mistrz zatrzymał się na chwilę, spojrzał na obie strony drogi, na samą drogę oraz w górę na rząd sosen, tworzących na krótkim odcinku naturalny okap posiwiały od śniegu.

– Bogate opactwo – rzekł. – Opat lubi pokazać się w uroczystych chwilach.

Przywykłem już do jego najosobliwszych stwierdzeń, więc nie zadałem żadnego pytania. Również dlatego, że po przebyciu dalszego kawałka drogi usłyszeliśmy jakiś zgiełk i zza zakrętu ukazał się oddziałek podnieconych mnichów i sług. Jeden z nich, kiedy nas zobaczył, ruszył naprzeciw i rzekł wielce uprzejmie:

– Witaj, panie, i nie dziw się, że domyślam się, kim jesteś, albowiem uprzedzono nas o twoim przybyciu. Jestem Remigiusz z Varagine, klucznik klasztoru. A jeśli ty jesteś, jak przypuszczam, bratem Wilhelmem z Bascavilli, trzeba nam zawiadomić opata. Ty – rozkazał, odwracając się do jednego z orszaku – ruszaj do góry z nowiną, że nasz gość wkroczy niebawem w mury opactwa! – Dziękuję ci, panie kluczniku – odparł życzliwie mój mistrz – i tym droższa mi twoja uprzejmość, że dla powitania nas przerwaliście pogoń. Lecz nie martw się, koń przegalopował tędy i ruszył ścieżką po prawej stronie. Nie oddali się zbytnio, gdyż będzie musiał się zatrzymać, kiedy dotrze do miejsca, gdzie wyrzucacie zużytą ściółkę. Jest zbyt mądrym zwierzęciem, żeby zapuszczać się na stromy teren...

– Kiedy go widziałeś? – zapytał klucznik.

– Prawdę rzekłszy, nie widzieliśmy go, czyż nie tak, Adso? – powiedział Wilhelm, zwracając w moją stronę rozbawione lico. – Ale jeśli szukacie Brunellusa, zwierzę powinno być w miejscu, które wskazałem. Klucznik zawahał się. Spojrzał na Wilhelma, później na ścieżkę, a w końcu spytał:

– Brunellusa? Skąd wiesz?

– Jakże to? – rzekł Wilhelm. – Jest przecież rzeczą oczywistą, że szukacie Brunellusa, umiłowanego konia opata, najlepszego bieguna w waszej stajni, karej maści, wysokiego na pięć stóp: pyszny ogon, kopyta krągłe i małe, ale galop dosyć regularny; łeb drobny, uszy spiczaste, lecz ślepia duże. Pomknął w prawo, mówię wam, i tak czy inaczej musicie się pospieszyć.

Klucznik zawahał się przez chwilę, potem skinął na swoich ludzi i ruszył prawą ścieżką, a nasze muły też podjęły wspinaczkę. Już miałem zadać Wilhelmowi pytanie, gdyż dręczyła mnie ciekawość, ale dał mi znak, bym zaczekał; w istocie, po kilku minutach usłyszeliśmy okrzyki radości i zza zakrętu ścieżki ukazali się mnisi i słudzy, prowadząc konia za wędzidło. Wyprzedzili nas bokiem, w dalszym ciągu przyglądając się nam z lekkim osłupieniem, i ruszyli przodem w kierunku opactwa. Wydaje mi się także, iż Wilhelm ściągnął nieco cugle swojemu wierzchowcowi, żeby dać mnichom czas na opowiedzenie o tym, co się wydarzyło. Rzeczywiście, miałem sposobność przekonać się, że mój mistrz, choć pod każdym względem człek najświetniejszych cnót, kiedy tylko mógł pokazać, jak bardzo jest przenikliwy, folgował przywarze próżności, a ponieważ doceniałem już dar dyplomatycznej subtelności, zrozumiałem, że chciał dotrzeć do celu podróży poprzedzony niewzruszoną sławą mędrca. – A teraz powiedz mi, proszę – nie wytrzymałem w końcu – skąd to wszystko wiedziałeś.

– Mój poczciwy Adso – odparł mistrz. – W ciągu całej podróży uczę cię rozpoznawać znaki, przez które świat do nas przemawia niby wielka księga. Alanus ab Insulis powiada, że

omnis mundi creatura
quasi liber et pictura
*nobis est in speculum**

---

* Każde na ziemi stworzenie,
  niczym księga i obraz,
  jest dla nas odbiciem (łac.).

29

mając na myśli niewyczerpane zasoby symboli, którymi Bóg mówi nam poprzez swoje dzieło stworzenia o życiu wiecznym. Ale świat jest jeszcze bardziej wymowny, niż myślał Alanus, i nie tylko mówi o rzeczach ostatecznych (w którym to przypadku wyraża się zawsze w sposób niejasny), ale również o tym wszystkim, co nas otacza, i wtedy wyraża się całkowicie jasno. Prawie wstydzę się, że muszę powtarzać ci to, o czym winieneś wiedzieć. Na skrzyżowaniu dróg, w świeżym jeszcze śniegu, wyraźnie rysowały się odciski kopyt końskich, biegnące w kierunku ścieżki po naszej lewej ręce. Te odciski, rozmieszczone w sporej i jednakowej odległości jedne od drugich, były małe i okrągłe, wskazywały zatem na bardzo regularny galop – stąd mogłem wywnioskować o charakterze konia i o tym, że nie pędził byle gdzie, jak to czyni zwierzę spłoszone. W miejscu, gdzie sosny tworzą jakby naturalny okap, niektóre gałązki były świeżo ułamane dokładnie na wysokości pięciu stóp. Na jednym z tych krzaków morwy, tam gdzie zwierzę musiało zawrócić, żeby ruszyć dalej ścieżką po swojej prawej stronie, powiewając przy tym pysznym ogonem, utkwiło między igiełkami długie czarne włosie... Nie powiesz mi, na koniec, że nie wiesz, iż ta ścieżka prowadzi do miejsca, gdzie wyrzuca się ściółkę, pokonując bowiem dolny zakręt, widzieliśmy pianę nieczystości spływających stromo u stóp baszty południowej i brukających śnieg; a przy takim położeniu rozstajów ścieżka mogła prowadzić jedynie w tamtym właśnie kierunku.

– Tak – powiedziałem – ale drobny łeb, spiczaste uszy, wielkie ślepia...
– Nie wiem, czy ma to wszystko, ale z pewnością mnisi święcie w owe przymioty wierzą. Izydor z Sewilli powiedział, że piękno konia wymaga, *ut sit exiguum caput et siccum prope pelle ossibus adhaerente, aures breves et argutae, oculi magni, nares patulae, erecta cervix, coma densa et cauda, ungularum soliditate fixa rotunditas**. Gdyby koń, o którym wydedukowałem, iż tędy przegalopował, nie był naprawdę najlepszym koniem w stajni, czemu w pogoń za nim ruszyć by mieli nie tylko stajenni, czemu trudził się sam klucznik? A mnich, który uważa konia za doskonałość przewyższającą formy naturalne, musi widzieć zwierzę takim, jakim *auctoritates** mu je opisały, szczególnie jeśli – i w tym miejscu obdarzył mnie kąśliwym uśmiechem – jest uczonym benedyktynem.

---

* Aby łeb miał krótki i smukły, skórę niemalże do kości przylegającą, uszy krótkie i spiczaste, oczy niewielkie, chrapy szerokie, wysoki kłąb, grzywę gęstą i ogon, okrągłe i wysklepione kopyta (łac.).
* Autorytety (łac.).

– No dobrze – powiedziałem. – Ale czemu Brunellus?

– Oby Duch Święty wlał ci więcej oleju do głowy, niż masz w tej chwili, mój synu! – wykrzyknął mistrz. – Jakież inne dałbyś mu imię, skoro nawet wielki Buridan, który ma zostać rektorem w Paryżu, kiedy poczyna mówić o pięknym koniu, nie znajduje imienia bardziej stosownego?

Taki był mój mistrz. Nie tylko potrafił czytać w wielkiej księdze natury, lecz również pojąć, w jaki sposób mnisi czytają zwykłe księgi i jak za ich pośrednictwem myślą. Dar ten, jak zobaczymy, miał być mu bardzo użyteczny w dniach, które nastąpiły. Ale na razie jego wyjaśnienie wydało mi się tak oczywiste, że choć czułem upokorzenie, gdyż sam na nie nie wpadłem, górę wzięła duma, bo teraz już w nim uczestniczyłem, i prawie winszowałem sobie przenikliwości. Albowiem siła prawdy jest taka, że, podobnie jak dobro, rozprzestrzenia się ona dokoła. I niech pochwalone będzie święte imię Pana Naszego Jezusa Chrystusa za to, że zostałem tak pięknie oświecony.

Lecz wróć do swego wątku, o moja opowieści, gdyż zgrzybiały mnich zbytnio zapóźnia się przy marginaliach. Mów raczej o tym, że dotarliśmy do wielkiej bramy opactwa i że na progu stał opat, przy którym dwaj nowicjusze trzymali złotą misę napełnioną wodą. A kiedy zsiedliśmy z naszych wierzchowców, opat umył dłonie Wilhelmowi, potem objął go, całując w usta i dając mu święte błogosławieństwo, w tym czasie zaś klucznik zajmował się moją osobą.

– Dziękuję, magnificencjo – rzekł Wilhelm. – Dla mnie to wielka radość postawić stopę w klasztorze, którego sława przekroczyła te góry. Przybywam jako pielgrzym w imię Pana Naszego i jako takiemu oddałeś mi honory. Lecz przybywam również w imieniu naszego pana na tej ziemi, jak wyjaśni to list, który ci wręczam, i w jego imieniu też dziękuję za życzliwe powitanie.

Opat wziął list z cesarskimi pieczęciami i oznajmił, że tak czy owak przybycie Wilhelma poprzedzone było innymi listami od konfratrów (albowiem – powiedziałem sobie z pewną dumą – trudno jest zaskoczyć benedyktyńskiego opata), potem poprosił klucznika, by zaprowadził nas do kwater, gdy tymczasem stajenni zajęli się naszymi biegusami. Opat obiecał, że odwiedzi nas później, kiedy już się posilimy, i weszliśmy na wielki dziedziniec, gdzie budynki opactwa rozrzucone były po całym łagodnym płaskowyżu, zaokrąglającym w delikatną konchę – lub łąkową halę – szczyt góry.

O rozkładzie opactwa będę miał okazję wspomnieć nieraz i znacznie dokładniej. Za bramą (która była jedynym dostępem w obręb

murów) otwierała się wysadzana drzewami aleja prowadząca do kościoła klasztornego. Po lewej stronie, między drogą a dwoma budyn-
kami, łaźnią oraz szpitalem i herboristerium, które wzniesiono wzdłuż
zakrzywienia murów, rozciągała się rozległa przestrzeń warzywni-
ków i, jak się później dowiedziałem, ogród botaniczny. W głębi, po
lewej stronie, dźwigał się w górę Gmach, oddzielony od kościoła
placem, na którym znajdowały się groby. Północne drzwi kościoła
wychodziły na południową basztę Gmachu, który od frontu prezen-
tował oczom zwiedzającego basztę zachodnią, po lewej stronie wra-
stającą w mur i opadającą prosto w przepaść, a nad przepaścią sterczała widoczna z ukosa wieża północna. Na prawo od kościoła kilka
budynków przylegających doń i rozłożonych wokół krużganków,
pewnie dormitorium, dom opata i dom pielgrzymów, ku któremu szliśmy przez piękny ogród. Po prawej, za rozległym placem, wzdłuż
murów południowych i dalej na wschód, na tyłach kościoła – szereg
zagród należących do kolonów, zabudowania gospodarcze, młyny,
wytłaczarnie, spichrze i piwnice oraz budynek, który chyba był prze-
znaczony dla nowicjuszy. Regularny, ledwie trochę falisty teren pozwolił dawnym budowniczym tego świętego miejsca uszanować
nakazy orientacji lepiej, niż mogliby tego wymagać Honoriusz Augustodunensis lub Wilhelm Durand. Z położenia słońca o tej porze
dnia domyśliłem się, że brama wychodzi dokładnie na zachód, więc
ołtarz i chór zwrócone są w kierunku wschodnim; słońce od wcze-
snego rana budziło mnichów w dormitorium i zwierzęta w oborach.
Nigdy nie widziałem opactwa piękniejszego i cudowniej zgodnego
ze stronami świata, chociaż później poznałem Sankt Gallen, Cluny,
Fontenay i inne, większe może, lecz nie tak doskonałe w proporcjach. Wyróżniało się natomiast wyraźnie ogromną bryłą Gmachu.
Nie miałem wiedzy mistrza budowniczego, ale od razu zdałem sobie
sprawę, że Gmach jest o wiele starszy od otaczających go budynków,
że być może służyć miał innym celom i że całość opactwa dobudo-
wana została w czasach późniejszych, ale w ten sposób, iż orientacja
wielkiej budowli pasowała do orientacji kościoła lub na odwrót. Albowiem architektura jest tą sztuką, która najśmielej stara się odtworzyć swoim rytmem porządek wszechświata, przez starożytnych na-
zwanego kosmosem, to jest ozdobionym, jeśli przyrównać go można
do wielkiego zwierzęcia opromienionego doskonałością i proporcją
wszystkich swoich członków I niechaj pochwalony będzie Nasz
Stwórca, który, jak powiada Augustyn, ustanowił wszystkie rzeczy
względem liczby, ciężaru i miary.

Dzień pierwszy

Tercja

Kiedy to Wilhelm odbywa pouczającą rozmowę z opatem

Klucznik był mężczyzną otyłym i o powierzchowności pospolitej, lecz jowialnej, siwym, lecz jeszcze krzepkim, niewysokim, lecz żwawym. Zaprowadził nas do cel w austerii pielgrzymów. Lub raczej zaprowadził nas do celi przeznaczonej dla mojego mistrza, obiecując mi, że w dniu następnym zwolni się cela także dla mnie, bo choć nowicjusz, jako gość muszę być traktowany ze wszystkimi względami. Dzisiejszej nocy będę mógł spać tutaj, w obszernej i długiej niszy, w której kazał rozłożyć dobrą świeżą słomę. Robi się to czasem, dodał, dla sług tych z panów, którzy chcą, by czuwano nad nimi w ciągu nocy.

Potem mnisi przynieśli wino, ser, oliwki, chleb oraz doskonałe rodzynki i zostawili nas samych, byśmy się posilili. Jedliśmy i piliśmy z wielkim smakiem. Mój mistrz nie miał surowych nawyków benedyktyńskich i nie lubił jeść w milczeniu. Zresztą mówił zawsze o rzeczach tak dobrych i mądrych, że było to tak samo, jakby mnich czytał nam żywoty świętych Pańskich.

Tego dnia nie mogłem utrzymać języka na wodzy i raz jeszcze zagadnąłem Wilhelma z Baskerville o wydarzenie z koniem.

– Jednak – rzekłem – w chwili, kiedy odczytywałeś na śniegu i na gałęziach ślady, nie znałeś jeszcze Brunellusa. W pewnym sensie ślady mówiły ci o wszystkich koniach tego rodzaju. Czyż nie powinniśmy więc powiedzieć, że księga przyrody przemawia do nas jedynie przez esencje, jak nauczają liczni znamienici teologowie?

– Niezupełnie, mój drogi Adso – odpowiedział mistrz. – Zapewne tego rodzaju odciski na śniegu określały mi, jeśli chcesz, konia jako *verbum mentis**, i to samo określałyby, gdziekolwiek bym je znalazł. Ale odciski znalezione w tamtym miejscu i tamtej porze dnia powiedziały mi, że przechodził tamtędy przynajmniej jeden z koni możliwych. A zatem znalazłem się w połowie drogi między przyswojeniem sobie pojęcia konia a wiedzą o koniu poszczególnym. W każdym razie to, co wiedziałem o koniu ogólnym, dane mi było ze śladu, który był szczególny. Mógłbym powiedzieć, że w tym momencie byłem więźniem między szczególnością śladu a moją niewiedzą, która przyjęła dosyć przejrzystą formę idei powszechnej. Jeśli

---

* Mowa umysłu (łac.).

33

widzisz jakąś rzecz z daleka i nie pojmujesz, co to jest, zadowolisz się stwierdzeniem, że chodzi o ciało przestrzenne. Kiedy zbliżysz się, określisz je jako zwierzę, chociaż nie będziesz jeszcze wiedział, czy to koń, czy też osioł. Kiedy znajdziesz się już blisko, będziesz mógł powiedzieć, że to koń, choć dalej nie będziesz wiedział: Brunellus czy Favellus. I dopiero kiedy znajdziesz się dostatecznie blisko, zobaczysz, że to Brunellus (albo ten koń, a nie inny, jakkolwiek byś go postanowił nazwać). I będzie to wiedza pełna, poznanie rzeczy poszczególnej. Tak samo ja przed godziną gotów byłem oczekiwać wszystkich koni, ale nie wskutek rozległości mojego umysłu, lecz raczej wskutek ograniczonego pojmowania. I głód umysłu zaspokojony został dopiero wówczas, gdy zobaczyłem poszczególnego konia, którego mnisi prowadzili za wędzidło. Dopiero wtedy wiedziałem naprawdę, że moje poprzednie rozumowanie doprowadziło mnie w pobliże prawdy. Tak samo pojęcia, których używałem przedtem, żeby przedstawić sobie konia jeszcze niewidzianego, były czystymi znakami, podobnie jak znakami pojęcia konia były odciski na śniegu; a znaków oraz znaków znaków używa się tylko wtedy, gdy brak jest samej rzeczy.

Kiedy indziej z wielkim sceptycyzmem wyrażał się o uniwersaliach, z wielkim zaś szacunkiem o rzeczach poszczególnych, i również później wydawało mi się, że ta skłonność wzięła się u niego bądź z natury brytyjskiej, bądź z natury franciszkańskiej. Ale tego dnia nie miałem dość sił, żeby stawić czoło dyspucie teologicznej, tak więc skuliłem się w wyznaczonym mi miejscu, owinąłem w derę i zapadłem w głęboki sen.

Gdyby ktoś wszedł, mógłby uznać mnie za zawiniątko. I tak się stało z pewnością w przypadku opata, kiedy przyszedł odwiedzić Wilhelma mniej więcej w porze tercji. Dzięki temu mogłem, niedostrzeżony, wysłuchać ich pierwszej rozmowy. I nie było w tym złego zamiaru, bo ujawniając się nagle opatowi, postąpiłbym niegrzeczniej, niż kryjąc się, jak to uczyniłem, z pokorą w sercu.

Zjawił się przeto Abbon. Przeprosił za natręctwo, powtórzył słowa powitania i oznajmił, że musi porozmawiać z Wilhelmem sam na sam o pewnej dosyć poważnej sprawie.

Zaczął od powinszowania zręczności w sprawie z koniem i zapytania, w jaki sposób Wilhelm mógł podać wiadomości tak pewne o bydlęciu, którego nigdy nie widział. Wilhelm wyjaśnił mu zwięźle i obojętnym tonem, jaką drogą toczyło się jego rozumowanie, i opat bardzo ucieszył się jego przenikliwością. Rzekł, iż tego właśnie oczekiwał po człowieku, którego poprzedziła sława wielkiej mądrości.

Powiedział, że otrzymał list od opata z Farfy i że ów opat nie tylko napisał mu o misji powierzonej Wilhelmowi przez cesarza (mieli o niej rozmawiać w następnych dniach), lecz również donosił, że w Anglii i w Italii mój mistrz był inkwizytorem w paru procesach i wyróżnił się przenikliwością, której nieobce były ludzkie uczucia.

– Z przyjemnością dowiedziałem się – dodał opat – że w wielu wypadkach orzekłeś niewinność oskarżonego. Wierzę, i nigdy tak mocno jak w tych smutnych czasach, w stałą obecność szatana w sprawach człowieczych – i rozejrzał się ukradkiem dokoła, jakby przeciwnik krążył gdzieś w tych murach – ale wierzę również, że może on pchnąć swoje ofiary do czynienia zła w ten sposób, by wina spadła na sprawiedliwego, i radować się, gdy sprawiedliwy płonie na stosie zamiast tego, który poddał się szatańskiej woli. Często inkwizytorzy, chcąc dać dowód pilności, za wszelką cenę wydobywają zeznania od oskarżonego, myślą bowiem, że dobrym inkwizytorem jest ten tylko, kto kończy proces znalezieniem kozła ofiarnego...

– Również inkwizytor działać może pod wpływem diabła – rzekł Wilhelm.

– To jest możliwe – zgodził się opat bardzo ostrożnie – albowiem niezbadane są zamiary Najwyższego, lecz nie ja rzucę cień podejrzenia na ludzi tak zasłużonych. Dotyczy to też ciebie, jako jednego z nich, którego dzisiaj tak potrzebuję. W tym opactwie zdarzyło się coś, co wymaga baczenia i rady człowieka przenikliwego i ostrożnego, takiego jak ty. Przenikliwego, by odkrył prawdę, i ostrożnego, by (jeśli odkryje) zakrył ją. Często przychodzi dowieść występku ludziom, którzy celować powinni w świętości, lecz należy uczynić to w ten sposób, by usunąć przyczynę zła, a jednocześnie uniknąć rzucenia winowajcy na pastwę powszechnej wzgardy. Gdy pasterz zawodzi, trzeba oddzielić go od innych pasterzy, ale biada, jeśli owce stracą zaufanie do pasterzy.

– Pojmuję – rzekł Wilhelm. Miałem już sposobność zauważyć, że kiedy coś potwierdzał tak skwapliwie i grzecznie, zwykle ukrywał w ten przyzwoity sposób swoją niezgodę lub zakłopotanie.

– Dlatego też – ciągnął opat – mniemam, że wszelki przypadek, dotyczący występku pasterza, może być powierzony jedynie ludziom takim jak ty, którzy nie tylko umieją odróżnić dobro od zła, ale też to, co jest dogodne, od tego, co takim nie jest. Z przyjemnością myślę, że wyrok skazujący wypowiadałeś tylko, kiedy...

– ...oskarżeni winni byli czynów zbrodniczych, otrucia, znieprawienia niewinnych dzieci oraz innych nikczemności, których usta moje nie ośmielają się wypowiedzieć...

– ...że skazywałeś tylko, kiedy – ciągnął opat, nie zwracając uwagi na słowa, które wtrącił Wilhelm – obecność demona była dla wszystkich tak oczywista, że nie mogłeś postąpić inaczej, jeśli chciałeś, by pobłażliwość nie okazała się większym zgorszeniem niż samo przestępstwo.

– Kiedy uznałem kogoś za winnego – uściślił Wilhelm – popełnił on naprawdę zbrodnie takiego rodzaju, że mogłem z czystym sumieniem oddać go świeckiemu ramieniu.

Opat zawahał się przez chwilę.

– Czemu – spytał – nalegasz na mówienie o czynach przestępczych, nie wypowiadając się na temat ich diabelskiej przyczyny?

– Gdyż rozumowanie na temat przyczyn i skutków jest rzeczą dosyć trudną i sądzę, że w takiej sprawie jedynym sędzią może być Bóg. Mozolimy się już nader nad ustaleniem związku między skutkiem tak widocznym, jak spłonięcie drzewa, a piorunem, który wzniecił ogień, więc tym bardziej odtworzenie długiego łańcucha przyczyn i skutków wydaje mi się równym szaleństwem, jak budowanie wieży sięgającej do nieba.

– Doktor z Akwinu – podsunął opat – nie zawahał się dowieść mocą samego tylko rozumu istnienia Najwyższego, pnąc się od przyczyny do przyczyny, aż doszedł do przyczyny pierwszej, która swojej przyczyny nie ma.

– Kimże jestem ja – rzekł z pokorą Wilhelm – żeby sprzeciwiać się doktorowi z Akwinu? Tym bardziej że ten dowód istnienia Boga wsparty jest tyloma innymi świadectwami, które jego tok umacniają. Bóg przemawia do nas wewnątrz naszych dusz, jak wiedział już o tym Augustyn, a ty, Abbonie, wyśpiewałbyś chwałę Pana i oczywistość Jego obecności, nawet gdyby Tomasz nie przeprowadził... – Zamilkł i po chwili dodał: – Tak sobie wyobrażam.

– Och, z pewnością – pospieszył zapewnić opat, a mój mistrz w taki oto piękny sposób przeciął naukową dysputę, która najwidoczniej niezbyt mu się podobała.

Potem ciągnął:

– Wróćmy do procesów. Powiedzmy, że jakiś człowiek zabity został za pomocą trucizny. To fakt doświadczalny. Jest możliwe, bym wyobraził sobie wobec niewątpliwych znaków, że czyn trucicielski popełnił jakiś inny człowiek. W łańcuchu przyczyn tak prostym mój umysł może pośredniczyć, nie tracąc ufności w swoją siłę. Ale jakże ten łańcuch może się zagmatwać, jeśli wyobrazić sobie, że w ów niegodziwy postępek wdał się jakiś inny czynnik, w tym przypadku nie ludzki, lecz diabelski? Nie mówię, że jest to niemożliwe; diabeł też ujawnia swoją bytność przez wyraźne znaki, podobnie jak twój koń, Brunellus. Ale czemu mam szukać dowodów tego rodzaju? Czy nie wystarczy, bym wiedział, że winnym jest ten właśnie człowiek, i bym wydał go ramieniu świeckiemu? Tak czy inaczej, karą, jaka go spotka, będzie śmierć, oby Bóg mu wybaczył.

– Lecz wiadomo mi, że podczas procesu, który toczył się w Kilkenny trzy lata temu i w którym pewne osoby oskarżone zostały o dokonanie szkaradnych przestępstw, nie zaprzeczyłeś interwencji diabła, kiedy wskazano już winnych.

– Ale nigdy nie potwierdziłem tego w sposób jasny. To prawda, również nie zaprzeczyłem. Kimże jestem, żeby wypowiadać sąd w sprawie knowań szatana, a zwłaszcza – dodał i wydawało się, że chciał położyć nacisk na ten argument – w przypadkach, kiedy ci, którzy doprowadzili do wszczęcia śledztwa, biskup, radcy miejscy i cały lud, a może nawet sami oskarżeni, pragnęli naprawdę wskazać na obecność demona? Być może jedynym prawdziwym dowodem obecności diabła jest żarliwość pragnienia, jakie wszyscy w takim momencie żywią, by mieć pewność, że prowadzi on swoje dzieło...

– Tak zatem – rzekł opat stroskanym głosem – chcesz mi powiedzieć, że w wielu procesach diabeł działa nie tylko w winnych, ale być może, i przede wszystkim, w sędziach?

– Czyż mógłbym utrzymywać coś takiego? – zapytał Wilhelm, a ja spostrzegłem, że jego pytanie było sformułowane w ten sposób, by opat nie mógł odpowiedzieć twierdząco; i Wilhelm skorzystał z jego milczenia, żeby odmienić tok rozmowy. – Ale w istocie rzeczy chodzi o sprawy odległe. Porzuciłem to szlachetne zajęcie, a skoro to uczyniłem, widać Bóg tak chciał...

– Bez wątpienia – przyznał opat.

– ...i teraz – ciągnął Wilhelm – zajmuję się innymi delikatnymi kwestiami. Chciałbym też zająć się tą, która dręczy ciebie, jeśli zechcesz mi o niej powiedzieć.

Wydawało mi się, że opat jest zadowolony, iż może skończyć tę rozmowę, wracając do swojej sprawy. Jął więc opowiadać, z wielką ostrożnością dobierając słowa i rozwlekłe peryfrazy, o pewnym szczególnym wydarzeniu, które zaszło kilka dni temu i wzbudziło wielkie poruszenie wśród mnichów. Mówi o tym, oznajmił, gdyż wiedząc, jak wielkim znawcą i duszy ludzkiej, i knowań szatana jest Wilhelm, ma nadzieję, że poświęci on cząstkę swojego cennego czasu, by rozświetlić pewną bolesną zagadkę. Zdarzyło się mianowicie, że Adelmus z Otrantu, mnich młody jeszcze, ale sławny jako znakomity mistrz iluminator, ozdabiający manuskrypty biblioteczne pięknymi obrazkami, znaleziony został pewnego ranka przez jednego z koźlarzy u stóp urwiska, nad którym wznosi się wschodnia baszta Gmachu. Ponieważ inni mnisi widzieli go w chórze podczas komplety, ale nie pokazał się na jutrzni, prawdopodobnie runął w przepaść podczas najciemniejszych godzin nocnych. Owej nocy szalała gwałtowna zadymka, zacinało śniegiem niby nożem, prawie jakby to był grąd niesiony porywistym wiatrem południowym. Ciało, nasiąknięte wilgocią, gdyż śnieg z początku topniał, a dopiero później ściął się w lodowe płyty, było całe poszarpane, bo spadając, obijało się o skały. Biedne i kruche śmiertelne szczątki, niech Bóg zmiłuje się nad nimi. Wskutek tego obijania się o skały podczas upadku niełatwo było powiedzieć, z którego dokładnie punktu runął, z całą pewnością z jednego z okien wychodzących trzema rzędami pięter na cztery strony baszty, skierowane ku przepaści.

– Gdzie pogrzebaliście nieszczęsne zwłoki? – zapytał Wilhelm.

– Oczywiście na cmentarzu – odparł opat. – Może zauważyłeś, rozciąga się między północną ścianą kościoła, Gmachem i ogrodem.

– Rozumiem – rzekł Wilhelm – i rozumiem, że chodzi o następującą kwestię. Jeśli ten nieszczęsny, oby Bóg sprawił, by tak nie było, targnął się na swoje życie (nie do pomyślenia jest bowiem, żeby spadł przypadkiem), następnego dnia jedno z tych okien zastalibyście otwarte, wszelako wszystkie były zamknięte i pod żadnym nie znaleziono śladów wody.

Opat był, jako się rzekło, człowiekiem wielce dwornym i układnym, ale tym razem drgnął, zaskoczony, tracąc całą dostojność, jaka według Arystotelesa przystoi ludziom poważnym i szlachetnym.

– Kto ci o tym powiedział?

– Ależ ty sam – odparł Wilhelm. – Gdyby okno było otwarte, od razu pomyślelibyście, że rzucił się z niego. O ile mogłem osądzić z zewnątrz, są to wielkie okna o matowych szybach, a w budowlach tak ogromnych tego rodzaju okna nie otwierają się zazwyczaj na wysokości człowieka. Gdyby więc jedno z tych okien było otwarte, to ponieważ nieszczęśnik nie mógł, stanąwszy przy nim, stracić równowagi, nie pozostałoby nic innego, jak tylko pomyśleć o samobójstwie. Jednak w takim wypadku nie pogrzebalibyście go w poświęconej ziemi. Skoro jednak pogrzebaliście go po chrześcijańsku, okna musiały być zamknięte. Albowiem nawet w procesach o czary nie spotkałem się z przypadkiem zatwardziałego w grzechu nieboszczyka, któremu Bóg lub diabeł pozwoliłby wspiąć się z dna przepaści i usunąć ślady swojego niecnego czynu; jest zatem rzeczą oczywistą, iż rzekomy samobójca został raczej wypchnięty, bądź teką ludzką, bądź siłą diabelską. I zadajesz sobie pytanie, kto mógłby go, nie mówię nawet: zepchnąć w przepaść, ale dźwignąć, stawiającego opór, na parapet, i jesteś wzburzony, gdyż jakaś złowroga siła, naturalna lub nadnaturalna, krąży w tej chwili po opactwie.

– Otóż to... – powiedział opat i nie było jasne, czy potwierdza słowa Wilhelma, czy też samemu sobie zdaje rachunek z racji, które Wilhelm tak pięknie przedstawił. – Ale skąd wiesz, że pod żadnym z okien nie było wody?

– Bo powiedziałeś, że dął wiatr południowy, więc woda nie mogła dostać się przez okna, które wychodzą na wschód.

– Nie dość mi zachwalano twoje cnoty – rzekł opat. – Masz rację, nie było wody, i wiem teraz dlaczego. Wszystko przebiegło zgodnie z twoimi słowami. Teraz rozumiesz moje strapienie. Byłoby już wielkie, gdyby któryś z moich mnichów splamił się szkaradnym grzechem samobójstwa. Ale są powody, bym sądził, że inny z nich splamił się grzechem równie okropnym. I gdyby tylko o to chodziło...

– Przede wszystkim czemu jeden z mnichów? W opactwie jest wielu innych ludzi, stajenni, owczarze, służba klasztorna.

– Z pewnością nasze opactwo jest małe, lecz majętne – przytaknął z godnością opat. – Sto pięćdziesięcioro świeckich na sześćdziesięciu mnichów. Ale wszystko wydarzyło się w Gmachu. Tam zaś, jak może już wiesz, wprawdzie na parterze są kuchnie i refektarz, lecz na dwóch górnych piętrach mieszczą się skryptorium i biblioteka. Po wieczerzy Gmach zamykają, a ściśle przestrzegana reguła zabrania komukolwiek do niego wchodzić. – Odgadł pytanie Wilhelma i dodał szybko, choć najwyraźniej z niechęcią: – Oczywiście dotyczy to także mnichów, ale...

– Ale?

– Ale wykluczam całkowicie, pojmujesz, całkowicie, by jakiś famulus ważył się wejść tam w nocy. – Przez jego oczy przemknął uśmieszek jakby wyzwania, szybki niby błyskawica lub spadająca gwiazda. – Powiedzmy, że baliby się; sam wiesz... niekiedy zakazy wydane prostaczkom wspiera się paroma groźbami, jak chociażby przepowiednią, że jeśli ktoś okaże nieposłuszeństwo, zdarzy się coś straszliwego ze zrządzenia sił nadprzyrodzonych. Natomiast mnich...

– Rozumiem.

– Poza tym mnich mógłby mieć inne powody, żeby zapuścić się w głąb zakazanych pomieszczeń, mam na myśli powody... jak by to powiedzieć? Rozumne, aczkolwiek sprzeczne z regułą...

Wilhelm dostrzegł zakłopotanie opata i zadał pytanie, które miało może odwrócić tok rozmowy, lecz wywołało zakłopotanie równie wielkie.

– Mówiąc o możliwości zabójstwa, powiedziałeś: „I gdyby tylko o to chodziło...". Co miałeś na myśli?

– Tak powiedziałem? No więc, nie zabija się bez powodu, choćby najbardziej przewrotnego. I drżę na myśl o przewrotności powodów, jakie mogły pchnąć mnicha do zabicia konfratra. Tak jest. To miałem na myśli.

– I nic innego?

– I nic innego nie mógłbym powiedzieć.

– Chodzi o to, że o niczym innym nie masz prawa powiedzieć?

– Proszę cię, bracie Wilhelmie, braciszku Wilhelmie – i opat położył nacisk i na „bracie", i na „braciszku". Wilhelm zarumienił się gwałtownie i skomentował:

– *Eris sacerdos in aeternum**.

– Dziękuję – rzekł opat.

O Panie, jakiejż straszliwej tajemnicy dotknęli w tym momencie moi nieostrożni przełożeni, pchani jeden strapieniem, drugi ciekawością! Bo chociaż byłem tylko nowicjuszem, który zaczął dopiero kroczyć drogą tajemnic świętego kapłaństwa Bożego, również ja, skromne pacholę, zrozumiałem, że opat dowiedział się czegoś pod tajemnicą spowiedzi. Musiał usłyszeć z czyichś ust o jakimś grzesznym szczególe, który mógł mieć związek z tragicznym końcem Adelmusa. Może dlatego prosił brata Wilhelma, by ten odkrył sekret, którego on sam się domyślał, nie mogąc jednak wyjawić nikomu, i miał nadzieję, że mój mistrz siłą swego rozumu rozświetli to, co on musiał okryć cieniem, bo taki był wzniosły nakaz miłosierdzia.

– No dobrze – powiedział wówczas Wilhelm. – Czy będę mógł zadawać pytania mnichom?

– Tak.

– Czy będę mógł poruszać się swobodnie po opactwie?

– Daję ci do tego prawo.

– Czy powierzysz mi tę misję *coram monachis**?

– Tak właśnie.

– Zacznę dzisiaj, zanim jeszcze mnisi się dowiedzą, jakie zadanie mi postawiłeś. A poza tym pragnąłem gorąco, i nie był to ostatni z powodów mojego przybycia, zwiedzić waszą bibliotekę, o której z podziwem mówi się we wszystkich opactwach chrześcijaństwa.

Opat prawie zerwał się ze swego miejsca, na jego twarzy zaś odmalowało się wielkie napięcie.

---

* Będziesz kapłanem na wieczność (łac.).
* W obecności mnichów (łac.).

– Jak powiedziałem, będziesz mógł poruszać się po całym opactwie. Jednak nie po ostatnim piętrze Gmachu, nie po bibliotece.

– Czemu?

– Powinienem był wyjaśnić to najpierw, lecz sądziłem, że wiesz. – Wiem, że jest w niej więcej ksiąg niż w jakiejkolwiek innej bibliotece świata chrześcijańskiego. Wiem, że w porównaniu z waszym bogactwem almaria Bobbio lub Pomposy, Cluny lub Fleury wydają się pokoikiem dziecka, które wtajemnicza się dopiero w abecadło. Wiem, że sześć tysięcy kodeksów, którymi chełpiło się Novalaise ponad sto lat temu, to niewiele w porównaniu z tym, co wy macie, i może wiele z tamtych ksiąg jest teraz tutaj. Wiem, że wasze opactwo jest jedynym światłem, jakie chrześcijaństwo może przeciwstawić trzydziestu sześciu bibliotekom Bagdadu, dziesięciu tysiącom kodeksów wezyra Ibn al-Alkamiego, że ilość waszych Biblii dorównuje dwóm tysiącom czterystu Koranom, którymi szczyci się Kair, i że to, co zawierają wasze almaria, jest olśniewającym dowodem przeciw dumnej legendzie niewiernych, lata temu przypisujących (gdyż oswojeni są z zasadą kłamstwa) bibliotece w Trypolisie sześć tysięcy tomów oraz osiemdziesiąt tysięcy komentatorów i dwustu kopistów.

– Tak jest, chwała niech będzie niebiosom.

– Wiem, że wśród tutejszych mnichów wielu pochodzi z innych opactw, rozrzuconych po całym świecie. Jedni przybywają na czas jakiś, by przepisać manuskrypty niespotykane gdzie indziej i zabrać je potem do własnego klasztoru, przywożąc w zamian jakiś inny rzadki manuskrypt, który przepisujecie i włączacie do waszego skarbca; inni – na długo, do samej śmierci, gdyż jedynie tutaj znaleźć mogą dzieła rzucające światło na ich studia. Są wśród was Niemcy, Dakowie, Hiszpanie, Francuzi i Grecy. Wiem, że cesarz Fryderyk bardzo dawno temu prosił, byście ułożyli mu księgę z przepowiedni Merlina i przetłumaczyli je potem na arabski, chciał bowiem wysłać dzieło w darze sułtanowi Egiptu. Wiem w końcu, że tak sławne opactwo jak Murbach nie ma w tych smutnych czasach ani jednego kopisty, że w Sankt Gallen pozostało niewielu mnichów potrafiących pisać, że teraz w miastach pojawiają się cechy i gildie złożone z ludzi świeckich, którzy pracują dla uniwersytetów, i że jedynie to opactwo odnawia z dnia na dzień... co mówię? ...wznosi ku coraz wyższym szczytom chwałę waszego zakonu.

– *Monasterium sine libris* – zacytował opat, pogrążony w myślach – *est sicut civitas sine opibus, castrum sine numeris, coquina sine suppellectili, mensa sine cibis, hortus sine herbis, pratum sine floribus, arbor sine foliis**. I nasz zakon, wzrastając wokół dwoistego przykazania pracy i modlitwy, był światłem dla całego znanego świata, złożem wiedzy, ocaleniem dla starożytnej nauki, której groziło zniknięcie w czasie pożarów, grabieży i trzęsień ziemi, kuźnią nowych pism i przyrostem liczby starych... Och, wiesz dobrze, żyjemy w czasach mrocznych, i rumienię się, mówiąc ci, że niewiele lat temu sobór w Vienne musiał przypomnieć, że każdy mnich ma obowiązek przyjęcia święceń... Ileż naszych opactw, które dwieście lat temu były jaśniejącymi ośrodkami wielkości i świętości, daje teraz schronienie ludziom gnuśnym! Zakon jest jeszcze potężny, ale fetor miasta osacza coraz bardziej nasze sanktuaria, lud Boży skłonny jest teraz do handlu, do udziału w walkach między stronnictwami, tam zaś, w wielkich miastach, gdzie nie ma miejsca dla ducha świętości, nie tylko mówi się (w końcu czegóż można żądać od osób świeckich!), ale i pisze w języku pospolitym; i oby żadna z tych ksiąg nie miała nigdy wstępu w nasze mury – oto zarzewie nieuniknionej herezji! Przez grzechy ludzkie świat znalazł się na skraju otchłani, gdyż otchłań przenika tego, kto do niej się odwołuje. A jutro, jak powiedział Honoriusz, ciała ludzkie będą mniejsze niż nasze ciała, jak nasze mniejsze są niż ciała starożytnych. *Mundus senescit**. Jeśli więc Bóg powierzył naszemu zakonowi posłannictwo, polega ono na tym, byśmy hamowali ten pęd ku przepaści, zachowując, powielając i chroniąc skarb mądrości, który przekazali nam ojcowie. Opatrzność Boża nakazała, by powszechne rządy, które na początku świata były na wschodzie, w miarę mijania czasu przemieszczały się na zachód, i tym sposobem ostrzegła nas, że nadchodzi kres świata, albowiem bieg wydarzeń osiągnął już granicę uniwersum. Ale dopóki nie upłynie całe milenium, dopóki nie zatriumfuje, choćby na krótko, nieczysta bestia, czyli Antychryst, naszą rzeczą jest chronienie skarbu świata chrześcijańskiego, obrona Słowa w tym kształcie, w jakim Bóg powierzył je prorokom i apostołom, w jakim ojcowie Kościoła powtarzają, nie zmieniając ani jednego wyrazu, w jakim szkoły starały się objaśnić, aczkolwiek dzisiaj nawet w szkołach uwił sobie gniazdo wąż pychy, zawiści, szaleństwa. W tym upadku jesteśmy jeszcze pochodnią i światłem wzniesionym wysoko nad horyzontem. A dopóki te mury opierać się będą, trzeba nam być powiernikami Słowa Bożego.

---

* Opactwo bez ksiąg jest jak państwo bez wojska, zamek bez załogi, kuchnia bez kuchennych przyborów, stół bez pożywienia, ogród bez ziół, łąka bez kwiatów, drzewo bez liści (łac.).
* Świat starzeje się (łac.).

– I tak niechaj będzie – rzekł Wilhelm nabożnie. – Ale jak to wiąże się z zakazem odwiedzania biblioteki?

– Widzisz, bracie Wilhelmie – powiedział opat – żeby dokonać ogromnego i świętego dzieła, które stanowi bogactwo tych murów – i wskazał na bryłę Gmachu widoczną z okien celi, górującą nawet nad kościołem opackim – pobożni ludzie wieki całe pracowali, przestrzegając żelaznej reguły. Biblioteka powstała według planu, który w ciągu stuleci pozostał wszystkim nieznany i do którego odkrycia nie jest powołany żaden z mnichów. Jedynie bibliotekarz poznaje sekret z ust poprzedniego bibliotekarza i przekazuje za życia swemu pomocnikowi, by śmierć nie zaskoczyła go, pozbawiając tej wiedzy wspólnotę. A wargi obydwu są zapieczętowane tajemnicą. Tylko bibliotekarz, poza tym, że wie, ma prawo poruszać się w labiryncie ksiąg, on tylko potrafi je znaleźć i odłożyć na miejsce, on tylko odpowiedzialny jest za utrzymanie ich w dobrym stanie. Inni mnisi pracują w skryptorium i mogą zapoznać się ze spisem woluminów, które biblioteka zawiera. Ale spis tytułów często niewiele mówi i jedynie bibliotekarz wie, z położenia woluminu, ze stopnia jego niedostępności, jakiego rodzaju tajemnice, prawdę czy kłamstwo, kryje w sobie. Tylko bibliotekarz decyduje, jak, kiedy i czy w ogóle dostarczyć ten wolumin mnichowi, który o niego prosi – czasem po konsultacji ze mną. Gdyż nie wszystkie prawdy są dla wszystkich uszu, nie wszystkie kłamstwa mogą być rozpoznane jako kłamstwa przez duszę pobożną, a zresztą mnisi przebywają w skryptorium po to, żeby przyłożyć się do ściśle określonego dzieła, i w tym celu muszą przeczytać te, a nie inne woluminy, nie zaś po to, by ulegać nieroztropnej ciekawości, która ogarnia ich bądź wskutek słabości umysłu, bądź wskutek pychy, bądź z diabelskiego podszeptu.

– Są więc w bibliotece także księgi zawierające kłamstwa?

– Potwory istnieją, gdyż są cząstką Boskiego planu i w ich odrażających postaciach ujawnia się siła Stwórcy. Tak też istnieją z Boskiego zamysłu księgi magów, żydowskie kabały, bajki pogańskich poetów, kłamstwa niewiernych. Ci, którzy zakładali i w ciągu wieków utrzymywali to opactwo, żywili stanowcze i święte przekon~nie, że nawet przez księgi kłamliwe może przezierać, dostępne dla oczu mądrego czytelnika, blade światło Boskiej wiedzy. Z tego powodu biblioteka jest również skarbcem takich ksiąg. Ale właśnie dlatego, sam to rozumiesz, nie może do niej wchodzić byle kto. A poza tym – dodał opat, prawie przepraszając za marność tej ostatniej racji – księga jest tworem kruchym, cierpi wskutek działania czasu, obawia się gryzoni, odmian pogody, niezgrabnych rąk. Gdyby przez setki lat każdy mógł dotykać swobodnie naszych kodeksów, większości z nich już by nie było. Bibliotekarz broni ich więc nie tylko przed ludźmi, lecz również przed naturą, i całe swoje życie poświęca tej wojnie prowadzonej przeciw siłom zapomnienia, wrogom prawdy.

– Tak więc nikt oprócz dwóch osób nie wchodzi na najwyższe piętro Gmachu... Opat uśmiechnął się.

– Nikt nie powinien. Nikt nie może. Nikomu nie udałoby się, gdyby nawet zechciał. Biblioteka broni się sama, jest niezgłębiona jak prawda, która w niej gości, zwodnicza jak kłamstwa, które są jej powierzone. Labirynt duchowy, ale również labirynt ziemski. Mógłbyś wejść do niej, a z niej nie wyjść. I to powiedziawszy, chciałbym, byś zastosował się do reguły obowiązującej w opactwie.

– Ale nie wykluczasz, że Adelmus mógł być wyrzucony z okna biblioteki. I jakże mam rozumować w sprawie jego śmierci, skoro nie widziałem miejsca, w którym mogła mieć początek historia tej śmierci?

– Bracie Wilhelmie – powiedział opat pojednawczym tonem – człowiek, który opisał mojego konia Brunellusa, nie widząc go, i śmierć Adelmusa, nie wiedząc o niej prawie nic, nie będzie miał trudności z myśleniem o tym miejscu, chociaż nigdy w nim nie był.

Wilhelm pochylił się w ukłonie.

– Jesteś mądry także, kiedy jesteś surowy. Będzie, jak chcesz.

– Jeśli jestem mądry, to tylko dlatego, że umiem być surowy – odparł opat.

– Ostatnia sprawa – rzekł Wilhelm. – Hubertyn?

– Jest tutaj. Oczekuje cię. Znajdziesz go w kościele.

– Kiedy?

– Zawsze. – Opat się uśmiechnął. – Wiesz sam, że choć to człek bardzo mądry, nie ceni biblioteki. Uważa ją za złudzenie doczesne... Większość czasu spędza w kościele na medytacji, na modlitwie...

— Jest stary? – spytał Wilhelm z wahaniem.

– Jak długo go nie widziałeś?

– Wiele lat.

— Jest zmęczony. Bardzo oderwany od spraw tego świata. Ma sześćdziesiąt osiem lat. Ale wydaje mi się, że zachował ducha swojej młodości.

– Pójdę do niego zaraz. Dziękuję ci.

Opat zapytał, czy nie zechciałby dołączyć do wspólnoty zakonnej, żeby po sekście spożyć posiłek razem ze wszystkimi. Wilhelm odrzekł, że dopiero co jadł, i to bardzo obficie, i że wolałby zobaczyć się natychmiast z Hubertynem. Opat pożegnał się.

Już wychodził z celi, kiedy z dziedzińca dobiegł rozdzierający ryk jakby kogoś śmiertelnie zranionego, po czym nastąpiły dalsze jęki, równie okropne.

– Co to? – zapytał Wilhelm osłupiały.

– To nic – odparł opat z uśmiechem. – O tej porze roku bije się wieprze. To robota dla świniarza. Nie tą krwią masz się zająć. Wyszedł i uchybił swojej sławie człeka roztropnego. Gdyż następnego ranka... Lecz hamuj swoją niecierpliwość, mój zarozumiały języku. W tym dniu bowiem, jeszcze przed nadejściem nocy, zdarzyło się wiele rzeczy, o których dobrze będzie opowiedzieć.

Dzień pierwszy

Seksta

Kiedy to Adso podziwia portal kościoła,
Wilhelm zaś odnajduje Hubertyna z Casale

Kościół nie był tak dostojny jak owe, które miałem zobaczyć pewnego dnia w Strasburgu, Chartres, Bambergu i Paryżu. Przypominał raczej te, które widziałem już wówczas w Italii, nierwące się tak zawrotnie ku niebu i krzepko wrośnięte w ziemię, częstokroć szersze niźli wyższe; tyle że na pierwszym poziomie zwieńczony był niczym skała rzędem mocnych czworokątnych blanek, a powyżej tego piętra wznosiła się następna budowla, nie wieża, lecz raczej przysadzisty drugi kościół, okryty spiczastym dachem i podziurawiony surowymi oknami. Mocny kościół opacki (jakie nasi przodkowie budowali w Prowansji i Langwedocji), któremu obca była śmiałość i zbytek ozdób nowoświeckiego stylu i który dopiero ostatnimi czasy, jak mniemam, wzbogacił się w iglicę nad chórem, zuchwale godzącą w sklepienie niebieskie.

Dwie proste i gładkie kolumny stały przed wejściem, które przy pierwszym wejrzeniu jawiło się jako jeden tylko wielki łuk; jednakowoż od kolumn odbiegały dwa glify, zwieńczone innymi, a jakże licznymi łukami, i wiodły spojrzenie jakby na zatracenie ku prawdziwemu i właściwemu portalowi, który ledwie widziało się w mroku i nad którym górował wielki tympanon, wsparty po bokach węgarami, pośrodku zaś rzeźbionym słupem, dzielącym wejście na dwa otwory, zamknięte okutymi odrzwiami z dębu. O tej porze dnia blade słońce niemal prosto z góry padało na dach i oświetlało fasadę z ukosa, tympanon zostawiając w mroku, kiedy więc minęliśmy dwie kolumny, od razu znaleźliśmy się, prawie jak w lesie, pod sklepieniem łuków, które wybiegały z sekwencji mniejszych kolumn, podtrzymywanych każda przez stosowną przyporę. Kiedy wreszcie przyzwyczailiśmy się do półmroku, wnet niemy dystans kamiennych obrazków, dostępny bez przeszkód oczom i wyobraźni każdego (albowiem *pictura est laicorum litteratura**), poraził moje spojrzenie i zatonąłem w wizji, o której dziś jeszcze językowi trudno przychodzi opowiedzieć.

Ujrzałem tron postawiony w niebie. Ktoś na nim zasiadał. Oblicze Zasiadającego było surowe i niewzruszone, otwarte szeroko oczy

---

* Malarstwo jest literaturą dla ludzi prostych (łac.).

miotały promienie na ziemską ludzkość, która doszła już do kresu swoich spraw, a majestatyczne włosy i broda spływały na twarz i pierś niby rzeki jednakowymi i symetrycznie na obie strony rozdzielonymi nurtami. Na głowie miał koronę zdobną szmaragdami i klejnotami, a cesarska tunika purpurowej barwy kładła się sowitymi fałdami na kolana, przetykana haftami i koronkami ze złotych i srebrnych nitek. Dłoń lewa, wsparta na kolanie, dzierżyła zapieczętowaną księgę, prawa wznosiła się w geście... nie wiem, błogosławiącym czy grożącym. Oblicze rozświetlał straszny w swoim pięknie nimb w kształcie ukwieconego krzyża. Ujrzałem, jak wokół tronu i nad głową Zasiadającego lśni szmaragdowa tęcza. Przed tronem, u stóp Zasiadającego, przepływało kryształowe morze, wokół Niego zaś, wokół tronu i nad tronem ujrzałem czworo strasznych zwierząt – strasznych dla mnie, który baczyłem na nie w uniesieniu, lecz potulnych i łagodniutkich dla Zasiadającego, wyśpiewujących bez wytchnienia Jego chwałę.

Wszelako nie o wszystkich postaciach rzec można, iżby były straszliwe, bo piękny i miły zdawał mi się mąż po mojej lewicy (po prawicy zaś Zasiadającego), podający księgę. Znowuż grozą przejmował mnie orzeł po drugiej stronie, z rozwartym dziobem, nastroszonymi piórami układającymi się niby kirys, z potężnymi szponami, z rozpostartymi wielkimi skrzydłami. U stóp zaś Zasiadającego, poniżej dwóch pierwszych postaci, inne dwie, byk i lew, a każde z tych monstrów zaciskało, jedno w kopytach, drugie w szponach, księgę, i ciała miały odwrócone od tronu, lecz łby skłaniały ku tronowi, jakby wykręcając barki i szyje w srogim porywie, boki zaś wznosiły się im i opadały; członki miały owe stwory niby bestia w agonii, paszcze rozwarte, ogony wijące się, skręcone jak u węża i zakończone językami ognia. Oba skrzydlate, oba w koronach nimbów, a pomimo strasznego wyglądu nie były stworzeniami piekła, lecz nieba, jeśli zaś straszny był ich wizerunek, to z tej przyczyny, że ryczały w uwielbieniu dla Przyszłego, który osądzi żywych i umarłych.

Z obu stron tronu, u boku czterech zwierząt i pod stopami Zasiadającego – jakby widziani przez przezroczyste wody kryształowego morza, prawie wypełniając całą przestrzeń w zasięgu spojrzenia, rozmieszczeni w zgodzie z trójkątną budową tympanonu, poczynając od siedmiu z każdej strony, wyżej po trzech, a wreszcie po dwóch – siedzieli na dwudziestu czterech małych tronach starcy, odziani w białe szaty i w złotych koronach. Ten miał w rękach skrzypce, tamten czarę z pachnidłami, jeden zaś tylko grał, gdy tymczasem wszyscy inni w uniesieniu zwracali oblicza ku Zasiadającemu, którego chwałę wyśpiewywali, a członki mieli podobnie wykręcone jak owe zwierzęta, by wszyscy widzieć Go mogli, jednakowoż nie było to na sposób zwierzęcy, lecz w zachwyconym tańcu – tak pewnie tańczył Dawid dokoła arki – dokądkolwiek więc się zwracali, ich źrenice, na przekór prawu rządzącemu ułożeniem ciała, zbiegały się w tym samym, jaśniejącym punkcie. Ach, jakaż harmonia oddania i rozmachu, postaw nienaturalnych, a przecież wdzięcznych w tym mistycznym języku członków cudownie wyzwolonych od brzemienia cielesnej materii, wieszcza liczba wlana w nową formę substancjalną, jakby święty zastęp porwany został gwałtownym wichrem, tchnieniem życia, szaleństwem rozkoszy, radosnym alleluja, które stało się nagle z dźwięku obrazem!

Ciała i członki zamieszkane przez Ducha, oświecone objawieniem, oblicza wzburzone zachwytem, spojrzenia rozpalone zapałem, lica rozpłomienione miłością, źrenice rozszerzone od błogości, ten porażony przyjemnym osłupieniem, tamten przeniknięty osłupiałą przyjemnością, ów przeobrażony oszołomieniem, jeszcze inny odmłodzony przez uciechę, a wszyscy wyrazem twarzy, ułożeniem szat, ruchami i wytężeniem kończyn wyśpiewywali pieśń nową – wargami półotwartymi w uśmiechu wiecznej chwały. Pod stopami zaś starców, ponad starcami, ponad tronem i tetramorficzną grupą – rozmieszczone w symetrycznych układach, ledwie się jedne od drugich różniące, tak biegłość w sztuce uczyniła je wszystkie wzajemnie proporcjonalne, równe w odmienności i odmienne w jedności, jedyne w rozmaitości i rozmaite w umiejętnym zespoleniu, w cudnym dopasowaniu części do rozkosznej słodyczy barw, cudu współbrzmienia i zgodności głosów niepodobnych jedne do drugich, zestawienie jakby strun cytry, wspólnictwo i sprzysiężenie powinowactwa trwającego dzięki głębokiej i wewnętrznej sile, zdolnej osiągnąć jednobrzmiącą jednoznaczność w zmienności następujących po sobie dwuznaczności, ornament i porządek stworzeń niedających sprowadzić się do rzeczy, a przecież do rzeczy sprowadzonych, dzieło miłosnego złączenia, którym rządzi reguła niebiańska i zarazem ziemska (więź i mocne ogniwo pokoju, miłości, cnoty, rządów, władzy, ładu, początku, życia, światła, splendoru, rodzaju i figury), mnoga równość jaśniejąca blaskiem, jaki forma rzuca na proporcjonalne części materii – oto splatały się ze sobą wszystkie kwiaty, liście, czepne pędy, kępki traw i kiście wszelakiego ziela, które zdobi ogrody na ziemi i w niebie, fiołki, szczodrzenice, macierzanki, lilie, ligustry, narcyzy, kolokasje, akanty, miłowoje, mirra oraz drzewa balsamowe.

Lecz kiedy dusza moja, olśniona tym koncertem ziemskiego piękna i dostojnych znaków nadprzyrodzonych, miała wybuchnąć pieśnią radości, oko, błądzące podług rytmu ukwieconych rozet u stóp starców, padło na postacie, które splątane ze sobą stapiały się ze środkowym pilastrem wspierającym tympanon. Czym były i jakie symboliczne posłanie przekazywały te trzy pary lwów splecionych w poprzeczny krzyż, wygiętych w łuk tak, że tylne łapy wpierały w ziemię, przednie zaś kładły na grzbiecie poprzedników, z grzywami w splotach wężokształtnych, z paszczami rozwartymi w groźnym pomruku, wplecione w trzon pilastra niby kłębowisko lub gniazdo roślinnych pędów? Pokój memu duchowi przywróciły dwie postacie ludzkie, umieszczone po obu stronach pilastra być może właśnie po to, by zapanowały nad diabelską naturą lwów i przeobraziły ją w symboliczne nawiązanie do rzeczy wyższych; postacie nienaturalnie wydłużone do wysokości kolumny i bliźniacze wobec innych dwóch, które stojąc symetrycznie z obu stron, patrzyły na tamte z filarów zewnętrznych, gdzie każde z dębowych odrzwi miało własne węgary; byty więc cztery postacie starców – i po parafernaliach poznałem Piotra i Pawła, Jeremiasza i Izajasza, również skręconych jakby w kroku tanecznym, wznoszących długie kościste ręce, z palcami rozczapierzonymi niby skrzydła i tak samo skrzydlatymi brodami i włosami, którymi targał proroczy wiatr, z fałdami długich szat, a długie nogi dodawały im życia, tworząc zafalowania i spirale – przeciwstawione lwom, lecz z tej samej co one materii. I kiedy odwracałem urzeczony wzrok od zagadkowej polifonii świętych członków i ramion piekła, ujrzałem z boku portalu i pod głębokimi łukami – raz wyrzeźbione na przyporach w przestrzeni między cienkimi kolumnami, które je podtrzymywały i zdobiły, to znów w gęstej roślinności kapitelów każdej kolumny, a stamtąd rozgałęziające się ku leśnemu sklepieniu mnogich łuków– inne wizje straszne dla oczu i stosowne tutaj jedynie dla ich siły parabolicznej i alegorycznej lub dla pouczenia moralnego, jakie przekazywały; i zobaczyłem rozpustną niewiastę, nagą i wyzbytą ciała, kąsaną przez plugawe ropuchy, wysysaną przez węże, jak parzy się z satyrem o brzuchu wzdętym i nogach gryfa, pokrytych szorstką sierścią, ze sprośnym gardłem, które wyło o własnym potępieniu, i zobaczyłem skąpca, który leżał na łożu zdobnym w okazałe kolumny, ogarniętego już śmiertelną sztywnością, bezbronnego, wydanego na łup zastępu demonów, a jeden z nich wyrywał mu z ust rzężących duszę w kształcie dziecka (niestety, nigdy nienarodzonego na życie wieczne), i zobaczyłem pyszałka, któremu demon usadowił się na ramionach i wbijał szpony w oczy, i dwóch żarłoków, którzy rozszarpywali jeden drugiego w szkaradnym zmaganiu, i inne jeszcze stworzenia, z łbem kozła, sierścią lwa, paszczą pantery, więźniów lasu płomieni, których palące tchnienie prawie dawało się poczuć. A wokół, z tamtymi przemieszane, nad nimi i pod ich stopami, inne lica i inne członki: mężczyzna i kobieta, którzy targają się za włosy, dwie żmije wysysające oczy potępionego, jakiś śmiejący się szyderczo mężczyzna, który odpycha wygiętymi ramionami paszczę hydry, i wszystkie zwierzęta z bestiarium szatana, zgromadzone na konsystorz; straż i korona tronu, który stawiał im czoło, by swą klęską głosiły jego chwałę, fauny, istoty dwupłciowe, grubianie o sześciopalczastych dłoniach, syreny, hipocentaury, gorgony, harpie, inkuby, smokołapy, minotaury, rysie, lamparty, chimery, cenopery o pyskach lwów rzucające z nozdrzy płomienie, odontotyrannosy, stwory wieloogoniaste, węże włochate, szylkretowe i gładkie, salamandry, cerasty, dwugłowy o grzbietach uzbrojonych w zęby, hieny, wydry, wrony, krokodyle, hydropeksy o rogach niby piła, żaby, gryfony, małpy, pawiany, leocrocuty, mantykory, sępy, tarandy, łasice, smoki zwykłe i jednookie, dudki, sowy, bazyliszki, hipnale, spectafici, skorpiony, jaszczury, wieloryby, amfisbeny, iaculi, jaszczurki, remory, polipy, mureny i żółwie. Zda się, cała ludność piekieł wyznaczyła sobie sejm, by z przedsionka, mrocznego lasu, uczynić wraz z ukazaniem się Zasiadającego na tronie z tympanonu, Jego obiecującego i grożącego oblicza, łąkę rozpaczy, bo odrzucenia, dla nich, pokonanych z Armageddonu, co stanęli przed Tym, który ostatecznie oddzieli żywych od umarłych. I kiedy omdlewałem (prawie) od tego widoku, niepewny, czy znalazłem się w miejscu przyjaznym, czy też w dolinie Sądu Ostatecznego, wydało mi się, że słyszę (a może słyszałem naprawdę?) ten głos i mam przed oczyma te wizje, które towarzyszyły mojemu pacholęctwu nowicjusza, pierwszym lekturom świętych ksiąg i nocom rozmyślań w chórze w Melku, i w mdłości moich zmysłów słabych i osłabłych dobiegł mych uszu głos potężny niby trąba, mówiący: „To, co widzisz, zapiszesz w księdze" (to właśnie czynię), i zobaczyłem siedem świeczników złotych i między świecznikami Kogoś podobnego do Syna Człowieczego, przepasanego przez pierś pasem złotym, z głową i włosami jasnymi jak wełna, oczyma niby płomień ognia, nogami jak mosiądz rozpalony, głosem jak głos wielu wód, a miał w prawej ręce siedem gwiazd i z ust jego wychodził miecz z obu stron ostry. I ujrzałem drzwi otwarte w niebie, a Ten, co siedział, zdał mi się jakby z kamienia jaspisu i krwawnika i tęcza była wokoło tronu, i z tronu wychodziły błyskawice i grzmoty. Zasiadający ujął w dłoń sierp ostry i krzyknął: „Zapuść sierp swój i żnij, gdyż przyszła godzina żniwa, ponieważ dojrzało żniwo ziemi"; i Ten, co siedział, zapuścił sierp swój na ziemię i zżęta jest ziemia.

Pojąłem, że wizja mówiła nic innego, jeno to, co dzieje się w opactwie i cośmy usłyszeli z ust opata – a ileż to razy w następnych dniach wracałem, by wpatrywać się w portal, i zawsze pewny byłem, że przeżywam to, o czym opowiadał. I pojąłem, że przybyliśmy tutaj, by być świadkami wielkiego i niebiańskiego rozlewu krwi. Zadrżałem, jakby skąpała mnie lodowata zimowa ulewa. I usłyszałem jeszcze jeden głos, ale tym razem dobiegł od tyłu, i był to głos odmienny, gdyż pochodzący z ziemi, nie zaś z piorunującego środka mojej wizji; i wtedy rozproszyła się wizja, ponieważ Wilhelm (w tym momencie zdałem sobie sprawę z jego obecności), do tej chwili również zagłębiony w kontemplacji, obrócił się, podobnie jak ja.

Istota za naszymi plecami zdawała się mnichem, aczkolwiek plugawy i obszarpany habit czynił ją podobną raczej do włóczęgi, twarz zaś nie różniła się zbytnio od pysków potworów, które widziałem przed chwilą na kapitelach. Nigdy w życiu, acz zdarza się przecież to licznym moim konfratrom, nie nawiedził mnie diabeł, lecz myślę, że gdyby miał mi się kiedy ukazać, niezdolny z Bożego rozporządzenia ukryć całkowicie swojej natury, choćby i nawet zechciał uczynić się podobnym do człowieka, nie inne miałby rysy twarzy niż te, jakie okazywał wtenczas nasz rozmówca. Czaszka bezwłosa, jednak nie z pokuty, ale przez dawne działanie jakiejś lepkiej egzemy, czoło tak niskie, że gdyby miał jeszcze włosy na głowie, łączyłyby się z brwiami (które były gęste i stargane), oczy okrągłe, źrenice maleńkie i rozbiegane, spojrzenie zaś, nie wiem, niewinne li czy złośliwe, a może obie te rzeczy naraz i w różnych chwilach. Nos można było tak nazwać dlatego tylko, że kość jakaś sterczała spomiędzy oczu, ale jak oddzielał się od twarzy, tak się i z nią łączył, przemieniając się nie w co innego, jeno w dwie ciemne jamy – zarośnięte gęstwą włosów dziurki. Usta, połączone z nozdrzami blizną, były szerokie i krzywe, dalej sięgały po lewej stronie niż po prawej; między wargą górną, której nie było, a dolną, wydatną i mięsistą, pojawiały się w nierównych odstępach zęby, czarne i ostre jak kły psa.

Mąż ów uśmiechnął się (a przynajmniej tak mi się zdało) i unosząc palec, jakby chciał nas napomnieć, rzekł:

– *Penitenziagite! Vide quando draco venturus est* wgryza się w *anima tua! La morta est super nos!* Módl się, by przybył święty ojciec i uwolnił nas *a malo de todas le peccata!* Ach, ach, *ve piase ista* nekromancja *Domini Nostri Jesu Christi! Et anco iois m'aguaita* w jakąś pieśń, by ukąsać mnie w kark. Ale Salwator *non est insipiens! Bonum monasterium et* tutaj *se magna et se priega dominum nostrum.* Zasię reszta *valet est* wyschłej figi. *Et amen.* Czyż nie? Ciągnąc tę opowieść, przyjdzie mi jeszcze mówić, i to nieraz, o tym stworzeniu i przytaczać jego słowa. Wyznaję, że nie będzie to łatwe, nie umiem bowiem powiedzieć dzisiaj, podobnie jak nie pojmowałem wtenczas, jakim językiem mówiło. Nie była to łacina, którą posługiwali się wykształceni mieszkańcy opactwa, nie był to język pospólstwa z tych albo innych ziem, jaki kiedykolwiek słyszałem. Myślę, że dałem niejakie wyobrażenie o jego sposobie mówienia, przytaczając (tak jak utkwiły mi w pamięci) pierwsze słowa, które usłyszałem z jego ust. Kiedy później dowiedziałem się o bogatym w przygody życiu Salwatora i o rozmaitych miejscach, w jakich bywał, nigdzie nie zapuszczając korzeni, zrozumiałem, że mówił wszystkimi językami i żadnym. Lub też wymyślił sobie własny, spożytkowując strzępy języków, z którymi się zetknął – i pomyślałem raz, że jego język nie był językiem adamowym, jakim mówiła szczęśliwa ludzkość, gdy wszystkich łączyła ta sama mowa, od początku świata aż do wieży Babel, ani też jednym z języków, jakie wyszły po nieszczęsnym ich rozdzieleniu, lecz właśnie językiem bablejskim z pierwszego dnia po Boskiej karze, językiem pierwotnego pomieszania. Z drugiej strony języka Salwatora nie mogłem nazwać mową, albowiem w każdym człowieczym języku są reguły, a każde wyrażenie oznacza *ad placitum** jakąś rzecz, podług prawa, które się nie odmienia, jako że człowiek nie może nazwać psa raz psem, a raz kotem, ani dobywać z siebie dźwięków, jeśli powszechna zgoda ludzi nie nadała im ostatecznego znaczenia, jak byłoby z kimś, kto wypowiedziałby słowo *blitiri.* Wszakże lepiej czy gorzej rozumiałem, co Salwator chciał powiedzieć, i rozumieli inni. To znak, że mówił nie jednym językiem, ale wszystkimi, żadnym w sposób właściwy, biorąc słowa to z jednego, to z drugiego. Spostrzegłem później, że mógł nazwać rzecz jakąś raz po łacinie, to znów po prowansalsku, i zdałem sobie sprawę, że raczej nie zmyślał własnych zdań, lecz używał oddzielnych członów innych zdań, zasłyszanych kiedyś – zależnie od sytuacji i tego, co chciał rzec, jakby o jadle mógł mówić tylko słowami ludzi, przy których to jadło spożywał, i wyrażać radość tylko zdaniami, jakie wypowiadali ludzie rozradowani w dniu, kiedy i on doświadczył podobnego uczucia. To tak, jakby przemawiała jego

---

* Wedle uznania (łac.).

twarz, ale złączona z kawałkami innych twarzy, albo jak widziałem parę razy w cennych relikwiarzach (*si licet magnis componere parva**lubo ze sprawami Boskimi diabelskie), które powstają ze szczątków różnych świętych przedmiotów. Kiedy spotkałem go po raz pierwszy, pokazał mi się i z twarzy, i ze sposobu mówienia jako niewiele różny od skrzyżowań włochatych i kopytnych zwierząt, jakie dopiero co widziałem na portalu. Później spostrzegłem, że był to może człek zacnego serca i humoru żartobliwego. Jeszcze później... Ale nie niweczmy porządku rzeczy. Między innymi dlatego, że jak tylko przemówił, mój mistrz zapytał z wielkim zaciekawieniem:

– Czemu rzekłeś *penitenziagite*?

– *Domine frate magnificentisimo* – odparł Salwator, składając jakby ukłon. – Jezus *ventuus est et li homini debent* czynić pokutę. Nie?

Wilhelm przyjrzał mu się bacznie.

– Przybyłeś tutaj z klasztoru minorytów?

– *No intendo*.

– Pytam, czy żyłeś pośród braci świętego Franciszka, pytam, czy znałeś owych, których zwano apostołami...

Salwator pobladł, a raczej jego ogorzałe i zwierzęce oblicze stało się szare. Wykonał głęboki skłon, ledwie poruszając wargami, oznajmił: *vade retro*, przeżegnał się pobożnie i umknął, zerkając co jakiś czas za siebie.

– O co go pytałeś? – zagadnąłem Wilhelma. Był przez chwilę jeszcze pogrążony w myślach.

– Nieważne, powiem ci później. Wejdźmy. Chcę znaleźć Hubertyna.

Dopiero co minęła godzina seksty. Blade słońce przenikało do wnętrza kościoła od zachodu, a więc przez niewiele okien, i to wąskich. Delikatna smuga światła muskała jeszcze główny ołtarz, którego antependium zdawało się jaśnieć złotym blaskiem. Nawy boczne pogrążone były w półmroku.

Koło ostatniej kaplicy przed ołtarzem w lewej nawie wznosiła się cienka kolumna, a na niej Najświętsza Panna z kamienia, wyrzeźbiona w stylu nowoświeckim, z niewypowiedzianym uśmiechem, wystającym brzuchem, Dzieciątkiem na ręku, ubrana we wdzięczną suknię z delikatnym gorsetem. U stóp figury modlił się, prawie leżąc krzyżem, człek ubrany w suknie zakonu kluniackiego.

Podeszliśmy bliżej. Tamten, słysząc odgłos naszych kroków, uniósł głowę. Był to starzec o nader gładkim obliczu, łysej czaszce, wiel-

---

* Jeśli można rzeczy małe do wielkich przyrównywać (łac.).

kich niebieskich oczach, ustach delikatnych i czerwonych, białej skórze i kościstej głowie, do której skóra przylegała, jakby był zakonserwowaną w mleku mumią. Dłonie miał białe, palce długie i szczupłe. Wyglądał jak dziewczynka, którą ścięła przedwczesna śmierć. Obrzucił nas spojrzeniem najpierw zagubionym, jakbyśmy przerwali mu ekstatyczną wizję, później jego oblicze rozjaśniło się radością. – Wilhelm?! – wykrzyknął. – Najdroższy sercu bracie! – Wstał z trudem i ruszył naprzeciw mojemu mistrzowi, by chwycić go w ramiona i pocałować w usta. – Wilhelm! – powtórzył i oczy mu zwilgotniały od łez. – Ile to lat! Poznaję cię jeszcze! Ile lat, ile wydarzeń! Jakimiż próbami Bóg nas doświadczał! – Zapłakał. Wilhelm, też wyraźnie wzruszony, odwzajemnił mu uścisk. Mieliśmy przed sobą Hubertyna z Casale.

Słyszałem o nim, i to niejedno, zanim przybyłem do Italii, a jeszcze więcej stykając się z franciszkanami z cesarskiego dworu. Ktoś powiedział mi nawet, że największy poeta naszych czasów, Dante Alighieri z Florencji, zmarły przed niewielu laty, stworzył poemat (nie mogłem go przeczytać, bo był napisany w pospolitym języku toskańskim), do którego przyłożyły dłoń i niebo, i ziemia, a którego wiele wersów było niczym innym, jak parafrazą fragmentów dzieła Hubertyna *Arbor vitae crucifixae*. Na tym bynajmniej nie kończyły się zasługi tego sławetnego człeka. Chcę wszakże, by mój czytelnik miał lepszą możliwość zrozumienia, jak ważne było to spotkanie, postaram się więc odtworzyć sprawy tamtych lat, tak jak je pojmowałem w czasie mojego krótkiego pobytu w środkowej Italii, słuchając skąpych słów mojego mistrza i licznych rozmów, jakie prowadził z opatami i mnichami w toku naszej podróży.

Postaram się opowiedzieć to, co pojąłem, chociaż nie mam pewności, czy powiem to dobrze. Moi nauczyciele z Melku nieraz powtarzali, że jest rzeczą wielce trudną dla mieszkańca Północy wyrobić sobie jasny pogląd na sprawy religijne i polityczne w Italii.

Półwysep, gdzie potęga duchowieństwa była w widoczny sposób większa niż w jakimkolwiek innym kraju i gdzie bardziej niż w innym kraju duchowieństwo popisywało się swą mocą i bogactwem, spłodził w ciągu ponad dwóch wieków ruchy ludzi zamyślających wieść żywot uboższy i ścierających się ze znieprawionymi księżmi, od których nawet nie chcieli przyjmować sakramentów. Ludzie ci łączyli się w niezależne wspólnoty, będące solą w oku i panów, i cesarstwa, i rad miejskich.

Wreszcie pojawił się święty Franciszek i począł szerzyć umiłowanie ubóstwa w zgodzie z przykazaniami Kościoła; za jego sprawą

Kościół uznał pożytek surowych obyczajów, do czego nawoływały stare ruchy, i oczyścił owe ruchy ze składników nieładu, które się w nich zagnieździły. Można było oczekiwać, że nadejdzie epoka umiaru i świętości. Ponieważ jednak zakon franciszkański wzrastał i przyciągał do siebie najlepszych, zbyt wielką zyskując potęgę i zbyt się przywiązując do spraw doczesnych, liczni franciszkanie pragnęli przywrócić mu czystość z dawnych czasów. Sprawa raczej trudna dla zakonu, który wtedy, gdy przebywałem w opactwie, liczył już ponad trzydzieści tysięcy rozsianych po całym świecie mnichów. Tak jednak jest, i wielu spośród braci świętego Franciszka sprzeciwiało się regule, jaką zakon sobie nadał, powiadając, że przyjął teraz sposoby tych instytucji kościelnych, które zamierzał reformować. Wielu z nich odkryło wtedy na nowo księgę pewnego cysterskiego mnicha, zwanego Joachimem, który pisał na początku XII wieku po Chrystusie i któremu przyznawano ducha proroczego. Rzeczywiście, przewidział nadejście nowej ery, kiedy to duch Chrystusowy, w czasie owym znieprawiony przez czyny Jego fałszywych apostołów, miałby na nowo urzeczywistnić się na ziemi. I zapowiedział nadejście takich czasów, że wszyscy zobaczyli jasno, iż mówił, sam o tym nie wiedząc, o zakonie franciszkańskim. Rozradowało to nader licznych franciszkanów, może nawet nadto, tak że w połowie wieku w Paryżu doktorowie Sorbony potępili twierdzenia opata Joachima, ale zdaje się uczynili to dlatego, iż franciszkanie (i dominikanie) stawali się coraz potężniejsi i mędrsi w uniwersytecie Francji, toteż chciano pozbyć się ich jako heretyków. Do czego wszelako nie doszło z wielką korzyścią dla Kościoła, dzięki temu bowiem mogły szerzyć się dzieła Tomasza z Akwinu i Bonawentury z Bagnoregio, którzy z pewnością heretykami nie byli. Stąd widać, że nawet w Paryżu doszło do zamętu w ideach albo ktoś chciał do tego zamętu doprowadzić, mając na widoku własne cele. Takie to zło herezja wyrządza ludowi chrześcijańskiemu – zło, które zaciemnia idee i popycha wszystkich, by stali się inkwizytorami dla osobistej korzyści. To zaś, po wszystkim, co widziałem w opactwie (i o czym opowiem później), skłoniło mnie do sądu, że często sami inkwizytorzy tworzą heretyków. I nie tylko w tym znaczeniu, że wyobrażają ich sobie tam, gdzie nie ma żadnego, ale też dlatego, że gwałtami tępiąc heretycką chorobę, budzą ku sobie odrazę u wielu, którzy przez to poczynają skłaniać się w stronę kacerstwa. Doprawdy diabelski to krąg i oby Bóg zechciał nas od niego wybawić.

Ale mówiłem o herezji joachimickiej (jeśli takowa była). I ujrzano w Toskanii franciszkanina, Gerarda z Borgo San Donnino, jak uczynił się głosem przepowiedni Joachima, i wielkie przejęcie było wśród minorytów. „Wyłonił się wtedy spośród nich zastęp stronników dawnej reguły, a przeciwników nowego urządzenia zakonu, o co pokusił się wielki Bonawentura, późniejszy jego generał. W ostatnim trzydziestoleciu wieku ubiegłego, kiedy sobór w Lyonie, ratując zakon franciszkański przed tymi, którzy chcieli go skasować, oddał mu w posiadanie wszystkie użytkowane przez niego dobra, jak to było już ustanowione dla zakonów dawniejszych, niektórzy bracia w marchiach zbuntowali się, ponieważ utrzymywali, że duch reguły został ostatecznie zdradzony, żaden bowiem franciszkanin nie powinien mieć niczego ani osobiście, ani przez klasztor, ani przez zakon. Uwięziono ich na resztę życia. Nie zdaje mi się, by głosili rzeczy sprzeczne z Ewangelią, lecz kiedy chodzi o posiadanie dóbr doczesnych, trudno jest ludziom myśleć w zgodzie ze sprawiedliwością. Wiele lat później powiedziano mi, że nowy generał zakonu, Rajmund Gaufredi, znalazł tych więźniów w Ankonie i uwalniając ich, rzekł: „Zechciał Bóg, iżbyśmy my wszyscy, i cały zakon franciszkański, splamili się tą przewiną". Znak, że nie jest prawdą to, co mówią kacerze, i w Kościele nie brak jeszcze ludzi wielkiej cnoty.

Był wśród tych uwolnionych więźniów Angelo Clareno, który spotkał się później w Prowansji z pewnym bratem, Piotrem di Giovanni Olivi, głoszącym proroctwa Joachima, a następnie z Hubertynem z Casale, i z tego narodził się ruch duchowników. Zasiadł w tych latach na stolicy papieskiej święty eremita, Piotr z Morrone, który władał jako Celestyn V, i ten przyjęty był z ulgą przez owych duchowników. „Okaże się świętym – powiadano – i dotrzyma nauki Chrystusa, jego żywot będzie anielski, drżyjcie, znieprawieni prałaci". Może żywot Celestyna był nazbyt anielski, a może prałaci z jego otoczenia byli zbyt znieprawieni albo nowy papież nie wytrzymał napięcia za bardzo już przeciągającej się wojny z cesarzem i innymi królami Europy; jakkolwiek było, Celestyn zrzekł się godności i wrócił do swojej pustelni. Ale w krótkim czasie jego panowania, trwającego mniej niż rok, wszystkie oczekiwania duchowników zostały zaspokojone; udali się do Celestyna, który utworzył wraz z nimi wspólnotę zwaną *fratres et pauperes heremitae domini Celestini**. Z drugiej strony papież musiał być rozjemcą między możnymi rzymskimi kardynałami, a w tym czasie kilku z nich, jak Colonna lub Orsini, w sekrecie popierało nowe prądy, głoszące ubóstwo; doprawdy osobliwego wyboru dokonali owi ludzie nadzwyczaj potężni, którzy żyli

---

* Bracia i ubodzy pustelnicy papieża Celestyna (łac.).

pośród niemodnych już dostatków i bogactw, i nigdy nie pojąłem, czy po prostu wykorzystywali duchowników do swoich celów związanych z rządzeniem, czy w pewien sposób uważali, iż wspieranie prądów uduchowionych rozgrzeszało ich z grzesznego żywota; i być może prawdą były obie rzeczy, jeśli wolno mi sądzić według tego, co zdołałem pojąć ze spraw italskich. Ale właśnie by świecić przykładem, Hubertyn został przyjęty na kapelana przez kardynała Orsiniego, kiedy zyskał największy posłuch spośród duchowników i groziło mu oskarżenie o herezję. I tenże sam kardynał był mu tarczą w Awinionie.

Jak to jednak bywa w podobnych przypadkach, wprawdzie Angelo i Hubertyn głosili kazania, według doktryny, ale wielkie rzesze prostaczków brały sobie do serc słowa kaznodziejów i rozbiegały się po całym kraju bez nijakiego nadzoru. W ten oto sposób w Italii zaroiło się od owych braciszków lub braci ubogiego żywota, w których wielu dopatrywało się niebezpieczeństwa. Trudno już było odróżnić mistrzów życia duchowego, którzy nie tracili styczności z władzami kościelnymi, od ich uboższych duchem stronników, którzy najzwyczajniej żyli poza zakonem, żebrząc o jałmużnę, i utrzymywali się z dnia na dzień z pracy swoich rąk, nie zachowując żadnej własności. I tych właśnie głos ludu nazwał braciaszkami, i nie różnili się zbytnio od francuskich begardów, dla których natchnieniem był Piotr di Giovanni Olivi.

Miejsce Celestyna V zajął Bonifacy VIII i papież ten nie zwlekał z okazaniem, że nie będzie pobłażliwości dla duchowników i braciaszków w ogólności, kiedy zaś umierał w ostatnich latach wieku, podpisał bullę *Firma cautela*, w której potępiał za jednym zamachem dwuskibowe sochy, domokrążnych włóczęgów, którzy kręcili się zbyt blisko skrajnych odłamów zakonu franciszkańskiego, i samych duchowników, czyli tych, którzy odsuwali się od życia zakonnego, by osiąść w eremach.

Potem duchownicy próbowali od innych papieży, jak Klemens V, uzyskać pozwoleństwo na oderwanie się od zakonu w sposób niegwałtowny. Pewnie by się im powiodło, lecz z pojawieniem się Jana XXII wyzbyli się wszelkiej nadziei. Ledwie został wybrany w 1316 roku, napisał do króla Sycylii, by ten wygonił owych braci ze swoich ziem, liczni bowiem tam właśnie szukali schronienia; i kazał zakuć w łańcuchy Angela Clarena oraz duchowników z Prowansji.

Nie było to zapewne przedsięwzięcie łatwe i wielu w kurii stawiło opór. Faktem jest, że Hubertyn i Clareno uzyskali pozwolenie na wyjście z zakonu i zostali przyjęci jeden przez benedyktynów, drugi przez celestynów. Lecz dla tych, którzy dalej prowadzili żywot wolny, Jan był bez litości i kazał ich ścigać inkwizycji, toteż liczni spłonęli na stosie.

Pojął jednak, że aby wyrwać z korzeniami chwast braciszków, niszczących podwalinę władzy Kościoła, należy potępić twierdzenia, na których opierają swoją wiarę. Utrzymywali, że Chrystus i apostołowie nie mieli żadnej własności ani osobistej, ani we wspólnym władaniu, więc papież potępił tę myśl jako heretycką. Rzecz zdumiewająca, bo nie wiadomo, czemuż to papież miałby uznać za przewrotną myśl, że Chrystus był ubogi; lecz właśnie rok wcześniej odbyła się w Perugii kapituła generalna franciszkanów, która podtrzymała ten pogląd, i potępiając braciaszków, papież potępił też ową kapitułę. Jak już rzekłem, kapituła zaszkodziła mu wielce w zmaganiach z cesarzem – to pewna. I od owego dnia wielu braciaszków, którzy nie wiedzieli nic ani o cesarstwie, ani o Perugii, spłonęło.

O tych rzeczach rozmyślałem, patrząc na legendarną postać Hubertyna. Mój mistrz przedstawił mnie, a starzec dłonią ciepłą, prawie rozpaloną, pogłaskał moje lico. Przy dotknięciu tej dłoni pojąłem wiele z tego, co słyszałem o tym świętym człeku, i z tego, co wyczytałem ze stronic *Arbor vitae*, zrozumiałem mistyczny ogień, który trawił go od czasu młodości – kiedy, choć studiował w Paryżu, odsunął się od spekulacji teologicznych i przedstawił sobie, że został przemieniony w skruszoną Magdalenę – i nader mocne więzy, jakie zadzierzgnął ze świętą Anielą z Foligno, która wprowadziła go w bogactwo życia mistycznego i w adorację krzyża; i pojąłem też, dlaczego przełożeni, strapieni żarliwością jego kazań, wysłali go do klasztoru La Verna.

Przypatrywałem się twarzy o rysach przesłodkich niby rysy świętej, z którą utrzymywał brateskie obcowanie zmysłów duszy. Domyślałem się, że umiał nadać tym rysom znacznie więcej twardości, kiedy w roku 1311 sobór w Vienne dekretałami *Exivi de paradiso* odsunął franciszkańskich przełożonych niechętnych duchownikom, lecz tym ostatnim nakazał, by żyli w pokoju w łonie zakonu, ten zaś rycerz wyrzeczeń nie zgodził się na ostrożną ugodę i podjął walkę o utworzenie zakonu niezależnego i natchnionego zasadą surowości. Wielki wojownik przegrał wówczas bitwę, albowiem w owych latach Jan XXII walczył o krucjatę przeciw zwolennikom Piotra di Giovanni Olivi (do których sam był zaliczany) i potępił braci z Narbony i Béziers. Lecz Hubertyn nie zawahał się stanąć w obliczu papieża, by bronić pamięci przyjaciela, papież zaś, ujęty jego świątobliwością, nie ośmielił się go potępić (chociaż innych później potępił).

W owej okoliczności nastręczył mu nawet drogę ratunku, najpierw doradzając, a potem nakazując wstąpienie do zakonu kluniackiego. Hubertyn, który musiał być także biegły (on, z pozoru tak bezbronny i wątły) w zdobywaniu sobie poparcia i sprzymierzeńców na dworze papieskim, zgodził się, owszem, wstąpić do klasztoru w Gemblach we Flandrii, ale zda mi się, że nigdy tam się nie udał, lecz pozostał w Awinionie w świcie kardynała Orsiniego, by bronić sprawy franciszkanów.

Dopiero ostatnimi czasy (a to, co na ten temat zasłyszałem, było niejasne) nastąpił schyłek jego fortuny na dworze; musiał oddalić się od Awinionu, a jednocześnie papież nakazał ścigać tego nieposkromionego człeka jako kacerza, który *per mundum discurrit vagabundus**. Powiadano, że wszelki ślad po nim przepadł. Z popołudniowej rozmowy między opatem a Wilhelmem dowiedziałem się, że skrył się w tym opactwie. I oto miałem go teraz przed sobą.

– Wilhelmie – mówił właśnie – mieli mnie zabić, musiałem uchodzić nocą.

– Kto chciał twojej śmierci? Jan?

– Nie. Jan nie miłował mnie nigdy, ale zawsze darzył szacunkiem. Na dobrą sprawę on to podsunął mi przed dziesięciu laty sposób uniknięcia procesu, nakazując wstąpić do benedyktynów, i tym samym zamknął usta moim przeciwnikom. Długo szemrali, szydzili, bo bojownik ubóstwa wstępował do klasztoru bogatego i żył na dworze kardynała Orsiniego... Wilhelmie, wiesz, jak mało stoję o sprawy tej ziemi! Lecz był to sposób, by pozostać w Awinionie i bronić moich konfratrów. Papież lęka się Orsiniego, włos z głowy by mi nie spadł. Jeszcze trzy lata temu pchnął mnie w poselstwie do króla Aragonii.

– Któż więc źle ci życzy?

– Wszyscy. Kuria. Dwakroć próbowali mnie zabić. Chcieli zamknąć mi usta. Wiesz, co się zdarzyło pięć lat temu. Dwa lata wcześniej potępieni zostali begardzi z Narbony, a Berengar Talloni, który należał wszak do grona sędziów, odwołał się do papieża. Były to chwile trudne, Jan wydał już dwie bulle przeciw duchownikom i sam Michał z Ceseny uległ; ano właśnie, kiedyż tu przybędzie?

– Stanie tu za dwa dni.

– Michał... Tyle już czasu go nie widziałem. Opamiętał się, rozumie, czego chcemy, kapituła w Perugii przyznała nam rację. Ale wtedy, w tysiąc trzysta osiemnastym, ustąpił papieżowi i oddał w jego

---

* Po świecie wędruje wolny (łac.).

ręce pięciu duchowników z Prowansji, bo nie chcieli się podporządkować. Spłonęli, Wilhelmie... Och, to straszne! – Skrył twarz w dłoniach.

– Ale co właściwie zaszło po odwołaniu się Talloniego? – zapytał Wilhelm.

– Jan musiał na nowo otworzyć dyskusję, pojmujesz? Musiał, bo również w kurii byli ludzie ogarnięci zwątpieniem, nawet franciszkanie z kurii, faryzeusze, groby pobielane, gotowi sprzedać się za prebendę, a przecie ogarnęło ich zwątpienie. Wtenczas to Jan kazał mi przygotować memoriał na temat ubóstwa. Był piękny, Wilhelmie, oby Bóg wybaczył mą pychę.

– Czytałem, pokazał mi go Michał.

– Także wśród naszych byli chwiejni: prowincjał Akwitanii, kardynał San Vitale, biskup Kaffy...

– To głupiec – rzekł Wilhelm.

– Niechaj spoczywa w pokoju, odszedł do Boga dwa lata temu.

– Bóg nie był tak miłosierny. To fałszywa nowina z Konstantynopola. Jeszcze jest wśród żywych, powiadają mi, że wejdzie w skład legacji. Oby Bóg miał nas w swej pieczy!

– Ale sprzyja kapitule w Perugii – rzekł Hubertyn.

– I w tym rzecz. Należy do tego samego gatunku ludzi, którzy są zawsze najlepszymi sprzymierzeńcami własnych nieprzyjaciół.

– Prawdę mówiąc, nawet wtedy nie najlepiej przysłużył się sprawie. Zresztą wszystko skończyło się w istocie na niczym, ale przynajmniej nie postanowiono, że myśl sama jest heretycka, i to było ważne. Z tego też powodu inni nie wybaczyli mi nigdy. Przykładali się, jak mogli, by szkodzić na wszystkie sposoby, powiedzieli, że trzy lata temu, kiedy Ludwik ogłosił Jana kacerzem, byłem w Sachsenhausen. A wszak wiedzieli wszyscy, że w lipcu przebywałem w Awinionie z Orsinim... Uznali, że niektóre ustępy deklaracji cesarza są odbiciem moich poglądów. Cóż za szaleństwo!

– Nie takie znowu wielkie. Pomysły podsunąłem im ja, sięgając do twojej deklaracji awiniońskiej i do niektórych stronic Oliviego.

– Ty?! – zakrzyknął Hubertyn, jednocześnie osłupiały i rozradowany. – Przyznajesz mi zatem rację! Wilhelm miał minę zakłopotaną.

– W owym momencie były to myśli odpowiednie dla cesarza – rzekł wymijająco.

Hubertyn spojrzał nań podejrzliwie.

– Ach, tak. Ale ty nie wierzysz w nie naprawdę, czyż nie mam racji?

– Opowiadaj dalej – rzekł Wilhelm. – Opowiedz, jak wymknąłeś się tym psom.

– O tak, Wilhelmie, to są psy. Wściekłe psy. Zdarzyło mi się zmagać z samym Bonagratią. Czy wiedziałeś?

– Ależ Bonagratia z Bergamo trzyma z nami!

– Teraz, kiedy jakże długo doń przemawiałem. Wtedy dopiero przekonał się i zaprotestował przeciw *Ad conditorem canonum*. I papież uwięził go na rok.

– Słyszałem, że teraz bliski jest jednemu z moich przyjaciół z kurii, Wilhelmowi Ockhamowi.

– Niewiele go znam. Nie podoba mi się. To człowiek bez żaru, wszystko u niego z głowy, nic z serca.

– Ale to nie lada głowa.

– Być może, i zaprowadzi go do piekła.

– Zatem spotkam go tam i będziemy dyskutować nad logiką.

– Zamilcz, Wilhelmie – rzekł Hubertyn, uśmiechając się z żywym afektem. – Ty jesteś lepszy od twoich filozofów. Gdybyś jeno zechciał...

– Cóż takiego?

– Kiedy widzieliśmy się po raz ostatni w Umbrii? Pamiętasz? Właśnie wylizałem się z chorób dzięki orędownictwu tej cudownej niewiasty... Klary z Montefalco... – szepnął z promiennym licem. – Klara... Kiedy natura niewieścia, z przyrodzenia jakże przewrotna, wznosi się do świętości, wówczas zdolna jest stać się najwznioślejszym nośnikiem łaski. Wiesz, że życia mego natchnieniem była najczystsza cnotliwość, Wilhelmie. – Chwycił go kurczowo za ramię. – Wiesz, z jakim... srogim, tak, to słowo jest właściwe, z jakim srogim pragnieniem pokuty umartwiałem w sobie drgnienie ciała, bym stał się bez reszty przezroczysty na miłość Ukrzyżowanego Jezusa. .. Jednakowoż trzy niewiasty w mym życiu to trzy niebiańskie wysłanniczki. Aniela z Foligno, Małgorzata z Città di Castello (która wyjawiała mi zakończenie mojej książki, kiedy napisałem dopiero trzecią część) i wreszcie Klara z Montefalco. Było nagrodą niebios, że ja, właśnie ja, miałem prowadzić badanie w sprawie jej cudów i obwieścić świętość Klary tłumom, nim jeszcze ruszył się Kościół, nasza święta matka. I ty tam byłeś, Wilhelmie, i mogłeś wesprzeć mnie w tym świętym przedsięwzięciu, a przecież nie chciałeś...

– Lecz to święte przedsięwzięcie, do którego mnie zachęcałeś, łączyło się z posłaniem na stos Bentiwengi, Jacoma i Giovannuccia – odparł cichym głosem Wilhelm.

– Swoją przewrotnością bezcześcili jej pamięć. Ty zaś byłeś inkwizytorem!

– I wtenczas właśnie poprosiłem o uwolnienie od tego ciężaru. Ta historia mi się nie podobała. Szczerze powiem, że nie podobał mi się sposób, w jaki nakłoniłeś Bentiwengę do wyznania błędów. Udałeś, że wstępujesz do jego sekty, jeśli jakaś sekta była, wyłudziłeś jego sekrety i nakazałeś go uwięzić.

– Tak przecież walczy się z nieprzyjaciółmi Chrystusa! Byli to kacerze, pseudoapostołowie, śmierdzieli siarką brata Dulcyna!

– Byli przyjaciółmi Klary.

– Nie, Wilhelmie, nie okrywaj ani skrawkiem cienia pamięci Klary!

– Ale widywano ich przy niej...

– Byli to minoryci, utrzymywali, że są duchownikami, a byli braćmi wspólnoty! Lecz jak wiesz, w toku śledztwa stało się jasne, że Bentiwenga z Gubbio ogłosił się apostołem, a potem wraz z Giovannucciem z Bevagni uwodził mniszki, powiadając im, iż piekła nie ma, iż można zaspokajać żądze cielesne, nie obrażając przy tym Boga, przyjmować ciało Chrystusa (wybacz mi, Panie) po tym, jak się zabawiało z mniszką, iż Panu milsza była Magdalena od dziewicy Agnieszki, iż to, co pospólstwo zwie diabłem, jest samym Bogiem, albowiem demon jest mądrością, a Bóg jest też mądrością! I właśnie błogosławiona Klara po wysłuchaniu tych przemówień miała wizję, w której sam Bóg powiedział jej, że tamci są niegodziwymi stronnikami Spiritus Libertatis!

– Byli minorytami, których umysły gorzały od tych samych wizji, co umysł Klary, a często granica między zachwyceniem wizji i szaleństwem grzechu jest prawie niedostrzegalna – odrzekł Wilhelm.

Hubertyn ścisnął mu dłonie i jego oczy znowu zaszły łzami.

– Nie powiadaj tego, Wilhelmie. Jakże możesz mylić moment zachwyconej miłości, która pali ci trzewia wonią kadzidła, z rozpasaniem zmysłów, o których wiesz, że są z siarki? Bentiwenga nakłaniał do dotykania nagich członków ciała, twierdził, że tak tylko zyskać można wyzwolenie spod władzy zmysłów, *homo nudus cum nuda iacebat**.

– *Et non commiscebantur ad invicem**.

– Kłamstwa! Szukają rozkoszy, a kiedy czują pobudzenie zmysłowe, nie mają za grzech, jeśli dla uśmierzenia żądzy mężczyzna

---

* Mąż nagi z nagą niewiastą leżał (łac.).
* I nie obcowali ze sobą cieleśnie (łac.).

62

i niewiasta spoczywają obok siebie, a on dotyka jej i całuje we wszystkie miejsca, i łączy swój nagi brzuch z jej nagim brzuchem!

Wyznaję, że sposób, w jaki Hubertyn piętnował występek, nie nakłaniał mnie do cnotliwych myśli. Mój mistrz musiał dostrzec, że ogarnął mnie zamęt, i przerwał świętemu człekowi.

– Jesteś duchem żarliwym, Hubertynie, w miłości do Boga i w nienawiści do zła. Chciałem tylko powiedzieć, że mała jest różnica między żarem serafinów a żarem Lucyfera, rodzą się bowiem zawsze z największego rozpłomienienia woli.

– Och, różnica jest i znam ją! – oznajmił natchniony Hubertyn. – Chcesz powiedzieć, że wolę dobra od woli zła oddziela mały krok, ponieważ chodzi o kierowanie jedną i tą samą wolą. To jest prawdziwe. Lecz różnica leży w przedmiocie, a przedmiot jest jasno widoczny. Tutaj Bóg, tam diabeł.

– Ja zaś boję się, że nie umiem już odróżnić, Hubertynie. Czyż to nie twoja Aniela z Foligno opowiadała o tamtym dniu, że w uniesieniu ducha spoczywała w grobowcu Chrystusa? Czyż nie mówiła, jak to najpierw całowała Jego pierś i widziała Go leżącego z zamkniętymi oczyma, a potem całowała Jego wargi i poczuła, że spomiędzy nich dobył się zapach niewypowiedzianej słodyczy, i po chwili położyła swoje lico na licu Chrystusa, i Chrystus zbliżył swoją dłoń do jej lica, i przygarnął ją do siebie, i, tak sama opowiadała, jej rozradowanie sięgnęło wielkich wyżyn...?

– Co to ma wspólnego z pędem zmysłów? – zapytał Hubertyn. – Było to przeżycie mistyczne, ciało zaś było ciałem naszego Pana.

– Być może nazbyt przywykłem do Oksfordu, gdzie nawet przeżycie mistyczne było innego rodzaju...

– Bez reszty w głowie – uśmiechnął się Hubertyn.

– I w oczach. Bóg poznawany jako światło, w promieniach słońca, w obrazach odbitych w zwierciadłach, w rozlaniu barw po częściach uładzonej materii, w odblasku dziennego światła na mokrych liściach... Czyż ta miłość nie jest bliższa miłości Franciszka chwalącego Boga w Jego stworzeniach, kwiatach, ziołach, wodzie, powietrzu? Nie myślę, by w tego rodzaju miłości kryć się mogła jakaś pułapka. A nie podoba mi się miłość, która do rozmowy z Najwyższym przenosi dreszcze, jakie przeżywa się w dotknięciu cielesnym...

– Bluźnisz, Wilhelmie! To nie to samo. Niezgłębiona otchłań oddziela zachwyt serca miłującego Jezusa Ukrzyżowanego od znieprawionego zachwytu pseudoapostołów z Montefalco...

– Nie byli pseudoapostołami, byli braćmi Wolnego Ducha, sam to powiedziałeś.

– A cóż za różnica? Nie wiedziałeś wszystkiego o tym procesie, ja sam nie śmiałem włączyć między dokumenty niektórych wyznań, by ani na chwilę nie rzucić skraju diabelskiego cienia na atmosferę świętości, jaką Klara wytworzyła w tamtym miejscu. Ale o pewnych rzeczach, Wilhelmie, o pewnych rzeczach wiedziałem! Gromadzili się nocą w piwnicy, brali nowo narodzone dzieciątko, rzucali nim do siebie, aż umarło od uderzeń... albo od czego innego... Kto zaś jako ostatni miał je w swoich dłoniach i w czyich rękach umarło, zostawał głową sekty... Ciało zaś dzieciątka rozdzierali i mieszali z mąką, by uczynić z niego bluźniercze hostie!

– Hubertynie – rzekł stanowczo Wilhelm – to wszystko powiedzieli wiele wieków temu ormiańscy biskupi o sekcie paulicjan. I bogomiłów.

– I co z tego? Diabeł jest głupcem, trzyma się pewnego rytmu, kiedy zastawia pułapki i uwodzi, powtarza własne rytuały w odstępach tysięcy lat, sam zaś nigdy się nie zmienia i właśnie przez to poznaje się go jako nieprzyjaciela! Przysięgam ci, w dzień Wielkiej Nocy zapalali świece i prowadzili dziewczątka do piwnicy. Potem gasili świece i rzucali się na owe dziewczątka, nawet jeśli byli z nimi złączeni więzami krwi... i jeśli z tego objęcia rodziło się dziecko, piekielny rytuał zaczynał się od nowa, a wszyscy gromadzili się wokół kadzi pełnej wina, którą nazywali baryłeczką, upijali się i rozrywali na strzępy dziecko, a krew jego wlewali do kielicha, i rzucali żywe jeszcze dzieci do ognia, i mieszali prochy dziecka z jego krwią, i pili!

– Ależ o tym pisał Michał Psellos w księdze o działaniach demonów, trzysta lat temu! Kto ci to wszystko opowiedział?

– Oni, Bentiwenga i inni, na mękach!

– Jedna tylko rzecz podnieca zwierzęta bardziej niż rozkosz, a jest nią ból. Na mękach czujesz się jak we władzy ziół, które dają wizję. Wszystko, coś zasłyszał, coś czytał, wraca ci do głowy, jakby uniesiono cię, lecz nie do nieba, ale ku piekłu. Na mękach powiadasz nie tylko to, czego chce inkwizytor, ale też to, co w twoim mniemaniu może być mu miłe, by ustanowiła się więź (o tak, doprawdy diabelska) między nim a tobą... Znam to, Hubertynie, sam należałem do tych ludzi, którzy uważają, że za pomocą rozpalonych cęgów dobywają prawdę. Otóż wiedz, żar prawdy z innego bierze się płomienia. Na mękach Bentiwenga mógł mówić najmniej dorzeczne kłamstwa, gdyż nie on już przemawiał, lecz jego lubieżność, demony jego duszy.

– Lubieżność?

– Tak, jest bowiem lubieżność bólu, jak jest lubieżność wielbienia, a nawet lubieżność pokory. Skoro tak niewiele wystarczyło zbuntowanym aniołom, by zmienić żar uwielbienia i pokory w żar pychy i buntu, cóż powiedzieć o istocie ludzkiej? Ta właśnie myśl przyszła mi do głowy w toku inkwizytorskich poczynań. I dlatego wyrzekłem się tego działania. Nie mam dość odwagi, by badać słabości niegodziwców, bo odkryłem, że te same słabości mają święci.

Hubertyn słuchał ostatnich słów Wilhelma tak, jakby nie pojmował, co też ten mówi. Wyraz jego twarzy, coraz bardziej natchnionej miłością i współczuciem, mówił, iż w jego mniemaniu Wilhelm padł ofiarą uczuć nader grzesznych, lecz Hubertyn mu je wybaczał, bo bardzo go kochał. Przerwał więc Wilhelmowi i rzekł tonem przepełnionym goryczą:

– Nieważne. Jeśli tak to czułeś, dobrześ zrobił, żeś zaprzestał. Trzeba zwalczać pokusy. Jednakowoż brak mi twojego wsparcia, a mogliśmy rozproszyć tę niegodziwą bandę. Wiesz przecież, co się stało: mnie samego oskarżono, że jestem wobec nich zbyt słaby, i podejrzewano o kacerstwo. Ty także za wiele słabości okazałeś w zwalczaniu zła. Zła, Wilhelmie! Czyż nigdy nie przepadnie to potępienie, ten cień, to błoto, które przeszkadza nam dotrzeć do źródła? – Nachylił się jeszcze bardziej do Wilhelma, jakby bał się, że ktoś go usłyszy. – Także tu, także w tych murach poświęconych modlitwie, wiesz o tym?

– Wiem, powiedział mi opat. Prosił mnie także, bym pomógł rozproszyć mrok.

– A więc podpatruj, drąż, patrz okiem rysia w dwóch kierunkach, lubieżności i pychy...

– Lubieżności?

– Tak, lubieżności. Było coś... niewieściego, a zatem diabelskiego, w tym młodzieńcu, który utracił życie. Miał oczy dziewczątka, które szuka obcowania z inkubem. Ale, powiedziałem ci, również pycha, pycha umysłu, w tym klasztorze poświęconym dumie słowa, ułudzie mądrości...

– Jeśli coś wiesz, pomóż mi.

– Nie wiem nic. Nie ma nic, o czym mógłbym wiedzieć. Ale pewne rzeczy czuje się sercem. Pozwól przemówić twojemu sercu, badaj twarze, nie słuchaj tego, co mówią usta... Lecz czemuż musimy mówić o tych rzeczach smutnych i straszyć naszego młodego przyjaciela? – Spojrzał na mnie swoimi niebiańskimi oczyma i musnął mój policzek długimi i białymi palcami. Prawie chciałem się cofnąć; wstrzymałem się jednak i dobrzem uczynił, obraziłbym go bowiem, a intencję miał wszak czystą. – Powiedz mi raczej o sobie – rzekł, zwracając się znowu ku Wilhelmowi. – Co robiłeś po tych wydarzeniach? Minęło...

– Osiemnaście lat. Wróciłem na ziemię ojczystą. Studiowałem też w Oksfordzie. Badałem naturę.

– Natura jest dobra, bo to córa Boga – powiedział Hubertyn.

– I Bóg musi być dobry, skoro spłodził naturę. – Wilhelm się uśmiechnął. – Studiowałem, spotkałem nader mądrych przyjaciół. Potem poznałem Marsyliusza, zniewoliły mnie jego myśli o cesarstwie, o ludzie, o nowym prawie dla królestw tej ziemi, i tak to trafiłem do tej gromadki naszych współbraci, którzy służą radą cesarzowi. Ale o tym wiesz, pisałem ci. Ucieszyłem się, kiedy powiedzieli mi w Bobbio, że jesteś tutaj. Myślałem, żeś stracony. Ale teraz, kiedy jesteś z nami, mógłbyś nam być nie lada wsparciem za kilka dni, kiedy przybędzie również Michał. Dojdzie do trudnego starcia.

– Niewiele miałbym do powiedzenia ponad to, co powiedziałem pięć lat temu w Awinionie. Kto przybędzie z Michałem?

– Paru z kapituły w Perugii, Arnold z Akwitanii, Hugo z Newcastle...

– Kto? – zapytał Hubertyn.

– Hugo z Novocastro, wybacz, używam swojego języka, nawet kiedy mówię poprawną łaciną. A dalej Wilhelm z Alnwick. Ze strony zaś franciszkanów awiniońskich możemy liczyć na Hieronima, tego głupca z Kaffy, a przybędą może Berengar Talloni i Bonagratia z Bergamo.

– Ufajmy Bogu – rzekł Hubertyn – że ci ostatni nie chcą zbyt zrazić do siebie papieża. A kto będzie bronił stanowiska kurii, mam na myśli tych o zatwardziałych sercach?

– Z listów, które do mnie dotarły, domyślam się, że będzie wśród nich Wawrzyniec Decoalcone...

– Człek zły.

– Jan z Anneaux...

– Ten jest biegły w teologii, strzeż się go.

– Będziemy się strzec. A wreszcie Jan z Baune.

– Może mieć sprawę z Berengarem Tallonim.

– Tak, mniemam, że nuda nam nie grozi – rzekł mój mistrz w świetnym nastroju.

Hubertyn spojrzał nań z niepewnym uśmiechem.

– Nigdy nie mogę pojąć, kiedy wy, Anglicy, mówicie poważnie. Nie ma nic zabawnego w kwestii o takim znaczeniu. Gra toczy się o przetrwanie zakonu, który jest wszak twoim, a w głębi serca i moim.

Będę zaklinał Michała, by nie wyruszał do Awinionu. Jan chce tego, zabiega o to, zbyt natarczywie go zaprasza. Nie ufajcie staremu Francuzowi. O Panie, w jakie ręce wpadł Twój Kościół! – Obrócił twarz w stronę ołtarza. – Przemieniony w nierządnicę, zmiękczony przez przepych, wije się w lubieżności niby wąż w ogniu! Od nagiej czystości stajenki w Betlejem, z drewna, jakim było *lignum vitae** krzyża, do orgii złota i kamienia. Spójrz, nawet tutaj, widziałeś wszak portal, nie unika się pychy wizerunku! Bliskie są już dni Antychrysta i boję się, Wilhelmie! – Zerknął dokoła, wpatrując się wytrzeszczonymi oczyma w ciemne nawy, jakby Antychryst miał ukazać się lada moment, i ja naprawdę pomyślałem, że wnet go tu ujrzę. – Jego namiestnicy już są, rozesłani po świecie, jak Chrystus rozsyłał apostołów! Ciemiężą Państwo Boga, uwodzą oszustwem, obłudą i gwałtem. Wówczas to Bóg będzie musiał wysłać swoje sługi, Eliasza i Henocha, których zachował jeszcze przy życiu w ziemskim raju, by gdy nadejdzie dzień, zadali klęskę Antychrystowi, i przybędą prorokować odziani w worki, i głosić będą pokutę przykładem i słowem...

– Już przybyli, Hubertynie – rzekł Wilhelm, wskazując swój habit franciszkanina.

– Lecz jeszcze nie zwyciężyli. Nadchodzi chwila, kiedy Antychryst, pełen wściekłości, rozkaże zabić Henocha i Eliasza i zabić ich ciała, by wszyscy ujrzeli i zlękli się naśladować ich. Tak jak chcą zabić mnie.

W tym momencie pomyślałem z przerażeniem, że Hubertyn padł ofiarą jakiegoś boskiego szaleństwa, i zląkłem się o jego rozum. Dziś, patrząc wstecz i wiedząc wszystko, co wiem – że rok później został zabity tajemniczo w pewnym niemieckim mieście i nigdy nie dowiedziano się przez kogo – jestem jeszcze bardziej przerażony, ponieważ widzę, iż owego wieczoru Hubertyn prorokował.

– Wiesz, że opat Joachim powiedział prawdę. Doszliśmy do szóstej ery ludzkich dziejów, kiedy to pojawi się dwóch antychrystów. Antychryst mistyczny i Antychryst właściwy, i to dzieje się teraz, po Franciszku, który odtworzył w swoim ciele pięć ran Ukrzyżowanego Jezusa. Bonifacy był Antychrystem mistycznym, ustąpienie zaś Celestyna jest nieważne. Bonifacy był bestią wychodzącą z morza, której siedem głów przedstawia siedem grzechów głównych, dziesięć rogów zaś łamanie przykazań, a otaczają ją kardynałowie, szarańcza, której ciałem jest Apollyon! Liczbą bestii, jeśli czytać jej imię w alfabecie greckim, jest Benedicti! – Przyjrzał mi się, by zobaczyć, czy

---

* Drzewo żywota (łac.).

67

pojąłem, i uniósł palec, napominając mnie. – Benedykt XI był Anty-chrystem właściwym, bestią wychodzącą z ziemi! Potwór nieprawo-ści i niegodziwości rządził z przyzwolenia Boga Jego Kościołem, by cnota następcy rozbłysła chwałą!

– Ależ, ojcze święty – ważyłem się zaprzeczyć ledwie słyszal-nym głosem – wszak jego następcą jest Jan.

Hubertyn przyłożył dłoń do czoła, jakby chciał wymazać dokucz-liwy sen. Oddychał z trudem, był zmęczony.

– Słusznie. Rachunek był błędny, wciąż czekamy na papieża aniel-skiego... Lecz tymczasem pojawili się Franciszek i Dominik. – Wzniósł wzrok do nieba i rzekł jakby w modlitwie (lecz byłem pew-ny, że recytował stronicę ze swojej wielkiej księgi o drzewie żywo-ta): – *Quorum primus seraphico calculo purgatus et ardore celico inflammatus totum incendere videbatur. Secundus vero verbo predi-cationis fecundus super mundi tenebras clarius radiavit**. Tak, jeśli takie były obietnice, papież anielski musi przyjść.

– I oby tak się stało, Hubertynie – powiedział Wilhelm. – Na razie jestem tu, by zapobiec wypędzeniu człowieczego cesarza. O twoim papieżu anielskim mówił także brat Dulcyn...

– Nie wypowiadaj więcej imienia tego węża! – ryknął Hubertyn i po raz pierwszy ujrzałem, jak przeobraził się z człeka strapionego w zagniewanego. – Zbrukał słowa Joachima z Kalabrii, uczynił z nich żagiew śmierci i plugastwa! Jeśli Antychryst miał swych wy-słanników, on nim był. Lecz ty, Wilhelmie, mówisz tak, bo w istocie nie wierzysz w nadejście Antychrysta, a twoi mistrzowie z Oksfordu nauczyli cię bałwochwalczej czci dla rozumu, wyjaławiając wiesz-cze władze twojego serca!

– Mylisz się, Hubertynie – odparł z wielką powagą Wilhelm. – Wiesz, że najbardziej z moich mistrzów czczę Rogera Bacona...

– Który roił o latających maszynach – zadrwił boleśnie Hubertyn.

– Który jasno i bez ogródek mówił o Antychryście, dostrzegał jego znaki w znieprawieniu świata i w osłabieniu mądrości. Lecz nauczał, że jest jeden tylko sposób przygotowania się na jego przyj-ście: badanie sekretów natury, używanie wiedzy dla ulepszenia ro-dzaju ludzkiego. Możesz przygotować się do walki z Antychrystem, badając lecznicze przymioty ziół, naturę kamieni, a nawet kreśląc plany latających maszyn, które budzą twój uśmiech.

---

* Pierwszy z nich przez wybór anielski z grzechów oczyszczony i niebiańskim żarem natchniony zdawał się wszystko rozpalać. Drugi zasię słowem modli-twy brzemienny nad ciemnościami świata błyszczał jaśniej jeszcze (łac.).

– Antychryst twojego Bacona był tylko wymówką, by oddawać się pysze rozumu.

– Lecz wymówką świętą.

– Nic, co służy za wymówkę, nie jest święte. Wilhelmie, wiesz, że życzę ci dobrze. Wiesz, jak wielką ufność pokładam w tobie. Skarć rozum, naucz się opłakiwać rany Pana, wyrzuć precz swoje księgi.

– Zachowam tylko twoją – uśmiechnął się Wilhelm. Hubertyn też się uśmiechnął i pogroził mu palcem.

– Niemądry Angliku. I nie wyśmiewaj zbytnio swoich bliźnich. Raczej lękaj się tych, których nie możesz pokochać. I strzeż się opactwa. Nie podoba mi się to miejsce.

– Właśnie zamierzam lepiej je poznać – rzekł Wilhelm na pożegnanie. – Chodźmy, Adso.

– Ja ci powiadam, że nie jest dobre, ty zaś chcesz je poznać. Ach! – westchnął Hubertyn, potrząsając głową.

– Ano właśnie – odezwał się Wilhelm, który dotarł już do połowy nawy – kim jest ten mnich, podobny do zwierzęcia i mówiący językiem z wieży Babel?

– Salwator? – Hubertyn, który już klękał, odwrócił się. – Zdaje się, że wniosłem go w wianie temu opactwu... Wraz z klucznikiem. Kiedy zrzuciłem habit franciszkański, wróciłem na jakiś czas do mojego dawnego klasztoru w Casale i zastałem tam innych braci pogrążonych w trwodze, albowiem wspólnota oskarżała ich, że są duchownikami z mojej sekty... tak się wyrażali. Ująłem się za nimi i uzyskałem, że mogli pójść w moje ślady. A dwóch, Salwatora i Remigiusza, zastałem właśnie tutaj, kiedy przybyłem w minionym roku. Salwator... doprawdy wygląda jak bestia. Ale jest usłużny.

Wilhelm zawahał się przez chwilę.

– Usłyszałem, jak mówi: *penitenziagite*.

Hubertyn milczał. Machnął ręką, jakby chciał odpędzić dręczącą go myśl.

– Nie, nie sądzę. Wiesz, jacy są ci świeccy bracia. To wieśniacy, którzy słuchali może jakiegoś wędrownego kaznodziei i sami nie wiedzą, co mówią. Salwatorowi mam co innego do zarzucenia; jest to bestia żarłoczna i lubieżna. Ale nic, nic a nic przeciw ortodoksji. Nie, choroba opactwa tkwi gdzie indziej, szukaj jej u tych, co wiedzą za dużo, nie zaś u tych, co nie wiedzą nic. Nie buduj zamku podejrzeń na jednym słowie.

– Nie uczynię tego nigdy – odparł Wilhelm. – Właśnie by tego nie czynić, porzuciłem obowiązki inkwizytora. Ale lubię słuchać słów, a później nad nimi rozmyślać.

– Za dużo myślisz. Chłopcze – powiedział, zwracając się ku mnie – nie bierz złego przykładu ze swojego mistrza. Jedyną rzeczą, o której winno się myśleć, i widzę to u schyłku mego żywota, jest śmierć. *Mors est quies viatoris – finis est omnis laboris**. Ostawcie mnie z moją modlitwą.

_____

* Śmierć jest ukojeniem wędrowca – końcem wszelkiego trudu (łac.).

Dzień pierwszy

Przed noną

Kiedy to Wilhelm odbywa wielce uczoną rozmowę
z herborystą Sewerynem

Przebyliśmy z powrotem główną nawę i wyszliśmy drzwiami, którymi i weszliśmy. Dźwięczały mi jeszcze w uszach słowa Hubertyna.

– To człek... dziwny – ośmieliłem się rzec.

– Jest, lub był, pod wieloma względami człowiekiem niezwykłym. Lecz właśnie z tego bierze się owa dziwność. Tylko w ludziach małych nie widzimy niczego nadzwyczajnego. Hubertyn mógł był zostać jednym z owych kacerzy, do których spalenia przyłożył ręki, albo kardynałem Świętego Kościoła Rzymskiego. Zbliżył się znacznie do obu tych spaczeń. Kiedy rozmawiam z Hubertynem, mam uczucie, że piekło jest rajem oglądanym z drugiej strony.

Nie pojąłem, co chciał powiedzieć.

– Z jakiej strony? – spytałem.

– Otóż to – potaknął Wilhelm. – Rzecz w tym, by wiedzieć, czy są jakoweś strony i czy jest całość. Lecz nie słuchaj tego, co mówię. I nie zerkaj więcej na ten portal – powiedział, klepiąc mnie leciutko w kark, albowiem mój wzrok przyciągnęły rzeźby, które widziałem już, wchodząc. – Dosyć cię straszono. Na wszystkie sposoby.

Kiedy odwracałem się ku wyjściu, zobaczyłem przed sobą jakiegoś mnicha. Był mniej więcej w tym samym wieku co Wilhelm. Uśmiechnął się i pozdrowił nas uprzejmie. Oznajmił, że zwą go Sewerynem z Sant'Emmerano, że jest tu ojcem herborystą, któremu powierzono pieczę nad łaźnią, szpitalem, warzywnikiem, i że oddaje się na nasze usługi, jeślibyśmy chcieli lepiej poznać teren opactwa.

Wilhelm podziękował mu i oznajmił, że zauważył już, przybywając tutaj, piękny ogród, w którym, jak się zdaje, są nie tylko warzywa, lecz także rośliny lecznicze, jeśli można to dostrzec pod śniegiem.

– Latem lub wiosną przy tej rozmaitości ziela, a każde ozdobione kwieciem, nasz ogród piękniej wyśpiewuje chwałę Stwórcy – powiedział Seweryn, jakby prosząc o wybaczenie. – Lecz także o tej porze roku oko zielarza, w zeschłych łodygach dostrzega przyszłe rośliny i mogę rzec ci, że ten ogród jest bogatszy niż jakiekolwiek herbarium i bardziej od niego kolorowy, choćby nie wiem jak piękne były w owym herbarium miniatury. Zresztą również zimą rosną pożyteczne zioła, inne zaś zebrałem i trzymam w pracowni, umieszczone w naczyniach i gotowe do użycia. I tak korzeniami kobylego szczawiu leczą się katary, wywar z prawoślazu jest dobry na okłady przy chorobach skóry, łopuch goi egzemy, skruszonymi i roztartymi kłączami wężownika można leczyć biegunki i niektóre choroby kobiece, miłowanka trójlistkowa jest dobra na trawienie, podbiał nadaje się na kaszel; i mamy też dobrą goryczkę na trawienie, i lukrecję, i jałowiec, z którego przygotowujemy napary, czarny bez, żeby robić z jego kory wywar na wątrobę, mydlnicę, której korzenie moczy się w zimnej wodzie i która jest na katar, i kozłek lekarski, którego przymioty z pewnością nie są ci obce.

— Masz zioła najrozmaitsze i w najrozmaitszych klimatach rosnące. Jak to możliwe?

— Z jednej strony zawdzięczam to miłosierdziu Pana Naszego, który ten płaskowyż umieścił okrakiem na łańcuchu gór zwróconym na południe ku morzu, skąd wieją wiatry ciepłe, na północ zaś ku górom jeszcze wyższym, skąd napływają balsamy leśne. A z drugiej strony zawdzięczam to biegłości, którą zyskałem, niegodny, z woli moich mistrzów. Pewne rośliny rosną nawet w nieprzyjaznym dla nich klimacie, jeśli sprzyja im gleba, mają stosowny pokarm i zabiega się o to, by rosły.

— Czy macie również rośliny dobre tylko do jedzenia? — spytałem.

— Mój młody, wygłodniały źrebcu, nie ma takich roślin, które nadawałyby się do spożycia, nie miały zaś, stosowane w odpowiedniej dawce, właściwości leczniczych. Dopiero nadużycie czyni z nich przyczynę choroby. Weźmy dynię. Ma naturę zimną i wilgotną, gasi pragnienie, lecz kiedy zjesz ją zepsutą, spowoduje biegunkę i będziesz musiał zawrzeć swe trzewia za pomocą mieszaniny solanki z gorczycą. A cebula? Jest ciepła i wilgotna, w małej ilości daje siłę męską, tym naturalnie, którzy nie złożyli naszych ślubów, lecz użyta w nadmiarze wywołuje ociężałość głowy, a wtedy nie obejdzie się bez mleka z octem. Oto powód — dodał kąśliwie — by młody mniszek skąpił jej sobie. Jedz natomiast czosnek. Jest ciepły i suchy, dobry przeciw truciźnie. Lecz nie należy przesadzać, albowiem zbyt wiele humorów usuwa z mózgu. Fasola daje obfitość uryny i tuczy, a obie te rzeczy są bardzo właściwe. Lecz sprowadza też złe sny. Dużo jednak mniej niż niektóre inne zioła, bo są nawet takie, co wywołują niedobre wizje.

— Które to? — spytałem.

– Oho, nasz nowicjusz zbyt wiele chce wiedzieć. Te sprawy znać może jedynie herborysta, w przeciwnym bowiem wypadku ktoś nieroztropny mógłby powodować wizje u każdego, kto mu się nawinie, albo kłamać, wykorzystując zioła.

– Lecz starczy odrobina pokrzywy – rzekł w tym momencie Wilhelm – lub roybra, lub olieribus, by obronić się przed wizjami. Spodziewam się, że masz te dobre zioła.

Seweryn spojrzał na mistrza spod oka.

– Interesujesz się herboryzacją?

– Nader pobieżnie – odparł skromnie Wilhelm. – Miałem kiedyś w ręku *Theatrum Sanitatis* Ububkasyma z Baldach...

– Abul Asan al-Muktar Ibn Botlan.

– Lub Ellucasim Elimittar, jeśli chcesz. Zastanawiam się, czy znalazłbym tutaj kopię tego dzieła.

– I piękniejsze jeszcze, z licznymi obrazkami kunsztownej roboty.

– Chwała niech będzie niebiosom. I znajdę *De virtutibus herbarum* Plateariusza?

– To też, i *De plantis* Arystotelesa w tłumaczeniu Alfreda z Sareshel.

– Słyszałem, że w istocie nie jest to dzieło Arystotelesa – zauważył Wilhelm – podobnie jak odkryto, że nie Arystoteles napisał *De causis*.

– Tak czy owak, to wyśmienita księga – zauważył Seweryn, a mój mistrz potaknął z wielką skwapliwością, nie pytając, czy aptekarz ma na myśli *De plantis*, czy też *De causis*, dzieła mi nieznane, ale oba znakomite, czego domyśliłem się z rozmowy.

– Miło byłoby – rzekł na zakończenie Seweryn – mieć z tobą raz i drugi zacną pogawędkę o ziołach.

– Mnie tym bardziej – zapewnił Wilhelm. – Lecz czy nie pogwałcimy reguły milczenia, która, jak mi się zdaje, obowiązuje w waszym zakonie?

– Reguła – wyjaśnił Seweryn – dostosowała się w ciągu wieków do potrzeb rozmaitych wspólnot. Przewidywała Boskie *lectio*, lecz nie *studium*, wiesz jednak, jak znakomicie nasz zakon rozwinął badania nad rzeczami Boskimi i ludzkimi. Reguła przewiduje wspólne dormitorium, lecz czasem słuszne jest, jak to dzieje się u nas, by mnisi mieli sposobność do namysłu także w ciągu nocy, więc każdy śpi w swojej celi. Reguła jest bardzo surowa w sprawie milczenia i także u nas nie tylko mnich, który wykonuje pracę ręczną, ale i ów, który pisze lub czyta, nie może rozmawiać ze swoimi braćmi. Lecz opactwo to przede wszystkim wspólnota mędrców i często jest rzeczą pożyteczną, by mnisi wymieniali między sobą skarby nauki, które gromadzą. Wszelką rozmowę, mającą za przedmiot nasze uczone badania, uznaje się za słuszną i korzystną, byleby nie toczyła się w refektarzu lub podczas świętych oficjów.

– Czy często miałeś sposobność rozmawiać z Adelmusem z Otrantu? – spytał nagle Wilhelm.

Nie wyglądało na to, by Seweryna to pytanie zaskoczyło.

– Widzę, że opat wyjawił ci już wszystko – rzekł. – Nie. Nieczęsto z nim rozmawiałem. Spędzał czas na iluminowaniu. Czasem słyszałem, jak prowadził dysputę z innymi mnichami, z Wenancjuszem z Salvemec lub Jorge z Burgos, o naturze swej pracy. Zresztą nie spędzam dnia w skryptorium, lecz w pracowni. – Wskazał na budynek szpitala.

– Pojmuję – rzekł Wilhelm. – Nie wiesz zatem, czy Adelmus miewał wizje.

– Wizje?

– Jak te na przykład, które dają twoje zioła. Seweryn zesztywniał.

– Powiedziałem już, że starannie chronię te zioła, które mogą być niebezpieczne.

– Nie to mam na myśli – zapewnił skwapliwie Wilhelm. – Mówiłem o wizjach w ogóle.

– Nie rozumiem – obstawał przy swoim Seweryn.

– Myślałem, że mnich, który krąży nocą po Gmachu, gdzie podług opata mogą zdarzyć się rzeczy... straszne każdemu, kto wtargnie tam o zakazanej godzinie, otóż, powiadam, pomyślałem, że mógł paść ofiarą jakichś diabelskich wizji i że to one pchnęły go przez okno.

– Jak już rzekłem, nie bywam w skryptorium, chyba że potrzebuję jakiejś księgi, ale zwykle wystarczą mi moje herbaria, które trzymam w szpitalu. Powiedziałem ci, że Adelmus trzymał się blisko z Jorge, Wenancjuszem i... oczywiście z Berengarem.

Nawet ja dostrzegłem leciutkie wahanie w głosie Seweryna. Nie uszło też uwagi mego mistrza.

– Berengarem? I czemu oczywiście?

– Berengar z Arundel, pomocnik bibliotekarza. Byli rówieśnikami, razem odbywali nowicjat, nie dziwota, że wiele ze sobą rozmawiali. To właśnie miałem na myśli.

– To miałeś na myśli – rzekł wówczas Wilhelm. I zdumiałem się, gdyż nie nalegał na tę sprawę. Zmienił nagle wątek. – Ale może czas już, byśmy zajrzeli do Gmachu. Będziesz naszym przewodnikiem?

– Z przyjemnością – odparł Seweryn z aż nazbyt widoczną ulgą. Poprowadził nas wzdłuż warzywnika i wyszliśmy wprost na zachodnią fasadę Gmachu.

– Od warzywnika jest wejście, które prowadzi do kuchni – powiedział – ale kuchnia zajmuje tylko zachodnią połowę parteru, w drugiej połowie jest refektarz... Natomiast wychodząc przez tyły kościelnego chóru, dociera się od południa do dwojga innych drzwi, prowadzących i do kuchni, i do refektarza. Ale wejdźmy tędy, gdyż z kuchni będziemy mogli dostać się później do refektarza.

Kiedy wszedłem do obszernej kuchni, zauważyłem, że Gmach ma wewnątrz, na całej swej wysokości, ośmiokątny dziedziniec; jak spostrzegłem później, był on czymś w rodzaju olbrzymiej studni, pozbawionej dostępu, na którą wychodziły ze wszystkich pięter szerokie okna, takie same jak te od strony zewnętrznej. Kuchnię stanowiła ogromna sień pełna dymu, gdzie liczna służba w pośpiechu przygotowywała wieczerzę. Dwoje służby przyrządzało na wielkim stole pasztet z jarzyn, pęczaku, owsa i żyta, szatkując rzepę, rzeżuchę, rzodkiew i marchew. Obok inny z kucharzy właśnie kończył gotować ryby w wodzie z winem i pokrywał je sosem przyrządzonym z szałwii, pietruszki, tymianku, czosnku, pieprzu i soli.

W stronę baszty zachodniej sięgał olbrzymi piec chlebowy, który błyskał już czerwonawymi płomieniami. W baszcie południowej mieściło się ogromne palenisko, nad którym kipiały kotły i obracały się rożny. Przez drzwi prowadzące na klepisko za kościołem wchodzili w tym momencie świniarze, dźwigając mięso ubitych wieprzy. Wyszliśmy tymiż drzwiami i znaleźliśmy się na klepisku, we wschodnim zakątku płaskowyżu, obok muru, przy którym wznosiły się liczne zabudowania. Seweryn objaśnił, że najbliżej nas są chlewy, dalej zaś stajnie, obory dla wołów, kurniki i okryta dachem zagroda dla owiec. Przed chlewami świniarze mieszali w wielkiej kadzi krew ubitych dopiero co świń, żeby nie zakrzepła. Jeśli była dobrze i od razu mieszana, mogła stać potem przez najbliższe dni, a to dzięki surowości klimatu – dopóki nie zostaną z niej zrobione kiszki.

Wróciliśmy do Gmachu i ledwie rzuciliśmy okiem na refektarz, przez który przeszliśmy do baszty wschodniej. Z dwóch baszt, których wnętrze było częścią refektarza, w północnej mieścił się kominek, w drugiej zaś kręte schody prowadzące do skryptorium, to jest na pierwsze piętro. Stąd mnisi udawali się codziennie do pracy albo też wchodzili jednymi z dwojga schodów, nie tak wygodnych, lecz za to dobrze ogrzanych, które spiralnie pięły się z kuchni na tyłach paleniska i pieca chlebowego.

Wilhelm zapytał, czy zastaniemy kogoś w skryptorium, skoro jest niedziela. Seweryn uśmiechnął się i wyjaśnił, że dla benedyktyńskiego mnicha trud jest modlitwą. W niedzielę oficja trwają dłużej, lecz mnisi przydzieleni do ksiąg również w ten dzień spędzają tam kilka godzin, zwykle poświęconych owocnym wymianom uczonych spostrzeżeń, rad, przemyśleń dotyczących świętych pism.

Dzień pierwszy

Po nonie

*Kiedy to zwiedzamy skryptorium i nawiązujemy znajomość
z licznymi mędrcami, kopistami, rubrykatorami, a zwłaszcza
z pewnym ślepym starcem, który oczekuje przyjścia Antychrysta*

Kiedy szliśmy w górę, zobaczyłem, że mój mistrz przygląda się oknom oświetlającym schody. Pewnie stawałem się równie przenikliwy jak on, gdyż spostrzegłem rychło, że ich położenie nie pozwalało na łatwy dostęp. Z drugiej strony także okna w refektarzu (jedyne, które wychodziły z parteru na urwisko) wyglądały na trudno dostępne, zważywszy na to, że nie było pod nimi żadnych stosownych mebli.

Dotarłszy na szczyt schodów, weszliśmy przez północną basztę do skryptorium, a kiedy już się tam znaleźliśmy, nie mogłem powstrzymać okrzyku podziwu. Pierwsze piętro nie było podzielone, jak parter, na dwie części i ukazało się moim oczom w całej swej przestronności. Sklepienie, wygięte i niezbyt wysokie (niższe, niźli bywają w kościołach, wyższe jednak niż w jakiejkolwiek oglądanej dotąd sali kapitulnej), podparte mocnymi filarami, zamykało przestrzeń nasyconą wspaniałym światłem, albowiem po trzy wielkie okna wychodziły na każdy z głównych kierunków, pięć zaś okien mniejszych było w pięciu zewnętrznych ścianach każdej z baszt; wreszcie osiem okien wysokich, lecz wąskich, przepuszczało światło od wewnętrznej ośmiokątnej studni.

Dzięki tak licznym oknom wielką salę rozweselało światło wszędzie jednakie i rozproszone, chociaż mieliśmy zimowe popołudnie. Szyby nie były kolorowe jak szyby w kościele; spajający je ołów przytrzymywał kwadry bezbarwnego szkła, by światło, możliwie najczystsze, niezabarwione ludzką sztuką, służyło swemu przeznaczeniu, to jest oświetlaniu znoju czytania i pisania. Wielekroć i w różnych miejscach widziałem później skryptoria, lecz żadnego, gdzie w strumieniach fizycznego światła, które odsłania cały splendor pomieszczenia, tak wyraźnie jaśniałaby sama duchowa zasada wcielona przez owe światło, *claritas*, źródło wszelkiego piękna i wszelkiej wiedzy, niezbywalny atrybut proporcji tej oto sali. Trzy bowiem rzeczy przyczyniają się do stworzenia piękna: przede wszystkim niepodzielność lub doskonałość, i dlatego za brzydkie mamy rzeczy niebędące całością; następnie należyta proporcja albo też harmonia;

a wreszcie jasność i światło, i rzeczywiście nazywamy pięknymi rzeczy barwy jasnej. A ponieważ wizja piękna zawiera w sobie spokój, ze swej natury zaś skłonni jesteśmy za to samo brać chronienie się w pokój, dobro lub piękno, poczułem, że ogarnia mnie wielkie ukojenie, i pomyślałem, jak dobrze musi być pracować w tym miejscu. W owym kształcie, w jakim ukazało się moim oczom o tej popołudniowej godzinie, wydało mi się radosną kuźnicą mądrości. Później miałem zobaczyć w Sankt Gallen skryptorium o podobnych wymiarach, oddzielone od biblioteki (gdzie indziej mnisi pracują w tym samym miejscu, w którym przechowuje się księgi), lecz nie tak pięknie urządzone. Antykwariusze, introligatorzy, rubrykatorzy i uczeni siedzieli przy osobnych stołach, z których każdy stał przy jakimś oknie. A ponieważ okien było czterdzieści (liczba doprawdy doskonała, wynikająca z pomnożenia przez dziesięć czworokąta, jak gdyby dziesięcioro przykazań uświetnione zostało czterema cnotami kardynalnymi), czterdziestu mnichów mogłoby pracować zgodnie, choć w tym momencie była ich tylko trzydziestka. Seweryn wyjaśnił, że mnisi, którzy pracują w skryptorium, mają dyspensę od oficjum tercji, seksty i nony, by nie przerywali pracy w porze, kiedy jest jasno, i kończą swój trud dopiero o zmroku, na nieszpór.

Najlepiej oświetlone miejsca przeznaczone były dla antykwariuszy najbardziej doświadczonych iluminatorów, rubrykatorów i kopistów. Każdy stół zaopatrzony był we wszystkie rzeczy niezbędne do iluminowania i do przepisywania: różki z inkaustem, cieniutkie pióra, które paru mnichów ostrzyło właśnie ostrymi nożykami, pumeksy do wygładzania pergaminu, liniały do kreślenia linii, by rozmieszczać potem na nich litery. Obok każdego skryby, lub u góry nachylonego blatu stołu, znajdował się pulpit, by mnich mógł położyć na nim kodeks, który miał przepisywać i którego karta zakryta była maskownicą okalającą stosowną linijkę. A niektórzy mieli inkausty złote i innych kolorów. Inni znowu czytali tylko księgi i wpisywali noty do swoich osobistych kajetów lub na tabliczki.

Nie miałem zresztą czasu, żeby przyglądać się ich pracy, albowiem wyszedł nam na spotkanie bibliotekarz, o którym wiedzieliśmy już, że nazywa się Malachiasz z Hildesheimu. Jego twarz przybrała wyraz wymuszonej życzliwości, lecz nie mogłem powstrzymać się od drżenia na widok fizjonomii tak osobliwej. Postaci był wysokiej i chociaż niezwyczajnie szczupłej, członki miał wielkie i niezdarne. Kiedy szedł wielkimi krokami, owinięty w czarne zakonne szaty, w jego wyglądzie było coś niepokojącego. Kaptur, który nasunął na głowę, albowiem przychodził z zewnątrz, rzucał cień na bladość twarzy i sprawiał, że w wielkich, smutnych oczach widoczne było jakieś nieokreślone cierpienie. To oblicze nosiło ślady jakby licznych namiętności, które wola poddała dyscyplinie, lecz doprowadzając, zdawało się, do zastygnięcia rysów, aż uleciało z nich tchnienie życia. Smutek i surowość dominowały w tej twarzy, a oczy były tak badawcze, iż jednym spojrzeniem przenikały serce każdego, kto rozmawiał z bibliotekarzem, i czytały sekretne myśli, tak że z trudem można było znieść ich dociekliwość i człowiek unikał powtórnego spotkania z tym uważnym wzrokiem.

Bibliotekarz przedstawił nam wielu mnichów spośród tych, którzy właśnie zajęci byli pracą. Powiedział nam również, jakiego rodzaju zadanie każdy z nich wykonuje. U wszystkich podziwiałem głębokie oddanie wiedzy i badaniu Słowa Bożego. Poznałem w ten sposób Wenancjusza z Salvemec, tłumacza z greki i arabskiego, miłującego owego Arystotelesa, który z pewnością był najmędrszym ze wszystkich ludzi; Bencjusza z Uppsali, młodego mnicha skandynawskiego, który zajmował się retoryką; Berengara z Arundel, pomocnika bibliotekarza; Aimara z Alessandrii przepisującego dzieła, które tylko na niewiele miesięcy wypożyczone zostały bibliotece; a następnie całą grupę iluminatorów z rozmaitych krajów, Patrycego z Clonmacnois, Rąbana z Toledo, Magnusa z Jeny, Walda z Herefordu.

To wyliczenie można by ciągnąć, a nie ma nic cudowniejszego niż spis, ten instrument wspaniałych hipotypoz. Lecz muszę opowiedzieć o przedmiocie naszych rozmów, jako że wynikły z nich liczne wskazówki użyteczne dla zrozumienia lekkiego niepokoju, który unosił się nad mnichami, i czegoś nieokreślonego, co ciążyło bez ustanku na ich słowach.

Mój mistrz zaczął rozmowę z Malachiaszem od wychwalania piękna i celowości urządzeń skryptorium i od wypytywania, jak idzie praca, która właśnie trwa, albowiem – rzekł z wielką grzecznością – wszędzie słyszał o tej bibliotece i chciałby rzucić okiem na niejedną spośród jej ksiąg. Malachiasz powtórzył to, co przedtem już powiedział opat, a mianowicie, że mnich prosi bibliotekarza o dzieło, do którego pragnie zajrzeć, ten zaś przynosi je wówczas z góry, z biblioteki, jeśli tylko prośba była słuszna i pobożna. Wilhelm spytał, w jaki sposób może poznać imiona ksiąg, które kryją almaria nad ich głowami, więc Malachiasz pokazał mu opasły kodeks, przytwierdzony złotym łańcuszkiem do jego stołu, a wypełniony szczegółowymi spisami.

Wilhelm wsunął dłonie pod habit w miejscu, gdzie suknia otwierała się na piersi, tworząc jakby sak, i wydobył przedmiot, który widziałem już w jego rękach, a też na twarzy podczas naszej podróży. Były to jakby widełki, zrobione w ten sposób, że mogły utrzymać się na nosie człowieka (lub raczej na nosie Wilhelma, wydatnym i orlim), jak jeździec trzyma się na grzbiecie konia lub jak ptak na żerdzi. I po obu stronach widełek osadzone były, tak by wypadały tam, gdzie są oczy, dwa owalne kółka z metalu, które obejmowały dwa szklane migdały, grube niby dno kielicha. Wilhelm najczęściej czytał, założywszy owe na nos, i powiadał, że ma dzięki nim wzrok lepszy, niż dała mu natura i niż pozwalał mu na to posunięty wiek, zwłaszcza kiedy przygasło światło dzienne. Nie służyły mu, by patrzeć daleko, gdyż w takiej potrzebie wzrok miał nader bystry, ale by patrzeć z bliska. Dzięki nim mógł czytać manuskrypty napisane najdrobniejszymi literami, które nawet ja rozpoznawałem z pewnym trudem. Wyjaśnił mi, że kiedy człowiek przekroczy, jak on, połowę żywota, to choćby wzrok miał zawsze wyborny, oko twardnieje i nie chce już dostosować źrenicy, wskutek czego wielu ludzi uczonych jest jakby martwych dla lektury i pisania po osiągnięciu pięćdziesiątej wiosny. Wielka bieda dla tych, którzy mogliby dzielić się jeszcze przez wiele lat najlepszą cząstką swej mądrości. Z tego powodu chwalić trzeba Pana Naszego za to, że ktoś wymyślił i zrobił ten instrument. I mówił mi to, żeby wesprzeć teorie Rogera Bacona, który utrzymywał, że celem wiedzy jest także przedłużenie ludzkiego życia.

Inni mnisi patrzyli na Wilhelma z wielkim zaciekawieniem, ale nie ważyli się stawiać pytań. Ja zaś spostrzegłem, że nawet w miejsce tak bez reszty i wzniosle poświęcone czytaniu i pisaniu ten cudowny instrument jeszcze nie trafił. I poczułem dumę, że jestem oto u boku człowieka, który ma ową rzecz, zdolną zadziwić ludzi sławnych na całym świecie ze swojej mądrości.

Z tym przedmiotem na oczach Wilhelm pochylił się nad spisami wykaligrafowanymi w kodeksie. Zerknąłem też ja i odkryliśmy tytuły ksiąg, o których nikt nie wiedział, i innych, najsławniejszych, a wszystkie w posiadaniu biblioteki.

– *De pentagone Salomonis, Ars loquendi et intelligendi in lingua hebraica, De rebus metallicis* Rogera z Herefordu, *Algebra* al-Kuwarizmiego, przełożona na łacinę przez Roberta Anglika, *Punica* Siliusa Italicusa, *Gesta francorum, De laudibus sanctae crucis* Rabana Maura, *Flavii Claudii Giordani de aetate mundi et hominis reservatis singulis litteris per singulos libros ab A usque ad Z* – przeczytał mój mistrz. – Wspaniałe dzieła. Ale według jakiego porządku są spisane? – Przytoczył tekst, którego ja nie znałem, ale który był z pewnością dobrze znany Malachiaszowi: – *Habeat librarius et re-*

gistrum omnium librorum ordinatum secundum facultates et auctores, reponeatque eos separatim et ordinate cum signaturis per scripturam applicatis*. W jaki sposób odczytujesz położenie każdej z ksiąg? Malachiasz wskazał adnotacje umieszczone obok każdego tytułu. Przeczytałem: *iii, IV gradus, V in prima graecorum; ii, V gradus, VII in tertia anglorum*, i tak dalej. Pojąłem, że pierwsza liczba oznacza pozycję książki na półce, tę, czyli *gradus*, wskazuje druga liczba, szafę zaś określa trzecia; zrozumiałem tak samo, że pozostałe dane mówią o pokoju lub korytarzu biblioteki, i ośmieliłem się prosić o wyjaśnienie tych ostatnich wskazówek. Malachiasz spojrzał na mnie surowo.

– Może nie wiesz lub zapomniałeś, że dostęp do biblioteki ma tylko bibliotekarz. Tak więc jest słuszne i wystarczające, by on jeno potrafił te dane odcyfrować.

– Lecz w jakim porządku umieszczono księgi w spisie? – spytał Wilhelm. – Nie ze względu na opisywany przedmiot, jak sądzę. – Nie były również wpisane według autorów w kolejności liter alfabetu, ten roztropny sposób stosowany jest bowiem dopiero w ostatnich latach, a wtedy był jeszcze używany rzadko.

– Początki biblioteki giną w otchłani wieków – rzekł Malachiasz – i książki wpisuje się w porządku napływania zakupów, darowizn, w miarę jak przybywają w nasze mury.

– Trudno je odnaleźć – zauważył Wilhelm.

– Wystarczy, by bibliotekarz znał je na pamięć i wiedział, kiedy każda pojawiła się tutaj. Inni mnisi zaś mogą polegać na jego pamięci. – I miało się wrażenie, że mówi o kimś innym, nie o sobie samym; pojąłem więc, że mówi o urzędzie, jaki w tym momencie, choć niegodny, pełni, lecz sprawowanym przedtem przez stu innych, których nie masz już między żywymi i którzy kolejno przekazywali sobie swą wiedzę.

– Zrozumiałem – powiedział Wilhelm. – Gdybym więc szukał czegoś, nie wiedząc dobrze czego, na temat pięciokąta Salomona, ty mógłbyś wskazać mi książkę, z której ja przeczytałem tylko tytuł, i mógłbyś ustalić jej położenie na górnym piętrze.

– Jeślibyś naprawdę musiał dowiedzieć się czegoś o pięciokącie Salomona – rzekł Malachiasz. – Lecz jest to właśnie księga, co do której wolałbym przed oddaniem jej w twoje ręce prosić o radę opata.

---

* Niechaj ma bibliotekarz indeks ksiąg wszelkich ułożony wedle dziedzin i autorów i niechaj je układa oddzielnie i wedle sygnatur na piśmie umieszczonych (łac.).

81

– Dowiedziałem się, że jeden z waszych najzręczniejszych iluminatorów – powiedział wówczas Wilhelm – zginął niedawno. Opat
wiele mi opowiadał o jego sztuce. Czy mógłbym zobaczyć kodeksy,
które on iluminował?

– Aldemus z Otrantu – rzekł Malachiasz, patrząc na Wilhelma
wyzywająco – ze względu na swój młody wiek pracował jedynie przy
marginaliach. Miał bardzo żywą wyobraźnię i z rzeczy znanych potrafił układać rzeczy nieznane i zaskakujące, jak ktoś, kto łączy ciało
człowieka z końską szyją. Ale oto te księgi. Nikt jeszcze nie dotykał
jego stołu.

Zbliżyliśmy się do tego, co niegdyś było miejscem pracy Adelmusa i gdzie nadal leżały karty bogato zdobionego psałterza. Karty
wykonano z najdelikatniejszego welinu – króla pośród pergaminów;
ostatnia z nich była jeszcze przypięta do stołu. Ledwie starto ją pumeksem i zmiękczono kredą, a następnie wygładzono za pomocą
skrobaka, i od maleńkich dziurek zrobionych po bokach pociągnięto
delikatnym rylcem linie, które prowadzić miały rękę artysty. Górna
połowa zapełniona już była pismem i mnich zaczął nawet szkicować
postacie na marginesach. Całkowicie ukończone były natomiast inne
karty i patrząc na nie, ni ja, ni Wilhelm nie potrafiliśmy powstrzymać
okrzyku zachwycenia. Na marginesach psałterza rysował się świat
wywrócony na opak w stosunku do tego, do którego przyzwyczaiły
nas zmysły. Jakby w progu dyskursu będącego z definicji dyskursem
prawdziwym rozwijał się, głęboko związany z tamtym przez cudowne napomknięcia *in aenigmate**, dyskurs kłamliwy, dotyczący stojącego na głowie świata, w którym psy umykają przed zającami, a jelenie polują na lwy. Maleńkie głowy na ptasiej nodze, zwierzęta
z ludzkimi dłońmi na grzbiecie, głowy włochate, z których wyrastają
stopy, pręgowane smoki, czworonogi o szyi węża, która splata się
w tysiące węzłów nie do rozwikłania, małpy z jelenimi rogami, syreny w kształcie ptasim, z błoniastymi skrzydłami na grzbietach, ludzie bez ramion dźwigający inne ludzkie ciała, które wyrastają im
z pleców niby garby, postacie z uzębioną paszczą na brzuchu, ludzie
z końskimi głowami i konie z ludzkimi nogami, ryby ze skrzydłami
ptaków i ptaki z ogonami ryb, potwory o jednym ciele, lecz dwóch
głowach, lub o jednej głowie na podwójnym ciele, krowy z ogonem
koguta i skrzydłami motyla, kobiety z głowami w łuskach jak grzbiet
ryby, dwugłowe chimery splecione z ważkami o jaszczurczych pyskach, centaury, smoki, słonie, mantykory, cienionodzy leżący na

---

* W zagadce (łac.).

gałęzi drzewa, gryfy, z których ogona wyrasta łucznik w stroju wojennym, diabelskie kreatury o niekończących się szyjach, sekwencje antropomorficznych zwierząt i zoomorficznych karłów ciągnęły się czasem na jednej i tej samej stronicy, tworząc sceny, w których widziałem całe życie wiejskie, przedstawione tak dziwnie przekonująco, że postacie zdały się żywe, oracze, zbieracze owoców, żniwiarze, prządki, siewcy obok zbrojnych w kusze lisów i kun, które piły się na blanki miasta bronionego przez małpy. Tu jakiś inicjał wyginał się w „L" i tworzył w dolnej części smoka, tam duże „y", które daje początek słowu *verba*, tworzyło, niby naturalną odrośl od swego pnia, węża o tysiącznych skrętach, a z tego wyrastały inne węże, jakby to były pędy roślin i baldachy kwietne.

Obok psałterza leżała, najwyraźniej dopiero co ukończona, wykwintna złota książeczka o niewiarygodnie małych wymiarach, tak małych, że mógłbym zmieścić ją na dłoni. Litery drobne, miniatury na marginesach przy pierwszym spojrzeniu ledwie widoczne, a oko musiało obejrzeć je z bliska, by ukazały się w całej swej urodzie (i człowiek zadawał sobie pytanie, jakim nadludzkim przyrządem kreślił je iluminator, żeby uzyskać tak żywe efekty na tak niewielkiej przestrzeni). Marginesami książeczki bez reszty zawładnęły maleńkie figurki, które w sposób prawie naturalny wypełniły wolne miejsce, rodząc się z końcowych wolut prześwietnie nakreślonych liter: morskie syreny, umykające jelenie, chimery, torsy ludzkie bez ramion, niby glisty wypełzające z samej materii wersów. W pewnym miejscu zobaczyłem, jakby był to ciąg dalszy słów: *Sanctus, Sanctus, Sanctus*, powtórzonych w trzech różnych linijkach, trzy zwierzęce postacie o ludzkich głowach; dwie odchylały się ku dołowi, trzecia zaś ku górze, by złączyć się w pocałunku, którego nie zawahałbym się określić nieskromnym, gdybym nie był przekonany, że głęboki sens duchowy, choć nieprzenikniony, musiał z pewnością usprawiedliwiać umieszczenie obrazu w tym właśnie miejscu.

Przeglądałem stronice, wahając się między niemym podziwem a śmiechem, postacie bowiem skłaniały w sposób nieunikniony do wesołości, aczkolwiek ilustrowały święte karty. Brat Wilhelm też przyglądał im się z uśmiechem, by rzec w końcu:

– *Babewyn*, jak je nazywają na moich wyspach.

– *Bobouins*, jak nazywają je w Galii – odparł Malachiasz. – I w istocie, Adelmus nauczył się swojej sztuki w twoim kraju, choć potem studiował również we Francji. Babuiny, czyli małpy z Afryki. Postacie ze świata na opak, gdzie domy wznoszą się na szczytach wież, ziemia zaś jest nad niebem.

Przypomniałem sobie parę wersów, które słyszałem w dialekcie moich rodzinnych stron, i nie mogłem się powstrzymać od ich przytoczenia:

Aller Wunder si geswigen,
das herde himel hât überstigen,
das sult is vür ein Wunder wigen.

A Malachiasz dodał dalszy ustęp tekstu:

Erd ob und himel unter
das sult ir hân besunder
Vür aller Wunder ein Wunder*.

– Świetnie, Adso – ciągnął bibliotekarz. – Rzeczywiście, te obrazy mówią nam o krainie, do której się dociera, dosiadając niebieskiej gęsi, gdzie są krogulce, które łowią ryby w potoku, niedźwiedzie, które ścigają sokoły, raki, które latają pospołu z gołębiami, i trójka gigantów złapanych w pułapkę i dziobanych przez koguta.

I blady uśmiech rozjaśnił jego wargi. Wówczas inni mnisi, którzy z niejaką nieśmiałością przysłuchiwali się rozmowie, zaczęli śmiać się z całego serca, jakby tylko czekali na przyzwolenie bibliotekarza. Ten zaś nachmurzył się, chociaż inni śmiali się dalej, wychwalając zręczność nieszczęsnego Adelmusa i wskazując sobie nawzajem nieprawdopodobne postacie. I kiedy wszyscy jeszcze się weseliliśmy, usłyszeliśmy zza pleców głos uroczysty i surowy:

– *Verba vana aut risui apta non loqui*.*

Odwróciliśmy się. Tym, który odezwał się w ten sposób, był mnich przygięty do ziemi brzemieniem lat, biały jak śnieg, a mam na myśli nie tylko włosy, lecz również twarz i źrenice. Pojąłem, że jest ślepy. Głos miał jeszcze majestatyczny i członki mocne, chociaż ciało zesztywniało ze starości. Zwrócił twarz w naszą stronę, jakby nas wi-

---

* Niczym są wszystkie cuda,
Ziemia dosięgła nieba,
To jam winien uważać za cud.

Ziemia w górze, a niebo w dole,
To winniście opiewać
Za cud nad cudami (niem.).

* Słów próżnych lub śmiech wzbudzających nie wypowiadać (łac.).

dział, a i później zawsze, kiedy go spotykałem, poruszał się i przemawiał jak człowiek obdarzony wzrokiem. Lecz ton głosu zdradzał kogoś, kto posiada jedynie dar prorokowania.

– Człek czcigodny dla swego wieku i wiedzy, którego masz przed sobą – rzekł Malachiasz do Wilhelma, wskazując nowo przybyłego – to Jorge z Burgos. Jest starszy niż ktokolwiek w klasztorze, poza Alinardem z Grottaferraty, i jemu to wielu mnichów powierza pod tajemnicą spowiedzi brzemię swoich grzechów. – Następnie, zwracając się do starca, rzekł: – Masz przed sobą brata Wilhelma z Baskerville, naszego gościa.

– Mam nadzieję, że nie pogniewałeś się za moje słowa – odezwał się starzec szorstkim głosem. – Słyszałem osoby śmiejące się na widok rzeczy śmiesznych i przypomniałem im jedną z zasad naszej reguły. A jak powiada psalmista, skoro mnich winien wstrzymać się od rozmów poczciwych, złożył bowiem ślub milczenia, tym bardziej winien unikać rozmów złych. Podobnie jak są złe rozmowy, tak i są złe obrazy. A to te, które kłamią co do kształtu dzieła stworzenia i pokazują świat na opak w stosunku do tego, jakim być winien, jakim zawsze był i będzie na wieki wieków, aż do końca czasów. Ale ty przybywasz z innego zakonu, w którym, jak mi powiedziano, z pobłażaniem patrzy się na wesołość, choćby najbardziej niewczesną. – Uczynił aluzję do tego, co między benedyktynami mówiono o dziwactwach świętego Franciszka z Asyżu, i może też do dziwactw przypisywanych braciaszkom i duchownikom wszelkiego gatunku, którzy byli świeżo puszczającymi i najbardziej kłopotliwymi pędami zakonu franciszkańskiego. Ale brat Wilhelm udał, że nie pojmuje insynuacji.

– Obrazki na marginesach często wywołują uśmiech, lecz służy to tylko zbudowaniu – odparł. – W kazaniach, chcąc poruszyć wyobraźnię pobożnych tłumów, trzeba wtrącić *exempla**, tak i mowa obrazków musi pobłażać tym *nugae**. Na każdą cnotę i na każdy grzech jest przykład wzięty z bestiarium, a zwierzęta są figurą świata ludzkiego.

– Och, tak – zadrwił starzec, ale bez uśmiechu. – Wszelki obraz jest dobry, by skłaniać do cnoty, albowiem arcydzieło stworzenia, jeśli pokazać je do góry nogami, staje się materią do śmiechu. I tym sposobem Słowo Boże przejawia się poprzez osła, który gra na lirze, durnia, który orze tarczą, woły, które same zaprzęgają się do pługa,

---

* Przykłady (łac.).
* Fraszkom, błahym żartom (łac.).

rzeki, które płyną pod górę, morze, które płonie, wilka, który staje się eremitą! Poluj na zające z wołem, każ sowie, by uczyła gramatyki, niechaj psy kąsają pchły, ślepi pilnują niemych, niemi proszą o chleb, niechaj mrówka rodzi cielę, niechaj latają pieczone kurczęta, podpłomyki rosną na dachach, papugi prowadzą lekcje retoryki, kury zapładniają koguty, zaprzęgaj wóz przed wołami, każ psu spać w łóżku i niechaj wszyscy chodzą głową w dół! Czemu służą te *nugae*? Świat na opak i przeciwny do tego, który ustanowił Bóg, a wszystko pod pretekstem wpajania Bożych przykazań!

— Lecz Areopagita naucza — rzekł z pokorą Wilhelm — że Bóg nazwany być może jedynie poprzez rzeczy najbardziej zniekształcone. A Hugon od Świętego Wiktora przypomniał nam, że im bardziej podobieństwa stają się niepodobne, tym lepiej prawda jest nam objawiona pod osłoną figur szpetnych i pełnych sromoty, tym mniej wyobraźnia znajduje upodobania w radościach cielesnych, jest zaś zmuszona śledzić tajemnice, które kryją się pod bezeceństwem obrazów...

— Znam tę rację! I ze wstydem przyznaję, że stała się głównym argumentem naszego zakonu, kiedy opaci kluniaccy zmagali się z cystersami. Lecz słuszność miał święty Bernard: człowiek, który przedstawia wizerunki potworów i dziwów natury, by *per speculum et in aenigmate** objawić sprawy Boskie, stopniowo nabiera upodobania do samej istoty tworzonej przez siebie potworności, rozkoszuje się nią i tylko za jej pośrednictwem widzi wszystko dokoła siebie. Wystarczy, byście spojrzeli, wy, którzy macie jeszcze wzrok, na kapitele waszego klasztoru — i wskazał ręką za okno, w stronę kościoła.

— Co oznaczają te śmieszne potworności, ta zniekształcona kształtność, to kształtne zniekształcenie podsunięte pod oczy braciom, których przeznaczeniem jest medytacja? Te plugawe małpy? Te lwy, te centaury, te na poły ludzkie istoty z gębą na brzuchu, z jedną tylko stopą, z uszami jak żagiel? Te cętkowane tygrysy, ci zmagający się wojownicy, ci myśliwi dmący w rogi i te mnogie ciała o jednej głowie i mnogie głowy na jednym ciele? Czworonogi z ogonami wężów, ryby z głowami czworonogów; tu zwierzę, które z przodu przypomina konia, z tyłu zaś capa, tam rumak z rogami, i jeszcze, i jeszcze; teraz milej jest mnichowi czytać w marmurach niż w manuskryptach i podziwiać dzieła człowieka, miast medytować nad prawem Bożym. Wstyd, a wszystko dla zaspokojenia pożądliwości waszych oczu i dla waszego śmiechu!

Wielki starzec zamilkł, dysząc ciężko. Ja zaś podziwiałem żywość pamięci, albowiem pozwoliła mu, choć może od wielu już lat

---

* W odbiciu lustrzanym i w zagadce (łac.).

był ślepy, przypomnieć sobie obrazy, o których bezeceństwie mówił. Podejrzewałem nawet, że oczarowały go niemało, kiedy mógł na nie patrzeć, skoro z taką pasją umiał je opisać. Lecz często zdarzało mi się, że najbardziej uwodzicielskie wyobrażenia grzechów znajdowałem właśnie na kartach zapisanych przez tych ludzi o niewzruszonej cnocie, którzy potępiali ich urzekającą siłę i skutki. Jest to znak, że porusza tymi ludźmi wielka żarliwość w dawaniu świadectwa prawdzie, nie wahają się bowiem, z miłości do Boga, obdarzyć zło wszystkimi urokami, w jakie potrafi się przystroić – by tym lepiej pouczyć ludzi o wybiegach, których używa szatan, chcąc ich olśnić. I rzeczywiście, słowa Jorge przepoiły mnie wielkim pragnieniem ujrzenia tygrysów i małp, których dotąd jeszcze nie podziwiałem. Lecz Jorge przerwał bieg moich myśli, gdyż ciągnął, teraz już tonem spokojniejszym:

– Nasz Pan nie potrzebował tych głupstw, żeby wskazać nam prostą ścieżkę. W jego przypowieściach nic nie obraca się w śmiech ni bojaźń. Natomiast Adelmus, którego śmierć teraz opłakujecie, tak radował się malowanymi przez siebie potwornościami, że stracił z oczu rzeczy ostateczne, choć owe potworności miały być właśnie tych rzeczy figurą materialną. Przebiegł wszystkie, ja wam to mówię – tu jego głos stał się uroczysty i brzemienny groźbą – wszystkie ścieżki potworności. A za to Bóg potrafi pokarać.

Na obecnych opadła przytłaczająca cisza. Ośmielił się ją przerwać Wenancjusz z Salvemec.

– Czcigodny Jorge – rzekł – twoja cnota czyni cię niesprawiedliwym. Dwa dni przedtem, nim Adelmus poniósł śmierć, byłeś przy uczonej dyspucie, która miała miejsce właśnie tutaj, w skryptorium. Adelmus trapił się, czy jego sztuka, pobłażając wizerunkom dziwacznym lub fantastycznym, służy chwale Boga, czy jest narzędziem wiedzy o sprawach niebieskich. Brat Wilhelm przytoczył dopiero co z Areopagity słowa o wiedzy poprzez zniekształcenie. Adelmus zaś cytował owego dnia inny wysoki autorytet, autorytet doktora z Akwinu, któren oznajmił, że bardziej przystoi, by rzeczy Boskie przedstawione były pod postacią ciał obrzydłych niż pod postacią ciał szlachetnych. Po pierwsze, gdyż tym sposobem dusza ludzka łatwiej wyzwala się od błędów; rzeczywiście jest pewne, że niektóre właściwości nie mogą być przypisane rzeczom Boskim, a wydałoby się wątpliwe, gdyby owe były wskazane poprzez figury szlachetnych spraw ciała. Po drugie, gdyż ten sposób przedstawiania bardziej pasuje do wiedzy, jaką mamy na tej ziemi o Bogu; albowiem objawia się on nam raczej w tym, czym nie jest, niż w tym, czym jest, i dlatego te podobizny, które bardziej oddalają się od Boga, prowadzą nas do ściślejszego wyobrażenia o Nim, bo wiemy oto, że jest On ponad wszystko, co mówimy i myślimy. A po trzecie, gdyż w ten sposób sprawy Boskie są lepiej zakryte przed oczami osób niegodnych. W sumie chodziło owego dnia o zrozumienie, w jaki sposób można odsłonić prawdę, dając wizerunki zaskakujące, pociągające i zagadkowe. A ja przypomniałem mu, że w dziele wielkiego Arystotelesa znalazłem na ten temat słowa dosyć jasne...

– Nie pamiętam – przerwał oschle Jorge. – Jestem bardzo stary. Nie pamiętam. Może przesadziłem w surowości. Teraz jest już późno, muszę iść.

– To dziwne, że nie pamiętasz – nalegał Wenancjusz. – Była to bowiem bardzo uczona i piękna dysputa, a zabrali w niej głos również Bencjusz i Berengar. Chodziło o to, by wyjaśnić, czy metafory, igraszki słowne i zagadki, które są wszak wymyślone przez poetów dla czystej zabawy, nie skłaniają czasem do spekulowania o rzeczach w sposób nowy i zaskakujący, a ja powiedziałem, że także tej cnoty oczekuje się od mędrca... I był też Malachiasz...

– Skoro czcigodny Jorge nie pamięta, miejże szacunek dla jego wieku i dla znużenia jego umysłu... tak zresztą jeszcze żywego – wtrącił się jeden z mnichów, którzy przysłuchiwali się rozmowie. Zdanie zostało wypowiedziane tonem wzburzonym, przynajmniej na początku, albowiem ten, który zabrał głos, spostrzegłszy, że nawołując do szacunku dla starca, w istocie obnaża jego ułomność, osłabił impet swojej mowy i skończył prawie szeptem, w którym brzmiała prośba o wybaczenie. Mówił Berengar z Arundel, pomocnik bibliotekarza. Był to młodzieniec o bladej twarzy, a patrząc nań, przypomniałem sobie podane przez Hubertyna określenie Adelmusa: jego oczy przypominały oczy lubieżnej niewiasty. Onieśmielony spojrzeniami, które teraz na nim spoczęły, splótł palce jak ktoś, kto pragnie powściągnąć wewnętrzne napięcie.

Osobliwa była reakcja Wenancjusza. Spojrzał na Berengara w taki sposób, że ten opuścił wzrok.

– No dobrze, braciszku – rzekł. – Skoro pamięć jest darem Bożym, także zdolność zapominania może być czymś nader dobrym i zasługującym na szacunek. Lecz szanuję ją w starym współbracie, do którego mówiłem. Po tobie oczekiwałem pamięci żywszej co do rzeczy, które się zdarzyły, kiedy byliśmy tutaj, razem z twoim umiłowanym przyjacielem...

Nie umiałbym powiedzieć, czy Wenancjusz położył nacisk na słowie „umiłowany". Tak czy siak, śród obecnych zapanowało zakłopotanie. Odwrócili wzrok w inną stronę, by nie kierować go na Berengara, który zarumienił się gwałtownie. Natychmiast wtrącił się władczym tonem Malachiasz:

– Chodź, bracie Wilhelmie, pokażę ci inne ciekawe księgi.

Grupka rozeszła się. Spostrzegłem, że Berengar obrzucił Wenancjusza spojrzeniem pełnym urazy, Wenancjusz zaś odwzajemnił mu się tym samym, z niemym wyzwaniem w oczach. Ja, widząc, że stary Jorge ma się oddalić, pochyliłem się, pchany poczuciem szacunku, by ucałować jego rękę. Starzec przyjął pocałunek, położył mi dłoń na głowie i spytał, kim jestem. Kiedy wyjawiłem mu swoje imię, twarz mu pokraśniała.

– Nosisz imię wielkie i piękne – rzekł. – Czy wiesz, kim był Adso z Montier-en-Der? – spytał. Wyznaję, nie wiedziałem. Zatem Jorge ciągnął: – To autor księgi wielkiej i strasznej, *Libellus de Antichristo*, w której ujrzał rzeczy mające nastąpić, lecz nie został wysłuchany, jak na to zasługiwał.

– Księga napisana była jeszcze przed milenium – skomentował Wilhelm – i owe rzeczy się nie sprawdziły...

– Dla tego, kto ma oczy, a nie widzi – powiedział ślepiec. – Drogi Antychrysta są niespieszne i kręte. Przybywa, kiedy się go nie spodziewamy. I nie dlatego, że rachunek podsunięty nam przez apostoła był błędny, lecz dlatego, że nie posiedliśmy jego sztuki. – Potem wykrzyknął głośno z twarzą zwróconą do sali, tak że odpowiedziały mu echem sklepienia skryptorium: – Przybywa! Nie traćcie ostatnich dni, trzęsąc się ze śmiechu nad potworkami o cętkowanej skórze i skręconym ogonie! Nie roztrwońcie siedmiu ostatnich dni!

Dzień pierwszy

Nieszpór

Kiedy to zwiedza się resztę opactwa, Wilhelm wyciąga pewne
wnioski co do śmierci Adelmusa, rozmawia z braciszkiem
szkłodziejem o szkiełkach do czytania i o upiorach czyhających
na tych, którzy chcą czytać zbyt dużo

W tym momencie zadzwoniono na nieszpór i mnisi zaczęli wstawać od stołów. Malachiasz dał nam do zrozumienia, że my także
winniśmy się oddalić. On zaś zostanie ze swoim asystentem, Berengarem, by uładzić rzeczy (tak się wyraził) i przygotować bibliotekę
na noc. Wilhelm zapytał go, czy zamknie potem drzwi.

– Nie ma nijakich drzwi, które broniłyby dostępu do skryptorium
z kuchni lub refektarza ni do biblioteki ze skryptorium. Silniejszy od
wszelkich drzwi winien być zakaz wydany przez opata. Mnisi zaś
mają opuścić i kuchnię, i refektarz aż do komplety. Wszelako ludzie
obcy i zwierzęta nie liczą się przecież z zakazem, więc aby nie mogli
wejść do Gmachu, ja sam zamykam dolne drzwi, które prowadzą
i do kuchni, i do refektarza. Od tej pory Gmach jest odcięty.

Zeszliśmy. Kiedy mnisi kierowali się w stronę chóru, mój mistrz
doszedł do wniosku, że Pan nam wybaczy, jeśli nie będziemy uczestniczyli w Boskim oficjum (Pan nieraz musiał nam wybaczać w dniach
następnych), i zaproponował, bym przeszedł się z nim po równi, co
nam pozwoli oswoić się z miejscem.

Wyszliśmy z kuchni i przebyliśmy cmentarz; były tam nowsze
kamienie nagrobne i inne, na których czas odcisnął piętno, gdyż opo-
wiadały o mnichach żyjących w minionych wiekach. Groby były
bezimienne, stały na nich krzyże z kamienia.

Pogoda się psuła. Powiał zimny wiatr i niebo zasnuło się mgłą.
Ledwie odgadywało się słońce zachodzące za warzywnikami, ku
wschodowi zaś – w tę właśnie stronę skierowaliśmy nasze kroki,
zostawiając z boku chór kościoła i docierając do skraju równi – już
się robiło ciemno. W miejscu, gdzie mur opasujący opactwo łączył
się ze wschodnią basztą Gmachu, prawie do owego muru przylega-
jąc, znajdowały się chlewy i świniarze napełniali właśnie kadź krwią
wieprzków. Zauważyliśmy, iż na tyłach zagród mur był niższy, tak że
można było się wychylić. Poniżej stromizny muru opadający urwi-
ście teren pokryty był skorupami, których śnieg nie zdołał do końca
zakryć. Pojąłem, że jest to wysypisko gnoju zrzucanego z tego miej-

sca, by osuwał się aż do rozgałęzienia, skąd odchodzi ścieżka, na którą zapuścił się uciekinier Brunellus. Powiedziałem: gnój, gdyż była to materia tak cuchnąca, że woń docierała aż do balustrady, przez którą się wychyliłem; oczywiście wieśniacy przybywali z dołu, by zaopatrywać się w nawóz i użyźniać nim pola. Ale z odchodami zwierząt i ludzi przemieszane były odpadki stałe, cała martwa materia, jaką opactwo wydalało ze swego ciała, by zachować czystość i przejrzystość w obcowaniu ze szczytem góry i z niebem.

W mieszczących się obok stajniach pastusi prowadzili właśnie zwierzęta do żłobów. Przebyliśmy drogę, wzdłuż której rozciągały się od strony muru rozmaite stajnie, a po drugiej stronie dormitorium mnichów, przylegające do chóru, i dalej latryny. Tam gdzie mur wschodni odchylał się ku południu, w rogu murów był budynek kuźni. Ostatni kowale odkładali narzędzia i gasili paleniska, by udać się na Boży obrządek. Wilhelm ruszył, zaciekawiony, w stronę tej części kuźni, która była prawie oddzielona od reszty warsztatu; jakiś mnich porządkował tam swoje rzeczy. Na stole była piękna kolekcja wielobarwnych szybek niewielkich wymiarów, większe tafle stały oparte o ścianę. Przed sobą miał niedokończony jeszcze relikwiarz, na razie srebrny szkielet, ale widać było, że trudzi się właśnie osadzaniem w nim szybek i kamieni, które za pomocą swoich narzędzi sprowadzał do wielkości klejnotu.

W ten sposób poznaliśmy Mikołaja z Morimondo, mistrza szklarskiego opactwa. Wyjaśnił nam, że w tylnej części kuźni wydmuchuje się szkło, w przedniej zaś, gdzie pracują kowale, osadza się szybki w ołowiu, układając z nich witraże. Ale – dodał – wielkie dzieło szklarskie, które upiększa kościół i Gmach, zostało wykonane co najmniej dwa wieki wcześniej. Teraz ograniczano się do prac drobnych albo do naprawiania szkód, jakie powodował upływ czasu.

– A i to z wielkim mozołem – dorzucił – gdyż nie da się już znaleźć dawnych kolorów, zwłaszcza tak przezroczystego błękitu, który możecie jeszcze podziwiać na chórze, a przez który, gdy słońce jest w zenicie, wlewa się do nawy światło doprawdy rajskie. Szyby w zachodniej części nawy, nie tak dawno odnowione, nie mają już tej jakości i widać to w dni letnie. Daremny trud – dodał. – Utraciliśmy mądrość dawnych ludzi, minęła epoka olbrzymów!

– Jesteśmy karłami – zgodził się Wilhelm – ale karłami, które stoją na ramionach tamtych olbrzymów, i w naszej małości potrafimy czasem wypatrzyć dalszy niż oni horyzont.

– Powiedz mi, cóż takiego robimy lepiej, czego oni nie potrafiliby zrobić! – wykrzyknął Mikołaj. – Gdybyś zszedł do krypty kościoła, gdzie schowany jest skarb opactwa, obaczyłbyś relikwiarze tak misternej roboty, że ten poroniony płód, któremu nadaję dopiero jakże nędzny kształt – i uczynił gest w stronę własnego dzieła stojącego na stole – wyda ci się marnym małpowaniem.

– Nigdzie nie jest napisane, że mistrzowie szklarscy winni dalej robić okna, złotnicy zaś relikwiarze, skoro dzieła dawnych mistrzów są tak piękne, a ich przeznaczeniem jest przetrwać wieki. Inaczej cała ziemia napełniłaby się relikwiarzami, i to w czasach, kiedy tak rzadko spotyka się świętych, którzy przecież dostarczają relikwii – zażartował Wilhelm. – I nie trzeba też spajać w nieskończoność szyb. Ale widziałem w rozmaitych krajach nowe dzieła ze szkła, które przywodzą na myśl świat jutrzejszy, gdzie szkło będzie nie tylko na służbę Boskich obrządków, ale wesprze też ludzką słabość. Chciałbym pokazać ci dzieło naszych czasów, których bardzo pożyteczny okaz mam honor posiadać. – Sięgnął do habitu i wydobył swoje soczewki, które wprawiły naszego rozmówcę w osłupienie.

Mikołaj ujął z wielkim zaciekawieniem widełki, które podał mu Wilhelm.

– *Oculi de vitro cum capsula!** – wykrzyknął. – Słyszałem o nich od brata Jordana, którego poznałem w Pizie!

Powiedział, że nie minęło jeszcze dwadzieścia lat od ich wynalezienia. Lecz rozmawiałem z nim ponad dwadzieścia lat temu.

– Myślę, że zostały wynalezione znacznie wcześniej – oznajmił Wilhelm – ale trudno je zrobić i trzeba do tego nie lada doświadczonego szkłodzieja. Kosztują dużo czasu i pracy. Dziesięć lat temu para tych szkiełek *ab oculis ad legendum** została sprzedana w Bolonii za sześć solidów. Ja otrzymałem od pewnego wielkiego mistrza, Salvina degli Armati, tę parę w podarunku już ponad dziesięć lat temu i pieczołowicie przechowywałem ją przez cały ten czas, jakby była – i jest już w istocie – częścią mojego ciała.

– Mam nadzieję, że pozwolisz mi je obejrzeć w najbliższych dniach, chętnie sporządziłbym podobne – rzekł ze wzruszeniem Mikołaj.

– Naturalnie – potaknął Wilhelm – lecz bacz na to, że grubość szkła musi zmieniać się zależnie od oka, do którego trzeba je dostosować, i należy pewną ilość tych szkiełek wypróbować na pacjencie, aż znajdzie się właściwą grubość.

– Cóż to za cud! – ciągnął Mikołaj. – A przecież niejeden mówiłby o czarach i diabelskich sztuczkach...

---

* Oczy ze szkła w oprawie! (łac.).
* Dla oczu do czytania (łac.).

– Zapewne w tych sprawach możesz mówić o magii – potwierdził Wilhelm. – Lecz są dwie formy magii. Jest magia będąca dziełem diabła i zmierzająca do zniszczenia człowieka poprzez wybiegi, o których nie wolno nawet mówić. Ale jest też magia będąca dziełem Boskim, tam gdzie wiedza Boga przejawia się przez wiedzę człowieka, ta zaś służy przeobrażaniu natury i jeden z jej celów stanowi przedłużenie życia ludzkiego. Ta jest magia święta i mędrcy coraz pilniej będą musieli się do niej przykładać, nie tylko, by odkrywać rzeczy nowe, ale by odkryć na nowo sekrety natury, które mądrość Boska wyjawiła Hebrajczykom, Grekom i innym ludom starożytnym, a nawet dzisiejszym niewiernym (wiadomo, jakie cuda optyki i nauki o widzeniu kryją księgi niewiernych!). Wiedza chrześcijańska będzie musiała na nowo objąć w posiadanie wszystkie te biegłości, odebrać je poganom i niewiernym *tamquam ab iniustis possessoribus**.

– Ale czemu ci, którzy posiedli tę wiedzę, nie przekazują jej całemu ludowi Bożemu?

– Ponieważ niecały lud Boży jest przygotowany do przyjęcia tylu sekretów i często się zdarzało, że powiernicy tej wiedzy bywali myleni z czarownikami, związanymi paktem z demonem, i własnym życiem płacili za swoje pragnienie, by inni też korzystali ze skarbu ich wiedzy. Ja sam, kiedy przed trybunałem stawał ktoś podejrzany o obcowanie z diabłem, musiałem wystrzegać się używania tych soczewek, uciekając się do pomocy usłużnych sekretarzy, którzy czytali mi potrzebne pisma, inaczej bowiem, w chwilach obecności demona tak natrętnej, że wszyscy wdychali, jeśli można tak powiedzieć, jego siarkowy smród, i na mnie spoglądano by jak na przyjaciela obwinionych. A wreszcie, ostrzegał wielki Roger Bacon, nie zawsze sekrety nauki winny trafiać do wszystkich, gdyż niektórzy mogliby je wykorzystać do niegodziwych celów. Często mędrzec musi przedstawiać jako magiczne takie księgi, które magicznymi nie są, ale właśnie kryją dobrą wiedzę – by chronić je przed ciekawymi spojrzeniami.

– Obawiasz się zatem, że prostaczkowie mogliby uczynić zły użytek z tych tajemnic? – spytał Mikołaj.

– Jeśli chodzi o prostaczków, obawiam się tylko, że mogą się owych tajemnic przestraszyć, gdyż pomylą je z tymi dziełami diabła, o których nazbyt często mówią im kaznodzieje. Widzisz, miałem sposobność poznać najbieglejszych medyków, którzy warzyli lekarstwa usuwające chorobę, jak ręką odjął. Lecz dając balsam lub napar pro-

_____

* Jako bezprawnym posiadaczom (łac.).

93

staczkom, dołączają do niego tajemne słowa i śpiewne zdania, które wydają się modlitwą. Nie dlatego, by te modły miały moc leczenia, lecz jeśli prostaczkowie uwierzą, iż modły przyniosą uzdrowienie, przełkną napar lub wysmarują się balsamem, nie zważając nawet zbytnio na jego skuteczność rzeczywistą. A nadto również dlatego, że dusza, dobrze zachęcona ufnością, jaką pokłada w pobożnej formule, lepiej się przysposobi do cielesnego działania lekarstwa. Ale często skarby nauki chroni się nie przed prostaczkami, lecz przed innymi mędrcami. Robi się dzisiaj cudowne machiny, o których kiedyś ci opowiem, a które naprawdę pozwalają kierować biegiem natury. Lecz biada, jeśli wpadną w ręce ludzi, którzy wykorzystają je do pomnożenia swojej władzy doczesnej i zaspokojenia żądzy posiadania. Powiadają, że u Kitajczyków jakiś mądry człek zrobił mieszaninę prochów, która w zetknięciu z ogniem wytwarza wielki huk i wielki płomień, niszcząc wszystkie rzeczy na wiele łokci dokoła. To piękna sztuczka, jeśli będzie wykorzystana do odwracania biegu rzek lub druzgotania skał tam, gdzie trzeba uprawiać ziemię. Lecz co, jeśli ktoś jej użyje, by nieść szkodę swoim nieprzyjaciołom?

– Może byłoby to godziwe, gdyby chodziło o nieprzyjaciół ludu Bożego? Cesarz Ludwik czy papież Jan?

– O Boże mój! – wykrzyknął przerażony Mikołaj. – Nie chciałbym sam decydować w sprawie tak bolesnej.

– Widzisz więc – rzekł Wilhelm. – Niekiedy dobrze, by niektóre tajemnice pozostawały okryte językiem tajemnym. Tajemnic natury nie spisuje się na skórze kozy lub owcy. Arystoteles powiada w księdze tajemnic, że przez podawanie zbyt wielu arkanów natury i sztuk łamie się niebiańską pieczęć i że wiele zła może z tego wyniknąć. Co nie oznacza, że nie należy odsłaniać tajemnic, lecz do mędrców należy określenie, kiedy i w jaki sposób.

– I z tej przyczyny – podsumował Mikołaj – dobre jest, że w takich miejscach jak to nie wszystkie księgi są dostępne dla każdego.

– To już inna sprawa – odparł Wilhelm. – Można zgrzeszyć przez nadmiar wymowności i przez nadmiar powściągliwości. Nie chciałem bynajmniej rzec, że trzeba ukrywać źródła wiedzy. To także wydaje mi się wielkim złem. Chciałem powiedzieć, że obcując z arkanami, z których zrodzić się może i dobro, i zło, mędrzec ma prawo i obowiązek używać języka niejasnego, zrozumiałego jedynie dla jemu podobnych. Droga nauki nie jest łatwa i trudno na niej odróżnić dobro od zła. A często mędrcy nowych czasów są tylko karłami, które wspięły się na ramiona innych karłów.

Miła rozmowa z moim mistrzem musiała nastroić Mikołaja do zwierzeń. Przeto mrugnął do Wilhelma (jakby chciał powiedzieć: ty i ja rozumiemy się, albowiem o tym samym mówimy) i napomknął:

– Jednakowoż tutaj – i wskazał na Gmach – tajemnice wiedzy dobrze są chronione sztuką czarów.

– W istocie? – odrzekł Wilhelm, udając obojętność. – Drzwi zatarasowane, surowe zakazy, groźby, tak sobie to wyobrażam.

– Och, nie, coś więcej...

– Co na przykład?

– Nie wiem dokładnie, moja rzecz to szybki, nie zaś księgi, ale po opactwie krążą opowieści... dziwne...

– Jakiego rodzaju?

– Dziwne. Powiedzmy o mnichu, który pragnął zapuścić się nocą do biblioteki, by znaleźć coś, czego nie chciał mu dać Malachiasz, i ujrzał węże, ludzi bez głów albo dwugłowych. Niewiele brakowało, wyszedłby z labiryntu szaleńcem...

– Czemu mówisz o czarach, nie zaś o diabelskich zjawach?

– Bo choć jestem tylko biednym szkłodziejem, nie brak mi roztropności. Diabeł (niechaj Bóg ma nas w swojej pieczy) nie kusi mnicha wężami i dwugłowymi ludźmi. Już prędzej lubieżnymi wizjami, jak to było z ojcami na pustyni. A poza tym skoro niegodziwie jest tykać niektórych ksiąg, czemuż to diabeł miałby odwodzić mnicha od popełnienia złego czynu?

– Sądzę, że to dobry entymemat – zgodził się mój mistrz.

– A nadto kiedy oprawiałem szyby w szpitalu, przerzucałem dla zabawy niektóre księgi Seweryna. Była tam księga tajemnic napisana, zdaje się, przez Alberta Wielkiego; mój wzrok przykuły osobliwe miniatury, i przeczytałem stronice, mówiące o tym, w jaki sposób można namaścić knot kaganka, aby dym wywołał wizje. Spostrzegłeś, a właściwie jeszcze nie zdążyłeś, boś nie spędził nocy w opactwie, że kiedy robi się ciemno, górne piętro Gmachu jest oświetlone. Przez niektóre okna przenika mdłe światło. Niejeden zastanawiał się, co to jest, i mówiło się o błędnych ogniach albo o duszach zmarłych bibliotekarzy, którzy odwiedzają swoje włości. Wielu w to wierzy. Ja myślę, że są to kaganki przygotowane, by wywołać wizje. Wiesz, że jeśli weźmiesz maź z ucha psa i namaścisz nią knot, kto będzie oddychał dymem z tego kaganka, pomyśli, iż ma głowę psa, i jeśli ktoś będzie przy nim, ujrzy go z głową psa. I jest inna jeszcze maść, która sprawia, że ten, kto krąży wokół kaganka, czuje się wielki jak słoń. A z oczu nietoperza i dwóch ryb, ale ich nazwy już nie pomnę, i z żółci wilka zrobisz taki knot, że kiedy będzie płonął, ujrzysz zwierzęta, od których wziąłeś tłuszcz. Ogon jaszczurki sprawi, że wszystkie rzeczy dokoła będzie się widzieć tak, jakby były ze srebra, a tłuszcz czarnego węża i strzęp całunu – że izba wyda się pełna wężów. Wiem. Ktoś w bibliotece jest nader przebiegły...

– Ale czy to nie dusze zmarłych bibliotekarzy czynią te czary?

Mikołaj był zakłopotany i niespokojny.

– O tym nie pomyślałem. Może być. Oby Bóg miał nas w swej pieczy. Późno, nieszpór już się zaczął. Z Bogiem. – I ruszył w stronę kościoła.

Szliśmy dalej wzdłuż południowego muru. Po prawej austeria dla pielgrzymów i sala kapitulna z ogrodem, po lewej wytłaczarnie, młyn, spichrze, piwnice, dom nowicjuszy. I wszyscy zdążali do kościoła.

– Co myślisz o tym, co rzekł Mikołaj? – spytałem.

– Nie wiem. W bibliotece coś się dzieje, a nie wierzę, by to dusze zmarłych bibliotekarzy...

– Czemu?

– Myślę bowiem, że byli tak cnotliwi, iż dzisiaj przebywają w królestwie niebieskim i kontemplują oblicze Boskie, jeśli ta odpowiedź może cię zadowolić. Co się tyczy kaganków, zobaczymy, czy tam są. Jeśli zaś chodzi o maści, o których opowiadał nasz szkłodziej, są łatwiejsze sposoby wywoływania wizji i Seweryn zna je bardzo dobrze, miałeś dzisiaj sposobność to stwierdzić. Że jednak w opactwie chcą, by nikt nocą nie zapuszczał się do biblioteki, i że wielu mimo to próbowało i próbuje nadal – to pewna.

– A co nasza zbrodnia ma wspólnego z tą historią?

– Zbrodnia? Im więcej o tym myślę, tym bardziej jestem przekonany, że Adelmus sam się zabił.

– Ale dlaczego?

– Pamiętasz, jak rano zauważyłem wysypisko nieczystości? Kiedy pokonywaliśmy zakręt, nad którym panuje baszta wschodnia, dostrzegłem w tym miejscu ślady osunięcia się ziemi; część terenu, mniej więcej stamtąd, gdzie gromadzą się nieczystości, osunęła się aż pod basztę. I właśnie dlatego dzisiejszego wieczoru, kiedy patrzyliśmy z góry, zdawało mi się, że nieczystości są mało okryte śniegiem albo że jest to śnieg ledwie wczorajszy, a nie z poprzednich dni. Jeśli chodzi o zwłoki Adelmusa, opat powiedział nam, że były poszarpane przez skały, a przecież pod basztą wschodnią, tam gdzie schodzi stromo mur, rosną sosny. Skały są natomiast właśnie w miejscu, gdzie lico muru się kończy, tworząc coś w rodzaju stopnia; dalej zaczyna się spadzistość z nieczystościami.

– Co z tego?

– To, że sam pomyśl, czy nie bardziej... jak by to rzec... czy nie mniej kosztuje nasz umysł myśleć, że Adelmus, z przyczyn wymagających jeszcze wyjaśnienia, rzucił się *sponte sua** z balustrady muru, odbił się od skał i martwy już lub ranny runął w nieczystości. Zresztą lawina strącona huraganem, który wiał tamtego wieczoru, spowodowała przemieszczenie pod basztę wschodnią i nieczystości, i części gruntu, i ciała biednego mniszka.

– Czemu powiedziałeś, że to rozwiązanie mniej kosztuje nasz umysł?

– Kochany Adso, nie należy mnożyć objaśnień i przyczyn, jeśli nie ma po temu nieodpartej konieczności. Gdyby Adelmus wypadł z baszty wschodniej, musiałby jakoś znaleźć się w bibliotece, a przedtem ktoś musiałby zadać mu cios, by nie stawiał oporu, jakimś sposobem wspiąć się, dźwigając ciało bez życia aż do okna, otworzyć je i wyrzucić nieszczęśnika. Przy mojej hipotezie natomiast wystarczy Adelmus, jego chęć i lawina. Można wyjaśnić wydarzenie, wykorzystując mniejszą ilość przyczyn.

– Czemu miałby się zabijać?

– Czemu mieliby zabijać jego? Tak czy inaczej, trzeba znaleźć powody. A że były, wydaje mi się rzeczą niewątpliwą. W Gmachu oddycha się powietrzem niedomówień, wszyscy coś przemilczają. Na razie zebraliśmy nieco podejrzeń, prawdę mówiąc, raczej nieokreślonych, dotyczących jakiegoś dziwnego związku między Adelmusem a Berengarem. Chcę powiedzieć, że będziemy mieli na oku pomocnika bibliotekarza.

Kiedy tak gawędziliśmy, oficjum nieszporów dobiegło końca. Słudzy wracali do swoich prac, zanim udadzą się na wieczerzę, mnisi zaś skierowali się do refektarza. Niebo było teraz mroczne i zaczęło padać. Leciutki śnieg, maleńkie, puszyste płatki, musiał sypać przez znaczną część nocy, ponieważ następnego ranka cała równia pokryta była bielutkim całunem, o czym opowiem dalej.

Byłem głodny i z ulgą przyjąłem myśl o udaniu się do stołu.

* Z własnej woli (łac.).

Dzień pierwszy

Kompleta

Kiedy to Wilhelm i Adso kosztują lubej gościnności
opata i gniewnej rozmowy z Jorge

Refektarz oświetlony był wielkimi łuczywami. Mnisi zasiadali za rzędem stołów, nad którymi górował stół opata, ustawiony prostopadle do tamtych na obszernym podium. Po przeciwnej stronie zajął już miejsce za pulpitem mnich, który będzie czytał podczas wieczerzy. Opat czekał na nas przy fontance, z białą serwetą, by otrzeć nam dłonie po myciu podług starodawnych rad świętego Pachomiusza.

Opat zaprosił Wilhelma do swojego stołu i oznajmił, że tego wieczoru, zważywszy, iż ja też jestem nowo przybyłym gościem, skorzystam z takiego samego przywileju, aczkolwiek jestem tylko benedyktyńskim nowicjuszem. W następne dni – wyjaśnił po ojcowsku – będę mógł zasiąść do stołu z mnichami albo, jeśli mój mistrz powierzy mi jakieś zadanie, wpaść, przed posiłkiem lub po nim, do kuchni, gdzie kucharze już się o mnie zatroszczą.

Mnisi stali teraz przy stołach, nieruchomi, z kapturami opuszczonymi na twarze i dłońmi ukrytymi pod szkaplerzami. Opat podszedł do swego stołu i wyrecytował *Benedicite*. Kantor przy pulpicie zaintonował *Edent pauperes*. Opat dał swoje błogosławieństwo i wszyscy usiedli.

Reguła naszego fundatora przewiduje posiłek nader skąpy, lecz pozostawia opatowi decyzję co do tego, ile pokarmu naprawdę potrzebują mnisi. Z drugiej strony w dzisiejszych czasach w naszym zakonie patrzy się pobłażliwym okiem na przyjemności stołu. Nie mówię już nawet o tych opactwach, które niestety zmieniły się w jaskinie żarłoków; ale również te natchnione zasadami pokuty i cnoty dostarczają mnichom, których przeznaczeniem są prawie zawsze najcięższe znoje umysłu, strawę nie tyle wykwintną, ile pożywną. Poza tym stół opata korzysta zawsze z przywilejów, również dlatego, że nierzadko zasiadają za nim szacowni goście, opactwa zaś dumne są z produktów swojej ziemi i zagród, a także z biegłości kucharzy.

Posiłek mnichów przebiegał jak zwykle w milczeniu, a porozumiewano się między sobą wyłącznie naszym zwykłym alfabetem palców. Nowicjusze i mnisi młodsi obsługiwani są wcześniej, w miarę jak dania przeznaczone dla wszystkich schodzą ze stołu opata.

Przy opacie siedzieli oprócz nas Malachiasz, klucznik i dwaj naj-starsi mnisi, Jorge z Burgos, ślepy starzec, którego poznałem już w skryptorium, oraz bardzo podeszły w leciech Alinard z Grottafer-raty, prawie stuletni, chromający, z wyglądu nader wątły i – jak mi się zdaje – nieobecny duchem. Powiedział nam opat, że już za czasów jego nowicjatu Alinard tu był i że pamięta co najmniej osiemdziesiąt lat wydarzeń. Wyjawił nam to półgłosem, na samym początku, gdyż potem zastosowaliśmy się do obyczaju naszego zakonu i w milczeniu śledziliśmy tekst, który nam czytano. Lecz jak rzekłem, przy stole opata dozwolona była pewna swoboda, toteż zdarzało się nam chwa-lić dania, które podawano, sam opat zaś sławił swoją oliwę i wino. A raz, nalewając do kielichów, przypomniał nam te ustępy reguły, w których święty fundator zauważył, że wprawdzie wino nie przy-stoi mnichom, ale skoro w naszych czasach nie da się przekonać mni-chów, by nie pili, niechaj chociaż nie piją na umór, ponieważ wino skłania do apostazji nawet mędrców, o czym przypomina Eklezja-styk. Benedykt, mówiąc „w naszych czasach", miał na myśli swoje, dzisiaj jakże już odległe: wystawmy sobie, jak to musiało być w dniach, kiedy wieczerzaliśmy w opactwie, po takim upadku oby-czajów (i nie mówię już o czasach moich, kiedy piszę te słowa; wspo-mnę tylko, że tutaj, w Melku, największą pobłażliwość znajduje piwo!); w sumie piło się bez przesady, ale nie bez ochoty.

Jedliśmy pieczone na rożnie mięsiwo dopiero co ubitych wieprz-ków i spostrzegłem, że do innych pokarmów nie stosowało się tłusz-czu zwierzęcego ani oleju z rzepaku, tylko dobrą oliwę, wytłoczoną z oliwek zebranych na ziemiach, które opactwo miało u stóp góry na stoku zwróconym w stronę morza. Opat dał nam skosztować (za-strzeżonego dla jego stołu) kurczaka, którego przygotowywano w kuchni na moich oczach. Zauważyłem – a była to rzecz nader rzad-ka, że miał też metalowe widełki, które kształtem przypominały oku-lary mojego mistrza; szlachetnego rodu człek, jakim był nasz gospo-darz, nie chciał zbrukać sobie rąk pokarmem, a i nam użyczył swojego narzędzia, przynajmniej, byśmy zabierali nim mięsiwo z wielkiego półmiska i składali na naszych misach. Ja odmówiłem, ale Wilhelm przyjął wdzięcznie i biegle posługiwał się tym pańskim przyrządem, być może, by nie pokazać opatowi, iż franciszkanie są osobami ską-po wykształconymi i skromnego pochodzenia.

Z takim zapałem wziąłem się do wszystkich tych smakowitych pokarmów (po kilku dniach podróży, kiedy żywiliśmy się tym, co się trafiło), że straciłem wątek nabożnego tekstu, który przez cały czas nam czytano. Do porządku przywołało mnie energiczne chrząknięcie, którym swoją aprobatę wyraził Jorge, i zdałem sobie sprawę, że doszliśmy do momentu, kiedy czyta się zawsze rozdział reguły. Słuchałem już Jorge po południu, więc wiedziałem, czemu jest taki ukontentowany. Lektor czytał bowiem: „Naśladujemy przykład proroka, który powiada: Rzekłem, będę strzegł dróg moich, abym nie zgrzeszył językiem moim. Położyłem straż u ust moich, zaniemiałem i uniżyłem się, i zamilczałem o szczęściu. I skoro w tym ustępie prorok poucza nas, że czasem przez umiłowanie ciszy trzeba wstrzymać się nawet od rozmów godziwych, o ileż bardziej winniśmy wstrzymywać się od słów niegodziwych, by uniknąć kary za ten grzech!". I ciągnął: „Lecz pospolitość, małpowanie i błazenady skazujemy na wieczne wykluczenie we wszelkim miejscu i nie pozwalamy adeptowi otwierać ust, by mówić tego rodzaju rzeczy".

– I odnosi się to także do marginaliów, o których była mowa dzisiaj. – Jorge nie wytrzymał i dodał szeptem własny komentarz. – Jan Złotousty powiedział, że Chrystus nie śmiał się nigdy.

– Nic w Jego ludzkiej naturze tego nie wzbraniało – zauważył Wilhelm – albowiem śmiech, jak nauczają teologowie, jest właściwością człowieka.

– *Forte potuit sed non legitur eo usus fuisse** – rzekł krótko i węzłowato Jorge, cytując Piotra Kantora.

– *Manduca, iam coctum est** – bąknął Wilhelm.

– Co? – spytał Jorge, sądząc, że Wilhelm czyni aluzję do jedzenia, które właśnie wnoszono.

– Są to słowa, które według Ambrożego zostały wypowiedziane przez świętego Wawrzyńca na ruszcie, kiedy zachęcał oprawców, by obrócili go na drugą stronę, jak przypomina również Prudencjusz w *Peristephanon* – odparł Wilhelm z nabożną miną. – Święty Wawrzyniec umiał więc śmiać się i mówić rzeczy śmieszne, choćby dla upokorzenia swoich nieprzyjaciół.

– Co pokazuje, że śmiech jest rzeczą dosyć bliską śmierci i gniciu ciała – odparł swarliwie Jorge i muszę przyznać, że wystąpił, jak przystało na dobrego logika.

W tym momencie opat napomniał nas dobrotliwie, byśmy zachowali milczenie. Zresztą wieczerza dobiegła końca. Opat podniósł się i przedstawił Wilhelma mnichom. Chwalił jego mądrość, ujawnił sławę i ostrzegł, że proszono go o prowadzenie śledztwa w sprawie śmierci Adelmusa, zachęcił więc mnichów, by odpowiadali na pyta-

---

* Może mógł, lecz nie czyta się, by go używano (łac.).
* Jedz, zostało już upieczone (łac.).

nia, które będzie im zadawał, i by zawiadomili swoich podwładnych w całym opactwie, że mają postępować nie inaczej. I ułatwiać mu poszukiwania, byle – dodał – jego prośby nie były sprzeczne z regułą klasztoru. W takim przypadku należy uciec się do jego, opata, upoważnienia.

Po wieczerzy mnisi gotowali się udać do chóru na nabożeństwo komplety. Z powrotem zarzucili kaptury na głowy, ustawili się w szereg przed drzwiami i czekali. Później ruszyli długim rzędem, przebywając cmentarz i wchodząc do chóru przez drzwi północne.

Wyszliśmy w towarzystwie opata.

– O tej porze zawiera się drzwi Gmachu? – zapytał Wilhelm.

– Jak tylko słudzy sprzątną refektarz i kuchnie, sam bibliotekarz zamknie wszystkie drzwi, ryglując je od środka.

– Od środka? A on którędyż wychodzi?

Opat przyjrzał się Wilhelmowi przez chwilę, z poważnym obliczem.

– Nie śpi w kuchni, to pewna – odparł oschle i przyspieszył kroku.

– Dobrze, dobrze – szepnął mi Wilhelm – jest więc inne wejście, lecz my nie mamy prawa o nim wiedzieć. – Uśmiechnąłem się dumny z jego dedukcji, on zaś sarknął w moją stronę: – A nie śmiać się. Widziałeś, że w tych murach śmiech nie cieszy się dobrą sławą.

Weszliśmy do chóru. Palił się jeden jedyny kaganek na potężnym trójnogu z brązu, wysokim na dwóch chłopów. Mnisi stanęli w stallach w milczeniu, gdy tymczasem lektor przeczytał ustęp z homilii świętego Grzegorza.

Potem opat dał znak i kantor zaintonował: *Tu autem Domine miserere nobis**. Opat odpowiedział: *Adiutorium nostrum in nomine Domini**, i wszyscy podjęli chórem: *Qui fecit coelum et terram**. Wtedy zaczęło się śpiewanie psalmów: „Kiedy Cię wzywam, odpowiedz mi, Boże, co sprawiedliwość mi wymierzasz"; „Chwalę Cię, Jahwe, całym sercem"; „Chwalcie, słudzy, Jahwe, chwalcie imię Jahwe"*. My nie zajęliśmy miejsc w stallach i wycofaliśmy się do głównej nawy. Stamtąd właśnie dostrzegliśmy, jak Malachiasz wyłania się nagle z mroku jednej z bocznych kaplic.

– Miej na oku to miejsce – rzekł mi Wilhelm. – Może jest to przejście do Gmachu.

---

* Ty zaś, Panie, zmiłuj się nad nami (łac.).
* Ratunek nasz w imieniu Pana (łac.).
* Który stworzył niebo i ziemię (łac.).
* Ps 4; 9; 113.

– Pod cmentarzem?

– A czemu by nie? A nawet, kiedy jeszcze raz o tym pomyślę, musi być tu gdzieś ossuarium. To niemożliwe, by od wieków chowali wszystkich mnichów na tym skrawku ziemi.

– Więc chcesz naprawdę dostać się nocą do biblioteki? – zapytałem przerażony.

– Tam gdzie zmarli mnisi i węże, i tajemnicze światła, mój poczciwy Adso? Nie, chłopcze. Myślałem dziś o tym, i nie przez ciekawość, ale ponieważ postawiłem sobie pytanie, w jaki sposób poniósł śmierć Adelmus. Teraz, jak już ci rzekłem, skłaniam się ku wyjaśnieniu najbardziej logicznemu i zważywszy na wszystko, chciałbym uszanować tutejsze zwyczaje.

– Po co więc chcesz wiedzieć?

– Albowiem wiedza nie polega na tym tylko, by wiedzieć, co się powinno lub co da się zrobić, ale też na tym, co można by zrobić, a czego nie powinno się robić. Oto czemu rzekłem dzisiaj mistrzowi szklarskiemu, że mędrzec winien w pewien sposób skrywać tajemnice, które posiadł, by inni nie uczynili z nich złego użytku, ale posiąść je musi, ta zaś biblioteka zda mi się raczej miejscem, gdzie tajemnice pozostają zakryte.

Z tymi słowami opuścił kościół, ponieważ nabożeństwo dobiegło końca. Obaj byliśmy nader znużeni i udaliśmy się do naszej celi. Ja zwinąłem się w kłębek w miejscu, które Wilhelm nazwał żartobliwie moją wnęką grobowcową, i natychmiast zasnąłem.

Dzień
drugi

Dzień drugi

Jutrznia

*Kiedy to kilka godzin mistycznego szczęścia przerwane
zostaje przez krwawe wydarzenie*

Żadne zwierzę nie jest wiarołomne jak kogut, ten symbol raz demona, raz znów zmartwychwstałego Chrystusa. Nasz zakon zna śród
nich ptaki gnuśne, które nie śpiewają o wschodzie słońca. Z drugiej
strony, zwłaszcza w dni zimowe, nabożeństwo jutrzni odbywa się
w momencie, kiedy noc jest jeszcze w pełni, a cała przyroda uśpiona,
mnich powinien bowiem wstawać w ciemnościach i długo jeszcze
w ciemnościach się modlić, oczekując na dzień i rozświetlając mroki
płomieniem swojej pobożności. Przeto roztropny obyczaj każe wy-
znaczyć czuwających, by nie kładli się spać razem ze swoimi konfra-
trami, lecz spędzali noc na recytowaniu tej dokładnie ilości psalmów,
która daje im miarę mijającego czasu, tak że upływ godzin, przeznaczonych na sen jednych, innym określa czas czuwania.

Dlatego też tej nocy obudzeni zostaliśmy przez owych mnichów,
którzy przebiegali dormitorium i austerię pielgrzymów, z dzwonecz-
kiem w dłoni, podczas gdy jeden szedł od celi do celi, wykrzykując:
*Benedicamus Domino**, na co każdy odpowiadał: *Deo gratias**.

Wilhelm i ja trzymaliśmy się obyczaju benedyktyńskiego: w mniej
niż pół godziny byliśmy gotowi stawić czoło nowemu dniu, więc
zeszliśmy do chóru, gdzie mnisi, leżąc krzyżem na posadzce i recytując pierwsze piętnaście psalmów, oczekiwali już na przyjście nowicjuszy prowadzonych przez swojego przełożonego. Wtedy wszyscy zasiedli w stallach i chór zaintonował: *Domine labia mea aperies
et os meum annuntiabit laudem tuam**. Głos wzbił się pod sklepienie
kościoła niby korna prośba dziecięca. Dwaj mnisi wspięli się na
ambonę i zaczęli psalm dziewięćdziesiąty czwarty, *Venite exulte-*

---

* Chwalmy Pana (łac.).
* Bogu dzięki (łac.).
* Panie wargi me otworzysz i usta moje będą głosiły Twą chwałę (łac.).

mus*, po którym nastąpiły dalsze, dla tego oficjum przypisane. Poczułem żar odnowionej wiary.

Mnisi byli w stallach, sześćdziesiąt postaci jednakich za sprawą habitów i kapturów, sześćdziesiąt cieni mizernie oświetlonych płomieniem z wielkiego trójnogu, sześćdziesiąt głosów śpiewających na chwałę Najwyższego. I słysząc tę rzewną harmonię, tę zapowiedź rozkoszy rajskich, zadawałem sobie pytanie, czy naprawdę opactwo jest miejscem mrocznych tajemnic, bezprawnych prób ich odsłonięcia, miejscem pełnym posępnych zagrożeń. Albowiem w tym momencie jawiło mi się jako schronienie świętych, zgromadzenie strzegące cnoty, relikwiarz wiedzy, arka roztropności, wieża mądrości, szaniec łagodności, bastion mocy, trybularz świętości.

Po psalmach przystąpiono do czytania Pisma Świętego. Niektórzy z mnichów kołysali się z senności i jeden z tych, którzy czuwali w ciągu nocy, chodził pomiędzy stallami z maleńką lampką, żeby budzić pogrążonych we śnie. Jeśli ktoś został przyłapany na drzemce, za karę brał lampkę i kontynuował obchód. Podjęto śpiew dalszych sześciu psalmów. Po czym opat dał swoje błogosławieństwo, hebdomadariusz odmówił modlitwy, wszyscy pokłonili się w stronę ołtarza w minucie skupienia, której słodyczy nie pojmie nikt, kto nie przeżył godzin mistycznego uniesienia i intensywnego wewnętrznego spokoju. Wreszcie, nasunąwszy z powrotem kaptury na twarze, wszyscy usiedli i zaintonowali uroczyście *Te Deum*. Również ja chwaliłem Pana, albowiem uwolnił mnie od moich zwątpień, bym wyzbył się poczucia niepewności, w które pogrążył mnie pierwszy dzień pobytu w opactwie. Jesteśmy istotami wątłymi, powiedziałem sobie, i również wśród mnichów oddanych Bogu i nauce szatan rozsiewa drobne zawiści, drobne niechęci, lecz jest to dym, który rzednie od gwałtownego wichru wiary, kiedy tylko wszyscy zgromadzą się w imię Ojca i zstępuje pośród nich Chrystus.

Między jutrznią a laudą mnich nie wraca do celi, chociaż jest jeszcze głęboka noc. Nowicjusze idą ze swoim przełożonym do kapitularza studiować psalmy, niektórzy z mnichów pozostają w kościele, by uporządkować naczynia kościelne, większość zaś przechodzi, pogrążona w medytacji, na dziedziniec klasztorny, i tak właśnie postąpiliśmy my, Wilhelm i ja. Słudzy nie wstali jeszcze i spali sobie, kiedy przy ciemnym niebie wracaliśmy do chóru na laudę.

Znowu przystąpiono do śpiewania psalmów, a jeden z tych przewidzianych na poniedziałek w szczególny sposób pogrążył mnie

---

* Pójdźcie, radujmy się (łac.).

w poprzednich trwogach: „Rzekł niesprawiedliwy sam w sobie, że będzie grzeszył, nie masz bojaźni Bożej przed oczyma jego, albowiem zdradliwie działał przed obliczem Jego, tak że się znalazła nieprawość jego w nienawiści". Wydało mi się złą przepowiednią, że na ten właśnie dzień reguła przepisała napomnienie tak straszliwe. I nie ukoiłem bicia serca nawet po psalmach pochwalnych ani po czytaniu Apokalipsy; stanęły mi przed oczyma postacie z portalu, które tak ujarzmiły moje serce i spojrzenie poprzedniego dnia. Ale po responsorium, hymnie i ustępie z Biblii, kiedy zaczynało się śpiewanie Ewangelii, spostrzegłem za oknami chóru, dokładnie nad ołtarzem, bladą jasność, która rozświetliła rozmaitymi kolorami witraże, dotąd obumarłe w mroku. Nie nastał jeszcze brzask, który zatriumfuje podczas prymy, dokładnie kiedy zaśpiewamy: *Deus qui est sanctorum splendor mirabilis** i *Iam lucis orto sidere**. Była to zaledwie pierwsza, żałosna zapowiedź zimowego świtu, lecz i to wystarczyło; dla pokrzepienia mojego serca wystarczał zwiewny półcień, który wypierał teraz z nawy nocne ciemności.

Śpiewaliśmy słowa Bożej Księgi i kiedy świadczyliśmy Słowu, które zstąpiło, by oświecić narody, wydało mi się, że dzienna gwiazda w całym swoim blasku bierze świątynię w posiadanie. Światło, jeszcze nieobecne, wydawało się jaśnieć w słowach hymnu niby mistyczna lilia, która rozchyla się, wonna, między łukami krzyżowego sklepienia. „Dzięki ci, Panie, za tę chwilę niewypowiedzianej radości – modliłem się w milczeniu; i rzekłem w sercu moim: – A ty, głupcze, czego się lękasz?"

Nagle jakaś wrzawa dobiegła naszych uszu od strony północnych drzwi. Zadałem sobie pytanie, jakże to się dzieje, że słudzy, gotując się do pracy, zakłócają w ten sposób święte obrzędy. W tym momencie weszli trzej świniarze z przerażeniem na twarzach, zbliżyli się do opata i szepnęli mu coś na ucho. Opat najprzód uspokoił ich gestem, jakby nie chciał przerywać nabożeństwa; ale wtargnęli inni słudzy, okrzyki stały się donioślejsze: „Tam jest człowiek, martwy człowiek!" – mówi ktoś, a inni: „To mnich, czyż nie widziałeś obuwia?"

Oranci zamilkli, opat opuścił pospiesznie kościół, dając kluczrikowi znak, by szedł za nim. Wilhelm też ruszył, ale teraz i inni mnisi opuszczali swoje stalle i pędzili na zewnątrz.

Niebo było już jasne, a okrywający ziemię śnieg jeszcze bardziej rozświetlał równię. Na tyłach chóru, przed chlewami, gdzie od po-

---

* Bóg, który jest cudowną jasnością świętych (łac.).

* Już gwiazda poranna zajaśniała (łac.).

przedniego dnia królowała wielka kadź ze świńską krwią, coś jakby krzyż sterczało nad krawędź naczynia, niby dwa wbite w ziemię kołki, które dość okryć łachmanami, by straszyły ptaki. Były to jednak dwie ludzkie nogi – nogi człowieka wepchniętego głową w dół do kadzi z krwią.

Opat polecił wydobyć z haniebnego płynu trupa (żaden bowiem żywy człek nie mógłby pozostawać w takiej sprośnej pozycji). Świniarze podeszli z wahaniem do kadzi i brukając się posoką, wydobyli nieszczęsne krwawe szczątki. Zgodnie z tym, co powiedziano mi przedtem, mieszana należycie zaraz po zlaniu do naczynia i pozostawiona na chłodzie krew nie zakrzepła, natomiast teraz warstwa pokrywająca trupa zaczęła już zastygać, nasączając szaty, czyniąc twarz nierozpoznawalną. Podszedł sługa ze skopkiem wody i chlusnął nią na głowę mizernych szczątków doczesnych. Inny pochylił się ze szmatką, by otrzeć twarz. I oto naszym oczom ukazało się blade oblicze Wenancjusza z Salvemec, mędrca w kwestiach greckich, z którym rozmawialiśmy po południu nad kodeksami Adelmusa.

– Być może Adelmus popełnił samobójstwo – rzekł Wilhelm, wpatrując się w twarz Wenancjusza – lecz nie sposób nawet pomyśleć, by ten tu zdołał dźwignąć się przypadkiem na krawędź kadzi i niechcący wpaść do niej.

Podszedł opat.

– Bracie Wilhelmie, jak widzisz, coś dzieje się w opactwie, coś, co wymaga całej twojej roztropności. Lecz zaklinam cię, działaj szybko!

– Czy był w chórze podczas nabożeństwa? – spytał Wilhelm, wskazując palcem trupa.

– Nie – odparł opat. – Dostrzegłem, że jego stalla była pusta.

– Nie brakowało też nikogo innego?

– Chyba nie. Niczego nie zauważyłem.

Wilhelm zawahał się, zanim sformułował kolejne pytanie, i uczynił to szeptem, bacząc, by inni niczego nie posłyszeli.

– Czy Berengar był na swoim miejscu?

Opat spojrzał nań z trwożliwym podziwem, jakby dając poznać, że uderzyło go to, iż mój mistrz żywił podejrzenie, które on sam przez chwilę żywił, lecz z bardziej zrozumiałych względów. Potem odparł szybko:

– Był, zasiada w pierwszym rzędzie, blisko mnie, po prawej stronie.

– Oczywiście – rzekł Wilhelm – to wszystko niczego nie oznacza. Nie sądzę, by ktoś, chcąc znaleźć się w chórze, przemknął się tyłami absydy, a zatem trup może tu już być od kilku godzin, nawet od chwili, kiedy wszyscy udali się na spoczynek.

– Zapewne, pierwsi słudzy wstają razem ze świtem i dlatego znaleźli go dopiero teraz.

Wilhelm pochylił się nad zwłokami jak człowiek, który przywykł do zajmowania się nimi. Umoczył w skopku szmatkę, która leżała obok, i dokładniej obmył lico Wenancjusza. W tym czasie inni mnisi cisnęli się, przerażeni, tworząc rozkrzyczany krąg, któremu dopiero opat nakazał milczenie. Przepchnął się przezeń Seweryn, który z urzędu zajmował się w opactwie ciałami nieboszczyków, i pochylił się obok mego mistrza. Ja, chcąc usłyszeć rozmowę i pomóc Wilhelmowi, który potrzebował nowej czystej szmatki zamoczonej w wodzie, dołączyłem do nich, przezwyciężając przerażenie i odrazę.

– Czy widziałeś kiedy topielca? – spytał Wilhelm.

– Wielekroć – odparł Seweryn. – I jeśli dobrze odgaduję, co masz na myśli, chodzi ci o to, że wyglądają oni inaczej, że ich twarze są obrzmiałe.

– Tak więc ten człowiek był już martwy, kiedy ktoś wrzucił go do kadzi.

– Czemu miałby to uczynić?

– Czemu miałby go zabić? Mamy przed sobą dzieło umysłu wywichniętego. Lecz teraz trzeba zobaczyć, czy na ciele są jakieś rany albo stłuczenia. Może by przenieść ciało do łaźni, rozebrać, obmyć i obejrzeć. Rychło dołączę do ciebie.

I podczas gdy Seweryn, po uzyskaniu pozwolenia opata, kazał świniarzom przenieść ciało, mój mistrz poprosił, by mnichom nakazano powrócić do chóru tą samą drogą, którą przyszli, i żeby słudzy odeszli w ten sam sposób, tak by to miejsce pozostało puste. Opat nie spytał o powody tego pragnienia i spełnił prośbę. Zostaliśmy więc sami obok kadzi – z której podczas makabrycznej operacji wydobywania zwłok wychlusnęła krew, barwiąc na czerwono śnieg, roztopiony w wielu miejscach wskutek rozlania wody – i obok wielkiej ciemnej plamy, tam gdzie leżał trup.

– Ładny pasztet – rzekł Wilhelm, wskazując na gmatwaninę śladów pozostawionych przez mnichów i sługi. – Śnieg, mój drogi Adso, jest wybornym pergaminem, na którym ludzkie ciała pozostawiają pismo doskonale czytelne. Lecz tutaj mamy tylko marnie zeskrobany palimpsest i być może nie wyczytamy niczego ciekawego. Między tym miejscem a kościołem biegało mnóstwo mnichów, między tym miejscem a chlewem i oborami wędrowali tłumem słudzy. Jedyną przestrzenią nienaruszoną jest ta między chlewami a Gmachem. Zobaczmy, czy znajdziemy tam coś ciekawego.

– Ale co chcesz znaleźć? – spytałem.

– Skoro nie rzucił się sam do kadzi, ktoś go przyniósł, jak sądzę, już martwego. A kto niesie ciało, pozostawia głębokie ślady w śniegu. Szukaj więc dokoła śladów, które wydadzą ci się odmienne od śladów pozostawionych przez tych rozwrzeszczanych mnichów, co to zniszczyli nasz pergamin. Tak uczyniliśmy. I od razu powiem, że to ja, niechaj Bóg uchroni mnie od próżności, znalazłem coś między kadzią a Gmachem. Były to odciski ludzkich stóp, dosyć głębokie, biegnące przez obszar nietknięty poza tym ludzką stopą i, jak zauważył od razu mój mistrz, nie tak wyraźne jak ślady pozostawione przez mnichów i sługi – znak, że jakiś czas temu okrył je śnieg. Lecz tym, co wydało mi się bardziej godne zainteresowania, był fakt, że między owymi odciskami stóp rysował się ślad nieprzerwany, jakby jakiejś rzeczy ciągniętej przez tego, który zostawił odciski. Krótko mówiąc, była to smuga prowadząca od kadzi do tych drzwi refektarza, które mieściły się między południową a wschodnią basztą Gmachu.

– Refektarz, skryptorium, biblioteka – rzekł Wilhelm. – Raz jeszcze biblioteka. Wenancjusz poniósł śmierć w Gmachu, i to najpewniej w bibliotece.

– Czemu właśnie w bibliotece?

– Staram się wejść w rolę mordercy. Jeśli Wenancjusz poniósł śmierć, został zabity w refektarzu, kuchni albo skryptorium, czemu go tam nie pozostawić? Lecz jeśli zginął w bibliotece, należało przenieść go w inne miejsce, bądź dlatego, że w bibliotece nigdy nie został by odnaleziony (a może mordercy zależało właśnie na tym, by odnaleziony został), bądź dlatego, że morderca pewnie nie pragnie, by uwaga skupiła się na bibliotece.

– A czemu mordercy miałoby zależeć na tym, by trup został odkryty?

– Nie wiem, wysuwam hipotezy. Któż ci powiedział, iż morderca pozbawił Wenancjusza życia dlatego, że jego właśnie nienawidził? Mógł zabić go zamiast kogokolwiek innego, po to tylko, by pozostawić znak, by coś w ten sposób zaznaczyć.

– *Omnis mundi creatura quasi liber et scriptura** – szepnąłem. – Lecz o jaki znak mogłoby chodzić?

– Tego właśnie nie wiem. Lecz nie zapominajmy, że są znaki, które na znaki nie wyglądają, i są takie, które nie mają sensu, jak ple--ple lub bla-bla-bla...

– Byłoby rzeczą straszliwą – rzekłem – zamordować człowieka po to, żeby oznajmić: bla-bla-bla!

---

* Każde na ziemi stworzenie, niczym księga i obraz (łac.).

– Byłoby rzeczą straszliwą – odparł Wilhelm – zabić człowieka nawet po to, żeby powiedzieć: *Credo in unum Deum**.

W tym momencie dołączył do nas Seweryn. Trup został obmyty i starannie obejrzany. Żadnej rany, żadnego stłuczenia na głowie. Śmierć jakby przez czary.

– Jakby z kary Boskiej? – spytał Wilhelm.

– Może – odparł Seweryn.

– Lub od trucizny?

Seweryn zawahał się.

– Może być i tak.

– Czy masz w swojej pracowni trucizny? – spytał Wilhelm, kiedy szliśmy w stronę szpitala.

– Także trucizny. Lecz zależy, co rozumiesz przez trucizny. Niektóre substancje w małych dawkach są zbawienne, w nadmiernych zaś prowadzą do zgonu. Jak każdy dobry herborysta, przechowuję je i stosuję roztropnie. W moim ogródku uprawiam na przykład walerianę. Kilka kropel w naparze z innych ziół uspokaja serce, które bije nierówno. Przedawkowanie prowadzi do odrętwienia i zgonu.

– I nie zauważyłeś na zwłokach śladów jakiejś szczególnej trucizny?

– Żadnych. Lecz wiele trucizn nie pozostawia śladów.

Dotarliśmy do szpitala. Ciało Wenancjusza, obmyte w łaźni, zostało tu przeniesione i spoczywało na wielkim stole w pracowni Seweryna; alembiki i inne instrumenty ze szkła i palonej gliny nasunęły mi na myśl (lecz znałem to tylko z pośrednich opowieści) laboratorium alchemika. Na długich półkach, rozmieszczonych wzdłuż zewnętrznej ściany, stały szeregiem flaszki, dzbany, naczynia pełne substancji o rozmaitych barwach.

– Piękna kolekcja ziół – rzekł Wilhelm. – To wszystko wyrosło w twoim ogródku?

– Nie – odparł Seweryn. – Liczne substancje, rzadkie i nieuprawiane w tym klimacie, zostały przywiezione w ciągu wielu lat przez mnichów przybywających tu ze wszystkich stron świata. Rzeczy cenne i najrzadsze przemieszane są z substancjami, które łatwo możesz uzyskać z ziół rosnących na miejscu. Zobacz... *aghalingho* sproszkowany pochodzi od Kitajczyków i mam go od pewnego uczonego arabskiego. Aloes zwyczajny pochodzi z Indii, świetnie zabliźnia rany. Pięciornik wskrzesza zmarłych lub, właściwie mówiąc, budzi tych, którzy stracili zmysły. Arszenik, nader niebezpieczny, śmiertelna trucizna dla każdego, kto go spożyje. Ogórecznik, roślina dobra na cho-

---

* Wierzę w Boga jednego (łac.).

re płuca. Betonika, dobra na pęknięcia czaszki. Mastyks powściąga flukta płucne i dokuczliwe katarakty. Mirra...

– Mirra magów? – spytałem.

– Taż sama, lecz tutaj stosowana dla zapobieżenia poronieniom, zbierana z drzewa, które zwie się *Balsamodendron myrrha*. A to mumija, niezmiernie rzadka, wytworzona podczas rozkładu zmumifikowanych zwłok, służy do sporządzania wielu prawie cudównych medykamentów. *Mandragola officinalis*, dobra na sen...

– I na budzenie cielesnego pożądania – dodał Wilhelm.

– Powiadają, lecz tutaj nie używa się jej w tym celu, jak możesz się domyślić. – Seweryn się uśmiechnął. – A spójrzcie tutaj – rzekł, biorąc do ręki jedną z ampułek. – To siny kamień, cudowny na oczy.

– A to, co to jest? – zapytał żywo Wilhelm, dotykając kamienia leżącego na jednej z półek.

– Ten? Dostałem go dawno temu. Zdaje się, że to będzie *lopris amatiti* lub *lapis emaitis*. Podobno ma rozmaite właściwości lecznicze, lecz nie odkryłem jeszcze jakie. Znasz go?

– Tak – odpowiedział Wilhelm – ale nie jako lekarstwo.

Z torby na piersiach wydobył nożyk i powoli przysunął go do kamienia. Kiedy nożyk znalazł się w niewielkiej odległości od kamienia, przemieszczany z najwyższą ostrożnością dłonią Wilhelma, ujrzałem, że ostrze skoczyło nagle, jakby Wilhelm poruszył przegubem dłoni, który wszak trzymał napięty. I ostrze przylgnęło do kamienia z leciutkim metalicznym brzękiem.

– Spójrz – rzekł Wilhelm. – To magnes.

– Do czego służy? – zapytałem.

– Do rozmaitych rzeczy, o których ci opowiem. Ale teraz chciałbym wiedzieć, Sewerynie, czy nie ma tutaj czegoś, co mogłoby zabić człowieka.

Seweryn zastanowił się przez moment, powiedziałbym zbyt długi, zważywszy na to, jak przejrzystej udzielił odpowiedzi.

– Wiele rzeczy. Powiedziałem ci już, że granica między lekarstwem a trucizną jest dosyć niewyraźna, Grecy jedno i drugie nazywają *pharmakon*.

– I nic nie zniknęło stąd ostatnio?

Seweryn znów się zastanowił, a potem, ważąc słowa, rzekł:

– Ostatnio nie.

– A dawniej?

– Któż to wie? Nie pamiętam. Jestem w tym opactwie od trzydziestu lat, w szpitalu zaś od dwudziestu pięciu.

– Zbyt długo jak na ludzką pamięć – zgodził się Wilhelm. Potem dodał nagle: – Mówiliśmy wczoraj o roślinach mogących wywoływać wizje. Które to?

Gestem i wyrazem twarzy Seweryn okazał żywe pragnienie uniknięcia tego tematu.

– Muszę się zastanowić, bo sam wiesz, mam tutaj tyle cudownych substancji. Lecz mówmy raczej o Wenancjuszu. Co o tym powiesz?

– Muszę się zastanowić – odparł Wilhelm.

Dzień drugi

Pryma

Kiedy to Bencjusz z Uppsali wyznaje pewne rzeczy, inne jeszcze wyznaje Berengar z Arundel, Adso zaś dowiaduje się, czym jest prawdziwa pokuta

Nieszczęsne zdarzenie wywróciło do góry nogami tok życia we wspólnocie. Nieład spowodowany odnalezieniem zwłok przerwał święte oficjum. Opat natychmiast wepchnął mnichów z powrotem do chóru, by modlili się za duszę konfratra.

Głosy mnichów świadczyły, że są załamani. Zajęliśmy miejsce stosowne, by studiować rysy ich twarzy w momentach, kiedy zgodnie z liturgią kaptur nie zasłaniał lic. Od razu zwróciło naszą uwagę oblicze Berengara. Blade, ściągnięte, lśniące od potu. Poprzedniego dnia dwakroć słyszeliśmy, jak szeptano, że osobliwa więź łączyła go z Adelmusem; i nie chodzi o fakt, że byli rówieśnikami i przez to przyjaciółmi, ale o ton, jakim mówili ci, którzy napomykali o ich przyjaźni.

Dostrzegliśmy obok niego Malachiasza. Mroczny, posępny, nieprzenikniony. Obok Malachiasza na inny sposób nieprzenikniona twarz ślepca Jorge. Natomiast wyraźną nerwowość przejawiał w gestach Bencjusz z Uppsali, uczony retoryk, którego poznaliśmy dzień wprzódy w skryptorium; podchwyciliśmy szybkie spojrzenie, jakie rzucił w stronę Malachiasza.

– Bencjusz jest wytrącony z równowagi, Berengar przerażony – zauważył Wilhelm. – Trzeba przepytać ich natychmiast.

– Czemuż? – odezwałem się naiwnie.

– Surowy jest nasz obowiązek – odrzekł Wilhelm. – Surowy obowiązek spoczywa na inkwizytorze, przychodzi mu bić w najsłabszych, i to w chwili największej ich słabości.

W istocie, ledwie skończył się obrządek, podeszliśmy do Bencjusza, który właśnie kierował swoje kroki do biblioteki. Młodzieniec zdawał się niezadowolony, kiedy usłyszał, że Wilhelm go wstrzymuje, i powołał się, ale bez przekonania, na pilne zajęcia.. Robił wrażenie, jakby spieszno mu było do skryptorium. Ale mój mistrz przypomniał mu, że prowadzi śledztwo z upoważnienia opata, i zawiódł go na krużganek. Usiedliśmy na parapecie wewnętrznym między dwiema kolumnami. Bencjusz czekał, żeby Wilhelm przemówił, a przez ten czas zerkał ukradkiem w stronę Gmachu.

– A zatem – zaczął Wilhelm – co się mówiło owego dnia, kiedyście rozprawiali nad marginaliami Adelmusa, ty, Berengar, Wenancjusz, Malachiasz i Jorge?

– Słyszałeś przecie wczoraj. Jorge zwrócił uwagę, że nie jest godziwe zdobienie śmiesznymi obrazkami ksiąg, które zawierają prawdę. Wenancjusz zaś, że sam Arystoteles mówił o żartach i grach słownych jako narzędziach służących do lepszego odkrywania prawdy i że z tej przyczyny śmiech nie może być rzeczą złą, skoro bywa, iż niesie prawdę. Jorge zwrócił uwagę, że o ile sobie przypomina, Arystoteles mówił o tych sprawach w księdze o poetyce i w związku z metaforami. Że mamy tu dwie okoliczności niepokojące: po pierwsze, księga o poetyce, która pozostawała nieznana światu chrześcijańskiemu przez tak długi czas, być może z dekretu Boskiego, dotarła do nas poprzez niewiernych Maurów...

– Ale została przełożona na łacinę przez jednego z przyjaciół doktora anielskiego z Akwinu – zauważył Wilhelm.

– To właśnie mu powiedziałem – ozwał się Bencjusz, nagle pokrzepiony na duchu. – Ja czytam grekę marnie i mogłem obcować z tą wielką księgą właśnie przez tłumaczenie Wilhelma z Moerbecke. Tak i powiedziałem. Ale Jorge oznajmił, że drugi powód zaniepokojenia jest taki, iż Stagiryta mówi tam o poezji, ta zaś stanowi sztukę niższą i jej pokarmem są *figmenta**. I Wenancjusz powiedział, że także psalmy są dziełem poetyckim i używają metafor, a wtedy Jorge zagniewał się, mówiąc, że psalmy są dziełem natchnienia Bożego i używają metafor, by przekazać prawdę, gdy tymczasem dzieła poetów pogańskich używają metafor, by przekazać kłamstwo i w celach czysto rozrywkowych, czym poczułem się nader urażony...

– Dlaczego?

– Ponieważ trudzę się retoryką i czytam wielu poetów pogańskich, zatem wiem... lub raczej mniemam, że poprzez ich słowa przekazane zostały również prawdy *naturaliter** chrześcijańskie... W tym miejscu, jeśli dobrze pamiętam, Wenancjusz powiedział o innych księgach i Jorge bardzo się zagniewał.

– O jakich księgach? Bencjusz zawahał się.

– Nie pamiętam. Co to ma za znaczenie, o jakich księgach się mówiło?

---

* Złudzenia (łac.).
* Z natury pochodzące (łac.).

– Ma bardzo duże; ponieważ staramy się pojąć, co zaszło między ludźmi, którzy żyją wśród ksiąg, z księgami, z ksiąg, tak więc również to, co powiedzieli o księgach, jest ważne.

– To prawda – rzekł Bencjusz i uśmiechnął się po raz pierwszy, a twarz prawie mu zajaśniała. – Żyjemy dla ksiąg. Słodkie posłannictwo na tym świecie, wydanym na pastwę nieładu i skazanym na upadek. Może więc pojmiesz, co zdarzyło się owego dnia. Wenancjusz, który zna... znał bardzo dobrze grekę, powiedział, że Arystoteles osobliwie śmiechowi poświęcił drugą księgę *Poetyki*, a skoro tak wielki filozof całą księgę poświęcił śmiechowi, musi on być czymś ważnym. Jorge odparł, że niektórzy ojcowie całe księgi poświęcili grzechowi, który jest rzeczą ważną, ale złą, i Wenancjusz powiedział, że o ile on wie, Arystoteles mówił o śmiechu jako o rzeczy dobrej i narzędziu prawdy, i wtedy Jorge spytał go z drwiną, czyżby przypadkiem czytał rzeczoną księgę Arystotelesa, i Wenancjusz rzekł, że nikt nie mógł jeszcze jej czytać, nie odnaleziono jej bowiem i być może zaginęła. W istocie, nikt nie mógł czytać drugiej księgi *Poetyki*, Wilhelm z Moerbecke nigdy nie miał jej w ręku. Wtenczas Jorge powiedział, że skoro jej nie znalazł, to znaczy, że nigdy nie była napisana, gdyż Opatrzność nie chciała, by wychwalano rzeczy czcze. Chciałem uśmierzyć nastroje, jako że Jorge łatwo wpada w gniew, Wenancjusz zaś był zaczepny, i rzekłem, że w tej części *Poetyki*, którą znamy, i w *Retoryce* znajdują się liczne i roztropne uwagi o zmyślnych zagadkach, a Wenancjusz się ze mną zgodził. Otóż był z nami Pacyfik z Tivoli, który zna nieźle poetów pogańskich, i rzekł, że jeśli chodzi o zmyślne zagadki, nikt nie przewyższy poetów afrykańskich. Przytoczył nawet zagadkę o rybie, tę Symfozjusza:

Est domus in terris, clara quae voce resultat.
Ipsa domus resonat, tacitus sed non sonat hospes.
Ambo tamen currunt, hospes simul et domus una*.

W tym miejscu Jorge rzekł, że Jezus zalecił, by nasza mowa była „tak" lub „nie", a co ponad to, bierze się od złego, i że wystarczy powiedzieć „ryba", żeby nazwać rybę, nie kryjąc pojęcia pod kłamliwymi dźwiękami. I dodał, że nie wydaje mu się mądre obierać za wzór Afrykanów... I wtedy...

---

* Jest dom na ziemi, który głosem jasnym dźwięczy.
   Sam dom głos wydaje, lecz milczący gospodarz słowa nie wypowie.
   Obaj jednak płyną, gospodarz wraz z domem (łac.).

- Wtedy?
- Wtedy zdarzyło się coś, czego nie zrozumiałem. Berengar zaczął się śmiać. Jorge napomniał go, tamten zaś rzekł, iż śmieje się, bo przyszło mu na myśl, że gdyby poszukać dobrze wśród Afrykanów, znalazłoby się wiele innych zagadek, i to nie takich łatwych jak ta o rybie. Malachiasz, który też był przy tym, wpadł we wściekłość, prawie złapał Berengara za kaptur i kazał mu zająć się swoimi sprawami... Berengar, jak wiesz, jest jego pomocnikiem...
- A potem?
- Potem Jorge, oddaliwszy się, położył kres dyspucie. Każdy ruszył do swoich zajęć, ale kiedy pracowałem, ujrzałem, że najpierw Wenancjusz, a później Adelmus podeszli do Berengara, by o coś go zapytać. Zobaczyłem z daleka, że się opierał, ale tamci w ciągu dnia wracali. A wieczorem zobaczyłem Berengara i Adelmusa, jak gawędzili w krużgankach, zanim udali się do refektarza. To wszystko, co wiem.
- Wiesz zatem, że dwie osoby, które niedawno poniosły śmierć w tajemniczych okolicznościach, pytały o coś Berengara – podsumował Wilhelm.

Bencjusz odpowiedział zakłopotany:
- Tego nie rzekłem! Rzekłem to, co wydarzyło się tamtego dnia, i kiedyś mnie o to pytał... – Zastanowił się chwilę, po czym dodał pospiesznie: – Ale jeśli chcesz znać mój pogląd, Berengar mówił im o czymś, co jest w bibliotece, i tam też winieneś szukać.
- Czemu pomyślałeś o bibliotece? Co chciał powiedzieć Berengar, mówiąc: szukajcie między Afrykanami? Czy nie miał na myśli tego, że należy pilniej czytać poetów afrykańskich?
- Być może na to wygląda, ale w takim razie dlaczego Malachiasz miałby wpadać we wściekłość? W gruncie rzeczy to on decyduje, czy należy dać do czytania księgę poetów afrykańskich, czy też nie. Wiem jedno: kto przejrzy katalog ksiąg, wśród wskazań, które zna tylko bibliotekarz, często spotyka słowo *Africa*, a znalazłem nawet jedno mówiące *finis Africae**. Pewnego razu poprosiłem o księgę tak oznaczoną, nie pamiętam już jaką, zaciekawił mnie tytuł; a Malachiasz odparł, że księgi z tym znakiem zaginęły. Oto co wiem. Dlatego mówię ci: słusznie, pilnuj Berengara, miej na niego oko, kiedy idzie do biblioteki. Nigdy nie wiadomo.
- Nigdy nie wiadomo – zakończył Wilhelm, odprawiając go.

Potem zaczął przechadzać się ze mną po dziedzińcu i zauważył, że, po pierwsze, raz jeszcze Berengar spowodował szepty swoich

---

* Koniec Afryki (łac.).

117

konfratrów; po drugie, Bencjusz robił wrażenie, jakby pragnął pchnąć nas w stronę biblioteki. Zauważyłem, iż pragnie może, byśmy odkryli tam rzeczy, które także on chętnie by poznał, a Wilhelm odparł, że to podobne do prawdy, ale może być i tak, iż pchając nas w stronę biblioteki, chce nas oddalić od innego miejsca. Jakiego? – spytałem. A Wilhelm odparł, że nie wie, albo chodzi o skryptorium, albo o kuchnię, albo o chór, albo o dormitorium, albo o szpital. Zauważyłem, że dzień wcześniej właśnie on, Wilhelm, był pod urokiem biblioteki, a on odparł, że chce być pod urokiem rzeczy, które podobają się jemu, nie zaś tych, które podsuwają mu inni. Że oczywiście będzie się miało bibliotekę na oku i że w tym momencie naszego śledztwa nie byłoby źle w jakiś sposób się do niej dostać. Okoliczności upoważniają go teraz do tego, by był ciekawy do granic uprzejmości i szacunku dla zwyczajów i praw opactwa.

Oddaliliśmy się od krużganków. Słudzy i nowicjusze wychodzili po mszy z kościoła. I kiedy mijaliśmy zachodnią stronę świątyni, dostrzegliśmy Berengara, który opuszczał portal transeptu i szedł przez cmentarz w stronę Gmachu. Wilhelm zawołał za nim, on zaś zatrzymał się, czekając, aż podeszliśmy. Był jeszcze bardziej wzburzony niż przedtem w chórze i Wilhelm najwyraźniej postanowił wykorzystać jego stan ducha, podobnie jak to uczynił w przypadku Bencjusza.

– Zdaje się zatem, że ty ostatni widziałeś Adelmusa żywym – powiedział.

Berengar zachwiał się, jakby miał popaść w omdlenie.

– Ja? – spytał ledwie słyszalnym głosem.

Wilhelm rzucił swoje pytanie jakby od niechcenia, pewnie dlatego, że Bencjusz wyznał, iż widział tych dwóch, jak gawędzili na dziedzińcu po nieszporach. Ale musiał trafić w sedno, i Berengar zapewne myślał o innym i naprawdę ostatnim spotkaniu, ponieważ łamiącym się głosem powiedział:

– Jak możesz tak mówić? Widziałem go przed udaniem się na spoczynek, jak inni!

Wtenczas Wilhelm doszedł do przekonania, że lepiej nie lać mu wytchnienia.

– Nie, widziałeś go jeszcze potem i wiesz więcej, niż chcesz wyjawić. Ale teraz w grę wchodzą dwa trupy i nie możesz dłużej milczeć. Wiesz doskonale, że jest wiele sposobów, by skłonić kogoś do mówienia!

Wilhelm wielekroć mówił mi, że nawet jako inkwizytor zawsze wzdragał się przed stosowaniem mąk, lecz Berengar rozumiał jego słowa opacznie (albo Wilhelm chciał, by tak je zrozumiał), w każdym razie fortel okazał się skuteczny.

– Tak, tak – powiedział Berengar i zaczął rzewnie płakać. – Widziałem Adelmusa tego wieczoru, ale już martwego!

– Jakże? – zapytał Wilhelm. – U stóp urwiska?

– Nie, nie, widziałem go tutaj, na cmentarzu, kroczył między grobami, mara pośród mar. Natknąłem się nań i od razu pojąłem, że nie mam przed sobą żywego człeka. Miał oblicze trupa, jego oczy oglądały już wieczną kaźń. Oczywiście dopiero następnego ranka, kiedy dowiedziałem się o jego śmierci, zrozumiałem, iż spotkałem widmo, ale już w owym momencie wiedziałem, że mam wizję i że stoi przede mną dusza potępiona, lemur... O Panie, jakimż grobowym głosem do mnie zagadnął!

– I cóż rzekł?

– „Jestem potępiony! – tak się ozwał. – Oto masz przed sobą człeka, co z piekła przybywa i do piekła musi wrócić". Tak rzekł. A ja krzyknąłem: „Adelmusie, zaprawdę przybywasz z piekła?!" I zadrżałem, albowiem dopiero co wyszedłem z nabożeństwa komplety, gdzie czytano straszliwe stronice o gniewie Pana. A on odrzekł: „Kaźń piekielna przewyższa nieskończenie wszystko, co język może wysłowić. Widzisz – rzekł – tę kapicę sofizmatów, w którą odziewałem się do dnia dzisiejszego? Ciąży mi brzemieniem, jakbym dźwigał na ramionach największą wieżę Paryża albo góry świata i nigdy już nie miał zbyć się tego ciężaru. I tę mękę wyznaczyła mi Boża sprawiedliwość za moją czczą chwałę, za to, że ciało swe miałem za miejsce rozkoszy i że mniemałem, iż więcej wiem od innych, i że znajdowałem upodobanie w rzeczach potwornych, które pieściłem miłośnie w wyobraźni, aż wytworzyły rzeczy jeszcze potworniejsze w duszy mej i teraz będę musiał żyć z tym przez wieczność. Czy widzisz? Podszycie tej kapicy całe jakby z żaru i palącego ognia, a jest to ogień spalający ciało, i ta męka zadana mi została za haniebny grzech mojego ciała, które zbrukałem, i teraz nie mam wytchnienia, ogień ogarnia mnie i gorzeję! Podaj dłoń, mój piękny bakałarzu – rzekł mi jeszcze – aby nasze spotkanie było ci użytecznym pouczeniem, które daję ci w zamian za liczne pouczenia, jakie dałeś mi ty. Podaj dłoń, piękny bakałarzu!" I pokiwał palcem swojej gorzejącej dłoni, i spadła mi na dłoń kropelka jego potu, i zdało się, że przepali rękę, i przez wiele dni nosiłem na niej znak, ale kryłem go przed wszystkimi. Potem zniknął między grobami i następnego ranka dowiedziałem się, że to ciało, które tak mnie przeraziło, leży już martwe u stóp skały.

Berengar dyszał i płakał. Wilhelm spytał go:

– A dlaczegóż to nazywał cię swoim pięknym bakałarzem? Byliście w tym samym wieku. Może czegoś go nauczyłeś?

Berengar zakrył głowę, naciągając kaptur na twarz, i padł na kolana, podejmując Wilhelma za nogi.

– Nie wiem, nie wiem, czemu tak mnie nazwał, ja niczego go nie nauczyłem! – I wybuchnął łkaniem. – Boję się, ojcze, chcę wyspowiadać się przed tobą, miłosierdzia, diabeł pożera mi trzewia! Wilhelm odepchnął go i podał mu dłoń, żeby go podnieść.

– Nie, Berengarze – powiedział. – Nie proś, bym cię wyspowiadał. Nie zamykaj moich ust, otwierając swoje. To, co chcę o tobie wiedzieć, powiesz mi w inny sposób. A jeśli nie powiesz, sam to zmiarkuję. Proś mnie o zmiłowanie, jeśli chcesz, nie proś jednak o milczenie. Zbyt wielu milczy w tym opactwie. Powiedz mi raczej, jakeś mógł widzieć jego bladą twarz, skoro była głęboka noc, jak mógł sparzyć ci dłoń, skoro noc była deszczowa, gradowa i śnieżna, i co robiłeś na cmentarzu? Nuże – i potrząsnął nim brutalnie za ramiona – to przynajmniej powiedz!

Berengar drżał na całym ciele.

– Nie wiem, co robiłem na cmentarzu, nie pamiętam. Nie wiem, czemu widziałem jego twarz, może miałem ze sobą światło, nie... to on miał światło, trzymał w ręku kaganek, może widziałem jego twarz w świetle płomyka...

– Jakże mógł mieć światło, skoro padał deszcz ze śniegiem?

– Było to po komplecie, tuż po komplecie, śnieg jeszcze nie padał, zaczął padać później... Pamiętam, że pierwszy raz zawiało, kiedy uciekałem do dormitorium, w kierunku przeciwnym niż zjawa... A zresztą nie wiem już nic, proszę, nie pytaj więcej, skoro nie chcesz wysłuchać mojej spowiedzi.

– No dobrze – powiedział Wilhelm. – Teraz idź, idź do chóru, idź porozmawiać z Panem, jeśli nie chcesz rozmawiać z ludźmi, albo znajdź sobie mnicha, który zechce wysłuchać twojej spowiedzi, gdyż jeśli nie wyspowiadasz przedtem swoich grzechów, zbliżysz się w świętokradczy sposób do sakramentów. Idź. Jeszcze się spotkamy.

Berengar zniknął biegiem. A Wilhelm zatarł dłonie, jak czynił to przy mnie w wielu innych okolicznościach, kiedy był z czegoś rad.

– Dobrze – rzekł. – Wiele spraw zyskuje jasność.

– Jasność, mistrzu? – zapytałem. – Teraz, kiedy pojawiło się na dodatek widmo Adelmusa?

– Mój drogi Adso – rzekł Wilhelm – to widmo, jak się zdaje, nie jest tak bardzo widmem, a w każdym razie wyrecytowało stronicę, którą przeczytałem w jakiejś książce na użytek kaznodziejów. Ci mnisi za dużo chyba czytają i kiedy są wzburzeni, przeżywają raz jeszcze wizje, jakie mieli przy lekturze. Nie wiem, czy Adelmus naprawdę to wszystko powiedział, czy też Berengar usłyszał to, co chciał usłyszeć. Tak czy inaczej, ta historia potwierdza całą serię moich przypuszczeń. Na przykład Adelmus popełnił samobójstwo, a historyjka Berengara mówi nam, że przed śmiercią krążył wielce wzburzony i udręczony wyrzutami sumienia z powodu jakichś czynów, które popełnił. Był wytrącony z równowagi i przerażony swoim grzechem, bo ktoś go nastraszył i być może opowiedział mu właśnie epizod ze zjawą piekielną, a on wyrecytował to Berengarowi z oszałamiającym mistrzostwem. A przechodził przez cmentarz, ponieważ szedł z chóru, gdzie zwierzył się (lub wyspowiadał) komuś, kto wzniecił w nim przerażenie i wyrzuty sumienia. Z cmentarza zaś ruszył, jak wynika ze słów Berengara, w kierunku przeciwnym niż dormitorium. W stronę Gmachu więc, ale również (to możliwe) w stronę muru za oborami, skąd, jak wywnioskowałem, rzucił się w przepaść. A jeśli rzucił się, zanim nadciągnęła burza, skonał u stóp muru i dopiero później lawina zaniosła jego zwłoki między basztę północną a wschodnią.

– Ale ta rozpalona kropla potu?

– Wzięta z historii, którą usłyszał i powtórzył, albo też Berengar wyimaginował ją sobie w swoim wzburzeniu i w męce wyrzutów sumienia. Albowiem mamy tu, niby antystrofę do wyrzutów sumienia u Adelmusa, wyrzut sumienia u Berengara, słyszałeś sam. A skoro Adelmus szedł z chóru, niósł być może świecę i kropla na dłoni przyjaciela była tylko kroplą wosku. Ale Berengar czuł, że pali go znacznie mocniej, ponieważ Adelmus z pewnością nazwał go swoim bakałarzem. Wyrzucał mu więc, że nauczył go czegoś, co teraz było powodem jego śmiertelnej desperacji. I Berengar wie o tym, cierpi, bo jest świadom, że pchnął Adelmusa w stronę śmierci, skłaniając go do czynienia czegoś, czego ów czynić nie powinien. A po tym wszystkim, co słyszeliśmy o naszym pomocniku bibliotekarza, nietrudno sobie wyobrazić, czego mianowicie, mój biedny Adso.

– Mniemam, że wiem, co zaszło między tymi dwoma – powiedziałem, wstydząc się swojej przenikliwości. – Ale czyż nie wierzymy wszyscy w Boga miłosierdzia? Adelmus, rzekłeś, prawdopodobnie wyspowiadał się; czemu chciał skarać sam siebie za pierwszy grzech, popełniając grzech z pewnością jeszcze większy, a przynajmniej równy powagą tamtemu?

– Ponieważ ktoś podszepnął mu słowa rozpaczy. Powiedziałem już, że słowa, które przeraziły Adelmusa i którymi Adelmus przeraził Berengara, musiał ktoś wziąć z jakiegoś dzieła nowoświeckiego kaznodziei. Nigdy jeszcze kaznodzieje, chcąc wzbudzić pobożność i lęk (i zapał, i uległość wobec prawa ludzkiego i Boskiego), nie głosili ludowi rzeczy tak okrutnych, wstrząsających i okropnych, jak za naszych dni. Nigdy nie słyszało się w czasie procesji biczowników świętych laud, czerpiących natchnienie z cierpień Chrystusa i Najświętszej Panny, nigdy nie kładło się takiego nacisku na pobudzenie wiary prostaczków przez wymienianie udręk piekielnych.

– Może jest to potrzeba pokuty – rzekłem.

– Adso, nigdy nie słyszałem tylu nawoływań do pokuty, ile słyszę dzisiaj, kiedy ani kaznodzieje, ani biskupi, ani nawet moi duchowi współbracia nie potrafią wskazać drogi prawdziwej pokuty...

– Ale trzeci wiek, anielski papież, kapituła w Perugii... – rzekłem, zbity z pantałyku.

– Tęsknota. Wielka epoka pokuty dobiegła końca i dlatego może mówić o pokucie nawet kapituła generalna zakonu. Sto, dwieście lat temu był wielki pęd do odnowy. Jeśli wtedy ktoś o niej mówił, szedł na stos, bez różnicy: święty czy kacerz. Teraz mówią o niej wszyscy. W pewnym sensie rozprawia o niej nawet papież. Nie ufaj odnowie rodzaju ludzkiego, kiedy mówią o niej kurie i dwory.

– Ale brat Dulcyn... – ośmieliłem się rzec, bo trawiła mnie ciekawość, by dowiedzieć się czegoś więcej o imieniu, które słyszałem wiele razy poprzedniego dnia.

– Skonał tak samo źle, jak źle żył, ponieważ on także pojawił się za późno. A zresztą, właściwie co ty o nim wiesz?

– Nic, dlatego i pytam...

– Wolałbym nigdy o tym nie mówić. Miałem do czynienia z niektórymi tak zwanymi apostołami i przyjrzałem im się z bliska. To smutna historia. Zakłóciłaby ci spokój. W każdym razie zakłóciła spokój mnie, a tym bardziej by cię wzburzyła, że nie czuję się w mocy wydać sądu. Jest to historia człowieka, który czynił rzeczy szalone, gdyż wprowadził w życie to, co głosili liczni święci. W pewnym momencie przestałem pojmować, po czyjej stronie jest wina, jakby... jakby przyćmił mi świadomość swojski powiew, który tchnął w dwóch przeciwnych obozach: świętych głoszących pokutę i praktykujących ją grzeszników, czyniących to często kosztem innych... Ale mówię nie o tym, o czym chciałem. A może nie, może przez cały czas mówiłem o tym, że kiedy skończyła się epoka pokuty, dla pokutujących potrzeba pokuty stała się potrzebą śmierci. A ci, którzy zabijali oszalałych pokutników i przywracali tym sposobem śmierć śmierci, chcąc pognębić prawdziwą pokutę, bo ta oznaczała śmierć, zastąpili pokutę duszy pokutą wyobraźni, odwoływaniem się do nad-przyrodzonych wizji kaźni i krwi, nazywanej przez nich zwierciadłem prawdziwej pokuty. Zwierciadłem, które pozwala przeżywać w ciągu życia, w wyobraźni prostaczków, a czasem też uczonych, męki piekielne. Aby, powiada się, nikt nie grzeszył. Ma się bowiem nadzieję, że strach pozwoli odwieść duszę od grzechu, i ufa się, że ów strach zajmie miejsce buntu.

– Ale czy naprawdę przestali grzeszyć? – spytałem z niepokojem.

– Zależy od tego, co rozumiesz przez grzeszenie, Adso – rzekł mistrz. – Nie chciałbym być niesprawiedliwy wobec ludzi kraju, w którym mieszkam od wielu lat, lecz jak się wydaje, niewiele cnoty ma ludność italska, jeśli bowiem odwraca się od grzechu, to tylko ze strachu przed jakimś bożkiem, byleby nazwali go wprzód imieniem świętego. Bardziej boją się świętego Sebastiana lub świętego Antoniego niż Chrystusa. Kiedy ktoś chce utrzymać w czystości jakieś miejsce, by nie oddawano tam uryny, co Italczycy czynią na sposób psów, maluje powyżej wizerunek świętego Antoniego z drewnianym szpikulcem i to wystarcza, by odstraszyć tych, którzy zamierzali w tym miejscu opróżnić pęcherz. W ten sposób Italczykom... a dzieje się tak z przyczyny ich kaznodziejów... grozi, że powrócą do staro-żytnych zabobonów i nie będą już wierzyć w zmartwychwstanie ciał; boją się tylko straszliwie ran cielesnych oraz uroków i dlatego większy lęk w nich budzi święty Antoni niż Chrystus.

– Ale Berengar nie jest Italczykiem – zauważyłem.

– To bez znaczenia, mówię o klimacie, który Kościół i zakony kaznodziejskie tworzą na tym półwyspie, a który stąd przenika wszędzie. Nawet do czcigodnego opactwa uczonych mnichów, jak tutaj.

– Ale przynajmniej nie grzeszą – nalegałem, byłem bowiem skłonny zadowolić się choćby tym.

– Gdyby to opactwo było *speculum mundi**, już miałbyś odpowiedź.

– Ale czy nim jest?

– By istniało zwierciadło świata, świat musi mieć jakiś kształt – zakończył Wilhelm, który był nazbyt filozofem na mój pacholęcy umysł.

---

* Zwierciadłem świata (łac.).

Dzień drugi

Tercja

Kiedy to jesteśmy świadkami zwady między osobami
z pospólstwa, Aimar z Alessandrii czyni jakieś aluzje,
Adso zaś medytuje nad świętością i nad łajnem diabła.
Potem Wilhelm i Adso wracają do skryptorium, coś
przykuwa uwagę Wilhelma, który odbywa trzecią
rozmowę na temat dopuszczalności śmiechu, ale
w rezultacie nie może popatrzeć tam, gdzie chciałby

Przed wspinaczką do skryptorium wstąpiliśmy do kuchni, ponieważ od świtu nie mieliśmy nic w ustach. Pokrzepiłem się rychło, wypijając garnuszek ciepłego mleka. Wielki komin południowy płonął już niby kuźnia, a w piecu piekł się chleb na cały dzień. Dwaj owczarze składali mięso dopiero co ubitej owcy. Wśród kucharzy ujrzałem Salwatora, który uśmiechnął się do mnie swoją wilczą twarzą. I zobaczyłem, że bierze ze stołu resztkę kurczaka z poprzedniego wieczoru i podaje ukradkiem owczarzom, ci zaś kryją dar w swoich skórzanych kaftanach, kłaniając się z ukontentowaniem. Ale główny kucharz spostrzegł to i zganił Salwatora:

– Szafarzu, szafarzu, masz zarządzać dobrami opactwa, nie zaś je trwonić!

– Synami Boga są – odparł Salwator. – Jezus powiedział: cokolwiek czynita tym *pueri*, mnie czynita!

– Braciszek moich pludrów, minorycki wypierdek! – odkrzyknął mu kucharz. – Nie jesteś już między swoimi braćmi, co po prośbie chodzą! O zaopatrzenie synów Boga niech turbuje się za nas miłosierdzie opata!

Salwator pociemniał na twarzy i obrócił się zagniewany.

– Nie jestem braciszkiem minorytą! Jestem mnichem Sancti Benedicti! *Merdre à toy, bogomilo di merda!*

– Bogomiła to ta twoja wszetecznica, którą bodziesz co noc swoim heretyckim członkiem, ty wieprzu! – wrzasnął kucharz.

Salwator wypchnął czym prędzej owczarzy i przechodząc, spojrzał na nas z troską w oczach.

– Bracie – rzekł do Wilhelma – ty broń zakonu, który nie jest moim, powiedz mu, że *filios Francisci non ereticos esse!* – Potem szepnął mi do ucha: – *Ille menteur, puash* – i splunął na ziemię.

Kucharz wypchnął go i zatrzasnął za nim drzwi.

– Bracie – rzekł do Wilhelma z szacunkiem – nie mówiłem nic złego o twoim zakonie ni o nader świętych mężach, którzy do niego należą. Miałem na myśli tego farbowanego minorytę i farbowanego benedyktyna, który jest ni pies, ni wydra.

– Wiem, skąd się wziął – powiedział Wilhelm ugodowym tonem.

– Ale teraz jest mnichem jak i ty i winieneś mu braterski szacunek.

– Ale on wtyka nos tam, gdzie nie trzeba, jest zausznikiem klucznika, więc sam ma się za klucznika. Rozporządza opactwem, jakby do niego należało, dniem i nocą!

– Czemu nocą? – spytał Wilhelm.

Kucharz zrobił gest, jakby chciał powiedzieć, że nie chce mówić o rzeczach mało cnotliwych. Wilhelm o nic go już nie pytał i dopił swoje mleko.

Paliła mnie coraz większa ciekawość. Spotkanie z Hubertynem, słuchy o przeszłości Salwatora i klucznika, coraz częstsze napomknienia o braciaszkach i heretyckich minorytach, zasłyszane w ciągu tych dni, niechęć mistrza do mówienia o bracie Dulcynie... Mój umysł zaczął składać ze sobą ułamki obrazów. Na przykład w naszej podróży co najmniej dwakroć spotkaliśmy procesję biczowników. Za pierwszym razem miejscowi patrzyli na nich jak na świętych, za drugim razem zaczęli już szeptać, że to heretycy. A przecież chodziło o tych samych ludzi. Szli dwoma szeregami przez ulice miasta, w procesji, okrywając jeno lędźwie, gdyż całkiem przezwyciężyli w sobie poczucie wstydliwości. Każdy miał w dłoni rzemienny bicz i raził się do krwi po ramionach, wylewając przy tym obficie łzy, jakby własnymi oczyma patrzył na mękę Zbawiciela, i błagając żałosnym pieniem o miłosierdzie Pana i wsparcie Matki Bożej. Nie tylko dniem, ale i nocą, z zapalonymi świecami, pośród srogiej zimy wędrowali wielką ciżbą od kościoła do kościoła, w pokorze padali na twarz przed ołtarzami; przodem szli kapłani niosący świece i chorągwie, a byli w ciżbie nie tylko mężczyźni i kobiety z gminu, ale także szlachetnie urodzone matrony, kupcy... I widzieliśmy wtenczas na własne oczy wielkie akty pokuty: złodzieje oddawali, co skradli, inni wyznawali zbrodnie...

Ale Wilhelm przypatrywał się im chłodnym okiem i powiedział, że nie jest to prawdziwa pokuta. Mówił raczej tak samo, jak dopiero co tegoż ranka: okres wielkiej kąpieli pokutnej dobiegł kresu i sami kaznodzieje organizują teraz pobożność tłumów, by nie popadły w jarzmo innego pragnienia pokuty, które było kacerskie i u wszystkich budziło lęk; lecz nie zdołałem pojąć różnicy, jeśli takowa była. Wydawało mi się, że różnica nie bierze się z czynów tego lub owego, ale ze spojrzenia, jakim Kościół osądza ten lub ów czyn.

Przypomniałem sobie rozmowę z Hubertynem. Wilhelm bez wątpienia chciał go przekonać, wmówić mu, że niewielka różnica zachodzi między jego wiarą mistyczną (i prawowierną) a sfałszowaną wiarą heretyków. Hubertyn obruszył się jak ktoś, kto ową różnicę dobrze widzi. Miałem wrażenie, że uznawał się za odmiennego, ponieważ był właśnie tym, który odmienność widzi. Wilhelm porzucił obowiązki inkwizytora, gdyż nie umiał już jej dostrzec. Dlatego też nie mógł zdobyć się na to, by opowiedzieć mi o tajemniczym bracie Dulcynie. Ale w takim razie (powiadałem sobie) Wilhelm stracił wsparcie Pana, który nie tylko uczy, jak postrzegać różnicę, ale, by tak rzec, daje swoim wybranym zdolność rozróżniania. Hubertyn i Klara z Montefalco (która była wszak otoczona grzesznikami) pozostali świętymi właśnie dlatego, że potrafili rozróżniać. Tym, nie zaś czym innym, jest świętość.

Ale czemu Wilhelm nie potrafił rozróżniać? Był przecież człekiem bystrym i gdy chodziło o fakty naturalne, umiał dostrzec najmniejszą nierówność i najdalsze powinowactwo między rzeczami...

Byłem pogrążony w tych rozmyślaniach, a Wilhelm kończył pić mleko, kiedy usłyszeliśmy, że ktoś nas pozdrawia. Był to Aimar z Alessandrii, którego poznaliśmy już w skryptorium; uderzył mnie wyraz jego twarzy, bo stale wykrzywiał ją szyderczy uśmiech, jakby ów mnich nie mógł pogodzić się do końca z nicością wszystkich ludzkich istot, a jednocześnie nie przywiązywał zbyt wielkiej wagi do tej kosmicznej tragedii.

– A więc, bracie Wilhelmie, czy przywykłeś już do tej jaskini szaleńców?

– Wydaje mi się, że jest to miejsce pobytu ludzi godnych podziwu dla swojej świętości i uczoności – rzekł ostrożnie Wilhelm.

– Było takim. Kiedy opaci byli opatami, bibliotekarze zaś bibliotekarzami. Teraz widziałeś tam – i wskazał na wyższe piętro – na pół martwy Niemiec z oczyma ślepca wysłuchuje z nabożeństwem bredni ślepego Hiszpana o oczach trupa, jakby każdego ranka należało oczekiwać Antychrysta; skrobiemy po pergaminach, ale nowych ksiąg przychodzi maluczko... Siedzimy sobie tutaj, a tam, w miastach, dzieją się rzeczy ważne... Niegdyś z naszych opactw rządziło się światem. Dzisiaj, sam widzisz, jesteśmy cesarzowi potrzebni po to tylko, by mógł przysyłać tu swoich przyjaciół, którzy spotkają się z jego nieprzyjaciółmi (wiem co nieco o twojej misji, mnisi gadają, nie mają nic innego do roboty), ale jeśli chce mieć baczenie na sprawy tego kraju, nie rusza się z miast. My zbieramy zboże i macamy kury, a tam wymieniają łokcie jedwabiu na bele płótna, bele płótna na worki korzeni, a wszystko razem za dobry pieniądz. My mamy pieczę nad skarbem, tam zaś skarby gromadzą. Księgi też. I piękniejsze od naszych.

– Z pewnością na świecie dzieją się rozmaite rzeczy nowe. Lecz czemu myślisz, że zawinił opat?

– Ponieważ oddał bibliotekę w ręce cudzoziemców i rządzi opactwem niby cytadelą wzniesioną dla jej obrony. Benedyktyńskie opactwo w italskiej krainie winno być miejscem, gdzie Italczycy postanawiają w sprawach italskich. Cóż czynią Italczycy teraz, kiedy nie mają już nawet papieża? Handlują i wytwarzają, i są bogatsi niźli król Francji. Więc my też tak postępujmy. Jeśli umiemy robić piękne księgi, sporządzajmy je dla uniwersytetów i zajmijmy się tym, co dzieje się tam, w dolinie, a mam na myśli nie cesarza, z całym szacunkiem dla twojego posłannictwa, bracie Wilhelmie, ale to, co robią Bolończycy i Florentyńczycy. Możemy z tego miejsca baczyć na przepływ pielgrzymów i kupców, którzy wędrują z Italii do Prowansji i z powrotem. Otwórzmy bibliotekę dla tekstów w języku pospolitym, a przyjdą tutaj także ci, którzy nie piszą już po łacinie. Tymczasem pilnuje nas grupa cudzoziemców, którzy bibliotekę prowadzą nadal tak, jakby opatem w Cluny wciąż był dobry Odylon...

– Ale opat jest Italczykiem – rzekł Wilhelm.

– Opat nie liczy się ani trochę – odparł Aimar, nie zmieniając szyderczego wyrazu twarzy. – W miejscu głowy ma szafę biblioteczną. Zrobaczywiał. Chcąc zrobić na złość papieżowi, pozwala, by opactwem zawładnęli braciaszkowie... mam, bracie, na myśli heretyków, dezerterów z waszego świętego zakonu... chcąc zaś przypodobać się cesarzowi, wzywa tutaj mnichów ze wszystkich klasztorów Północy, jakby zbrakło wśród nas wybornych kopistów oraz ludzi znających grekę i arabski i jakby nie było we Florencji lub Pizie synów kupieckich, bogatych i hojnych, którzy chętnie wstąpiliby do zakonu, gdyby zakon dał im możliwość powiększenia potęgi i prestiżu ojca. Ale tutaj sprawom doczesnym pobłaża się tylko, kiedy chodzi o to, by pozwolić Niemcom... Och, dobry Boże, poraź mój język, bo rzeknę rzeczy mało stosowne!

– W opactwie dzieją się rzeczy mało stosowne? – zapytał z roztargnieniem Wilhelm, nalewając sobie jeszcze odrobinę mleka.

– Mnich to też człowiek – oznajmił sentencjonalnie Aimar. Potem dodał: – Lecz tutaj są mniej ludźmi niż gdzie indziej. I rozumie się, że tego, co powiedziałem, nie powiedziałem.

– Wielce ciekawe – rzekł Wilhelm. – A są to poglądy twoje czy licznych, którzy myślą jak ty?

– Licznych, licznych. Licznych, którzy ubolewają nad nieszczę-
ściem biednego Adelmusa, lecz gdyby w przepaść runął ktoś inny,
kto krąży po bibliotece więcej, niż powinien, nie byliby nieradzi.
– Co masz na myśli?
– Za dużo powiedziałem. Wszyscy tutaj za dużo mówimy, niechybnie już to spostrzegłeś. Nikt już nie respektuje milczenia, to
z jednej strony. Z drugiej zaś respektuje się je aż nadto. Miast mówić
lub milczeć, winno się działać. W złotym wieku naszego zakonu,
jeśli opat nie był człekiem na miarę opata, piękny puchar zatrutego
wina wystarczał, by otworzyła się sukcesja. Ma się rozumieć, bracie
Wilhelmie, że powiedziałem ci to wszystko, nie żeby oczerniać opata lub innych konfratrów. Niechaj Bóg mnie przed tym uchroni, na
szczęście obcy mi jest szkaradny występek obmawiania. Ale nie
chciałbym, by opat prosił cię o podjęcie śledztwa przeciwko mnie
albo komuś innemu, jak Pacyfikowi z Tivoli lub Piotrowi z Sant'Albano. My nie mieszamy się do spraw biblioteki. Chcemy jednak częściej do niej zaglądać. A zatem dobądź na światło dnia to kłębowisko
wężów, ty, który tylu kacerzy spaliłeś.
– Ja nigdy nikogo nie spaliłem – odrzekł oschle Wilhelm.
– Powiedziałem tylko tak sobie – przyznał Aimar z szerokim
uśmiechem. – Pomyślnych łowów, bracie Wilhelmie, ale uważaj nocą.
– Czemu nie dniem?
– Bo za dnia leczy się tutaj ciało dobrymi ziołami, nocą zaś wpę-
dza się umysł w chorobę ziołami złymi. Nie wierz, że Adelmus został wrzucony w przepaść czyimiś rękami albo że czyjeś ręce wrzuci-
ły Wenancjusza do kadzi. Ktoś tutaj nie chce, by mnisi sami stanowili,
dokąd mają chodzić, co robić i co czytać. I wykorzystuje się siły
piekielne i nekromantów, przyjaciół piekła, by pomieszać umysły
ciekawych...
– Masz na myśli ojca herborystę?
– Seweryn z Sant'Emmerano to człek poczciwy. Naturalnie on
jest Niemcem, Niemcem Malachiasz... – I okazawszy tym sposobem
raz jeszcze, że ani mu w głowie obmawianie bliźnich, Aimar poszedł
na górę pracować.

– Co chciał nam powiedzieć? – zapytałem.
– Wszystko i nic. We wszystkich opactwach mnisi walczą między sobą o rządy nad wspólnotą. Także w Melku, choć jako nowicjusz być może nie miałeś sposobności tego dostrzec. Ale w twoim
kraju sięgnięcie po rządy w opactwie oznacza zapewnienie sobie
miejsca, z którego można rozmawiać bezpośrednio z cesarzem.

W tym kraju sytuacja jest odmienna: cesarz daleko, nawet jeśli dociera aż do Rzymu. Nie ma tu dworu, teraz nawet papieskiego. Są natomiast miasta i musiałeś zdać sobie z tego sprawę.

– Z pewnością, i uderzyło mnie to. Miasto w Italii jest czymś innym niż w moim kraju... To nie tylko miejsce, gdzie się mieszka, ale także miejsce, gdzie zapadają decyzje, wszyscy oni są u siebie, bardziej liczą się radcy miejscy niż cesarz lub papież. Każde jest... jakby królestwem...

– A królami są kupcy. Ich orężem jest pieniądz. Pieniądz pełni w Italii funkcję odmienną niż w twoim kraju lub moim. Krąży wszędzie, ale tam wielka część życia jest jeszcze opanowana i rządzona przez zamienianie dóbr, kurcząt lub snopów zboża, lub sierpa, lub wozu, a pieniądz służy do kupowania tych rzeczy. Zauważyłeś natomiast, że w mieście italskim właśnie owe dobra mają zapewnić zyskanie pieniędzy. Także księża i biskupi, a nawet zakony muszą prowadzić rachunki w pieniądzach. Dlatego naturalnie bunt przeciw władzy przejawia się jako nawoływanie do ubóstwa, a buntują się ci, którzy wyłączeni są ze stosunków pieniężnych, dlatego wszelkie nawoływanie do ubóstwa powoduje takie napięcia i tyle dysput i dlatego też całe miasto, od biskupa po radcę miejskiego, na każdego, kto zbyt głośno nawołuje do ubóstwa, patrzy jak na osobistego wroga. Inkwizytorzy wyczuwają smród diabła tam, gdzie ktoś zbuntował się przeciw smrodowi diabelskiego łajna. Pojmujesz więc, co miał na myśli Aimar. Opactwo benedyktyńskie w złotym wieku zakonu było miejscem, z którego pasterze dawali baczenie na trzodę wiernych. Aimar chce powrotu do tradycji. Rzecz jednak w tym, że odmieniło się życie trzody i opactwo do tradycji wrócić może (do chwały, do dawnej władzy) jedynie, jeśli zaakceptuje nowy obyczaj trzódki, a więc samo też się odmieni. A ponieważ dzisiaj panuje się nad trzodą nie za pomocą oręża i nie splendorem rytuału, lecz kontrolując pieniądz, Aimar pragnie, by wszystkie wytwory opactwa, i sama biblioteka, stały się warsztatem i wytwarzały pieniądz.

– A co to ma wspólnego ze zbrodniami lub zbrodnią?

– Tego jeszcze nie wiem. Ale teraz chciałbym pójść na górę. Chodź.

Mnisi siedzieli już przy pracy. W skryptorium panowała cisza, ale nie była to ta cisza, która bierze się z płodnego pokoju serc. Berengar, który przyszedł tuż przed nami, przyjął nas zakłopotany. Inni mnisi podnieśli głowy znad swoich zajęć. Wiedzieli, że jesteśmy tu, by odkryć coś, co dotyczy Wenancjusza, i sam kierunek ich spojrzeń wystarczył, by zwrócić naszą uwagę na puste miejsce pod oknem wychodzącym na wewnętrzny ośmiokąt.

Chociaż dzień był bardzo chłodny, temperatura w skryptorium panowała umiarkowana. Nie przypadkiem znajdowało się nad kuchniami, z których dochodziło dość ciepła, również dlatego, że przewody kominowe dwóch pieców poniżej przechodziły wewnątrz filarów podtrzymujących dwoje krętych schodów, umieszczonych w baszcie zachodniej i południowej. Jeśli chodzi o basztę północną, w przeciwległej części sali, nie miała schodów, mieścił się w niej za to wielki kominek, w którym płonął ogień, rozsiewając miłe ciepło. Poza tym posadzka pokryta była słomą, co sprawiało, że nasze kroki nie rozbrzmiewały głośno. W sumie najgorzej ogrzanym kątem był ten od baszty wschodniej i rzeczywiście zauważyłem, że wszyscy unikali stołów ustawionych po tamtej stronie, było bowiem więcej miejsc do pracy niż mnichów. Kiedy później zdałem sobie sprawę z tego, że kręte schody w baszcie wschodniej jako jedyne prowadzą nie tylko w dół do refektarza, ale i w górę do biblioteki, począłem rozważać, czy jakiś przemyślny rachunek nie określił sposobu ogrzewania sali, by odwieść mnichów od zerkania z ciekawością w tamtą stronę i by łatwiej było bibliotekarzowi strzec dostępu do biblioteki. Lecz niechybnie posunąłem się za daleko w moich podejrzeniach, nędznie małpując w tym mojego mistrza, albowiem zaraz pomyślałem, że ten rachunek nie przyniósłby wielkiego owocu latem – chyba że (powiedziałem sobie) latem było to miejsce najbardziej nasłonecznione, a więc znowu najbardziej unikane.

Stół biednego Wenancjusza obrócony był tyłem do wielkiego kominka i pewnie należał do najbardziej pożądanych. Spędziłem wtedy ledwie maleńką cząstkę mojego żywota w skryptorium, ale znaczną jego część miałem spędzić tam później, i wiem, ile cierpień kosztuje pisarza, rubrykatora i badacza trwanie przy stole przez długie godziny zimowe, kiedy sztywnieją zaciśnięte na piórze palce (a przecież nawet przy temperaturze normalnej po siedmiu godzinach pisania palce ogarnia straszliwy skurcz mnisi i kciuk boli, jakby był miażdżony). „Wyjaśnia to, czemu często na marginesach manuskryptów znajdujemy zdania pozostawione przez pisarza, by dać świadectwo cierpieniu (lub zniecierpliwieniu), owe „Dzięki Bogu wkrótce będzie ciemno" albo „Och, gdybym miał kielich wina!", albo „Dzisiaj zimno, światła marne, welin włochaty, coś jest nie tak". Jak powiada starożytne przysłowie, trzy palce trzymają pióro, ale pracuje całe ciało. I całe boli.

Ale mówiłem o stole Wenancjusza. Był mniejszy od innych, jak zresztą wszystkie ustawione wokół oktogonalnego dziedzińca i przeznaczone dla badaczy, gdy tymczasem większe stały pod oknami w ścianach zewnętrznych i przeznaczone były dla iluminatorów i kopistów. Zresztą Wenancjusz też pracował z pulpitem, gdyż zapewne przeglądał wypożyczone opactwu manuskrypty, z których sporządzano kopie. Pod stołem stała niska półeczka, na którą odłożono niezszyte kartki, a ponieważ wszystkie były po łacinie, pojąłem, że to jego najnowsze przekłady. Zapisane pospiesznym pismem, nie stanowiły stronic ksiąg i miały być dopiero powierzone kopiście i iluminatorowi. Dlatego trudno je było odczytać. Wśród kart jakaś księga po grecku. Inna księga grecka leżała otwarta na pulpicie; było to dzieło, nad którym Wenancjusz pracował w ubiegłych dniach. Nie znałem wtedy jeszcze greki, ale mój mistrz przeczytał tytuł i powiedział, że jest to dzieło niejakiego Lukiana i opowiada o człowieku przemienionym w osła. Przypomniałem sobie wówczas podobną bajkę Apulejusza, której czytania zwykle jak najsurowiej odradzano nowicjuszom.

— Jak to się stało, że Wenancjusz zajął się tym właśnie tłumaczeniem? — zapytał Wilhelm Berengara, który był blisko.

— Prosił o nie pan Mediolanu, a opactwo zyska w zamian prawo pierwokupu wina z paru posiadłości, które znajdują się na wschodzie. — Berengar wskazał ręką w dal. Ale zaraz dodał: — Nie znaczy to, że opactwo zajmuje się dochodową pracą na rzecz osób świeckich. Ale komitent postarał się, by ten cenny manuskrypt grecki został nam wypożyczony przez dożę Wenecji, który otrzymał go od cesarza Bizancjum, a kiedy Wenancjusz uporałby się ze swoją pracą, sporządzilibyśmy dwie kopie, jedną dla komitenta, drugą dla naszej biblioteki.

— Która nie gardzi przyjmowaniem choćby i pogańskich bajek — rzekł Wilhelm.

— Biblioteka daje świadectwo prawdzie i błędowi — rzekł wówczas jakiś głos za naszymi plecami.

Był to Jorge. Raz jeszcze zdumiał mnie (ale niejedno miało mnie jeszcze zdumieć w następnych dniach) niespodziewanym sposobem przybycia, jakbyśmy my jego nie widzieli, tylko on nas. Zastanowiłem się nawet, cóż ślepiec robi w skryptorium, ale później zdałem sobie sprawę z tego, że Jorge był w opactwie wszechobecny. I często pozostawał w skryptorium, siedząc sobie na ławeczce w pobliżu kominka i, zda się, śledząc wszystko, co dzieje się w sali. Pewnego razu usłyszałem, jak zapytał głośno ze swego miejsca: „Kto idzie?", i zwrócił się ku Malachiaszowi, który krokami stłumionymi przez słomę szedł w stronę biblioteki. Wszyscy mnisi mieli go w wielkim poważaniu i zwracali się doń często, by przeczytać mu jakiś ustęp trudno zrozumiały, radząc się, gdy natrafili na jakąś scholię, lub prosząc o wyjaśnienia, gdy szło o wizerunek zwierzęcia lub świętego. On zaś patrzył w pustkę swoimi zgasłymi oczyma, jakby wpatrywał się w stronicę, którą miał w pamięci, i odpowiadał, że fałszywi prorocy odziani są jak biskupi i żaby wychodzą im z ust, albo jakimi kamieniami winno się zdobić mury niebiańskiego Jeruzalem, albo że arymaspów trzeba przedstawić na mapach w pobliżu Ziemi Księdza Jana – zalecając przy tym, by nie przesadzać w pokazywaniu uwodzicielskiej siły, jaka tkwi w potworności, wystarczy bowiem narysować ich w sposób symboliczny, byle dali się rozpoznać, ale nie tak, żeby budzili pożądanie lub żeby szkaradność zachęcała do śmiechu.

Pewnego razu słyszałem, że doradzał pewnemu scholiaście, jak ów winien interpretować *recapitulatio* w tekstach Tykoniusza w zgodzie z duchem świętego Augustyna, by uniknąć herezji donatystycznej. Innym razem słyszałem, że radził, jak, komentując, odróżniać heretyków od schizmatyków. Albo też mówił strapionemu badaczowi, jakiej księgi ten winien poszukać w katalogu biblioteki i niemal na której karcie znajdzie o niej dane, tudzież zapewniał tamtego, iż bibliotekarz z pewnością mu ją dostarczy, bo chodzi o dzieło natchnione przez Boga. Wreszcie słyszałem jeszcze innym razem, jak mówił, że takiej to a takiej księgi nie ma co szukać, istnieje bowiem, co prawda, w katalogu, ale została zniszczona przez myszy pięćdziesiąt lat wcześniej i rozpada się w pył, kiedy ktoś jej dotknie. Jednym słowem, był pamięcią biblioteki i duszą skryptorium. Czasem napominał mnichów, których pogawędkę dosłyszał: „Spieszcie się, by zostawić świadectwo o prawdzie, albowiem bliskie są czasy!", i czynił aluzję do przyjścia Antychrysta.

– Biblioteka daje świadectwo prawdzie i błędowi – rzekł więc Jorge.

– Bez wątpienia Apulejusz i Lukian zawinili wieloma błędami – przyznał Wilhelm. – Ale ta bajka zawiera pod osłoną zmyśleń również dobry morał, poucza bowiem, jak drogo trzeba płacić za swoje błędy, a poza tym sądzę, że historia człowieka przemienionego w osła jest aluzją do przemiany duszy, która popada w grzech.

– To być może – nie sprzeciwił się Jorge.

– Jednakowoż pojmuję teraz, dlaczego Wenancjusz podczas rozmowy, o której opowiedział mi wczoraj, tak bardzo był zaciekawiony zagadnieniami komedii; w istocie, bajki tego rodzaju można też przyrównać do komedii starożytnych. Ni jedne, ni drugie nie opowiadają, jak tragedie, o ludziach żyjących naprawdę, ale, powiada Izydor, są zmyśleniami: *Fabulas poetae a f a n d o nominaverunt quia non sunt r e s f a c t e sed tantum loquendo f i c t a e*.

W pierwszej chwili nie pojąłem, czemu Wilhelm zapuścił się w tę uczoną dysputę, i to właśnie z kimś, kto zdawał się takich tematów nie lubić, ale odpowiedź Jorge pokazała mi, jak wielce subtelny jest mój mistrz.

– Tego dnia nie rozprawiało się o komediach, lecz tylko o dopuszczalności śmiechu – rzekł posępnie ślepiec.

A ja pamiętałem doskonale, że właśnie poprzedniego dnia, kiedy Wenancjusz zrobił aluzję do tej dyskusji, Jorge utrzymywał, iż jej sobie nie przypomina.

– Ach – powiedział niedbale Wilhelm – zdawało mi się, że rozmawialiście o kłamstwach poetów i zmyślnych zagadkach.

– Mówiło się o śmiechu – sprostował oschle Jorge. – Komedie pisali poganie, by nakłonić widzów do śmiechu, i czynili źle. Nasz Pan Jezus nigdy nie opowiadał komedii ani bajek, lecz tylko przejrzyste przypowieści, które w sposób alegoryczny pouczają nas, jak zasłużyć sobie na raj, i tak niechaj będzie.

– Zastanawiam się – rzekł Wilhelm – czemu jesteś tak przeciwny myśli, że Jezus się śmiał. Ja mniemam, że gdy trzeba leczyć z humorów i innych dolegliwości ciała, a osobliwie z melancholii, śmiech jest równie dobrym lekarstwem jak kąpiele.

– Kąpiele są rzeczą dobrą – odparł Jorge – i sam Akwinata doradza je dla usunięcia smutku, który może być namiętnością złą, kiedy nie zwraca się w stronę takiego zła, jakie da się pokonać śmiałością. Śmiech zaś wstrząsa ciałem, zniekształca rysy twarzy, czyni człowieka podobnym do małpy.

– Małpy się nie śmieją, śmiech jest właściwy człowiekowi, to znak jego rozumności – oznajmił Wilhelm.

– Jest też słowo znakiem ludzkiej rozumności, a przecież słowem można bluźnić przeciw Bogu. Nie wszystko, co właściwe człowiekowi, jest koniecznie dobre. Śmiech to znak głupoty. Kto śmieje się, nie wierzy w to, co jest powodem śmiechu, ale też nie czuje do tego czegoś nienawiści. Tak zatem, jeśli śmiejemy się z czego złego, oznacza to, że nie zamierzamy owego zła zwalczać, jeśli zaś śmiejemy się z czego dobrego, oznacza to, że nie cenimy siły, przez którą dobro szerzy się samo z siebie. Dlatego reguła powiada: *Decimus humilita-*

---

* Opowieści opowieściami p o e c i o d o p o w i a d a n i a nazwali, gdyż nie są to historie p r a w d z i w e, a by je opowiadać s t w o r z o n e (łac.).

tis gradus est si non sit facilis ac promptus in risu, quia scriptum est: stultus in risu exaltat vocem suam*.

– Kwintylian – przerwał mój mistrz – powiada, że na śmiech nie ma miejsca w panegiryku, by nie uchybić godności, ale należy zachęcać do niego w wielu innych przypadkach. Tacyt zachwala ironię Kalpurniusza Pisona, Pliniusz Młodszy pisze: *Aliquando praeterea rideo, jocor, ludo, homo sum**.

– Byli poganami – odparł Jorge. – Reguła powiada: *Scurrilitates vero vel verba otiosa et risum moventia aeterna clausura in omnibus locis damnamus, et ad talia eloquia discipulum aperire os non permittitur**.

– Jednakowoż kiedy słowo Chrystusa zatriumfowało już na ziemi, Synesios z Kyreny powiedział, że boskość potrafiła połączyć harmonijnie to, co konieczne, z tym, co tragiczne, Aeliusz Spartanin zaś powiada o cesarzu Hadrianie, człowieku podniosłych obyczajów i duszy *naturaliter* chrześcijańskiej, że umiał przeplatać chwile wesołości chwilami powagi. A wreszcie Auzoniusz zaleca dawkować z umiarem powagę i uciechę.

– Ale Paulin z Noli i Klemens Aleksandryjski ostrzegali nas przed tymi głupstwami, a Sulpicjusz Sewer powiada, że nikt nie widział, by świętego Marcina opanował gniew albo wesołość.

– A jednak przypomina niektóre powiedzenia świętego *spiritualiter salsa** – rzekł Wilhelm.

– Były cięte i pełne mądrości, nie zaś śmieszne. Święty Efrem napisał parenezę przeciw śmiechowi mnichów, a w *De habitu et conversatione monachorum* zaleca się unikanie sprośności i żartów, jakby były jadem żmii!

– Ale Hildebert powiada: *Admittendo tibi ioca sunt post seria quaedam, sed tamen et dignis et ipsa gerenda modis**. A Jan z Salisbury zezwalał na skromną wesołość. A wreszcie Eklezjasta, z którego cytowałeś ustęp i na którego powołuje się wasza reguła, tam gdzie powiada, że śmiech jest właściwy głupcom, dopuszcza przynajmniej śmiech cichy, płynący ze spokojnej duszy.

---

* Dziesiątym pokory stopniem jest niebycie łatwym i chętnym do śmiechu, bowiem zostało napisane: głupiec głos swój w śmiechu natęża (łac.).
* Czasami jednak śmieję się, żartuję, bawię, jestem człowiekiem (łac.).
* Błaznowania zaś i słów próżnych i śmiech wzbudzających zakazujemy na zawsze i wszędzie i w tym celu uczniom ust otwierać nie wolno (łac.).
* Radosne z ducha (łac.).
* Na wesołość po sprawach poważnych możesz sobie pozwolić, jednak godną i umiarkowanie okazywaną (łac.).

– Dusza jest spokojna wówczas jedynie, gdy kontempluje prawdę i rozkoszuje się dokonanym dobrem, a ni z prawdy, ni z dobra nie należy się śmiać. Oto czemu Chrystus się nie śmiał. Śmiech jest zarzewiem zwątpienia.

– Lecz czasem słusznie jest wątpić.

– Nie widzę żadnych powodów. Kiedy się wątpi, trzeba zwrócić się do autorytetu, do słów jednego z ojców lub doktorów, i ustaje wszelki powód zwątpienia. Wydaje mi się, żeś przesiąkł wątpliwymi doktrynami, jak doktryny logików paryskich. Ale święty Bernard umiał z całym rozeznaniem podnieść głos przeciw kastratowi Abelardowi, który chciał wszystkie problemy poddać chłodnemu, wyzbytemu życia osądowi rozumu nieoświeconego przez Pismo, wypowiadając swoje: „Jest tak i tak nie jest". Ten, kto przyjmie te jakże niebezpieczne myśli, może również cenić zabawę głupca, który śmieje się z tego, o czym winno się znać jedyną prawdę, wypowiedzianą raz na zawsze. Tak więc, śmiejąc się, głupiec powiada w domyśle: *Deus non est**.

– Czcigodny Jorge, zda mi się, że jesteś niesprawiedliwy, gdy mówisz o kastracie Abelardzie, wiesz bowiem, iż w owo smutne nieszczęście popadł przez złość innego...

– Przez swoje grzechy. Przez zarozumiałą ufność w ludzki rozum. W ten sposób wiara prostaczków jest wyszydzona, tajemnice Boga zgłębione (albo próbowało się tego, a głupi, którzy to czynili), kwestie, które dotyczą spraw najwyższych, rozważa się zuchwale, drwi się z ojców, gdyż uważali, że takie kwestie należy raczej chować pod korcem niż dobywać na światło dnia.

– Nie zgadzam się z tym, czcigodny Jorge. Bóg pragnie, byśmy przykładali nasz rozum do wielu spraw ciemnych, co do których Pismo pozostawiło nam wolność decydowania. A kiedy ktoś zachęca cię, żebyś uwierzył w jakieś twierdzenie, winieneś najprzód zbadać, czy nadaje się ono do przyjęcia, albowiem rozum nasz stworzony został przez Boga i to, co podoba się naszemu rozumowi, nie może nie podobać się rozumowi Boskiemu, o którym zresztą wiemy to jedynie, czego przez analogię, a często przez negację domyślamy się o drogach, jakimi chadza nasz rozum. Widzisz zatem, że czasem, by podważyć fałszywy autorytet jakiegoś niedorzecznego twierdzenia, które budzi odrazę rozumu, także śmiech może być narzędziem właściwym. Często śmiech służy także do tego, by upokorzyć niegodziwców i by zajaśniała ich głupota. Opowiada się o świętym Maurze, że

---

* Boga nie ma (łac.).

poganie wsadzili go do wrzącej wody, on zaś użalał się, iż kąpiel jest zbyt chłodna; pogański gubernator z głupoty włożył dłoń do wody, żeby to sprawdzić, i sparzył się. Piękny czyn tego świętego męczennika ośmieszył nieprzyjaciół wiary.

Jorge zaśmiał się szyderczo.

– Również w epizodach, które opowiadają kaznodzieje, znaleźć można wiele łgarstw. Święty zanurzony we wrzącej wodzie cierpi za Chrystusa i wstrzymuje krzyk, zgoła nie płata dziecinnych figli poganom!

– Widzisz? – rzekł Wilhelm. – Ta historia wydaje ci się wstrętna dla rozumu i oskarżasz ją, że jest śmieszna! Tak zatem milcząco i bacząc na swe wargi, śmiejesz się przecież z czegoś i chcesz, bym ja też nie wziął tego poważnie. Śmiejesz się ze śmiechu, ale śmiejesz się.

Jorge zrobił gest wyrażający znudzenie.

– Igrając ze śmiechem, wciągasz mnie w daremne dysputy. Wiesz jednak, że Chrystus się nie śmiał.

– Nie jestem tego pewny. Kiedy zachęca faryzeuszy, żeby pierwsi rzucili kamieniem, kiedy pyta, czyj wizerunek jest na monecie, którą płaci się podatek, kiedy igra słowami i powiada: *Tu es petrus*, mniemam, że chodzi o cięty przytyk, by zmieszać grzeszników, by podtrzymać ducha u swoich. Mówi w sposób dowcipny także, kiedy zwraca się do Kajfasza: „Rzekłeś". A kiedy Hieronim komentuje Jeremiasza, gdzie Bóg mówi Jeruzalem: *Nudavi femora tua contra faciem tuam**, wyjaśnia: *Sive nudabo et relevabo femora et posteriora tua**. Nawet więc Bóg wysławia się przez dowcipy, by upokorzyć tych, których chce ukarać. I wiesz doskonale, że w momencie najzacieklejszej walki między kluniakami a cystersami ci pierwsi, chcąc ośmieszyć drugich, oskarżyli ich, że nie noszą spodni. W *Speculum stultorum* zaś opowiada się o ośle Brunellusie, który zastanawia się, co by się stało, gdyby nocą wiatr uniósł okrycia i mnich ujrzał swój srom...

Mnisi dokoła roześmieli się, a Jorge wpadł we wściekłość.

– Ciągniesz mi tych konfratrów na święto szaleńców. Wiem, że wśród franciszkanów jest we zwyczaju zniewalać sobie sympatię ludu przez tego rodzaju głupstwa, ale o tych widowiskach powiem ci to, co powiada pewien wiersz, który słyszałem od jednego z waszych kaznodziejów: *Tum podex carmen extulit horridulum**.

---

* Obnażyłem biodra twoje przed twą twarzą (łac.).
* Obnażę i uwolnię biodra twe i pośladki (łac.).
* Wtedy tyłek zaśpiewał pieśń straszliwą (łac.).

Przytyk wydawał się trochę za mocny, Wilhelm był zuchwały, ale teraz Jorge oskarżał go o to, że puszcza wiatry ustami. Zastanowiłem się, czy ta surowa odpowiedź nie miała oznaczać ze strony starego mnicha zachęty, byśmy wyszli ze skryptorium. Ale zobaczyłem, że Wilhelm, tak dopiero co wojowniczy, zrobił się teraz łagodny jak baranek.

– Proszę cię o wybaczenie, czcigodny Jorge – rzekł. – Moje wargi zdradziły moje myśli, nie chciałem uchybić ci szacunku. Być może to, co powiedziałeś, jest słuszne, ja zaś się myliłem.

Jorge w obliczu tego aktu wyśmienitej pokory mruknął coś, co wyrażać mogło albo zadowolenie, albo wybaczenie, i nie mógł uczynić nic innego, jak tylko powrócić na swoje miejsce, gdy tymczasem mnisi, którzy w trakcie dysputy otaczali nas stopniowo, rozchodzili się teraz do swoich stołów. Wilhelm przykląkł znowu przed stołem Wenancjusza i wrócił do przewracania kart. Swoją pokorną odpowiedzią zarobił parę sekund spokoju. A to, co ujrzał w ciągu tych kilku sekund, dało natchnienie do poszukiwań w nocy, która miała nastąpić.

Było to doprawdy niewiele sekund. Bencjusz, udając, że kiedy podszedł, by posłuchać rozmowy z Jorge, przez zapomnienie zostawił na stole swój rylec, zbliżył się nagle i szepnął Wilhelmowi, iż musi pilnie z nim porozmawiać. Wyznaczając mu spotkanie na tyłach łaźni, prosił, by oddalił się pierwszy, on zaś wkrótce za nim podąży.

Wilhelm wahał się przez moment, po czym zawołał Malachiasza, który siedząc przy swym stole, na którym trzymał katalog, śledził wszystko, co się zdarzyło, i poprosił go, by na mocy upoważnienia udzielonego przez opata (położył nacisk na ten swój przywilej) postawił kogoś na straży stołu Wenancjusza, albowiem uznał za korzystne dla śledztwa, żeby nikt się tam nie zbliżył w ciągu dnia aż do chwili, kiedy on sam będzie mógł wrócić do skryptorium. Powiedział to głośno, ponieważ w ten sposób nie tylko zobowiązywał Malachiasza do pilnowania mnichów, ale i mnichów do pilnowania Malachiasza. Bibliotekarz musiał przyjąć słowa Wilhelma do wiadomości, ten zaś oddalił się wraz ze mną.

Kiedy szliśmy przez ogród i zbliżaliśmy się do łaźni, które przylegały do szpitala, Wilhelm zauważył:

– Zdaje się, że wielu nie chciałoby, bym położył rękę na czymś, co jest na stole Wenancjusza lub pod stołem.

– A co tam jest?

– Mam wrażenie, że tego nie wiedzą ci nawet, którym to nie w smak.

– Więc Bencjusz nie ma ci nic do powiedzenia i odciąga nas tylko od skryptorium?

– Zaraz się tego dowiemy – odparł Wilhelm. Rzeczywiście, rychło po nas nadszedł Bencjusz.

Dzień drugi

Seksta

Kiedy to Bencjusz snuje osobliwą opowieść, z której dowiedzieć się można niezbyt budujących rzeczy o życiu opactwa

To, co Bencjusz miał nam do powiedzenia, okazało się nieco zawiłe. Doprawdy zdać by się mogło, że zwabił nas tutaj po to tylko, żebyśmy oddalili się od skryptorium, ale mieliśmy też wrażenie, że nie mogąc wymyślić godnego wiary pozoru, to i owo powiedział zgodnie z jakąś szerszą, a znaną sobie prawdą.

Choć rankiem, oznajmił, wolał milczeć, teraz po dojrzałym namyśle mniema, że Wilhelm winien znać całą prawdę. Podczas sławetnej rozmowy o śmiechu Berengar napomknął o *finis Africae*. Cóż to takiego? Biblioteka pełna jest tajemnic, a zwłaszcza ksiąg, których nigdy nie daje się do czytania mnichom. Bencjusza uderzyły słowa Wilhelma o rozumowym sprawdzaniu teorematów. Jego zdaniem uczony mnich ma prawo poznać wszystko, co biblioteka przechowuje; wypowiedział pełne żaru słowa przeciw soborowi w Soissons, który potępił Abelarda; w miarę jak mówił, pojmowaliśmy, że tego młodego jeszcze mnicha, tak rozmiłowanego w retoryce, trawi gorączka niezawisłości i że z trudem znosi więzy, jakimi dyscyplina opactwa krępuje zaciekawienie jego rozumu. Mnie zawsze wpajano nieufne spojrzenie na ową ciekawość, lecz wiedziałem dobrze, że w sercu mojego mistrza taka postawa nie budzi niechęci, i spostrzegłem, iż współczuje Bencjuszowi i daje mu wiarę. Krótko mówiąc, Bencjusz, jak nam wyjaśnił, nie wiedział, o jakich sekretach Adelmus, Wenancjusz i Berengar mówili, lecz nie miałby nic przeciw temu, by ta smutna historia wniosła trochę światła w zarządzanie biblioteką, i nie tracił nadziei, że mój mistrz, jakkolwiek splątany będzie kłębek śledztwa, wydobędzie z niego argumenty, które zachęcą opata do pofolgowania w dyscyplinie życia umysłowego, ciążącej mnichom przybyłym z daleka, jak choćby on sam, dodał, by z cudów ukrytych w wielkim brzuchu biblioteki zaczerpnąć pokarm dla swojego rozumu.

Mniemam, że Bencjusz był szczery, gdy mówił, czego oczekuje od śledztwa. Ale jednocześnie, jak przewidział Wilhelm, chciał też być pierwszym, który będzie szperał na stole Wenancjusza, albowiem pożerała go ciekawość, i żeby utrzymać nas od tego stołu z daleka, gotów był dać nam w zamian inne wiadomości. A oto one.

Berengara trawiła, a wiedzą już o tym liczni mnisi, niezdrowa namiętność do Adelmusa, taż sama, przez którą gniew Boży spadł na Sodomę i Gomorę. Tak właśnie wyraził się Bencjusz, może mając na względzie mój młody wiek. Lecz kto spędził młodość w klasztorze, choćby sam zachował czystość, o owych namiętnościach usłyszeć musiał, a bywało, że i musiał dawać baczenie, by nie wpaść w pułapki zastawiane przez ich niewolników. Czyż mniszek, którym byłem, nie dostawał już w Melku od pewnego starszego mnicha liścików z wierszami, jakie człek świecki poświęca kobiecie? Śluby zakonne trzymają nas z dala od tego gniazda zła, jakim jest ciało kobiety, lecz często wiodą w sąsiedztwo innych zbłądzeń. Czyż mogę wreszcie kryć przed samym sobą, że nawet moją dzisiejszą starość dręczy południowy demon, gdy będąc w chórze, zapóźnię spojrzenie na pozbawionej zarostu twarzy nowicjusza, czystego i świeżego niczym dziewczę?

Mówię o tych rzeczach nie po to, by na nowo roztrząsać niegdysiejsze postanowienie o wyborze życia klasztornego, lecz by usprawiedliwić błędy wielu takich, którym to święte brzemię zdaje się zbyt ciężkim. Być może, by usprawiedliwić potworną zbrodnię Berengara. Jednak, według Bencjusza, ów mnich oddawał się występkowi w sposób jeszcze bardziej niecny, to jest posługiwał się szantażem, by uzyskać od innych to, czego dawanie winny im odradzić cnota i otoczenie, w którym żyli.

Tak więc od jakiegoś czasu mnisi prześmiewali się z czułych spojrzeń, jakimi Berengar obdarzał Adelmusa, który, jak się zdaje, był młodzieńcem wielce dorodnym. Tymczasem Adelmus, rozmiłowany bez reszty w swojej pracy, która była dlań jedynym źródłem rozkoszy, niewiele troszczył się o namiętność Berengara. Ale może, któż to zgadnie, nie wiedział o tym, że dusza jego w głębi skłaniała go do tej samej sromoty. Tak czy owak, Bencjusz powiedział, że podsłuchał rozmowę między Adelmusem a Berengarem i że Berengar, czyniąc aluzję do jakiegoś sekretu, o którego odsłonięcie Adelmus go prosił, podsuwał mu ów szkaradny targ, a nawet najniewinniejszy z czytelników może sobie przedstawić jaki. I zdaje się, że Bencjusz usłyszał z ust Adelmusa słowa zgody, wypowiedziane prawie z ulgą. Jakby, ważył się rzec Bencjusz, Adelmus niczego innego w głębi duszy nie pragnął i jakby starczyło mu znaleźć rację odmienną niż pożądanie cielesne, by wyrazić zgodę. To znak, przekonywał Bencjusz, iż sekret Berengara winien dotyczyć arkanów wiedzy, wtedy bowiem Adelmus mógł się łudzić, że po to popada w grzech cielesny, by zadowolić żądzę umysłu. A i mnie, dorzucił Bencjusz z uśmiechem, ileż to razy ogarniały żądze umysłu tak gwałtowne, że aby je uśmierzyć, zgodziłbym się zaspokoić czyjeś żądze cielesne, i to nawet przeciw własnej cielesnej chęci.

– Czy nie ma takich chwil – spytał Wilhelma – że ty też uczyniłbyś rzeczy naganne, byle tylko dostać do rąk księgę, której szukasz od lat?

– Wieki temu mądry i cnotliwy Sylwester II podarował nadzwyczaj cenny globus niebieski w zamian za manuskrypt, zdaje się, Stacjusza lub Lukiana – odparł Wilhelm. Potem dodał przezornie: – Ale chodziło o globus niebieski, nie zaś własną cnotę.

Bencjusz przyznał, że zapał pchnął go za daleko, i podjął opowieść. W noc poprzedzającą tę, kiedy umarł Adelmus, poszedł z ciekawości za tymi dwoma. I widział ich po komplecie, jak razem kierują się ku dormitorium. Czekał długo, nie domykając drzwi swojej celi, niezbyt odległej od ich cel, i kiedy cisza okryła sen mnichów, widział wyraźnie, jak Adelmus wyślizguje się do celi Berengara. Czuwał jeszcze, nie mogąc zasnąć, aż usłyszał, że drzwi celi Berengara otwierają się i Adelmus wymyka się, prawie biegnąc, choć przyjaciel próbuje go powstrzymać. Berengar podążał za Adelmusem krok w krok, kiedy ten schodził na dolne piętro. Bencjusz ostrożnie ruszył za nimi i na początku dolnego korytarza ujrzał drżącego Berengara, który wcisnąwszy się w kąt, wpatrywał się w drzwi celi Jorge. Bencjusz pojął, że Adelmus rzucił się do stóp starego współbrata, by wyznać swój grzech. A Berengar drżał, bo wiedział, że jego sekret będzie wydany, choć pod pieczęcią sakramentu.

Potem Adelmus wyszedł pobladły, odepchnął Berengara, który chciał mu coś powiedzieć, i wypadł z dormitorium, okrążając absydę kościoła i wchodząc do chóru przez drzwi od północy (które nocą zawsze pozostają otwarte). Zapewne chciał się modlić. Berengar ruszył za nim, ale nie wszedł do kościoła, tylko krążył wśród grobów cmentarza, załamując ręce.

Bencjusz nie wiedział, co ma czynić, i w tym momencie dostrzegł, że w pobliżu jest czwarta jakaś osoba. Ona też śledziła tamtych dwóch i z pewnością nie zauważyła obecności jego, Bencjusza, który stał za pniem dębu rosnącego na granicy cmentarza. Był to Wenancjusz. Na jego widok Berengar przycupnął między grobami, a wtedy Wenancjusz wszedł do chóru. Bencjusz zaś, lękając się, iż zostanie odkryty, wycofał się do dormitorium. Następnego ranka u stóp urwiska znaleziono trupa Adelmusa. Nic więcej Bencjusz nie wiedział.

Zbliżała się pora obiadu. Bencjusz opuścił nas, a mój mistrz nie wypytywał go już o nic. Pozostaliśmy przez chwilę na tyłach łaźni, a potem przechadzaliśmy się kilka minut po warzywniku, medytując nad tymi osobliwymi nowinami.

– Kruszyna – rzekł naraz Wilhelm, schylając się, by obejrzeć roślinę, którą w tym zimowym świetle rozpoznał wśród zarośli. – Napar z kory dobry na hemoroidy. A to *Arctium lappa*, kataplazm ze świeżych korzeni zabliźnia wypryski skórne.

– Masz większą wiedzę niż Seweryn – rzekłem. – Ale teraz powiedz mi, co mamy myśleć o tym, cośmy usłyszeli!

– Mój drogi Adso, winieneś nauczyć się posługiwać własną głową. Bencjusz powiedział nam zapewne prawdę. Jego opowieść zgodna jest z poranną opowieścią Berengara, nawiasem mówiąc, jakże naszpikowaną przywidzeniami. Spróbuj zrekonstruować wydarzenia. Berengar i Adelmus dopuszczają się bardzo brzydkiego czynu, przeczuwaliśmy to i przedtem. I Berengar musiał odsłonić Adelmusowi ów sekret, który dla nas pozostaje, niestety, sekretem. Popełniwszy ten występek przeciw czystości i prawu przyrody, Adelmus myśli jedynie o tym, żeby zwierzyć się komuś, kto będzie mógł go rozgrzeszyć, i biegnie do Jorge, który jest z natury bardzo surowy, mieliśmy tego dowody, i z pewnością nie szczędzi Adelmusowi zatrważających wymówek. Może nie udziela rozgrzeszenia, może narzuca mu niemożliwą do wykonania pokutę, nie wiemy, a Jorge nigdy nam tego nie wyjawi. Faktem jest, że Adelmus biegnie do kościoła, by paść na twarz przed ołtarzem, lecz nie może uśmierzyć wyrzutów sumienia. W tym momencie podchodzi doń Wenancjusz. Nie wiemy, co sobie mówią. Być może Adelmus powierza Wenancjuszowi sekret, dar (lub zapłatę) od Berengara, sekret, na którym zupełnie przestało mu zależeć, odkąd ma swój własny, znacznie straszniejszy i bardziej palący. Co dzieje się z Wenancjuszem? Być może, ogarnięty tą samą gorączkową ciekawością, która trawiła dzisiaj naszego Bencjusza, rad z uzyskanych wiadomości, pozostawia Adelmusa jego wyrzutom sumienia. Adelmus widzi, że został opuszczony, chce się zabić, wychodzi zdesperowany na cmentarz i tam spotyka Berengara. Mówi mu słowa straszliwe, ciska mu w twarz jego winę, nazywa go swoim bakałarzem w nikczemności. Jestem przeświadczony, że opowieść Berengara, jeśli uwolni się ją od wszystkich przywidzeń, jest zgodna z prawdą. Adelmus powtarza mu też same słowa pełne rozpaczy, które usłyszał od Jorge. I oto Berengar idzie, wstrząśnięty, w swoją stronę, a Adelmus w swoją, by odebrać sobie życie. Potem następuje dalszy ciąg, którego byliśmy niemal świadkami. Wszyscy sądzą, że Adelmusa zabito, Wenancjusz utwierdza się w przekonaniu, że sekret biblioteki jest ważniejszy, niż myślał uprzednio, i prowadzi nadal poszukiwania na własny rachunek. Dopóki ktoś go nie zatrzyma, nim zdąży odkryć to, za czym tak się uganiał, albo po dokonaniu tego odkrycia.

– Kto go zabił? Berengar?

– To możliwe. Lub Malachiasz, któremu powierzono czuwanie nad Gmachem. Lub jeszcze kto inny. Berengar jest podejrzany właśnie dlatego, że boi się i że wie, iż Wenancjusz posiadł już jego sekret. Malachiasz jest podejrzany: ma pieczę nad biblioteką, odkrywa, że ktoś pogwałcił jej nietykalność, więc zabija. Jorge wie wszystko o wszystkich, zna sekret Adelmusa, nie chce, bym ja odkrył to, co być może znalazł Wenancjusz. Wiele faktów skłania do tego, by myśleć o nim podejrzliwie. Ale powiedz mi sam, jak ślepiec mógłby zabić człowieka w pełni sił i jak starzec, choćby i silny, mógłby przenieść ciało do kadzi. Ale właściwie czemu zabójcą nie miałby być sam Bencjusz? Mógł nas okłamać, mógł kierować się dążeniami niestosownymi do wyjawienia. I czemu ograniczać podejrzenia do tych tylko, którzy uczestniczyli w rozmowie o śmiechu? Może motywy zbrodni były inne, może nie miały nic wspólnego z biblioteką. Tak czy inaczej, dwie rzeczy są niezbędne: musimy wiedzieć, jak wchodzi się do biblioteki nocą, i mieć światło. O to zadbaj ty. Pokręcisz się po kuchni w porze obiadu, weźmiesz kaganek...

– Kradzież?

– Pożyczka ku większej chwale Pana.

– Jeśli tak, możesz na mnie polegać.

– Wybornie. Co do wejścia do Gmachu, widzieliśmy, skąd wychynął Malachiasz wczorajszej nocy. Dzisiaj udam się do kościoła, a zwłaszcza do owej kaplicy. Za godzinę siadamy do stołu. Potem spotkanie z opatem. Będziesz na nie dopuszczony, albowiem prosiłem, by wolno mi było zabrać sekretarza, który zapisze to, co będzie się mówić.

Dzień drugi

Nona

Kiedy to opat okazuje dumę z zamożności swojego opactwa
i lęk przed heretykami, a pod koniec Adso rozważa, czy nie
uczynił źle, wybierając się w podróż po świecie

Zastaliśmy opata w kościele przed głównym ołtarzem. Przyglądał się pracy paru nowicjuszy; wydobyli oni z jakiejś skrytki zestaw świętych naczyń, kielichów, paten, monstrancji oraz krucyfiks, którego nie widziałem podczas porannego nabożeństwa. Aż krzyknąłem z zachwytu wobec olśniewającego piękna tych świętych sprzętów. Było samo południe i światło wlewało się strumieniami przez okna chóru, a jeszcze więcej przez okno od frontu, tworząc białe kaskady, jakby mistyczne potoki Boskiej substancji, krzyżując się w rozmaitych miejscach kościoła, zalewając też ołtarz.

Naczynia, kielichy – wszystko ujawniało swoją cenną materię; widziałem, jak między żółtością złota, nieskalaną bielą kości słoniowej a przejrzystością kryształu lśnią klejnoty najrozmaitszych barw i wielkości; rozpoznałem hiacynt, topaz, rubin, szafir, szmaragd, chryzolit, onyks, karbunkuł, jaspis i agat. I jednocześnie spostrzegłem to, co uszło mojej uwagi rano, albowiem najprzód porwała mnie modlitwa, później zaś powaliło przerażenie; antependium i trzy kwatery, które wieńczyły ołtarz, były całkowicie ze złota, a wreszcie cały ołtarz zdał się ze złota, z którejkolwiek strony by się na niego spojrzało.

Opat uśmiechnął się, widząc moje osłupienie.

– Bogactwa, które widzicie – rzekł, zwracając się do mnie i mego mistrza – a też inne, które jeszcze zobaczycie, są spuścizną po wiekach pobożności i oddania się Bogu oraz świadectwem potęgi i świetności opactwa. Aby wzbogacić ołtarz i święte naczynia do niego przeznaczone, książęta i możni tego świata, arcybiskupi i biskupi składali w ofierze pierścienie od swojej inwestytury, wyroby ze złota i kamienie, które były znakiem ich wielkości, i pragnęli, by zostały tu przetopione dla większej chwały Pana i tego miejsca Jemu oddanego. Chociaż dzisiaj opactwo zasmuciło się owym żałosnym wydarzeniem, nie możemy w obliczu naszej wątłości zapominać o sile i potędze Najwyższego. Zbliża się święto Bożego Narodzenia i przystępujemy do czyszczenia złotych sprzętów, by tym sposobem narodziny Zbawiciela były świętowane z całą wystawnością i wspaniałością, na jakie zasługują i jakich wymagają. Wszystko winno ukazać się w całym swym blasku... – dorzucił, wpatrując się uporczywie w Wilhelma, i zrozumiałem później, czemu z taką dumą nalegał na usprawiedliwienie swojego zatrudnienia – sądzimy bowiem, iż jest użyteczne i stosowne nie ukrywać darów złożonych Bogu, lecz przeciwnie, wychwalać je.

– Z pewnością – rzekł wielce uprzejmie Wilhelm. – Skoro, ojcze wielebny, uznajesz, że Pan w ten właśnie sposób winien być wielbiony, to opactwo osiągnęło największą doskonałość w głoszeniu Jego chwały.

– I tak być powinno – rzekł opat. – Skoro w świątyni Salomona dzbanki i czasze ze złota i małe złote moździerze zgodnie ze zwyczajem służyły z woli Boga lub rozkazu proroków do zbierania krwi kóz i cieląt lub jałówek, tym bardziej naczynia ze złota, kosztowne kamienie i to wszystko, co największą ma wartość wśród rzeczy stworzonych, winno być używane z czcią i pobożnością do zbierania krwi Chrystusa! Choćby substancja, z której jesteśmy uczynieni, stworzona była na nowo i stała się tą samą, co substancja cherubinów i serafinów, jeszcze niegodną byłaby służby przy ofierze tak niewypowiedzianej...

– I tak niechaj będzie – powiedziałem.

– Wielu mówi, że umysł natchniony świętością, czyste serce, intencja pełna wiary winny wystarczyć dla sprawowania tego świętego obrządku. My pierwsi potwierdzamy jasno i stanowczo, że jest to rzecz główna; lecz w naszym przekonaniu hołd należy składać także poprzez zewnętrzną ozdobę świętych sprzętów, jest bowiem nader słuszne i stosowne, byśmy służyli naszemu Zbawcy we wszystkich rzeczach i bez reszty, Jemu, który zechciał przysporzyć nam wszystkich rzeczy w całości i bez wyjątków.

– Taki zawsze był pogląd wielkich waszego zakonu – przyznał Wilhelm – i przypominam sobie, jak pięknie pisał o ozdobach kościoła wielki i czcigodny opat Suger.

– Tak jest – rzekł opat. – Spójrzcie na ten krucyfiks. Jest jeszcze niedokończony... – Wziął krucyfiks do ręki z miłością, a oblicze jaśniało mu szczęściem. – Brak tu jeszcze paru pereł, nie znalazłem takich, które by miały stosowne wymiary. Niegdyś święty Andrzej zwrócił się ku krzyżowi z Golgoty, mówiąc, iż jest ozdobiony członkami Chrystusa niby perłami. I perłami właśnie winno być ozdobione to skromne wyobrażenie wielkiego cudu. Choć uznałem też za rzecz odpowiednią osadzenie w tym miejscu, tuż nad głową Zbawiciela, najpiękniejszego diamentu, jaki zdarzyło się wam widzieć. –

Pogłaskał pobożnie długimi białymi palcami najcenniejsze części świętego drzewa albo raczej kości słoniowej, albowiem z tej wzniosłej materii zrobione były ramiona krzyża. – Kiedy rozkoszuję się wszystkimi pięknościami tego domu Boga, czar wielobarwnych kamieni odrywa mnie od trosk o sprawy inne, a pełna czci medytacja, przeistaczając to, co materialne, w to, co niematerialne, skłania ku rozmyślaniom nad rozmaitością świętych cnót. Wówczas zda mi się, że oto znalazłem się, by tak rzec, w dziwnym rejonie świata, w rejonie, który ani nie jest bez reszty zamknięty w brudzie ziemskim, ani całkowicie wyzwolony w czystości niebios. I zda mi się też, że z łaski Bożej mogę być wzniesiony z tego niższego świata do wyższego drogą anagogiczną...

Mówiąc, zwracał twarz w stronę nawy. Fala światła, przenikającego od góry, dzięki szczególnej przychylności gwiazdy dziennej oświetlała mu twarz i ramiona, które otworzył na kształt krzyża, ogarnięty zapałem.

– Wszelkie stworzenie – powiedział – widoczne czy niewidoczne jest światłem niesionym bytowi przez Ojca światłości. Ta kość słoniowa, ten onyks, lecz i kamień wokół nas, są światłem, ponieważ postrzegam, że są dobre i piękne, że istnieją podług własnych reguł proporcji, że różnią się rodzajem i gatunkiem od wszystkich innych rodzajów i gatunków, że są określone własną liczbą, że nie przynoszą ujmy swojemu rodzajowi, że szukają właściwego im miejsca stosownie do swej wagi. I tym lepiej te sprawy są mi objawione, im materia, na którą patrzę, jest przez swą naturę cenniejsza, i o tyle jaśniejsze światło pada na twórczą potęgę Boga, jeżeli do wzniosłości niedostępnej w swej pełni przyczyny wspinam się od wzniosłego skutku; i o ileż lepiej o Boskiej przyczynowości mówi mi cudowny skutek, jak złoto i diamenty, skoro mówić mi o niej potrafi nawet łajno i owad! Tak więc, kiedy w tych kamieniach dostrzegam owe sprawy wyższe, dusza płacze ze wzruszenia i radości, i nie z ziemskiej próżności lub umiłowania bogactwa, ale z najczystszego ukochania przyczyny pierwszej, która swej przyczyny nie ma.

– Doprawdy, oto najsłodsza z teologii – rzekł Wilhelm z doskonałą pokorą.

Pomyślałem, że użył tej podstępnej figury, którą retorycy nazywają ironią, a której użycie zawsze winno być poprzedzone przez pronuntiatio, będące jej sygnałem i uzasadnieniem; tej rzeczy wszak Wilhelm nie czynił nigdy. Oto powód, dla którego opat, bardziej skłonny do używania figur w mowie, wziął wypowiedź Wilhelma dosłownie i porwany mistycznym uniesieniem dorzucił jeszcze:

– Jest to najprostsza z dróg wiodących do Najwyższego, materialna teofania.

Wilhelm chrząknął grzecznie:

– Ech... och...

Czynił tak, kiedy chciał zmienić przedmiot rozmowy. Łatwo to osiągał, albowiem miał w zwyczaju, i zdaje mi się, że jest to typowe dla ludzi z jego ziemi, pojękiwać przewlekle za każdym razem, kiedy zamierzał zabrać głos, jakby za przystąpienie do wyrażenia ukształtowanej przecie myśli płacił wielkim wysiłkiem umysłowym. I jak się już przekonałem, im większą liczbą wstępnych jęków opatrywał wystąpienie, tym pewniejszy był słuszności twierdzeń, jakie miał w nim wypowiedzieć.

– Ech... och... – rzekł więc Wilhelm. – Mamy mówić o spotkaniu i o dyskusji na temat ubóstwa...

– Ubóstwo... – powiedział zaprzątnięty jeszcze swoimi myślami opat, jakby z trudem przychodziło mu zstąpienie z tych pięknych regionów świata, w które wyniosły go jego klejnoty. – To prawda, spotkanie...

I zaczęli żywo rozprawiać o rzeczach, które po części już znałem, a po części zdołałem pojąć teraz, przysłuchując się rozmowie. Chodziło, jak już wspomniałem na samym początku mej wiernie spisywanej kroniki, o podwójny spór, z jednej strony przeciwstawiający cesarza papieżowi, z drugiej zaś papieża franciszkanom z kapituły w Perugii, którzy, aczkolwiek z wieloletnim opóźnieniem, przyjęli tezy duchowników o ubóstwie Chrystusa; oraz o intrygę, która powiązała franciszkanów z cesarstwem i która – z trójkąta sprzeczności i przymierzy – przeobraziła się teraz w czworokąt, a to wskutek wtrącania się, dla mnie jeszcze zupełnie niezrozumiałego, opatów Zakonu Świętego Benedykta.

Nigdy nie pojąłem jasno racji, dla których opaci benedyktyńscy udzielili obrony i schronienia franciszkańskim duchownikom, nim jeszcze ich własny zakon zaczął podzielać w pewnej mierze owe zapatrywania. Chociaż bowiem duchownicy głosili wyrzeczenie się wszelkich dóbr ziemskich, opaci mojego zakonu, a właśnie dopiero co uzyskałem olśniewające tego potwierdzenie, szli drogą nie mniej cnotliwą, tyle że w kierunku całkowicie przeciwnym. Jak mi się zdaje, opaci uznali, że nadmierna potęga papieża oznacza nadmierną potęgę biskupów i miast, a przecież mój zakon utrzymał w ciągu wieków swoją nienaruszoną potęgę właśnie w walce z duchowieństwem świeckim i miejskimi kupcami, obejmując rolę bezpośredniego mediatora między niebem a ziemią oraz doradcy monarchów.

Tyle razy słyszałem, jak powtarza się zdanie, że lud Boży dzieli się na pasterzy (albo księży), psy (albo wojowników) i owieczki, czyli lud. Ale potem nauczyłem się, że owo zdanie można wypowiadać na rozmaite sposoby. Benedyktyni mówili często nie o trzech porządkach, ale o dwóch wielkich dziedzinach, jednej dotyczącej zarządzania rzeczami ziemskimi i drugiej zarządzającej rzeczami niebiańskimi. W zakresie spraw ziemskich miał miejsce podział na księży, panów świeckich i lud, ale nad tym trójpodziałem dominował ordo monachorum, ogniwo łączące bezpośrednio lud Boży z niebem, mnisi zaś nie mieli nic wspólnego z tymi pasterzami świeckimi, którymi są księża i biskupi, nieuczeni i zdeprawowani, skłonni teraz sprzyjać interesom miast, gdzie owieczkami nie są już jakże poczciwi i wierni wieśniacy, lecz kupcy i rękodzielnicy. Zakon benedyktyński nie miał nic przeciw temu, żeby rządy nad prostaczkami powierzone były księżom świeckim, byleby tylko ustanowienie ostatecznej reguły tego stosunku przypadło mnichom, będącym w bezpośredniej styczności ze źródłem wszelkiej władzy ziemskiej, cesarstwem, tak jak są w styczności ze źródłem wszelkiej władzy niebieskiej. Oto czemu, jak sądzę, wielu opatów benedyktyńskich, pragnąc przywrócić dostojeństwo cesarstwu z uszczerbkiem dla rządów miast (zjednoczonych biskupów i kupców), zgodziło się również chronić franciszkańskich duchowników, których zapatrywań nie podzielali, ale których obecność była im wygodna, podsuwała bowiem cesarstwu dobre sylogizmy przeciw przemożnej władzy papieża.

Takie były, jak wywnioskowałem, powody, dla których w tej chwili Abbon skłaniał się do współpracy z Wilhelmem, wysłannikiem cesarza, by tym sposobem objąć rolę mediatora między zakonem franciszkańskim a Stolicą Apostolską. Mimo gwałtowności sporu, jakże groźnej dla jedności Kościoła, Michał z Ceseny, po wielekroć wzywany do Awinionu przez papieża Jana, postanowił w końcu przyjąć zaproszenie, nie chciał bowiem, by jego zakon starł się ostatecznie z papieżem. Ten generał franciszkanów chciał za jednym zamachem doprowadzić do triumfu stanowiska zakonu i pozyskać sobie papieża, a to z tego między innymi względu, iż pojmował, że bez zgody papieża nie będzie mógł pozostać długo na czele swojego zakonu.

Lecz wielu było takich, którzy ostrzegali, że papież chce ściągnąć go do Francji, by zastawić nań pułapkę, oskarżyć o herezję i postawić przed trybunałem. I dlatego też doradzali, by wyprawę Michała do Awinionu poprzedziły układy. Marsyliusz miał lepszy pomysł: wysłać razem z Michałem cesarskiego legata, który przedstawiłby papieżowi punkt widzenia zwolenników cesarza. Nie tyle po to, by przekonali starego Cahorsa, ale żeby wzmocnić pozycję Michała, który jako członek legacji cesarskiej nie mógłby tak łatwo paść ofiarą zemsty papieża.

Również ten pomysł przedstawiał jednak liczne niedogodności i nie nadawał się do wprowadzenia od razu w życie. Stąd pojawiła się myśl o wstępnym spotkaniu członków legacji cesarskiej z kilkoma wysłannikami papieża w celu wysondowania stanowisk i opracowania umów, które gwarantowałyby bezpieczeństwo włoskich gości. Organizację pierwszego posiedzenia powierzono właśnie Wilhelmowi z Baskerville. Miał on także przedstawić w Awinionie punkt widzenia teologów cesarskich, jeśliby stwierdził, że wyprawa jest możliwa bez narażenia się na niebezpieczeństwo. Przedsięwzięcie niełatwe, albowiem przypuszczano, że papież, który chciał mieć Michała samego, bo wtedy łacniej mógł go nakłonić do posłuszeństwa, pouczył wysłaną do Włoch legację, by, jeśli będzie to tylko możliwe, doprowadziła do tego, że wysłannicy cesarscy wyrzekną się wyprawy na jego dwór. Wilhelm poczynał sobie dotąd nader zręcznie. Po długich naradach z rozmaitymi opatami benedyktyńskimi (oto przyczyna tak wielu postojów w czasie naszej podróży) wybrał opactwo, w którym właśnie się znaleźliśmy, ponieważ wiadomo było, że opat jest bardzo oddany cesarstwu, a jednocześnie dzięki wielkiej biegłości w sprawach dyplomacji nie jest źle widziany na dworze papieskim. Opactwo było więc tym neutralnym terenem, na którym dwie strony mogły się spotkać.

Ale papieżowi tego było jeszcze mało. Wiedział, że jak tylko jego legacja znajdzie się na terenie opactwa, będzie podlegać jurysdykcji opata; a ponieważ w jej skład wchodzili także księża świeccy, nie godził się na tę klauzulę, powołując się na obawy przed zasadzką cesarską. Wysunął więc warunek, by nietykalność jego wysłanników powierzona została pieczy kompanii łuczników króla francuskiego, pozostającej pod rozkazami osoby, której ufał. To właśnie dosłyszałem niewyraźnie, kiedy Wilhelm rozprawiał z wysłannikiem papieża w Bobbio; chodziło o formułę, która określi zadania tej kompanii, czyli co się rozumie przez chronienie nietykalności papieskich wysłanników. Przyjęto w końcu formułę zaproponowaną przez awiniończyków, która wydała się rozsądna: zbrojni i ich dowódca obejmą jurysdykcję „nad wszystkimi, którzy w jakikolwiek sposób zmierzać będą do naruszenia życia członków pontyfikalnej legacji oraz wpływać na ich zachowanie i sąd za pomocą czynów gwałtownych". Ówcześnie zdawało się, że natchnieniem dla tych układów są troski czysto formalne. Teraz, po wydarzeniach, które miały niedawno miejsce, opat niepokoił się i wyjawił swoje wątpliwości Wilhelmowi. Jeśli legacja przybędzie do opactwa, zanim ujawniony zostanie autor dwóch zbrodni (dzień później zatroskanie opata musiało wzrosnąć, bo były już trzy zbrodnie), trzeba będzie przyznać, że w tych murach krąży ktoś, kto może za pomocą czynów gwałtownych wpłynąć na sąd i zachowanie papieskich legatów.

Na nic by się zdały zabiegi o ukrycie popełnionych zbrodni, bo jeśli doszłoby do jakichkolwiek dalszych wypadków, legaci papiescy pomyśleliby, że uknuto przeciw nim spisek. Były więc tylko dwa rozwiązania: albo Wilhelm odkryje mordercę przed przybyciem legacji (i w tym momencie opat wlepił w niego spojrzenie, jakby chciał mu przyganić, że dotąd nie poradził sobie z tą sprawą), albo przyjdzie uprzedzić uczciwie przedstawiciela papieża, co się dzieje, i prosić go o współpracę i ścisły nadzór nad opactwem podczas trwania prac. To rozwiązanie opatowi nie przypadło do smaku, bo oznaczało wypuszczenie z rąk cząstki rządów i poddanie własnych mnichów baczeniu Francuzów. Ale nie można było ryzykować. Obaj, Wilhelm i opat, trapili się obrotem, jaki przyjęły sprawy, ale nie mieli wielkiego wyboru. Obiecali więc sobie, że ostateczną decyzję podejmą następnego dnia. Na razie nie pozostawało nic innego, jak tylko powierzyć się miłosierdziu Bożemu i mądrości Wilhelma.

– Uczynię, co możliwe, ojcze wielebny – rzekł Wilhelm. – Ale z drugiej strony nie dostrzegam, w jaki sposób sprawa ta mogłaby naprawdę przynieść szkodę spotkaniu. Również przedstawiciel papieski pojmie, że zachodzi różnica między dziełem szaleńca lub człeka żądnego krwi, lub może tylko zagubionej duszy, a poważnymi kwestiami, nad którymi będą tu radzić ludzie prawi.

– Tak mniemasz? – spytał opat, wpatrując się w Wilhelma. – Nie zapominaj, że awiniończycy wiedzą, iż natkną się tutaj na braci mniejszych, a więc osoby niebezpiecznie bliskie braciaszkom i innym, jeszcze szaleńszym od braciaszków, na niebezpiecznych kacerzy, splamionych zbrodniami – i w tym momencie opat zniżył głos – wobec których wypadki, skądinąd szkaradne, jakie miały miejsce w opactwie, blednąc niczym chmura pod działaniem promieni słonecznych.

– Przecież to co innego! – wykrzyknął żywo Wilhelm. – Nie możesz przykładać tej samej miary do braci mniejszych z kapituły w Perugii i jakiejś bandy kacerzy, którzy opacznie pojęli posłanie Ewangelii, przemieniając walkę z bogactwem w ciąg prywatnych odwetów i krwawych szaleństw...

– Niewiele lat minęło od chwili, kiedy ledwie parę mil stąd jedna z tych band, jak je nazywasz, spustoszyła ogniem i mieczem ziemie biskupa Vercelli i okolice Novary – odparł oschle opat.

– Masz na myśli brata Dulcyna i apostołów...

– Pseudoapostołów – poprawił opat. I oto znowu usłyszałem, jak wspomina się brata Dulcyna i pseudoapostołów, i znowu tonem ostrożnym, prawie z odcieniem lęku.

– Pseudoapostołów – zgodził się skwapliwie Wilhelm. – Ale oni nie mieli nic wspólnego z braćmi mniejszymi...

– Którzy jednak głosili tę samą cześć dla Joachima z Kalabrii – nie ustępował opat – i możesz zapytać o to swojego konfratra Hubertyna.

– Zwracam uwagę, ojcze wielebny, że teraz jest twoim konfratrem – powiedział Wilhelm z uśmiechem i rodzajem niby-ukłonu, jakby chciał powinszować opatowi tego, że zyskał dla swojego zakonu człowieka cieszącego się tak dobrym imieniem.

– Wiem, wiem. – Opat się uśmiechnął. – A i ty wiesz, z jaką braterską życzliwością nasz zakon przyjął duchowników, kiedy ściągnęli na siebie gniew papieża. Mam na myśli nie tylko Hubertyna, ale też licznych innych, skromniejszych braci, o których niewiele się wie, choć może powinno się wiedzieć więcej. Bywało bowiem tak, żeśmy przyjmowali uciekinierów, którzy przybywali odziani w habit braci mniejszych, a później dowiadywałem się, że koleje życia niosły ich w stronę zwolenników Dulcyna...

– Również tutaj? – spytał Wilhelm.

– Również tutaj. Wyjawiam ci coś, o czym w rzeczywistości wiem bardzo niewiele, a w każdym razie nie dość, by formułować oskarżenie. Ale zważywszy na to, iż prowadzisz śledztwo dotyczące życia w tym opactwie, dobrze, byś i ty wiedział o tych sprawach. Powiem ci przeto, że podejrzewam, uważaj, podejrzewam, opierając się na tym, co słyszałem lub odgadłem, iż w życiu naszego klucznika, który właśnie przybył tutaj przed laty razem z falą braci mniejszych, był moment bardzo mroczny.

– Klucznika? Remigiusz z Varagine miałby być zwolennikiem brata Dulcyna? Wygląda na człeka zbyt łagodnego, a w każdym razie mniej troszczącego się o panią biedę niż ktokolwiek mi znany... – powiedział Wilhelm.

– I w istocie nie mogę rzec o nim nic, i korzystam z jego usług, za które wdzięczna mu jest cała wspólnota. Lecz mówię o tym, byś zrozumiał, jak łatwo jest znaleźć powiązania między bratem a braciaszkiem.

– Raz jeszcze, ojcze wielebny, jesteś niesprawiedliwy, jeśli wolno mi się tak wyrazić – przerwał mu Wilhelm. – Mówimy o zwolennikach Dulcyna, nie zaś o braciaszkach. O tych wiele można powiedzieć – nie wiedząc nawet, o kim się mówi, albowiem są ich rozmaite rodzaje – lecz nie to, że są krwiożerczy. Można im najwyżej zarzucić, że bez należytego rozeznania wprowadzają w życie rzeczy, które duchownicy głosili z większym umiarem i ożywieni prawdziwą miłością do Boga, choć zgoda, granice między jednymi a drugimi są dość płynne...

– Ale braciaszkowie to heretycy! – wykrzyknął opat. – Nie zadowalają się utrzymywaniem, że Chrystus i apostołowie byli biedni, doktryną, która, choć jej nie podzielam, może być z pożytkiem przeciwstawiona awiniońskiej pysze. Braciaszkowie dobywają z tej doktryny praktyczny sylogizm, wniosek o prawie do buntu, do pustoszenia, do deprawowania obyczaju.

– Ale którzy braciaszkowie?

– Wszyscy, w ogóle. Wiesz, że splamili się haniebnymi zbrodniami, że nie uznają małżeństwa, że przeczą istnieniu piekła, że oddają się sodomii, że przyłączają się do herezji bogomiłów porządku bułgarskiego i *ordo Drygonthie*...

– Proszę cię – rzekł Wilhelm – nie mieszaj rzeczy różnych! Mówisz tak, jakby braciaszkowie, patareni, waldensi, katarzy, a wraz z nimi bogomili z Bułgarii i kacerze z Dragowicy byli jednym i tym samym!

– Bo są – odparł sucho opat. – Są, gdyż to heretycy, i są, gdyż narażają na szwank porządek świata świeckiego, także porządek cesarski, którego ty, jak się zdaje, pragniesz. Sto i więcej lat temu stronnicy Arnolda z Brescii podpalali domy szlachetnie urodzonych i kardynałów; takie były właśnie owoce lombardzkiej herezji patarenów. Wiem o tych heretykach rzeczy straszne, a czytałem je u Cezariusza z Eisterbach. W Weronie kanonik od Świętego Gedeona, Everardo, zauważył pewnego razu, że ten, który go gościł, wychodzi co noc z żoną i córką. Wypytał, nie pamiętam już które z trojga, żeby się dowiedzieć, dokąd to chodzą i co czynią. Przyjdź i zobacz, odpowiedziano mu. I poszedł z nimi do podziemnego domu, bardzo obszernego, gdzie zgromadziły się osoby obu płci. Herezjarcha, kiedy już zapadła cisza, wygłosił mowę pełną bluźnierstw, z zamiarem zepsucia ich życia i obyczajów. Potem zgaszono świecę i każdy rzucił się na swoją sąsiadkę, nie czyniąc różnicy między żoną prawowitą a kobietą niezamężną, między wdową a dziewicą, panią a służką ani (co było najgorsze, wybacz mi, Panie, iż mówię rzeczy tak plugawe) między własną córką a siostrą. Everardo, widząc to wszystko, jako

152

lekkomyślny i lubieżny młodzieniec udawał wyznawcę i zbliżył się, nie wiem już, czy do córki swojego gospodarza, czy do jakiejś innej dzieweczki, i zgrzeszył z nią, kiedy zgasła świeca. Co więcej, czynił to przez ponad rok i w końcu sam mistrz oznajmił, że młodzian z taką korzyścią uczestniczy w ich zgromadzeniach, iż rychło będzie mógł nauczać neofitów. W tym momencie Everardo pojął, w jaką przepaść runął, i zdołał wymknąć się zwodniczym urokom, mówiąc, że przychodził do tego domu nie dlatego, iżby pociągała go herezja, lecz iż pociągały go dziewki. Został więc wypędzony. Lecz takie oto, widzisz, jest prawo i takie życie heretyków, patarenów, katarów, joachimitów – wszelkiej maści. Nic w tym dziwnego; nie wierzą w zmartwychwstanie ciał i w piekło jako karę dla niegodziwców i utrzymują, że można robić wszystko bezkarnie. Wszak mówią o sobie *catharoi*, to jest „czyści".

– Abbonie – rzekł Wilhelm – żyjesz w tym wspaniałym i świętym opactwie z dala od podłości świata. Życie w miastach jest o wiele bardziej złożone, niż sądzisz, i są, widzisz, stopnie w błądzeniu i niegodziwości. Lot był znacznie mniejszym grzesznikiem niż jego współobywatele, którzy mieli nieczyste myśli nawet wobec aniołów przysłanych przez Boga, zdrada Piotrowa zaś była niczym wobec zdrady Judasza, bo jednemu wybaczono, a drugiemu nie. Nie możesz uważać patarenów i katarów za to samo. Pataria to ruch reformy obyczaju w granicach praw świętej matki Kościoła. Chcą jedynie ulepszyć sposób życia osób duchownych.

– Utrzymując, że nie powinno się przyjmować sakramentów od kapłanów, którzy się zbrukali...

– I błądzą, lecz jest to tylko błąd doktrynalny. Nigdy nie zamierzali zmieniać prawa Bożego...

– Ale patariańskie kazanie Arnolda z Brescii, które ów wygłosił w Rzymie ponad dwieście lat temu, pchnęło tłum wieśniaków do podpalenia domów szlachty i kardynałów.

– Arnold starał się wciągnąć do swojego ruchu reform władze miejskie. Nie poszły za nim, znalazł natomiast zrozumienie wśród ciżby biedaków i wydziedziczonych. Nie można obarczać go winą za to, że chcąc uczynić miasto mniej zepsutym, odpowiedzieli na jego wezwanie z taką siłą i takim gniewem.

– Miasto jest zawsze zepsute.

– Miasto jest miejscem, w którym żyje dzisiaj lud Boży, my zaś jesteśmy tego ludu pasterzami. Jest miejscem zgorszenia, albowiem bogaty prałat głosi ubóstwo biednemu i wygłodzonemu ludowi. Zamieszki patarenów z tej właśnie zrodziły się sytuacji. Są godne pożałowania, nie są niepojęte. Z katarami sprawa wygląda inaczej. Jest to herezja wschodnia, która przyszła spoza Kościoła. Nie wiem, czy naprawdę popełniają lub popełniali czyny, które się im przypisuje. Wiem, że odrzucają małżeństwo i przeczą istnieniu piekła. Zadaję sobie pytanie, czy o wiele z czynów, których nie popełnili, nie oskarżono ich dlatego tylko, że podtrzymywali takie a nie inne idee (z pewnością haniebne).

– I powiadasz mi, że katarzy nie wmieszali się między pateranów i że jedni i drudzy nie są niczym innym, jak tylko dwiema z niezliczonych twarzy tego samego zła?

– Powiadam, że wiele z tych herezji, niezależnie od doktryn, których bronią, ma powodzenie u prostaczków, ponieważ podsuwają im nadzieję innego życia. Powiadam, że bardzo często prostaczkowie niewiele wiedzą o doktrynie. Powiadam, że nieraz tłumy prostaczków pomieszały kazania katarskie z kazaniami pateranów, te zaś z tym, co mówią duchownicy. Życie prostaczków, Abbonie, nie jest rozświetlone mądrością i czujnym baczeniem na rozróżnienia, jakich dokonują mędrcy. Udręczone jest chorobą, ubóstwem, wyraża się z trudem wskutek niewiedzy. Dla wielu z tych ludzi przyłączenie się do grupy heretyków jest tylko jednym ze sposobów, ani gorszym, ani lepszym, wykrzyczenia swojej rozpaczy. Dom kardynała można spalić bądź dlatego, że pragnie się udoskonalić życie duchowieństwa, bądź że przeczy się istnieniu piekła, o którym owo duchowieństwo mówi. Lecz zawsze dlatego, że istnieje to piekło na ziemi i że żyje w nim trzoda, której jesteśmy pasterzami. Wszak wiesz doskonale, że jak oni nie czynią rozróżnienia między Kościołem bułgarskim a zwolennikami księdza Lipranda, tak często władza cesarska i jej stronnicy nie rozróżniają duchowników od kacerzy. Nierzadko grupy gibelinów, chcąc pobić swoich przeciwników, podtrzymywały wśród ludu prądy katarskie. Zdaje mi się, że czyniły źle. I teraz wiem, że te same grupy, chcąc pozbyć się niespokojnych, zbyt niebezpiecznych i za „prostackich" adwersarzy, przypisywały jednym herezje innych i słały wszystkich na stos. Widziałem, przysięgam ci, Abbonie, widziałem na własne oczy, jak ludzi żyjących cnotliwie, szczerych zwolenników ubóstwa i czystości, lecz wrogów biskupów, owi biskupi oddawali sądom świeckim, pozostającym na usługach bądź cesarstwa, bądź wolnych miast, oskarżając ich o wspólnotę płciową, sodomię, niecne praktyki – którymi może nie ci, lecz właśnie tamci zgrzeszyli. Prostaczkowie są przeznaczeni na rzeź, można ich wykorzystać, kiedy trzeba przysporzyć kłopotów wrogiemu obozowi, ale poświęca się ich, kiedy stają się zbędni.

– Czy przeto – rzekł opat z widoczną złośliwością – brat Dulcyn i jego szaleńcy, Gerard Sagalelli i jego nikczemni mordercy byli niecnymi katarami czy zacnymi braciaszkami, sodomickimi bogomiłami czy reformatorskimi patarenami? Zechciej mi więc powiedzieć, Wilhelmie, ty, który wiesz wszystko o heretykach, tak że zdasz się jednym z nich, gdzie jest prawda?

– Niekiedy ani po jednej, ani po drugiej stronie – odparł ze smutkiem Wilhelm.

– Czy dostrzegasz więc, że nawet ty nie potrafisz rozróżnić między tym, co jest heretyckie, a tym, co heretyckie nie jest? Ja mam przynajmniej moją regułę. Wiem, że heretykami są ci, co narażają na szwank porządek, według którego rządzi się lud Boży. I bronię cesarstwa, gdyż ono mi ten porządek zapewnia. Zwalczam papieża, gdyż daje władzę duchową biskupom z miast, którzy sprzymierzają się z kupcami i cechami, a nie umieją tego porządku utrzymać. My utrzymywaliśmy go przez wieki. Co się zaś tyczy heretyków, mam jedną regułę i streszcza się ona w odpowiedzi, jaką Arnold Amalryk, opat Citeaux, dał temu, który pytał go, co uczynić z mieszkańcami Béziers, miasta podejrzanego o herezję: „Zabij ich wszystkich, Bóg rozpozna swoich".

Wilhelm spuścił wzrok i trwał chwilę w milczeniu. Potem rzekł:

– Miasto Béziers zostało wzięte i nasi nie oglądali się ani na godność, ani na płeć, ani na wiek i prawie dwadzieścia tysięcy ludzi umarło od miecza. Po tej rzezi miasto splądrowano i spalono.

– Wojna święta to też wojna.

– Wojna święta to też wojna. Właśnie dlatego może nie powinno być wojen świętych. Lecz cóż mówię, jestem tu, by bronić praw Ludwika, który wszak pustoszy ogniem Italię. Ja też zostałem wciągnięty w grę dziwacznych przymierzy. Dziwne przymierze duchowników z cesarstwem, dziwne cesarstwa z Marsyliuszem, który żąda suwerenności dla ludu. I dziwne przymierze między nami dwoma, tak odmiennymi w słowach, które wypowiadamy, i w tradycji. Ale mamy dwa zadania wspólne. Powodzenie spotkania i odkrycie mordercy. Starajmy się postępować w pokoju.

Opat otworzył ramiona.

– Daj mi pocałunek pokoju, bracie Wilhelmie. Z człowiekiem o takiej wiedzy jak twoja można długo rozprawiać o subtelnych kwestiach teologii i moralności. Lecz nie powinniśmy folgować upodobaniom do dysputy, jak czynią to mistrzowie z Paryża. To prawda, mamy przed sobą ważne zadanie, przeto musimy postępować wspólnie i zgodnie. Ale zacząłem mówić o tych rzeczach, bo sądzę, że mają one pewien związek, czy pojmujesz? Związek możliwy, a więc rzecz w tym, iż tamci mogą dostrzec jakieś ogniwo łączące zbrodnie, które tu miały miejsce, z tezami twoich współbraci. Dlatego też ostrzegłem cię i dlatego musimy zapobiec wszelkiemu podejrzeniu lub insynuacji ze strony awiniończyków.

– Czyż nie winienem pomyśleć, ojcze wielebny, że wskazałeś mi również trop w moim śledztwie? Utrzymujesz, że u źródła niedawnych wydarzeń może być jakaś mroczna historia, sięgająca heretyckiej przeszłości któregoś z mnichów?

Opat milczał przez jakiś czas, patrząc na Wilhelma, a jego twarz pozostawała bez wyrazu. Potem rzekł:

– W tej smutnej sprawie ty jesteś inkwizytorem. Twoją rzeczą jest być podejrzliwym, a nawet podejmować ryzyko podejrzenia niesłusznego. Ja jestem tutaj tylko ojcem dla wszystkich. I dodam, że gdybym wiedział, iż przeszłość jednego z moich mnichów skłania do uzasadnionych podejrzeń, już bym przystąpił do wykorzenienia chwastu. Co ja wiem, wiesz i ty. To, czego nie wiem, winno wyjść na światło dnia dzięki twojej mądrości. Lecz w każdym przypadku mów o wszystkim zawsze i najpierw mnie. – Skłonił się i wyszedł z kościoła.

– Historia komplikuje się, mój drogi Adso – rzekł Wilhelm z posępną twarzą. – Biegamy za manuskryptem, krzątamy się, zaprzątają nas diatryby niektórych nazbyt ciekawskich mnichów oraz sprawy innych znowuż mnichów, nazbyt lubieżnych, i oto zaczyna rysować się coraz natarczywiej jeszcze inny trop, całkiem odmienny. A więc klucznik... A z klucznikiem przybył tutaj ten dziwaczny okaz Salwator... Ale teraz musimy wypocząć, albowiem zamierzamy nie spać w nocy.

– Więc nadal chcesz dostać się nocą do biblioteki? Nie porzucasz pierwszego tropu?

– W żadnym razie. Zresztą któż powiedział, że chodzi o dwa osobne tropy? A wreszcie może ta historia z klucznikiem jest tylko owocem podejrzliwości opata.

Ruszył w stronę budynku dla pielgrzymów. Kiedy dotarł do progu, zatrzymał się i jakby ciągnąc poprzedni wątek, powiedział:

– W gruncie rzeczy opat dlatego polecił mi prowadzić śledztwo w sprawie Adelmusa, że pomyślał, iż coś niedobrego dzieje się wśród młodych mnichów. Ale śmierć Wenancjusza zbudziła inne podejrzenie. Być może opat pojął, że klucz do tajemnicy znajduje się w bibliotece, a woli, bym trzymał się od niej z daleka. Podsuwa mi ślad klucznika, by odciągnąć moją uwagę od Gmachu...

– Ale czemu miałby nie chcieć, by...

– Nie zadawaj zbyt wielu pytań. Opat powiedział mi już na samym początku, że biblioteka jest nietykalna. Ma widać swoje racje. Może być tak, że i on wplątany jest w jakąś sprawę, która jego zdaniem nie może mieć nic wspólnego ze śmiercią Adelmusa, a teraz pomyślał, że skandal zatacza coraz szersze kręgi i może być niebezpieczny także dla niego. Nie chce zatem, żeby prawda została odkryta, albo przynajmniej nie chce, bym to ja ją odkrył...

– W takim razie jesteśmy w miejscu opuszczonym przez Boga – powiedziałem przygnębiony.

– Czyż spotkałeś tu takich, w których Bóg zamieszkałby z upodobaniem? – zapytał Wilhelm, wpatrując się we mnie z wysokości swojej postaci.

Potem kazał mi wypocząć. Kiedy kładłem się spać, doszedłem do wniosku, że ojciec nie powinien był posyłać mnie w świat, który okazał się bardziej pogmatwany, niż myślałem. Zbyt wielu uczyłem się rzeczy.

– *Salva me ab ore leonis** – modliłem się, zasypiając.

---

* Chroń mnie od lwiej paszczy (łac.).

Dzień drugi

Po nieszporze

Kiedy to, chociaż rozdział jest krótki, starzec Alinard
mówi sporo interesujących rzeczy o labiryncie i o tym,
jak się do niego dostać

Obudziłem się, kiedy już miała wybić godzina wieczornego posiłku. Czułem się ociężały od snu, albowiem sen za dnia jest jak grzech cielesny: im więcej go było, tym więcej się go pragnie, a przecież czujemy się nieszczęśliwi, jednocześnie zaspokojeni i niezaspokojeni. Wilhelma nie było w celi, widocznie wstał znacznie wcześniej. Krótko pobłąkawszy się to tu, to tam, zobaczyłem, jak wychodzi z Gmachu. Oznajmił, że był w skryptorium, gdzie przeglądał katalog i obserwował pracę mnichów, próbując zbliżyć się do stołu Wenancjusza, by podjąć oględziny. Ale z takiej czy innej przyczyny wszyscy jakby się zmówili, by przeszkodzić mu w zaspokajaniu ciekawości. Najpierw podszedł do niego Malachiasz i pokazał kilka cennych miniatur. Potem Bencjusz zajmował mu czas pod jakimiś błahymi pozorami. A kiedy wreszcie Wilhelm się pochylił, by wrócić do oględzin kart, Berengar zaczął kręcić się dokoła, proponując współpracę.

Wreszcie Malachiasz, widząc, że mój mistrz ma poważny zamiar zająć się rzeczami Wenancjusza, powiedział mu krótko i węzłowato, że być może byłoby lepiej, gdyby zanim zacznie grzebać w kartach zmarłego, uzyskał upoważnienie opata; że on sam, chociaż jest bibliotekarzem, powstrzymał się od tego przez szacunek dla dyscypliny; i że, tak czy inaczej, zgodnie z życzeniem Wilhelma, nikt do tego stołu się nie zbliżał i nikt się nie zbliży, dopóki nie zabierze głosu opat. Wilhelm zwrócił uwagę, że opat dał mu zezwolenie na prowadzenie śledztwa w całym opactwie, a Malachiasz zapytał nie bez złośliwości, czy opat dał także zezwolenie na swobodne poruszanie się po skryptorium albo, nie daj Boże, po bibliotece. Wilhelm zrozumiał, że nie warto w tym momencie angażować się w próbę sił z Malachiaszem, aczkolwiek wszystkie te manewry i lęki dotyczące kart Wenancjusza umocniły w nim naturalnie pragnienie, by się z nimi zapoznać. Ale jego postanowienie, żeby dostać się tam nocą – choć jeszcze nie wiedział jak – było tak silne, że postanowił nie doprowadzać do starcia. Hołubił jednak oczywistą myśl o odwecie, która gdyby nie była natchniona, jak była wszak, pragnieniem prawdy, jawiłaby się może jako nader uparta i nawet naganna.

Przed wejściem do refektarza odbyliśmy jeszcze małą przechadzkę wśród krużganków, by w chłodnym powietrzu wieczoru rozproszyć opary snu. Przechadzało się tam również paru mnichów pogrążonych w medytacji. W ogrodzie wychodzącym na dziedziniec dostrzegliśmy staruszka Alinarda z Grottaferraty, który, słaby już na ciele, spędzał większą część dnia wśród roślin, chyba że modlił się w kościele. Wydawało się, że nie czuje chłodu; siedział po zewnętrznej stronie kolumnady.

Wilhelm zwrócił się do niego z paroma słowami pozdrowienia i starzec zdawał się rozradowany, że ktoś się doń odezwał.

– Pogodny dzień – rzekł Wilhelm.

– Chwała Bogu – odparł starzec.

– Pogodny na niebie, ale posępny na ziemi. Czy znałeś dobrze Wenancjusza?

– Którego Wenancjusza? – spytał starzec. Potem jakieś światełko zapaliło mu się w oczach. – Ach, tego chłopca, co postradał życie. Bestia krąży po opactwie...

– Jaka bestia?

– Wielka bestia, która przybywa z morza... Siedem głów i dziesięć rogów, a na rogach jej dziesięć koron i na głowach trzy imiona bluźniercze. Bestia podobna do pantery, a nogi jej jak nogi niedźwiedzia i paszcza jej jak paszcza lwa... Widziałem ją.

– Gdzie ją widziałeś? W bibliotece?

– W bibliotece? Dlaczego? Od lat już nie chodzę do skryptorium i nigdy nie widziałem biblioteki. Nikt nie wchodzi do biblioteki. Znałem tych, którzy wchodzili do biblioteki...

– Kogo, Malachiasza, Berengara?

– Och, nie... – Starzec parsknął śmiechem. – Przedtem. Dawnego bibliotekarza, poprzednika Malachiasza, tyle już lat temu...

– Kto to był?

– Nie przypominam sobie, umarł za dni młodości Malachiasza. I tego, który jeszcze wcześniej został pomocnikiem bibliotekarza, kiedy i ja byłem młody... Ale w bibliotece nigdy nie postała moja noga. Labirynt...

– Biblioteka jest labiryntem?

– *Hunc mundum tipice laberinthus denotat ille* – wyrecytował pogrążony w myślach starzec. – *Intranti largus, redeunti, sed nimis artus**. Biblioteka jest wielkim labiryntem, znakiem labiryntu świa-

---

* Ten świat symbolicznie labirynt ów przedstawia. Dla wchodzącego szeroki, dla wychodzącego zaś zbyt wąski (łac.).

ta. Wchodzisz i nie wiesz, czy stamtąd wyjdziesz. Nie należy przekraczać Słupów Herkulesa...

– Więc nie wiesz, jak wchodzi się do biblioteki, kiedy drzwi Gmachu są zamknięte?

– Ależ wiem – roześmiał się starzec – wielu wie. Przechodzisz przez ossuarium. Możesz przejść przez ossuarium, lecz przejść nie chcesz. Zmarli mnisi czuwają.

– Zatem czuwają zmarli mnisi, nie zaś ci, którzy krzątają się nocą ze światłem po bibliotece?

– Ze światłem? – Starzec wyglądał na zdumionego. – Nigdy nie słyszałem tej historii. Zmarli mnisi są w ossuarium, kości osuwają się po trochu z cmentarza i łączą w ossuarium, by strzec przejścia. Czy nie widziałeś nigdy ołtarza w kaplicy, która wychodzi na ossuarium?

– Jest trzecia po lewej stronie za transeptem, czy tak?

– Trzecia? Być może. To ta, której kamień ołtarza pokryty jest rzeźbami tysięcy szkieletów. Czwarta czaszka po prawej, naciśnij na oczy... i jesteś w ossuarium. Ale nie idź tam, ja nigdy nie poszedłem. Opat nie chce.

– A bestia? Gdzie widziałeś bestię?

– Bestia? Ach, Antychryst... Przyjdzie, milenium minęło, czekamy na niego...

– Ale milenium minęło trzysta lat temu i nie przyszedł...

– Antychryst nie przybywa, kiedy minie tysiąc lat. Po tysiącu lat zaczyna się panowanie sprawiedliwych, potem przybywa Antychryst, by zadać klęskę sprawiedliwym, a potem będzie ostatnia bitwa...

– Ale sprawiedliwi będą panować przez tysiąc lat – rzekł Wilhelm. – Czyli albo panowali od śmierci Chrystusa do końca pierwszego milenium, a w takim razie właśnie wtedy winien przybyć Antychryst, albo jeszcze nie panowali i Antychryst jest daleko.

– Milenium liczy się nie od śmierci Chrystusa, ale od nadania Konstantyna. Teraz mija tysiąc lat...

– Tak więc kończy się panowanie sprawiedliwych?

– Nie wiem, już nie wiem... Czuję zmęczenie. Rachunek jest trudny. Dokonał go Beatus z Liebany, zapytaj Jorge, jest młody, dobrze pamięta... Ale czasy dojrzały. Czy nie słyszałeś siedmiu trąb?

– Dlaczego siedmiu trąb?

– Nie słyszałeś, jak umarło tamto chłopię, iluminator? Pierwszy anioł zatrąbił i powstał grad i ogień zmieszany z krwią. I drugi anioł zatrąbił, i trzecia część morza stała się krwią... Czyż nie w morzu krwi zginęło drugie chłopię? Czekaj na trzecią trąbę! Umrze trzecia część stworzeń żyjących w morzu. Bóg zsyła na nas karę. Cały świat wokół opactwa ogarnięty jest przez herezję, a powiedzieli mi, że na stolcu rzymskim zasiadł przewrotny papież, który używa hostii do praktyk nekromanckich i żywi nimi swoje mureny... I pośród nas ktoś pogwałcił zakaz, złamał pieczęci labiryntu...

– Kto ci to powiedział?

– Słyszałem, wszyscy szepczą, że grzech wszedł do opactwa. Masz groch?

Pytanie, skierowane do mnie, było zupełnie zaskakujące.

– Nie, nie mam grochu – odparłem zmieszany.

– Następnym razem przynieś mi grochu. Trzymam go w ustach, widzisz wszak moje biedne bezzębne usta, aż całkiem rozmięknie. Pobudza wydzielanie śliny, *aqua fons vitae**. Czy przyniesiesz mi jutro grochu?

– Przyniosę ci – odparłem. Ale usnął.

Zostawiliśmy go, by udać się do refektarza.

– Co myślisz o tym, co rzekł? – zapytałem mojego mistrza.

– Cieszy się boskim szaleństwem stulatków. Trudno odróżnić w jego słowach prawdę od fałszu. Ale sądzę, że powiedział nam coś o sposobie dostania się do Gmachu. Widziałem kaplicę, z której wyszedł Malachiasz ubiegłej nocy. Jest tam rzeczywiście ołtarz z kamienia i w jego podstawie wyrzeźbione są czaszki; dziś wieczorem spróbujemy.

---

* Woda jest źródłem życia (łac.).

Dzień drugi

Kompleta

Kiedy to wchodzimy do Gmachu, dostrzegamy tajemniczego gościa, odnajdujemy tajemną notatkę ze znakami nekromanty i znika ledwie co znaleziona książka, która następnie będzie poszukiwana przez wiele kolejnych rozdziałów, i wreszcie kiedy to ktoś kradnie cenne okulary Wilhelma, a nie jest to bynajmniej ostatnie z szeregu nieszczęść

Wieczerza przebiegała smętnie i w milczeniu. Minęło niewiele ponad dwanaście godzin od odkrycia zwłok Wenancjusza. Wszyscy patrzyli spod oka na jego puste miejsce przy stole. Kiedy nadeszła pora komplety, pochód, który udał się do chóru, zdawał się orszakiem żałobnym. Uczestniczyliśmy w nabożeństwie, stojąc w nawie i wpatrując się w trzecią kaplicę. Światło było skąpe i kiedy zobaczyliśmy, jak Malachiasz wyłania się z mroku, by ruszyć do swojej stalli, nie mogliśmy wypatrzyć, skąd właściwie się pojawił. Stanęliśmy przezornie w cieniu, w nawie bocznej, by nikt nie dostrzegł, że pozostajemy tu po zakończeniu nabożeństwa. Ja miałem w szkaplerzu kaganek, który zabrałem z kuchni podczas wieczerzy. Zapaliliśmy go następnie od wielkiego spiżowego trójnogu, który płonął przez całą noc. Miałem nowy knot i dużo oliwy. Wystarczy światła na długo.

Zbyt byłem podniecony od chwili, kiedy zaczęliśmy przygotowywać się do działania, by skupić uwagę na oficjum, które dobiegło końca w sposób dla mnie prawie niedostrzegalny. Mnisi opuścili kaptury na twarze i wyszli powoli rządkiem, by udać się do swoich cel. Oświetlony błyskami od trójnogu, kościół opustoszał.

– Śmiało do dzieła! – rzekł Wilhelm.

Podeszliśmy do trzeciej kaplicy. Podstawa ołtarza była naprawdę podobna do ossuarium, a czaszki o pustych i głębokich oczodołach wzniecały strach, kiedy jawiły się tak oczom, wybornie wyrzeźbione, nad stosem piszczeli. Wilhelm powtórzył szeptem słowa, które usłyszał od Alinarda (czwarta czaszka po prawej stronie, pchnij oczodoły). Wsunął palce w oczodoły tego bezcielesnego oblicza i od razu usłyszeliśmy jakby chrapliwe skrzypienie. Ołtarz drgnął, obrócił się na niewidocznym trzpieniu, ukazując ciemny otwór. Kiedy oświetliłem go podniesioną lampką, dostrzegliśmy wilgotne schody. Postanowiliśmy zejść po nich, ale najpierw rozważyliśmy, czy winno się

162

zamknąć za sobą przejście. Lepiej nie – rzekł Wilhelm – nie wiemy, czy zdołamy je później otworzyć. Co zaś się tyczy groźby, że zostaniemy odkryci, jeśli ktoś przyjdzie o tej porze, by uruchomić mechanizm, to ten ktoś i tak wie, jak wejść, i zamykanie na nic się tu nie zda.

Zeszliśmy dziesiątek albo więcej schodów i znaleźliśmy się w korytarzu, po którego obu stronach otwierały się poziome nisze, jakie później zdarzało mi się widzieć nieraz w katakumbach. Ale wtedy po raz pierwszy wszedłem do ossuarium i bardzo się bałem. Kości mnichów nagromadziły się tu w ciągu wieków, dobyte z ziemi i składane w niszach bez podejmowania próby, by odtworzyć kształty ciał. Ale w niektórych niszach były same kości drobne, w innych same czaszki, porządnie ułożone prawie w piramidę, w ten sposób, by nie sturlały się jedna na drugą, i był to widok doprawdy przerażający, osobliwie przy tej grze cieni i świateł, które kaganek rzucał wzdłuż naszej drogi. W jednej z nisz zobaczyłem same dłonie, mnóstwo dłoni nieodwołalnie splecionych ze sobą w plątaninie martwych palców. Z ust dobył mi się okrzyk, bo w tym miejscu zmarłych miałem przez moment uczucie, że jest tu coś żywego, jakiś pisk i szybki ruch w cieniu.

– Szczury – uspokoił mnie Wilhelm.

– Co robią tutaj szczury?

– Przechodzą tędy jak i my, bo ossuarium prowadzi do Gmachu, a zatem do kuchni. I do smacznych ksiąg w bibliotece. Teraz pojmujesz, czemu Malachiasz ma twarz tak surową. Urząd, który pełni, zmusza go do przechodzenia tędy dwa razy na dzień, wieczorem i rano. Ten w istocie nie ma się z czego śmiać.

– Ale czemu Ewangelia nigdy nie wspomina o tym, by Chrystus śmiał się? – spytałem ni z tego, ni z owego. – Jest naprawdę tak, jak mówi Jorge?

– Były zastępy takich, którzy zastanawiali się, czy Chrystus się śmiał. Sprawa nie interesuje mnie zbytnio. Sądzę, że nie śmiał się nigdy, gdyż był wszechwiedzący, jak winien być Syn Boży, więc wiedział, co uczynimy my, chrześcijanie. Ale otóż i doszliśmy.

I rzeczywiście, dzięki Bogu, korytarz się skończył, zaczęły się zaś nowe schody, a po ich przebyciu pozostało nam jedynie pchnąć drzwi z twardego drewna, wzmocnione żelaznymi okuciami, i znaleźliśmy się za kominkiem w kuchni, dokładnie pod krętymi schodami, które prowadziły do skryptorium. Kiedy pięliśmy się po nich, zdało się nam, że z góry słyszymy jakieś odgłosy.

Poczekaliśmy chwilę w milczeniu, po czym rzekłem:

– To niemożliwe. Nikt nie wszedł tu przed nami...

– Zakładając, że jest to jedyna droga prowadząca do Gmachu. W minionych wiekach była tu twierdza, musi zatem być więcej wejść tajemnych, niż to wiemy. Trzeba wchodzić ostrożnie. Ale mamy niewielki wybór. Jeśli zgasimy kaganek, nie będziemy wiedzieli, dokąd idziemy, jeśli pozostanie zapalony, zaniepokoimy kogoś, kto jest nad nami. Jedyna nadzieja, że jeśli ktoś tam jest, boi się jeszcze bardziej niż my.

Dotarliśmy do skryptorium, wyłaniając się z baszty południowej. Stół Wenancjusza znajdował się dokładnie po przeciwnej stronie. Idąc tam, oświetlaliśmy nie więcej niż kilka łokci ściany, gdyż sala była obszerna. Mieliśmy nadzieję, że nie ma nikogo na dziedzińcu i nikt nie ujrzy światła w oknach. Wyglądało na to, że na stole jest porządek, ale Wilhelm pochylił się zaraz, by obejrzeć karty na dolnej półeczce, i wydał okrzyk zawodu.

– Czegoś brak? – zapytałem.

– Widziałem dziś tutaj dwie księgi, a jedna była po grecku. I tej właśnie nie ma. Ktoś ją zabrał, i to pospiesznie, gdyż jeden z pergaminów spadł na ziemię.

– Ale stół był strzeżony...

– Oczywiście. Być może ktoś tu szperał przed chwilą. Może jeszcze tu jest. – Obrócił się ku cieniom i jego głos rozległ się między kolumnami: – Jeśli tu jesteś, biada ci!

Wydało mi się, że myśl jest dobra. Jak już powiedział Wilhelm, zawsze lepiej, żeby ten, kto budzi w nas strach, bał się bardziej niż my.

Wilhelm położył na stole kartę, którą znalazł na ziemi, i zbliżył do niej oblicze. Poprosił, bym mu przyświecił. Zbliżyłem światło i ujrzałem stronicę białą w górnej połowie, a w dolnej pokrytą drobnym pismem, którego pochodzenie poznałem z trudem.

– To po grecku? – spytałem.

– To greka, napisana bardzo drobnym pismem, a jednak bez ładu i składu. Nawet w okularach czytam z trudem, przydałoby się więcej światła. Zbliż no się...

Ujął kartę w rękę i trzymał ją tuż przed nosem, ja zaś, jak głupiec, zamiast zajść mu od ramienia, trzymając światło wysoko nad jego głową, stanąłem właśnie przed nim. Poprosił, żebym przesunął się w bok, i czyniąc to, musnąłem płomieniem *verso* karty. Wilhelm odgonił mnie kuksańcem, pytając, czy chcę spalić mu manuskrypt, potem zaś wykrzyknął. Zobaczyłem wyraźnie, że na górnej części stronicy ukazało się parę niewyraźnych znaków barwy żółtobrązowej. Wilhelm kazał podać sobie kaganek i poruszał nim pod kartą, trzymając płomień dość blisko powierzchni pergaminu, tak by ją ogrzać, nie podpalając jednak. Powoli, jakby jakaś niewidzialna ręka kreśliła: *Mane, tekel, fares*, na czystej stronie karty, kolejno, w miarę jak Wilhelm poruszał płomieniem i jak dym, który wzbijał się z wierzchołka płomienia, zaciemniał *verso*, zobaczyłem, że rysują się litery, nieprzypominające żadnego alfabetu poza alfabetem nekromantów.

– Niezwykłe – rzekł Wilhelm. – Coraz ciekawsze! – Rozejrzał się dokoła. – Ale lepiej nie wystawiać tego odkrycia na zasadzki naszego tajemniczego gospodarza, jeśli jeszcze tu jest...

Zdjął soczewki i położył je na stole, później zwinął starannie pergamin i ukrył go w habicie. Oszołomiony jeszcze tym biegiem wydarzeń, co najmniej cudownych, miałem właśnie prosić go o dalsze wyjaśnienia, kiedy przeszkodził nam jakiś nagły i suchy odgłos. Dobiegł od strony schodów wschodnich, prowadzących do biblioteki.

– On tam jest, łap go! – wrzasnął Wilhelm i rzuciliśmy się w tamtą stronę, mój mistrz szybciej, ja wolniej, gdyż niosłem kaganek. Usłyszałem dźwięk, jakby ktoś potknął się i upadł, a kiedy dobiegłem, zastałem Wilhelma u stóp schodów, jak przyglądał się ciężkiemu woluminowi o okładkach wzmocnionych ćwiekami.

W tym samym momencie usłyszeliśmy inny hałas dochodzący od strony, z której przybyliśmy.

– Jaki jestem głupi! – krzyknął Wilhelm. – Szybko do stołu Wenancjusza.

Pojąłem. Ktoś, kto stał za naszymi plecami, rzucił woluminem, by zwabić nas w odległy kąt sali.

Raz jeszcze Wilhelm był szybszy ode mnie i pierwszy dotarł do stołu. Biegnąc za nim, dostrzegłem cień, który zmykał ku schodom baszty zachodniej.

Ogarnięty zapałem bojowym, wcisnąłem lampkę w dłoń Wilhelma i rzuciłem się na oślep w stronę schodów, po których zbiegł uciekinier. W tym momencie czułem się niby rycerz Chrystusa, walczący z wszystkimi zastępami piekielnymi, i płonąłem żądzą, by dopaść nieznajomego i cisnąć go mojemu mistrzowi do nóg. Runąłem na łeb na szyję po krętych schodach, plącząc się w połach mej sukni (była to jedyna chwila w moim życiu, przysięgam, kiedy ubolewałem nad tym, że wstąpiłem do klasztoru!), ale w tej samej chwili pocieszyłem się myślą, a była to myśl jak błyskawica, iż mój przeciwnik musi walczyć z taką samą przeszkodą. I co więcej, jeśli zabrał księgę, dłonie ma zajęte. Wpadłem głową naprzód do kuchni, za piecem chlebowym, i w blasku gwiezdnej nocy, która rozświetlała blado rozległą sień, ujrzałem cień przemykający przez drzwi refektarza i zamykający je za sobą. Rzuciłem się tam, chwil kilka biedziłem się z ich otwarciem, wbiegłem, rozejrzałem się dokoła i nie zobaczyłem już nikogo. Drzwi wychodzące na zewnątrz były jeszcze zaryglowane. Obróciłem się. Mrok i cisza. Dostrzegłem światełko w kuchni i oparłem się o ścianę. W progu między dwoma pomieszczeniami ukazała się oświetlona kagankiem twarz. Krzyknąłem. Był to Wilhelm.

– Nie ma już nikogo? Tak właśnie myślałem. Nie wyszedł drzwiami. Nie ruszył w stronę przejścia przez ossuarium?

– Nie, wyszedł stąd, ale nie wiem którędy.

– Mówiłem ci, są tu inne przejścia i nie ma co ich szukać. Ten, którego ścigamy, pewnie wyłania się teraz w jakimś odległym miejscu. A wraz z nim moje okulary.

– Twoje okulary?

– No właśnie. Nasz przyjaciel nie mógł zabrać mi karty, ale przejawiając wielką przytomność umysłu, ściągnął ze stołu moje szkła.

– A czemu?

– Bo nie jest głupcem. Słyszał, jak mówiłem o tych notatkach, pojął, że są ważne, pomyślał, że bez szkieł nie będę w stanie ich odcyfrować, i ma pewność, że nie zaufam nikomu na tyle, by je pokazać. W istocie teraz jest tak, jakbyśmy ich nie mieli.

– Ale skąd wiedział o twoich szkłach?

– To proste. Nie dość, że rozmawialiśmy o nich wczoraj ze szkłodziejem, to jeszcze dzisiaj rano w skryptorium nałożyłem je, by szperać w kartach Wenancjusza. A zatem wiele osób może wiedzieć, jak bardzo są owe soczewki cenne. I w istocie, mógłbym czytać bez nich manuskrypt zwykły, ale to nie. – I znowu rozwinął tajemniczy pergamin. – Gdyż część po grecku jest zapisana zbyt drobno, a część górna zbyt niepewna...

Pokazał mi tajemnicze znaki, które jakby czarodziejskim sposobem pojawiły się pod wpływem ciepła płomienia.

– Wenancjusz chciał ukryć ważną tajemnicę i użył jednego z tych atramentów, które nie pozostawiają śladu przy pisaniu, natomiast ukazują się wskutek podgrzania. Albo też użył soku z cytryny. Ale ponieważ nie wiem, jaka to była substancja, a znaki mogą wkrótce zniknąć, ty, który masz oczy dobre, przepisz je natychmiast najwierniej, jak potrafisz, a nawet niechaj będą odrobinę większe.

I tak uczyniłem, nie wiedząc, co przepisuję. Chodziło o cztery lub pięć linijek, doprawdy mających w sobie coś z czarów, a tutaj powtarzam tylko pierwsze znaki, by dać czytelnikowi wyobrażenie o zagadce, jaką mieliśmy przed oczyma:

ⵚⵙⵓⵥ⊙ⵓⵧⵧⵧ

Kiedy przepisałem znaki, Wilhelm przyjrzał się im, na nieszczęście bez okularów, trzymając moją tabliczkę w znacznej odległości od nosa.

– Jest to z pewnością tajemny alfabet, który trzeba będzie odcyfrować – oznajmił. – Znaki są nakreślone źle, a być może ty przepisałeś je jeszcze gorzej, ale z pewnością chodzi o alfabet zodiakalny. Widzisz? W pierwszej linijce mamy... – Jeszcze bardziej oddalił kartę, w skupieniu zmrużył oczy. – Strzelec, Słońce, Merkury, Skorpion...

– I co oznaczają?

– Jeśli Wenancjusz był naiwny, użył najpospolitszego alfabetu zodiakalnego: A równa się Słońcu, B Jowiszowi... Wówczas pierwsza linijka czytałaby się... spróbuj przepisać: RAIQASVL... Nie, to nic nie znaczy i Wenancjusz nie był naiwny. Przerobił alfabet według innego klucza. Trzeba będzie go odnaleźć.

– Czy to możliwe? – zapytałem pełen podziwu.

– Tak, jeśli zna się choć trochę mądrość Arabów. Najlepsze rozprawy z kryptografii są dziełem uczonych niewiernych, a w Oksfordzie miałem możność przeczytać niektóre z nich. Bacon słusznie mówił, że do wiedzy dochodzi się przez poznanie języków. Abu Bakr Ahmad Ben Ali Ben Waszijja an-Nabati napisał wiele wieków temu *Księgę szalonej żądzy człeka pobożnego, by poznać zagadki starożytnych pism* i podał wiele reguł, według których należy odcyfrowywać tajemne alfabety, dobre do praktykowania czarów, ale również do korespondencji między wojskami albo między królem a jego posłami. Widziałem też inne księgi arabskie, które wymieniają cały szereg nader zmyślnych wybiegów. Możesz, na przykład, zastąpić jedną literę inną, możesz zapisać słowo wspak, możesz wstawiać litery w porządku odwrotnym, lecz tylko co drugą, a potem zaczynać od nowa, możesz, jak to jest w tym przypadku, zastąpić litery znakami zodiakalnymi, przypisując ukrytym literom wartość liczbową, a następnie, posługując się innym jeszcze alfabetem, obrócić liczby w inne litery...

167

– I którego z tych systemów użył Wenancjusz?

– Trzeba by wypróbować je wszystkie, i jeszcze inne. Ale pierwszą regułą przy odcyfrowywaniu notatki jest odgadnąć, co może znaczyć.

– Ale wtedy nie potrzeba już jej odcyfrowywać! – zaśmiałem się.

– Nie o to chodzi. Można jednak sformułować hipotezy co do tego, jakie winny być pierwsze słowa, a potem zobaczyć, czy reguła, która z tego wynika, stosuje się do reszty zapisu. Na przykład tutaj Wenancjusz z pewnością zanotował klucz pozwalający dotrzeć do *finis Africae*. Jeśli spróbuję pomyśleć, że notatka o tym właśnie mówi, zaraz narzuca mi się pewien rytm... Spróbuj spojrzeć na trzy pierwsze słowa, nie zważając na litery, tylko na liczbę znaków... IIIIIIII IIIII IIIIII... Teraz spróbuj podzielić słowa na sylaby po co najmniej dwa znaki każda i wyrecytuj na głos: ta-ta-ta, ta-ta, ta-ta-ta... Nic ci nie przychodzi do głowy?

– Nic a nic.

– A mnie owszem. *Secretum finis Africae...* Lecz jeśli tak jest w istocie, ostatnie słowo winno mieć te same litery pierwszą i szóstą, i tak jest, mamy tu bowiem dwakroć symbol Ziemi. Pierwsza zaś litera pierwszego słowa, S, winna być taka sama, jak ostatnia drugiego: i rzeczywiście powtarza się tu znak Panny. Pewnie jest to właściwa droga. Może jednak chodzi o szereg przypadkowych zbieżności. Trzeba znaleźć regułę odpowiedniości...

– Ale gdzie ją znaleźć?

– W głowie. Wymyślić ją. A potem zobaczyć, czy jest dobra. Ale postępując tak od próby do próby, mogę strawić na tej zabawie cały dzień. Lecz nie więcej – zapamiętaj – nie ma bowiem takiego tajnego pisma, którego nie można by odcyfrować przy odrobinie cierpliwości. Ale teraz zbyt się nad tym zapóźniamy, a przecież chcemy zwiedzić bibliotekę. Tym bardziej że bez okularów nie zdołam odczytać drugiej części notatki, ty zaś nie pomożesz mi, bo te znaki w twoich oczach...

– *Graecum est, non legitur** – dokończyłem upokorzony.

– No właśnie, i sam widzisz, że Bacon miał rację. Ucz się! Ale nie traćmy ducha. Schowajmy pergamin i twoje notatki i chodźmy do biblioteki. Albowiem tego wieczoru nawet dziesięć zastępów piekielnych nie zdoła nas powstrzymać.

Przeżegnałem się.

– Ale któż mógł przyjść tu przed nami? Bencjusz?

---

* Jest po grecku, nie da się przeczytać (łac.).

– Bencjusz płonął chęcią, by dowiedzieć się, co jest między kartami Wenancjusza, ale nie wydawał mi się w nastroju do płatania tak złośliwego psikusa. W gruncie rzeczy zaproponował nam przymierze, a zresztą nie wyglądał na kogoś, kto ma dość odwagi, by wejść nocą do Gmachu.

– Więc Berengar? Albo Malachiasz?

– Berengar chyba ma dość ducha, by coś takiego uczynić. W gruncie rzeczy jest współodpowiedzialny za bibliotekę, a ponieważ gryzą go wyrzuty sumienia, że zdradził jakiś sekret, uznał, iż Wenancjusz skradł księgę, i chciał, być może, odłożyć ją na właściwe miejsce. Nie zdołał wejść do biblioteki, więc teraz ukrył gdzieś wolumin. Jeśli Bóg nam pomoże, możemy przyłapać go na gorącym uczynku, kiedy spróbuje odstawić ją tam, gdzie była.

– Ale mógłby to być również Malachiasz, kierujący się tymi samymi intencjami.

– Raczej nie. Malachiasz miał dość czasu, by przeszukać stół Wenancjusza, gdy został sam, by zamknąć Gmach. Wiedziałem o tym doskonale i nie miałem sposobu, żeby temu zapobiec. Teraz jestem pewny, że tego nie uczynił. Jeśli zastanowić się dobrze, nie mamy żadnego powodu, żeby podejrzewać Malachiasza o to, że wiedział, iż Wenancjusz dostał się do biblioteki i coś z niej zabrał. Wiedzą o tym Berengar i Bencjusz, a także ty i ja. Wskutek zwierzeń Adelmusa może o tym wiedzieć Jorge, ale on z pewnością nie był tym człekiem, który tak gwałtownie rzucił się po krętych schodach...

– Więc Berengar albo Bencjusz...

– A czemu nie Pacyfik z Tivoli lub inny z mnichów, których widzieliśmy dziś tutaj? Albo szkłodziej Mikołaj, który wie o moich okularach? Albo ten wielce osobliwy Salwator, który, jak nam powiedziano, krąży nocą nie wiadomo w jakich sprawach? Musimy być czujni i nie zawężać pola podejrzanych dlatego tylko, że wiadomości uzyskane od Bencjusza pchnęły nas w określonym kierunku. Bencjusz, być może, chciał wskazać fałszywy trop.

– Ale wydało ci się, że jest szczery.

– Z pewnością. Nie zapominaj jednak, że pierwszym obowiązkiem dobrego inkwizytora jest podejrzewać najpierw tych, którzy wydają ci się szczerzy.

– Paskudne jest zajęcie inkwizytora – rzekłem.

– Dlatego je porzuciłem. I jak widzisz, muszę do niego wrócić. Ale nuże do biblioteki!

Dzień drugi

Noc

*Kiedy to w końcu wkraczamy do labiryntu, mamy dziwne
wizje i, jak to bywa w labiryntach, błądzimy*

Niosąc wysoko przed sobą światło, wspięliśmy się z powrotem
do skryptorium, tym razem schodami wschodnimi, które też prowadziły na piętro zakazane. Myślałem o tym, co o labiryncie powiedział Alinard, i oczekiwałem rzeczy przerażających.

Byłem zaskoczony, kiedy wyszliśmy w miejscu, do którego nie
powinniśmy wchodzić, znaleźliśmy się bowiem w siedmiobocznej
sali, niezbyt rozległej, bez okien, gdzie panował, jak zresztą na całym piętrze, zaduch i mocny zapach stęchlizny. Nic przerażającego.

Sala, jak powiedziałem, miała siedem ścian, ale jedynie w czterech z nich otwierało się między dwiema kolumnami, osadzonymi
w murze, dosyć obszerne przejście pod pełnym łukiem. Przy ścianach ślepych stały ogromne szafy, wypełnione ustawionymi równo
księgami. Na szafach widniały opatrzone numerami tabliczki i tak
samo na wszystkich półkach; były to bez wątpienia te same liczby,
które widzieliśmy w katalogu. Pośrodku sali stół, także zawalony
księgami. Na wszystkich woluminach niezbyt gruba warstwa kurzu
– znak, że księgi były dosyć często wycierane. Także na ziemi nie
było żadnego plugastwa. Nad łukiem jednych drzwi wielki wymalo-
wany na ścianie kartusz z napisem: *Apocalypsis Iesu Christi*. Nie
wydawał się wyblakły, chociaż litery miały dawny krój. Później, także w innych pokojach, spostrzegliśmy, że te kartusze wyryto w kamieniu, i to dość głęboko, a następnie zagłębienia wypełniono farbą,
jak to się czyni, malując freski w kościołach.

Przeszliśmy przez jedne drzwi. Znaleźliśmy się w pokoju z oknem,
które zamiast szyb miało tafle alabastru; dwie ściany były ślepe, a w trzeciej było przejście tego samego rodzaju jak to, które przed chwilą
przebyliśmy, prowadzące do następnego pokoju, również z dwiema
ścianami ślepymi, jedną z oknem, a drugą z kolejnymi drzwiami.
W obu pokojach były kartusze podobne kształtem do tego, który widzieliśmy przedtem, ale z innymi słowami. Kartusz w pierwszym mówił: *Super thronos viginti quatuor**, w drugim zaś: *Nomen illi Mors**.

---

* Na tronach dwudziestu czterech (łac., Ap 4, 4).
* Imię jego Śmierć (łac., Ap 6, 8).

Poza tym, chociaż oba pokoje były mniejsze od tego, przez który weszliśmy do biblioteki (tamten był siedmiokątny, te zaś dwa czworokątne), sprzęty były te same: szafy z księgami i stojący pośrodku stół.

Wkroczyliśmy do trzeciego pokoju. Nie było tu książek ani kartusza. Pod oknem kamienny ołtarz. Troje drzwi, przez jedne właśnie weszliśmy, drugie wychodziły na pokój siedmiokątny, który już zwiedziliśmy, trzecie zaś zaprowadziły nas do kolejnego pokoju, niewiele różniącego się od innych, z wyjątkiem kartusza, który mówił: *Obscuratus est sol et aer**. Stąd przechodziło się do kolejnego pokoju z kartuszem: *Facta est grando et ignis**; nie miał innych drzwi, więc dotarłszy tutaj, nie można było iść dalej, musieliśmy zawrócić.

– Pomyślmy – rzekł Wilhelm. – Cztery pokoje czworokątne albo, z grubsza biorąc, trapezoidalne, każdy z jednym oknem, otaczają siedmiokątny pokój bez okien, do którego prowadzą schody. Wydaje mi się to proste. Jesteśmy w baszcie wschodniej, a każda baszta, jeśli patrzeć z zewnątrz, ujawnia pięć okien, po jednym na ścianę. Rachunek się zgadza. Pokój pusty to ten właśnie, który wychodzi na wschód, dokładnie tak samo jak chór kościoła; o świcie promienie słońca oświetlają ołtarz, co wydaje mi się słuszne i pobożne. Jedyną rzeczą pomysłową są tu niechybnie tafle alabastru. Za dnia przenika przez nie piękne światło, nocą nie przepuszczają nawet promieni księżycowych. Nie jest to zresztą zbyt wielki labirynt. Teraz widzimy, dokąd prowadzi dalszych dwoje drzwi z pokoju siedmiobocznego. Sądzę, że pomiarkujemy się bez trudu.

Mój mistrz mylił się, a budowniczowie biblioteki byli zręczniejsi, niż sądziliśmy. Nie wiem dokładnie, co się stało, ale kiedy opuściliśmy basztę, porządek pokojów stał się mniej przejrzysty. Jedne miały dwoje, inne troje drzwi. We wszystkich były okna, nawet w tych, do których wchodziliśmy z pokoju z oknem, mniemając, że zdążamy do wewnątrz Gmachu. Wszystkie miały ten sam rodzaj szaf i stołów, ustawione porządnie woluminy zdawały się jednakie i z pewnością nie pomagały nam rozpoznawać na pierwszy rzut oka, gdzie jesteśmy. Spróbowaliśmy zmiarkować się według kartuszy. Raz przeszliśmy przez pokój, w którym napisane było: *In diebus illis**, i po jakimś czasie wydało się nam, że wróciliśmy w to samo miejsce. Ale przypomniałem sobie, że tam drzwi naprzeciwko okna prowadziły do pokoju

---

* Ciemności okryły niebo i ziemię (łac., Ap 9, 2).
* Stał się ogień i grad (łac., Ap 8, 7).
* W dni owe (łac., Ap 9, 6).

z napisem: *Primogenitus mortuorum**, gdy tymczasem teraz znaleźliśmy się w innym, gdzie raz jeszcze ujrzeliśmy napis: *Apocalypsis Iesu Christi*, chociaż nie była to siedmiokątna sala, z której wyruszyliśmy. Fakt ten przekonał nas, że czasem te same kartusze powtarzają się w różnych pokojach. Odkryliśmy dwa pokoje z *Apocalypsis*, jeden obok drugiego, i zaraz potem pokój z *Cecidit de coelo stella magna**.

Skąd wzięto zdania na kartuszach, było oczywiste, chodziło o wersety z Apokalipsy Jana, ale nie wydawało się w istocie rzeczą jasną, czemu wyryto je na murach ani według jakiego porządku rozmieszczono. Nasze zakłopotanie powiększał fakt, że na niektórych kartuszach, co prawda nielicznych, litery były czerwone, nie zaś czarne.

W pewnym momencie znaleźliśmy się na powrót w wyjściowej sali siedmiokątnej (można ją było rozpoznać, albowiem prowadziły z niej schody w dół) i raz jeszcze ruszyliśmy w prawo, starając się iść prosto od pokoju do pokoju. Przeszliśmy przez trzy pokoje i stanęliśmy przed ślepą ścianą. Jedyne przejście prowadziło do kolejnego pokoju, z jednymi tylko drzwiami, przez które przeszliśmy, by następnie przemierzyć kolejne cztery pokoje, zanim znowu wyrosła przed nami ściana. Wróciliśmy do poprzedniego pokoju, z dwojgiem tylko drzwi, poszliśmy przez te, których jeszcze nie wypróbowaliśmy, przemierzyliśmy kolejny pokój i znaleźliśmy się w siedmiokątnej sali, a więc w punkcie wyjściowym.

– Jak zowie się ten ostatni pokój, z którego zawróciliśmy? – spytał Wilhelm. Wytężyłem pamięć.

– *Equus albus**.

– Dobrze, odnajdźmy go.

I było to łatwe. Stamtąd, jeśli nie chciało się wrócić własnymi śladami, trzeba było przejść do pokoju o nazwie *Gratia vobis et pax**, a tam znaleźliśmy nowe przejście, w prawo, które, jak się nam wydawało, nie zaprowadzi nas do punktu wyjścia. Rzeczywiście, znaleźliśmy się znowu *In diebus illis* oraz *Primogenitis mortuorum* (czy były to te same pokoje, które dopiero co zwiedziliśmy?), ale w końcu trafiliśmy do pokoju, którego, jak się nam wydało, jeszcze nie widzieliśmy: *Tertia pars terrae combusta est**. Ale w tym miejscu nie wiedzieliśmy już, gdzie jesteśmy względem baszty wschodniej.

---

* Pierworodny pośród umarłych (łac., Ap 1, 5).
* Spadła z nieba wielka gwiazda (łac., Ap 8, 10).
* Biały koń (łac., Ap 6, 2).
* Łaska dla was i pokój (łac., Ap 1, 4).
* Trzecia część ziemi została spalona (łac., Ap 8, 7).

Wysuwając kaganek przed siebie, ruszyłem do następnych pokojów. Na spotkanie wyszedł mi olbrzym o budzących grozę rozmiarach, ciele falującym i płynnym, jakby był zjawą.

– Diabeł! – krzyknąłem i niewiele brakowało, a wypuściłbym z rąk kaganek, kiedy obróciłem się gwałtownie i schroniłem w ramionach Wilhelma.

Ten wziął kaganek z moich dłoni i odsunąwszy mnie, ruszył do przodu z odwagą, która wydała mi się wzniosła. On także coś zobaczył, bo stanął w miejscu jak wryty. Potem ruszył znowu i podniósł kaganek. Wybuchnął śmiechem.

– Doprawdy zmyślne. Zwierciadło!

– Zwierciadło?

– A jakże, śmiały mój rycerzu! Tak odważnie ruszyłeś na prawdziwego przeciwnika dopiero co w skryptorium, a teraz przeraził cię własny wizerunek. Zwierciadło, które pokazuje ci twój obraz, lecz powiększony i zniekształcony.

Wziął moją dłoń i zaprowadził przed ścianę, która znajdowała się naprzeciwko wejścia do pokoju. Teraz, gdy kaganek oświetlił z bliska taflę falistego szkła, ujrzałem nasze dwa odbicia, groteskowo zniekształcone, odmieniające swoją formę i rozmiary według tego, czy oddaliliśmy się, czy też przybliżaliśmy.

– Musisz przeczytać sobie także jakąś rozprawę z optyki – rzekł rozbawiony Wilhelm – jak uczynili to z pewnością założyciele biblioteki. Najlepsze napisali Arabowie. Al hazen ułożył traktat *De aspectibus*, w którym, dołączając ściśle geometryczne dowody, mówił o sile zwierciadeł. Niektóre z nich mogą, zależnie od tego, jak wymodelowano ich powierzchnię, powiększać rzeczy najdrobniejsze (czymże innym są moje soczewki?), inne zaś – pokazywać obrazy odwrócone lub pochyłe albo dwa przedmioty miast jednego i cztery zamiast dwóch. Inne jeszcze, jak właśnie to, czynią z karła olbrzyma albo z olbrzyma karła.

– Panie Jezu! – rzekłem. – Więc to o tych wizjach mówiło się, że widziano je w bibliotece?

– Być może. Doprawdy zmyślne. – Przeczytał kartusz na ścianie nad zwierciadłem: *Super thronos viginti quatuor.* – Już go widzieliśmy, ale było to w sali bez zwierciadła. Ta zaś ponadto nie ma okna ani nie jest siedmioboczna. Gdzie jesteśmy? – Rozejrzał się dokoła i podszedł do jednej z szaf. – Adso, bez tych przeklętych *oculi ad legendum* nie zdołam odczytać, co jest napisane w tych księgach. Przeczytaj mi parę tytułów.

Wziąłem na chybił trafił jakąś księgę.

– Mistrzu, nie jest zapisana!

– Jakże? Widzę, że jest w niej pismo, czytaj.

– Nie przeczytam. To nie są litery alfabetu i nie jest po grecku, poznałbym. Zda się, że to robaki, wężyki, łajno much...

– Aha, to po arabsku. Jest coś jeszcze?

– Tak, wiele. Ale tutaj jest jedna po łacinie, chwała Bogu. Al... Al-Kuwarizmi *Tabulae*.

– Tablice astronomiczne al-Kuwarizmiego, przetłumaczone przez Adelarda z Bath! Niezwykle rzadkie dzieło! Dalej.

– Isa Ibn Ali *De oculis*, Alkindi *De radiis stellatis*...

– Spójrz teraz na stół.

Otworzyłem wielki wolumin, który leżał na stole, *De bestiis*. Trafiłem na pokrytą delikatnymi miniaturami stronicę, na której przedstawiony był przepiękny jednorożec.

– Wspaniała robota – skomentował Wilhelm, który nieźle widział obrazki. – A to?

Przeczytałem:

– *Liber monstrorum de diversis generibus*. Także tutaj są piękne obrazki, ale wyglądają na dawniejsze. Wilhelm przysunął twarz do tekstu.

– Zdobione przez mnichów irlandzkich co najmniej pięć wieków temu. Księga o jednorożcu jest natomiast znacznie nowsza, zdaje mi się, że wykonana została na sposób Francuzów.

Raz jeszcze mogłem podziwiać uczoność mojego mistrza. Weszliśmy do kolejnego pokoju i przebiegliśmy cztery pokoje następne, wszystkie z oknami, wszystkie pełne woluminów w nieznanych językach i z nielicznymi tekstami o naukach tajemnych, aż dotarliśmy do ściany, która kazała nam zawrócić, ponieważ kolejnych pięć pokojów prowadziło jedne do drugich, nie dając możliwości innego wyjścia.

– Sądząc z nachylenia murów, winniśmy być w pięciokącie jakiejś innej baszty – rzekł Wilhelm – ale nie ma tutaj centralnej sali siedmiokątnej, więc może się mylimy.

– Ale okna – powiedziałem. – Skąd może być tyle okien? Niemożliwe, żeby wszystkie pokoje wychodziły na zewnątrz.

– Zapominasz o studni pośrodku; wiele z tych okien, które widzieliśmy, wychodzi na ośmiokąt studni. Gdyby był dzień, różnica oświetlenia powiedziałaby nam, które okna są zewnętrzne, a które wewnętrzne, a może nawet wyjaśniłaby położenie pokoju względem słońca. Ale w nocy nie dostrzega się żadnej różnicy. Wracajmy.

Cofnęliśmy się do pokoju ze zwierciadłem i ruszyliśmy w stronę trzecich drzwi, przez które, jak nam się wydawało, jeszcze nie przechodziliśmy. Ujrzeliśmy przed sobą amfiladę trzech lub czterech pokojów, a z ostatniego dochodziła do nas jakaś jasność.

– Ktoś tam jest! – wykrzyknąłem zduszonym głosem.

– Jeśli tak, zobaczył już nasze światło – odparł Wilhelm, zakrywając jednak płomień dłonią. Przez minutę lub dwie trwaliśmy bez ruchu. Jasność chwiała się dalej leciutko, ale nie stawała się ani większa, ani mniejsza.

– Być może to tylko kaganek – rzekł Wilhelm. – Jeden z tych pozostawionych po to, by przekonać mnichów, że bibliotekę zamieszkują dusze zmarłych. Ale trzeba to sprawdzić. Ty zostań tutaj, zakrywając światło, ja ostrożnie tam pójdę.

Byłem jeszcze zawstydzony, że tak mało chwalebnie spisałem się poprzednio ze zwierciadłem, i chciałem odzyskać w oczach Wilhelma dobrą sławę.

– Nie, pójdę ja – oznajmiłem. – Ty, mistrzu, zostań tutaj. Będę ostrożny, a jestem mniejszy i lżejszy. Jak tylko zobaczę, że nic nam nie grozi, zawołam.

I tak uczyniłem. Szedłem przez trzy pokoje, przemykając przy ścianach, lekki jak kot (albo jak nowicjusz, który schodzi do kuchni, by ukraść ser ze spiżarni, w czym celowałem w Melku). Dotarłem na próg pokoju, z którego dobiegała jasność, bardzo słaba, i kryjąc się za kolumną służącą jako prawy węgar, zerknąłem do pokoju. Nie było nikogo. Jakaś lampka, kopcąc, płonęła na stole. Nie był to kaganek podobny do naszego, wyglądał raczej na odkrytą kadzielnicę, nie palił się płomieniem, jeno tlił się w nim jakiś lekki popiół, w którym coś się spalało. Zebrałem się na odwagę i wszedłem. Na stole obok kadzielnicy leżała otwarta księga o żywych kolorach. Zbliżyłem się i ujrzałem na karcie cztery szpalty rozmaitych barw: żółci, cynobru, turkusu i terakoty. Wyłaniała się stamtąd bestia, przerażająca z wyglądu, wielki smok o dziesięciu głowach i z ogonem, który ciągnął za sobą gwiazdy z nieba i rzucał je na ziemię. I nagle zobaczyłem, że smok się mnoży, a łuski na jego skórze stają się jak las lśniących płytek, które odstają od karty i zaczynają krążyć dokoła mojej głowy. Rzuciłem się do tyłu i spostrzegłem, że powała pokoju pochyla się i wali prosto na mnie, potem usłyszałem jakby świst tysiąca węży, jednak nie przerażający, lecz prawie uwodzicielski, i ukazała się kobieta, otoczona światłem, która zbliżyła swoją twarz do mojej, owiewając mnie oddechem. Odsunąłem ją wyciągniętymi ramionami i wydało mi się, że moje ręce dotykają ksiąg ze stojącej przede mną szafy i że rosną ponad wszelką miarę. Nie wiedziałem już, gdzie jestem, gdzie niebo, a gdzie ziemia. Ujrzałem na środku pokoju Berengara, który przypatrywał mi się ze szkaradnym uśmiechem, ociekającym lubieżnością. Zakryłem twarz dłońmi i moje dłonie wydały się niby łapy ropuchy, lepkie i płetwiaste. Zdaje się, że krzyknąłem, poczułem kwaskowaty zapach w ustach, a potem zapadłem się w nieskończoną noc, która otwierała się coraz bardziej pode mną, i nie wiedziałem już nic.

Obudziłem się po czasie, który zdał mi się wiekami, czując uderzenia, rozbrzmiewające w głowie. Leżałem na ziemi, a Wilhelm klepał mnie po jagodach. Nie byłem już w tamtym pokoju i moje oczy dostrzegły kartusz, który powiadał: *Requiescant a laboribus suis**.

– Wstańże, Adso – szeptał mi Wilhelm. – Nic się nie stało...

– Tamto wszystko – rzekłem, jeszcze majacząc. – Tam, bestia...

– Żadna bestia. Znalazłem cię majaczącego u stóp stołu, na którym leżała piękna apokalipsa mozarabska, otwarta na stronicy z *mulier amicta sole**, kobietą, która stoi naprzeciw smoka. Ale po zapachu domyśliłem się, że wdychałeś jakieś paskudztwo, i zaraz cię wyniosłem. Mnie też boli głowa.

– Ale co widziałem?

– Nic. Tyle że spalają się tam substancje dające wizje, poznałem po zapachu, to coś arabskiego; być może to samo Starzec z Gór dawał wdychać owym mordercom, nim pchnął ich do czynów. W ten sposób rozwikłaliśmy tajemnicę wizji. Ktoś w nocy kładzie magiczne zioła, by przekonać niewczesnych gości, że biblioteki broni obecność demonów. Co właściwie odczuwałeś?

Bezładnie, o tyle, o ile pamiętałem, opowiedziałem moją wizję, a Wilhelm wybuchnął śmiechem.

– W połowie wyolbrzymiłeś to, co dojrzałeś w księdze, a w drugiej połowie pozwoliłeś przemówić swoim pragnieniom i lękom. Te zioła wzmagają takie stany umysłu. Trzeba będzie porozmawiać o tym jutro z Sewerynem, zdaje się, że więcej wie na ten temat, niż po sobie pokazuje. To zioła, tylko zioła, nie potrzeba nawet tych nekromanckich zabiegów, o których mówił szkłodziej. Zioła, zwierciadła... Tego miejsca zakazanej wiedzy bronią liczne i nader kunsztowne wynalazki. Wiedza wykorzystana, by zakrywać, nie zaś oświecać. Nie podoba mi się to. Jakiś spaczony umysł kieruje świętą obroną biblioteki. Ale była to trudna noc, trzeba już stąd wyjść. Jesteś wzburzony, potrzebujesz wody i świeżego powietrza. Nie warto nawet podejmować próby otworzenia tych okien, są zbyt wysoko i pewnie

---

* Niech odpoczną od swych trudów (łac., Ap 14, 13).

* Kobietą odzianą w słońce (łac., Ap 12, 1).

zamknięte od dziesięcioleci. Jakże mogli pomyśleć, że Adelmus stąd właśnie rzucił się w przepaść!

Wyjść – rzekł Wilhelm. Jakby to było takie łatwe. Wiedzieliśmy, że do biblioteki można się dostać od jednej tylko baszty, wschodniej. Ale gdzie byliśmy w tym momencie? Straciliśmy całkowicie rozeznanie.

Długo błądziliśmy, ogarnięci lękiem, że nigdy nie zdołamy opuścić tego miejsca, ja ciągle jeszcze chwiejąc się na nogach i czując mdłości, Wilhelm dosyć zatroskany o mnie i rozzłoszczony niedostatkiem swojej wiedzy, i ta wędrówka podsunęła nam, a raczej podsunęła Wilhelmowi, myśl na dzień następny. Trzeba będzie wrócić do biblioteki – założywszy, że kiedykolwiek z niej się wydostaniemy – z głownią ze spalonego drewna lub inną substancją, którą dałoby się robić znaki na ścianach.

– Aby znaleźć wyjście z labiryntu – wyrecytował Wilhelm – jest tylko jeden sposób. Przy każdym nowym węźle, to jest takim, w którym jeszcze się nie było, kierunek przyjścia będzie wskazany trzema znakami. Jeśli z przyczyny poprzednich znaków na którymś z dojść do węzła ujrzy się, że został on już odwiedzony, położy się jeden tylko znak wskazujący kierunek dojścia. Kiedy wszystkie przejścia będą już oznakowane, trzeba będzie zawrócić i pójść w przeciwnym kierunku. Ale jeśli jedno przejście lub dwa są jeszcze bez znaków, wybierze się którykolwiek, kładąc dwa znaki. Idąc w kierunku, który ma tylko jeden znak, położymy dwa dalsze, tak by teraz miał trzy. Przemierzy się wszystkie części labiryntu, jeśli tylko, docierając do węzła, nigdy nie ruszy się przejściem z trzema znakami, chyba że wszystkie pozostałe przejścia są już znakami opatrzone.

– Skąd to wiesz? Jesteś biegłym od labiryntów?

– Nie, recytuję tylko stary tekst, który kiedyś czytałem.

– I według tej reguły można się wydostać?

– O ile mi wiadomo, prawie nigdy. Spróbujemy jednak. A zresztą w najbliższych dniach będę miał okulary i dość czasu, by pilniej przestudiować księgi. Skoro poruszanie się według kartuszy zawiodło, może regułę poda nam układ ksiąg.

– Będziesz miał okulary? Jak je odnajdziesz?

– Powiedziałem, że będę je miał. Zrobię sobie inne. Wydaje mi się, że nasz szkłodziej tylko czeka na sposobność, by dokonać czegoś nowego. O ile będzie miał narzędzia odpowiednie, by oszlifować kawałek szkła. Jeśli zaś chodzi o szkło, nie brak go tutaj.

Kiedy tak błąkaliśmy się, szukając drogi, nagle na samym środku jednego z pokojów poczułem, że musnęła mnie po policzku niewidzialna dłoń, a jednocześnie jęk, ni ludzki, ni zwierzęcy, rozległ się

177

echem w tym i sąsiednim pomieszczeniu, jakby jaki upiór błądził z sali do sali. Winienem być przygotowany na niespodzianki, jakie czekają nas w bibliotece, ale raz jeszcze przeraziłem się i odskoczyłem do tyłu. Również Wilhelm musiał doznać czegoś podobnego, ponieważ dotknął swego lica, wznosząc światło i rozglądając się dokoła.

Uniósł rękę, później przyjrzał się płomieniowi, który zdawał się teraz płonąć żywiej, a następnie zwilżył śliną palec i wysunął, wyprostowany, przed siebie.

– To jasne – rzekł następnie i wskazał mi dwa punkty na dwóch przeciwległych ścianach, umieszczone na wysokości człowieka. Były tam dwie wąskie szpary i kiedy zbliżało się do nich rękę, czuło się chłodne powietrze napływające z zewnątrz. Zbliżając zaś ucho, słyszało się szum, jakby po drugiej stronie muru powiał wiatr.

– Biblioteka musi przecież mieć system wietrzenia – powiedział Wilhelm. – W przeciwnym wypadku nie dałoby się tu oddychać, zwłaszcza latem. Poza tym te szpary dostarczają również właściwą dawkę wilgotności, by pergaminy się nie wysuszyły. Ale przenikliwość fundatorów sięgnęła dalej. Ustawiając prześwity pod określonymi kątami, uzyskali to, że w wietrzne noce podmuchy wdzierające się przez te otwory krzyżują się między sobą i pędzą przez rozmieszczone w amfiladzie pokoje, wytwarzając dźwięki, które słyszeliśmy. Owe zaś dźwięki w połączeniu ze zwierciadłami i ziołami powiększają strach nieostrożnych, którzy zapuszczają się tu podobnie jak my, nie znając dobrze tego miejsca. I my też pomyśleliśmy przez moment, że zjawy tchną nam w lica swym oddechem. Postrzegliśmy to dopiero teraz, ponieważ dopiero teraz powiał wiatr. Jeszcze jedna tajemnica wyjaśniona. Ale i tak nadal nie wiemy, jak stąd wyjść.

Tak gawędząc, krążyliśmy daremnie, zagubieni, nie dbając już o czytanie kartuszy, które zdawały się wszystkie takie same. Natknęliśmy się na inną salę siedmioboczną, okrążaliśmy ją przez sale przyległe, nie znaleźliśmy żadnego wyjścia. Wróciliśmy po własnym tropie, chodziliśmy prawie przez godzinę, ani myśląc o tym, by baczyć, gdzie jesteśmy. W pewnym momencie Wilhelm uznał, że przegraliśmy i nie pozostaje nic innego, jak ułożyć się do snu w jednej z sal i mieć nadzieję, że następnego dnia odnajdzie nas Malachiasz. Kiedy opłakiwaliśmy już nędzne zakończenie naszego pięknego przedsięwzięcia, niespodziewanie odnaleźliśmy salę, do której dochodziły schody. Podziękowaliśmy gorąco niebu i czym prędzej zeszliśmy.

Jak tylko dotarliśmy do kuchni, rzuciliśmy się w stronę komina, weszliśmy do korytarza ossuarium i przysięgam, że śmiercionośny grymas czaszek wydał mi się uśmiechem osób najdroższych sercu. Dotarliśmy do kościoła, stamtąd wydostaliśmy się przez portal północny i usiedliśmy wreszcie, szczęśliwi, na kamiennych płytach grobów. Wzmacniające nocne powietrze zdało mi się boskim balsamem. Gwiazdy błyszczały wokół nas i wizje z biblioteki były teraz odległe.

– Jakiż piękny jest świat i jakie szkaradne są labirynty! – rzekłem z ulgą.

– Jakiż piękny byłby świat, gdyby istniała reguła zwiedzania labiryntów – odparł mój mistrz.

– Któraż to godzina? – zapytałem.

– Straciłem poczucie czasu. Ale byłoby dobrze, byśmy znaleźli się w naszych celach, zanim zadzwonią na jutrznię.

Ruszyliśmy wzdłuż lewej strony kościoła, minęliśmy portal (odwróciłem się w drugą stronę, żeby nie widzieć starców z Apokalipsy *super thronos viginti quatuor*) i przeszliśmy przez dziedziniec, by znaleźć się w austerii dla pielgrzymów.

Na progu budynku stał opat, który przyglądał się nam z surowym obliczem.

– Szukam cię przez całą noc – rzekł do Wilhelma. – Nie zastałem cię w celi, nie zastałem w kościele...

– Badaliśmy pewien trop – rzekł wymijająco Wilhelm z widocznym zakłopotaniem.

Opat przyjrzał mu się przeciągle, po czym oznajmił głosem powolnym i surowym:

– Szukałem was zaraz po komplecie. Berengara nie było w chórze.

– Co też powiadasz! – ozwał się Wilhelm z rozbawioną miną. Widział teraz jasno, kto zaczaił się w skryptorium.

– Nie było go w chórze w porze komplety – powtórzył opat – i nie wrócił do swojej celi. Zaraz zadzwonią na jutrznię i zobaczymy, może się pojawi. W przeciwnym razie obawiam się nowego nieszczęścia.

Na jutrzni Berengara nie było.

Dzień
trzeci

Dzień trzeci

Od laudy do prymy

Kiedy to w celi Berengara, który zniknął, znajduje
się płótno zbrukane krwią, i to wszystko

Kiedy piszę te słowa, czuję się znużony jak owej nocy, a właściwie owego ranka. Cóż powiedzieć? Po nabożeństwie opat zachęcił większość mnichów, pełnych teraz niepokoju, by szukali wszędzie; bez rezultatu.

Kiedy zbliżała się lauda, pewien mnich przeszukujący celę Berengara znalazł pod siennikiem białe płótno zbrukane krwią. Pokazano je opatowi, który wyciągnął ponure wnioski. Był przy tym Jorge, który gdy został o wszystkim zawiadomiony, spytał: „Krwią?", jakby cała rzecz wydała mu się niepodobna do prawdy. Powiedziano o tym Alinardowi, a ten potrząsnął głową i rzekł: „Nie, nie, przy trzeciej trąbie przychodzi śmierć od wody..."

Wilhelm przyjrzał się płótnu, a następnie oznajmił:

– Teraz wszystko jest jasne.

– Gdzież więc jest Berengar? – spytali go.

– Nie wiem – odparł.

Usłyszał to Aimar i wzniósłszy wzrok do nieba, szepnął Piotrowi z Sant'Albano:

– Tacy już są Anglicy.

Kiedy zbliżała się pryma i wstało słońce, wysłano służbę, by przeszukała podnóże urwiska wokół całego muru. Wrócili na tercję, niczego nie znalazłszy.

Wilhelm powiedział mi, że nic więcej nie moglibyśmy uczynić. Trzeba czekać na rozwój wydarzeń. I udał się do kuchni, by odbyć zwięzłą rozmowę z Mikołajem, mistrzem szklarskim.

Ja zaś usiadłem w kościele w pobliżu środkowego portalu i pozostawałem tam, kiedy odprawiano kolejne msze. I tak nabożnie zasnąłem, i na długo, zdaje się bowiem, że za młodu potrzebujemy więcej snu niźli starzy, którzy spali już dużo i gotują się do snu wiecznego.

Dzień trzeci

Tercja

Kiedy to Adso rozmyśla w skryptorium nad historią swojego zakonu i nad przeznaczeniem ksiąg

Wyszedłem z kościoła mniej zmęczony, ale z zamętem w umyśle, albowiem ciało spokojnym wypoczynkiem cieszy się tylko w godzinach nocnych. Wspiąłem się do skryptorium, poprosiłem o zezwolenie Malachiasza i zacząłem przeglądać katalog. I chociaż rzucałem roztargnione spojrzenie na karty, które przemykały mi przed oczyma, w istocie baczyłem na mnichów.

Uderzył mnie spokój i pogoda, z jakimi pogrążyli się w swojej pracy, jakby nie szukano gorączkowo w obrębie murów jednego z ich konfratrów i jakby dwaj inni nie zostali już odnalezieni w strasznych okolicznościach. Oto – rzekłem sobie – wielkość naszego zakonu: w ciągu wieków ludzie, tacy sami jak ci oto, oglądali zawieruchę barbarzyńską, pustoszenie swego opactwa, widzieli, jak królestwa walą się w zamęt ognia, a przecież nadal kochali pergamin i inkausty i nadal czytali, poruszając wargami, słowa, które przekazano im z otchłani wieków, a które oni przekażą z kolei wiekom przyszłym. Dalej czytali i przepisywali, kiedy zbliżało się milenium; czemuż więc nie mieliby czynić tego teraz?

Poprzedniego dnia Bencjusz powiedział, że gotów byłby popełnić grzech, byleby zyskać jakąś rzadką książkę. Nie kłamał i nie żartował. Mnich winien z pewnością kochać swoje księgi z pokorą, pragnąć ich dobra, nie zaś chwały własnej ciekawości, ale czym dla ludzi świeckich jest pokusa cudzołóstwa, a nienasycona żądza bogactwa dla duchownych regularnych, tym dla mnichów uwodzicielska siła wiedzy.

Kartkowałem katalog i przed oczyma tańczył mi świąteczny orszak tajemniczych tytułów: *Quinti Sereni de medicamentis, Phaenomena, Liber Aesopi de natura animalium, Liber Aethici peronymi de cosmographia, Libri tres quos Arculphus episcopus adamnano esciepiente de locis sanctis ultramarinis designavit conscribendos, Libellus Q. Iulii Hilarionis de origine mundi, Solini Polyshistor de situ orbis terrarum et mirabilibus, Almagesthus...* Nie dziwiło mnie, że tajemnica zbrodni obraca się wokół biblioteki. Dla tych ludzi oddanych pisaniu biblioteka była jednocześnie Jeruzalem niebiańskim i światem podziemnym na granicy między nieznaną ziemią a piekłem. Rządy nad nimi sprawowała biblioteka, jej obietnice i zakazy. Żyli z nią, dla niej i być może przeciw niej, mając występną nadzieję, że pewnego dnia pogwałcą wszystkie jej tajemnice. Czemuż nie mieliby narazić się na śmierć, by zaspokoić ciekawość swoich umysłów, lub zabić, by przeszkodzić komuś w zawładnięciu ich zazdrośnie strzeżonym sekretem?

Zapewne, pokusa umysłu pełnego pychy. Zupełnie inny był mnich skryba, jakiego wyobraził sobie nasz święty założyciel; miał kopiować, nie rozumiejąc, miał powierzyć się woli Boga, pisać, gdyż w ten sposób modlił się, i modlić się przez to, że pisał. Dlaczego już tak nie jest? Nie są to jedyne zwyrodnienia naszego zakonu! Stał się zbyt potężny, jego opaci rywalizowali z królami, czyż bowiem Abbon nie był przykładem monarchy, który z monarszym iście gestem stara się uśmierzyć waśnie między monarchami? Nawet wiedza, którą nagromadziły opactwa, była teraz towarem do wymiany, zachętą do pychy, sposobnością, by zyskać próżną chwałę i znaczenie; jak rycerze obnażali oręż i wznosili chorągwie, tak nasi opaci pysznili się iluminowanymi kodeksami... I to coraz bardziej (cóż za szaleństwo!), w miarę jak nasze klasztory traciły już palmę mądrości; w szkołach katedralnych, miejskich cechach, uniwersytetach też kopiowano książki, może nawet więcej i lepiej niż u nas, a także tworzono nowe – i być może to właśnie było przyczyną tylu nieszczęść.

Opactwo, w którym się znalazłem, było pewnie ostatnim mającym prawo chwalić własną doskonałość w wytwarzaniu i odtwarzaniu mądrości. Ale może właśnie dlatego tutejsi mnisi nie zadowalali się już świętym dziełem kopiowania, lecz chcieli dawać dalsze uzupełnienia natury, gdyż władała nimi chciwość rzeczy nowych. I nie dostrzegali, przeczułem niejasno w tym momencie (a wiem to dobrze dzisiaj, kiedy lata doświadczeń okryły mą głowę siwizną), że tak czyniąc, pieczętowali ruinę swojej biegłości. Gdyby bowiem nowa wiedza, jaką chcieli wytwarzać, wypłynęła swobodnie poza mury, nic już nie różniłoby tego świętego miejsca od szkoły katedralnej lub miejskiego uniwersytetu. Gdyby zaś pozostawała zamknięta, zachowywałaby swój prestiż i siłę, nie ulegałaby znieprawieniu wskutek dysput, wskutek bezzasadnej zarozumiałości, która chce przesiać przez sito *sic et non** wszelką tajemnicę i wszelką wielkość. Oto – powiedziałem sobie – powody milczenia i mroku, jakie otaczają bi-

---

* Tak i nie (łac.).

bliotekę; jest składnicą wiedzy, ale utrzymać tę wiedzę w stanie nienaruszonym może jedynie nie dopuszczając, by sięgnął po nią ktokolwiek, choćby i mnich. Wiedza nie jest jak moneta, która pozostaje w fizycznym znaczeniu taka sama, nawet kiedy służy do najhaniebniejszych handlów; jest raczej niby strojna suknia, która się zużywa, kiedy ją nosimy, chcąc się nią pochwalić. Czyż nie taka w istocie jest sama księga, której stronice rozpadają się wszak, inkausty zaś i złota tracą blask, jeśli zbyt wiele dłoni jej dotyka? Oto widziałem, jak nieopodal mojego miejsca Pacyfik z Tivoli kartkował starodawny wolumin, którego karty przywarły do siebie wskutek wilgoci. Zwilżał językiem kciuk i palec wskazujący, by móc przerzucić kartę, i przy każdym zetknięciu ze śliną stronice traciły sztywność, otwieranie ich oznaczało marszczenie, wystawienie na srogie działanie powietrza i kurzu, które będą pogłębiać delikatne rysy pokrywające pergamin wskutek przykładania do niego siły, spowodują pojawienie się kolejnych wysepek pleśni tam, gdzie ślina zmiękczyła, ale i osłabiła róg karty. Jak nadmiar łagodności czyni miękkim i niezdarnym żołnierza, tak ten nadmiar zachłannej i ciekawskiej miłości uczyni księgę podatną na chorobę, która ją zabije.

Cóż winno się uczynić? Przestać czytać, dbać jedynie o zachowanie ksiąg? Czy moje obawy są słuszne? Co powiedziałby o tym mój mistrz?

Ujrzałem nieopodal rubrykatora, Magnusa z Iony, który skończył właśnie pocierać swój welin pumeksem i wygładzał go kredą, by następnie wypolerować powierzchnię skrobakiem. Obok inny, Raban z Toledo, umocował pergamin do stołu, maleńkimi dziurkami zaznaczył po obu bokach marginesy i metalowym rylcem kreślił teraz od dziurki do dziurki delikatne linie poziome. Rychło obie stronice wypełnią się barwami i kształtami, karta stanie się jak relikwiarz, zajaśnieje klejnotami osadzonymi w tym, co później stanie się pobożną tkaniną pisma. Ci dwaj konfratrzy – powiedziałem sobie – przeżywają swoje godziny raju na ziemi. Wytwarzają nowe księgi, nieustępujące tym, które nieubłagany czas niszczy... Tak więc bibliotece nie mogła zagrozić żadna siła ziemska, była czymś żywym... Ale jeśli żyje, czemu nie miałaby otworzyć się na zagrożenie, jakie niesie wiedza? Czy tego właśnie chciał Bencjusz i tego, być może, chciał Wenancjusz?

Poczułem zamęt w głowie i przestraszyłem się moich myśli. Bez wątpienia nie przystoją nowicjuszowi, który przez wszystkie lata, jakie nadejdą, winien jedynie przestrzegać skrupulatnie i w pokorze reguły – to też potem uczyniłem, nie stawiając sobie innych pytań, gdy tymczasem świat wokół mnie coraz bardziej pogrążał się w zawierusze krwi i szaleństwa.

Nadszedł czas porannego posiłku, więc udałem się do kuchni, gdzie zaprzyjaźniłem się już z kucharzami, więc dawali mi najlepsze kęsy.

Dzień trzeci

Seksta

Kiedy to Adso wysłuchuje zwierzeń Salwatora, których nie da
się streścić w niewielu słowach, ale które są mu natchnieniem
do licznych i frasobliwych medytacji

Kiedy jadłem, dostrzegłem w kącie najwidoczniej pogodzonego z kucharzem Salwatora, który pożerał pasztet z baraniny. Jadł tak, jakby to był pierwszy posiłek w jego życiu, nie pozwalając, by spadła najmniejsza okruszyna, i zdawało się, że dziękuje Bogu za to nadzwyczajne wydarzenie.

Mrugnął do mnie porozumiewawczo i rzekł tym swoim dziwacznym językiem, że je za wszystkie te lata, które przegłodował. Zacząłem go przepytywać. Opowiedział mi o żałosnym dzieciństwie we wsi, gdzie powietrze było niezdrowe, deszcze częste, na polach zaś wszystko gniło i było zatrute śmiercionośnymi wyziewami. Kolejne pory roku przynosiły, tak w każdym razie rozumiałem, wylewy rzek, aż na polach nie było już bruzd i z korca ziarna zbierało się ćwiertnię, a potem z ćwiertni nie zostawało już nic. Również panowie mieli twarze blade jak biedacy, aczkolwiek – zauważył Salwator – biedacy umierali częściej niż panowie, być może dlatego (zauważył z uśmiechem), że było ich więcej... Ćwiertnia kosztowała piętnaście solidów, korzec sześćdziesiąt solidów. Kaznodzieje zapowiadali kres czasów, ale rodzice i dziadkowie Salwatora pamiętali, że kiedyś już tak było, doszli więc do wniosku, iż kres czasów zbliża się zawsze. Kiedy już zjedli ścierwo wszystkich ptaków i wszelkie zwierzę nieczyste, jakie można było znaleźć, rozeszła się pogłoska, że ktoś we wsi zaczął wykopywać trupy. Salwator z wielką werwą, jakby był histrionem, wyjaśnił, jak mieli zwyczaj postępować ci *homeni malissimi*, którzy kopali w ziemi gołymi rękami w dzień po egzekwiach. „Mniam!" – mówił i wbijał zęby w pasztet barani, ale ja widziałem na jego twarzy grymas desperata pożerającego zwłoki. A poza tym niektórzy, gorsi jeszcze od tamtych, nie zadowalając się wykopywaniem trupów z poświęconej ziemi, niby zbóje zaczajali się w lasach i napadali podróżnych. „Ciach! – mówił Salwator z nożem przy gardle. – Mniam!" Najgorsi zaś z najgorszych jajkiem lub gruszką wabili dzieci, by wyprawić sobie ucztę, ale – jak wyjaśnił z wielką ścisłością Salwator – najpierw je gotując. Opowiedział o pewnym mężczyźnie, który przybył do wsi, sprzedając tanio gotowane mięso;

nikt nie mógł uwierzyć w takie szczęście, aż wreszcie ksiądz powiedział, że chodzi o mięso ludzkie, i rozjuszony tłum rozszarpał mężczyznę na kawałki. Ale tej samej nocy ktoś ze wsi poszedł wykopać zabitego i jadł mięso tego kanibala, a kiedy został na tym przyłapany, wieś skazała na śmierć także jego.

Salvator opowiedział mi nie tylko tę historię. W urywanych słowach, zmuszając mnie do przypomnienia sobie tej odrobiny prowansalskiego i dialektów włoskich, które znałem, opowiedział mi dzieje swojej ucieczki z rodzinnej wioski i błądzenia po świecie. W jego opowieści rozpoznałem wielu, których spotkałem już w drodze, a wielu innych, których spotkałem później, rozpoznaję teraz. Nie jestem więc pewien, czy z odległości tylu lat nie przypisuję mu przygód i zbrodni będących własnością innych, przed nim i po nim, a teraz nakładających się na siebie w moim znużonym umyśle, tak że jeden obraz rysuje mi potęga tej samej wyobraźni, co łącząc wspomnienie złota ze wspomnieniem góry, wytwarza sobie ideę góry złota.

W czasie podróży słyszałem często, jak Wilhelm wypowiadał słowo „prostaczkowie", jakim niektórzy jego konfratrzy określają nie tylko lud, ale także ludzi nieuczonych. Termin ten zawsze wydawał mi się zbyt ogólny, albowiem w miastach italskich poznałem kupców i rzemieślników, którzy nie byli klerkami, ale bynajmniej nie byli niewykształceni, chociaż swą wiedzę ujmowali w słowa, używając języka pospolitego. A trzeba też powiedzieć, że niektórzy spośród tyranów władających w owym czasie półwyspem byli nieukami w zakresie wiedzy teologicznej, medycznej, logicznej i w łacinie, ale z pewnością nie byli prostaczkami ani golcami. Dlatego sądzę, że również mój mistrz, kiedy mówił o prostaczkach, używał pojęcia raczej prostackiego. Lecz Salvator był bez wątpienia prostaczkiem, pochodził ze wsi od wieków doświadczanej przez niedostatek i gwałty panów feudalnych. Był więc prostaczkiem, ale nie głupcem. Wzdychał do świata odmiennego, który w czasach, kiedy uciekł z rodzinnego domu, nabrał, sądząc po tym, co sam Salvator mi powiedział, rysów krainy obfitości, gdzie na drzewach ociekających miodem rosną gomółki serów i wonne kiełbasy.

Pchany tą nadzieją, prawie nie chcąc uwierzyć, że ten świat jest padołem łez, gdzie (jak mnie nauczono) nawet niesprawiedliwość została przewidziana przez Opatrzność, by utrzymać równowagę rzeczy, wskutek czego wymyka się nam często Jej zamysł, Salvator podróżował przez rozmaite ziemie – od swojego ojczystego Monferrato w stronę Ligurii, a potem dalej z ziem Prowansji do ziem króla Francji.

Błąkał się po świecie, żebrząc, plądrując cudze kurniki i sady, udając choroby, zaciągając się na jakiś czas w służbę u któregoś z panów, ruszając dalej leśną ścieżką albo bitym traktem. Ujrzałem oczyma duszy, jak przyłącza się do band włóczęgów, którzy w następnych latach, a sam to widziałem, coraz większą liczbą błąkali się po Europie: fałszywi mnisi, szarlatani, wydrwigrosze, dziady, nicponie i oberwańcy, trędowaci i chromi, łaziki, łazęgi, bajarze, duchowni bez ojczyzny, wędrowni scholarze, szulerzy, żonglerzy, okaleczeni najemnicy, Żydzi tułacze, załamani na duchu uciekinierzy z rąk niewiernych, szaleńcy, banici, złoczyńcy z odciętymi uszami, sodomici, a między nimi wędrowni rękodzielnicy, tkacze, kotlarze, krześlarze, szlifierze, wyplatacze słomy, murarze i również wszelkiego pokroju łotrzykowie spod ciemnej gwiazdy, szachraje, szelmy, szubienicznicy, urwisy, szubrawcy, ludzie bez dachu nad głową, przechery, bluźniercy, franty, chłystki, świętokupcy, wiarołomni kanonicy i księża, ludzie, którzy żyli już tylko z łatwowierności innych, fałszerze bulli i pieczęci papieskich, handlarze odpustami, fałszywi paralitycy, którzy padali u drzwi kościołów, waganci, którzy uciekli z klasztorów, sprzedawcy relikwii, odpuściciele, wróżbici i chiromanci, nekromanci, znachorzy, fałszywi kwestarze, wszelkiego gatunku rozpustnicy, znieprawiacze mniszek i dziewcząt przez oszustwo lub przemoc, udający puchlinę wodną, hemoroidy, epilepsję, podagrę i rany, a ponadto ciężką melancholię. Byli tacy, którzy naklejali sobie na ciało plastry, by udawać nieuleczalne wrzody, inni, którzy wypełniali sobie usta płynem koloru krwi, by udawać, że plują krwią i mają suchoty, filuci, którzy udawali, że słabują na któryś z członków, wspierając się bez żadnej potrzeby na kijach i naśladując ataki padaczki, świerzb, guzy dymienicze, obrzęki, owijając się bandażami, nakładając na ciało przepaski, barwniki z szafranu, nosząc żelaza na rękach, opaski na głowach, pchając się ze swoim smrodem do kościołów i padając nagle na samym środku placów, tocząc ślinę i wywracając oczami, wyrzucając nozdrzami krew uczynioną z soku morwy i czerwieni rtęciowej, a wszystko po to, by wydrzeć pożywienie lub pieniądze od ludzi lękliwych, którzy pamiętali o tym, że święci ojcowie zachęcają do dawania jałmużny: dziel twój chleb z głodnym, wprowadź pod swój dach tego, kto nie ma dachu nad głową, nawiedzaj Chrystusa, bo jak woda oczyszcza z ognia, tak jałmużna oczyszcza nas z grzechów.

Również po tych wszystkich zdarzeniach, o których tu opowiadam, wielu widziałem i widzę nadal wzdłuż biegu Dunaju tych szarlatanów, a imion ich i rodzajów legion, jak imię demona: szachraje, niby-pogorzelcy, protomedycy *pauperes verecundi**, chromoty, łżykmotry, mendyki, arcygamraci, franty, machlarze, mytlarze, łapigrosze, przechery, sykofanty, trutnie, pożyczniki, fałeszniki, naśladowniki rzucawki albo wodowstrętu, chąśniki, wendetarze, zbieguny, łomiwroty, ślozotoki.

Byli jak szlam, który spływa ścieżkami naszego świata, a między nich wślizgiwali się kaznodzieje dobrej wiary, kacerze szukający nowych ofiar, podżegacze do niezgody. Właśnie papież Jan, stale lękający się ruchów prostaczków, głoszących i praktykujących ubóstwo, występował przeciw kwestującym kaznodziejom, którzy wedle słów jego przyciągali gapiów, wywieszając chorągwie pstre od wyobrażanych na nich figur, głosili kazania i wyłudzali pieniądze. Czy słusznie ten świętokupczy i znieprawiony papież stawiał na równi żebrzących braci, którzy głosili ubóstwo, i te bandy golców i obwiesiów? Ja w owych dniach, choć podróżowałem trochę po półwyspie italskim, nie miałem już jasnego rozeznania; słyszałem o braciach z Altopascio, którzy w swych kazaniach grozili ekskomuniką i obiecywali odpusty, rozgrzeszali z grabieży i bratobójstwa, z zabójstwa i krzywoprzysięstwa w zamian za pieniądze, dawali do zrozumienia, że w ich szpitalu odprawia się codziennie do stu mszy, więc zbierali na nie datki, i że ze swoich dóbr dają wiano dla dwustu ubogich dziewcząt. I słyszałem o bracie Pawle Chromym, który żył na odludziu w lesie koło Rieti i chełpił się, iż miał bezpośrednio od Ducha Świętego objawienie, że akt cielesny nie jest grzechem; tak więc uwodził swoje ofiary, które nazywał siostrami, zmuszając je, by dały się chłostać na gołe ciało, a przyklękał w tym czasie pięciokroć, aby utworzyć kształt krzyża, zanim przedstawi swoje ofiary Bogu i weźmie od nich to, co nazywał pocałunkiem pokoju. Lecz czy była to prawda? I co łączyło tych samotników, którzy głosili o sobie, że zostali oświeceni, z braćmi ubogiego żywota, którzy przebiegali drogi półwyspu, naprawdę czyniąc pokutę, znienawidzeni przez duchowieństwo i biskupów; których występki i złodziejstwa piętnowali.

W opowieści Salwatora, przemieszanej z tym wszystkim, czego dowiedziałem się uprzednio sam, te rozróżnienia nie wydostawały się na światło dnia: wydawało się, że wszystko równe jest wszystkiemu. Raz stawali mi przed oczyma owi ułomni żebracy z Touraine, o których legenda opowiada, że zbliżywszy się do cudownych szczątków świętego Marcina, rzucili się do ucieczki, lękali się bowiem, by święty ich nie uzdrowił, odbierając w ten sposób źródło dochodów,

---

* Skromni biedacy (łac.).

lecz nielitościwy święty okazał im łaskę, nim dotarli do rogatek, karząc ich za niegodziwość przywróceniem sprawności członków. Czasem znowuż zwierzęca twarz mnicha rozświetlała się słodkim blaskiem, kiedy opowiadał, jak to, żyjąc pośród tych band, słuchał słów franciszkańskich kaznodziejów, tak samo jak on wędrujących po bezdrożach, i pojął, że na biedne i włóczęgowskie życie, jakie wiedzie, nie trzeba patrzeć jak na ponurą konieczność, ale jak na radosny gest oddania siebie, i stał się uczestnikiem sekt i grup pokutnych, których nazwy przekręcał, doktrynę zaś przedstawiał w sposób mało pasujący do rzeczywistości. Wywnioskowałem, że spotykał patarenów i waldensów, i być może katarów, arnoldystów i pokornych i że wędrując przez świat, przechodził z grupy do grupy, przyjmując za swoje posłannictwo los włóczęgi i czyniąc dla Pana to, co poprzednio czynił dla swojego brzucha.

Ale jak i do kiedy? O ile zrozumiałem, jakieś trzydzieści lat wcześniej przystąpił do jednego z klasztorów minoryckich w Toskanii i tamże przyjął suknię świętego Franciszka, nie otrzymawszy jednak święceń. Tam też zapewne nauczył się tej szczypty łaciny, którą mówił, mieszając ją z narzeczami wszystkich miejsc, gdzie przebywał, on, nędzarz bez ojczyzny, i wszystkich napotkanych towarzyszy włóczęgi, od najemnych żołnierzy z mojej ziemi po dalmatyńskich bogomiłów. Tam poświęcił się życiu pokutnemu, mówił (*penitenziagite* – cytował z natchnionym spojrzeniem, i znowu usłyszałem wyrażenie, co tak zaciekawiło Wilhelma), ale, jak się zdaje, także minoryci, u których boku przebywał, mieli w głowach zamęt, gdyż w gniewie przeciw kanonikowi sąsiedniego kościoła, oskarżanemu o grabież i inne łotrostwa, napadli pewnego dnia na dom grzesznika, którego zrzucili ze schodów, tak że ów od tego umarł, a potem spustoszyli kościół. Biskup wezwał zbrojnych, bracia rozpierzchli się i Salwator błąkał się długo po północnej Italii z bandą braciaszków, to jest minorytów, kwestujących już bez żadnego prawa ni dyscypliny.

Ruszył więc w okolice Tuluzy, gdzie przydarzyła mu się dziwna historia, kiedy usłyszał opowieści o wielkim przedsięwzięciu krzyżowców. Ciżba pasterzy i maluczkich ruszyła pewnego dnia wielkim zastępem, by przebyć morze i walczyć przeciw nieprzyjaciołom wiary. Nazywano ich pastuszkami. W rzeczywistości chcieli uciec ze swojej przeklętej ziemi. Mieli dwóch przywódców, którzy wpajali im fałszywe nauki – kapłana pozbawionego kościoła, gdyż źle się prowadził, i mnicha apostatę ze Zgromadzenia Świętego Benedykta. Ci dwaj do tego stopnia zawrócili w głowach prostaczkom, że owi biedacy poszli za nimi niby stado wielką ciżbą, nawet siedemnastoletnie pacholęta wbrew woli rodziców, biorąc ze sobą jedynie sakwę i kij, bez pieniędzy, porzuciwszy swoje pola. Nie rządzili się już ani rozumem, ani sprawiedliwością, jeno siłą i własną wolą. Upoiło ich poczucie, że są razem, wreszcie wolni, upoiła ich niejasna nadzieja Ziemi Obiecanej. Przebiegali wsie i miasta, zabierając wszystko, a jeśli jeden z nich został zatrzymany, oblegali więzienie i go uwalniali. Kiedy weszli do twierdzy Paryża, by zabrać kilku swoich towarzyszy, których panowie kazali zamknąć, prewot próbował stawić opór, więc obalili go, zrzucili ze schodów twierdzy i wyłamali drzwi lochu. Potem uszykowali się do bitwy na łące Saint-Germain. Nikt jednak nie śmiał stanąć im naprzeciw, więc wyszli z Paryża, kierując się ku Akwitanii. Zabijali wszystkich Żydów, których spotykali tu i ówdzie, i pozbawiali ich dóbr.

„Dlaczego Żydów?" – zapytałem Salwatora. Odpowiedział: „A dlaczego by nie?" I wyjaśnił, że przez całe życie uczyli się od kaznodziejów, iż Żydzi są wrogami chrześcijaństwa i gromadzą dobra, których im, biedakom, się odmawia. Zapytałem go, czy nie było prawdą, że dobra gromadzili też panowie i biskupi, ściągając dziesięcinę, a więc pastuszkowie nie zwalczali swoich prawdziwych nieprzyjaciół. Odparł, że jeśli prawdziwi nieprzyjaciele są zbyt potężni, trzeba poszukać sobie jakichś słabszych. Pomyślałem wtedy, że słusznie nazywają ich prostaczkami. Tylko możni wiedzą zawsze, kto jest prawdziwym wrogiem. Panowie nie chcieli, by pastuszkowie wystawili na szwank ich dobra, i mieli wielkie szczęście, gdyż przywódcy pastuszków szerzyli myśl, że znaczne bogactwa są u Żydów.

Zapytałem, kto wbił tłumom do głów, że mają tępić Żydów. Salwator nie pamiętał. Zdaje mi się, że kiedy takie tłumy idą za jakąś obietnicą i żądają czegoś bez zwłoki, nigdy nie wiadomo, kto spośród ciżby przemawia. Pomyślałem, że ich przywódcy byli wykształceni w klasztorach i szkołach biskupich i przemawiali językiem panów, choćby i przekładali go na wyrażenia zrozumiałe dla pastuszków. A pastuszkowie nie wiedzieli, gdzie przebywa papież, ale wiedzieli, gdzie znaleźć Żydów. Wzięli szturmem wysoki i mocny zamek króla Francji, dokąd przerażeni Żydzi pobiegli tłumem, by się schronić. A Żydzi wyszli pod mury zamku i bronili się odważnie i bezlitośnie, rzucając belki i kamienie. Ale pastuszkowie podłożyli ogień pod bramę, dręcząc zabarykadowanych Żydów dymem i ogniem. Żydzi zaś, nie mogąc się uratować i woląc sami zadać sobie śmierć niż umrzeć z ręki nieobrzezanych, zawołali jednego ze swoich, który zdawał się najodważniejszy, by zabił ich mieczem. Ten zgodził się i zabił ich prawie pięciuset. Potem wyszedł z zamku z córkami Żydów i prosił pastuszków, by go ochrzcili. Ale pastuszkowie rzekli: „Ty dokonałeś takiej rzezi swoich, a teraz chcesz uniknąć śmierci?" I rozerwali go na strzępy, oszczędzając dzieci, które kazali ochrzcić. Potem ruszyli w stronę Carcassonne, dokonując wielu krwawych czynów na swojej drodze. Wtenczas król Francji dowiedział się, że przekroczyli granicę, i rozkazał, by stawiać im opór w każdym mieście, w którym się pojawią, i bronić nawet Żydów, jakby byli ludźmi króla...

Dlaczego król stał się tak dalece życzliwy Żydom? Może zaniepokoił się tym, czego pastuszkowie mogliby dokonać w całym królestwie, gdy ich liczba zbyt urośnie. Umiłował wtedy nawet Żydów, albo dlatego, że byli w królestwie pożyteczni jako kupcy, albo dlatego, że należało teraz zniszczyć pastuszków i wszystkim dobrym chrześcijanom potrzebny był powód, by opłakiwali popełnione zbrodnie. Ale liczni chrześcijanie nie posłuchali króla, uważając, że nie jest słuszne bronić Żydów, którzy zawsze byli nieprzyjaciółmi wiary chrześcijańskiej. I w wielu miastach ludzie z pospólstwa, którzy musieli płacić lichwę Żydom, byli szczęśliwi, że pastuszkowie ukarali ich za bogactwo. Wtenczas król nakazał pod karą śmierci, by nie udzielać pomocy pastuszkom. Zebrał mnogie wojsko i napadł na nich, i liczni legli, a inni ratowali się ucieczką i szukali schronienia w lasach, gdzie zginęli od nędzy. Wkrótce wszyscy byli zniszczeni. A posłannik króla schwytał ich i powiesił po dwudziestu lub trzydziestu na największych drzewach, by widok ich trupów służył za wieczny przykład i by nikt nie śmiał zakłócać pokoju w królestwie.

Rzeczą osobliwą było to, że Salwator opowiedział mi tę historię tak, jakby chodziło o przedsięwzięcie wielce cnotliwe. I w istocie był przekonany, że tłum pastuszków ruszył, by odzyskać grób Chrystusa i wyzwolić go z rąk niewiernych. Nie udało mi się go przekonać, iż ten piękny podbój dokonany został już w czasach Piotra Eremity i świętego Bernarda, za panowania Ludwika Świętego francuskiego. W każdym razie Salwator nie pociągnął na niewiernych, musiał bowiem oddalić się jak najszybciej z ziemi francuskiej. Przeszedł do prowincji Novary, jak oznajmił, ale o tym, co się zdarzyło wtedy, mówił nader niejasno. A wreszcie przybył do Casale, gdzie został przyjęty w zakonie minorytów (i tam, jak sądzę, spotkał Remigiusza) właśnie w czasach, kiedy liczni spośród nich, prześladowani przez papieża, zmieniali habit i szukali schronienia w klasztorach innych zakonów, by nie skończyć na stosie. Tak samo opowiedział nam o tym Hubertyn. Dzięki temu, że miał bogate doświadczenie w rozmaitych pracach ręcznych (które wykonywał dla celów występnych,

kiedy włóczył się jako człek wolny, i dla celów świętych, kiedy włóczył się z miłości do Chrystusa), klucznik wziął go sobie od razu na
pomocnika. Oto czemu od lat już tkwi tutaj i niewiele dba o chwałę
zakonu, wiele za to o piwnice i spiżarnie; może wreszcie jeść, nie
kradnąc, i chwalić Boga, nie narażając się na stos.
    Taką historię usłyszałem od niego między jednym kęsem a dru-
gim i sam się zastanawiam, co zmyślił, a co przemilczał.
    Przyglądałem mu się z zaciekawieniem, nie dla osobliwości jego
przeżyć, ale właśnie dlatego, że wszystko, co mu się przydarzyło,
zdało mi się wspaniałą epitomą mnóstwa wydarzeń i ruchów, które
czyniły w owych czasach Italię krainą tak urzekającą i tak niezrozu-
miałą.
    Cóż wyłaniało się z tych słów? Obraz człowieka, który wiódł życie
pełne przygód, który gotów był zabić bliźniego, nie zdając sobie nawet sprawy, że popełnia zbrodnię. Ale choć w owych czasach wszelka obraza prawa Boskiego zdawała mi się jednaką, zaczynałem już
pojmować niektóre ze zjawisk, o których mówiono przy mnie, i rozumiałem, że czymś innym jest rzeź, jakiej może dokonać tłum, ogarnięty prawie ekstatycznym uniesieniem i biorący prawa diabelskie
za Boskie, czymś innym zaś poszczególna zbrodnia, popełniona
z zimną krwią, w ciszy i przebiegle. I nie mniemałem, by Salwator
mógł splamić się zbrodnią tego ostatniego rodzaju.
    Z drugiej strony chciałem się dowiedzieć czegoś o tym, co pod-
szepnął opat, i nękała mnie myśl o bracie Dulcynie, o którym nie
wiedziałem prawie nic. A zdało się wszak, że jego widmo unosi się
nad licznymi rozmowami, które zasłyszałem w ciągu tych dwóch dni.
    Spytałem więc znienacka:
    – Czy w twoich podróżach nie spotkałeś nigdy brata Dulcyna?
    Odzew był osobliwy. Salwator wytrzeszczył jeszcze bardziej niż
zwykle oczy, przeżegnał się kilkakroć, wyszeptał parę urywanych
zdań w jakimś języku, którego tym razem naprawdę nie pojąłem. Ale
zdało mi się, że przeczy. Dotychczas patrzył na mnie z sympatią
i ufnością, powiedziałbym przyjaźnie. Od tej chwili – prawie z nienawiścią. Potem poszedł sobie pod byle jakim pretekstem.
    Było to już ponad moje siły. Kim był ten brat, który wzniecał
takie przerażenie u każdego, kto usłyszał jego imię? Doszedłem do
wniosku, że nie mogę dłużej być wystawiony na pastwę ciekawości.
Pewna myśl przemknęła mi przez głowę. Hubertyn! On wszak wyrzekł to imię pierwszego wieczoru, kiedy go spotkaliśmy, on wiedział wszystko o jasnych i mrocznych sprawach braci, braciaszków
i innych bohaterów ostatnich lat. Gdzież mógłbym go znaleźć o tej

porze? Z pewnością w kościele, pogrążonego w modlitwie. I tam też się udałem, gdyż miałem jeszcze trochę wolnego czasu.

Nie znalazłem go wtedy i nie znalazłem aż do wieczora. Tak więc nie zaspokoiłem ciekawości, a tymczasem następowały inne wydarzenia, o których winienem teraz opowiedzieć.

Dzień trzeci

Nona

Kiedy to Wilhelm mówi Adsowi o wielkiej rzece heretyckiej,
o roli prostaczków w Kościele, o swoich wątpliwościach co
do możliwości poznania praw ogólnych i niemal mimochodem
opowiada, w jaki sposób rozszyfrował czarnoksięskie znaki
pozostawione przez Wenancjusza

Zastałem Wilhelma w kuźni, gdzie pracował z Mikołajem, a obaj byli nader pochłonięci tym, co robili. Rozłożyli na ławie maleńkie krążki ze szkła, być może przygotowane po to, by wcisnąć je w złącza witraża, a niektóre za pomocą stosownych narzędzi zmniejszyli do potrzebnej wielkości. Wilhelm przykładał je sobie na próbę do oka. Mikołaj ze swej strony wydawał polecenia kowalom, sporządzającym widełki, w które dobre szkiełka miały zostać oprawione.

Wilhelm zrzędził, trochę rozdrażniony, ponieważ soczewka, która najlepiej go zadowalała, miała kolor szmaragdu, a on – mówił – nie chce widzieć pergaminu takim, jakby to była łąka. Mikołaj oddalił się, by nadzorować kowali. Mój mistrz nie przestał krzątać się przy swoich krążkach, a ja w tym czasie opowiedziałem mu o rozmowie z Salwatorem.

– Ten człek przeżył niejedno – odparł. – Może rzeczywiście był wśród stronników Dulcyna. Opactwo jest jakby pomniejszonym kosmosem, a kiedy będziemy mieli tutaj legatów papieża Jana i brata Michała, doprawdy nie zabraknie już nikogo.

– Mistrzu – powiedziałem – nic już nie pojmuję.

– W związku z czym, Adso?

– Przede wszystkim chodzi o różnice między grupami heretyków. Ale o to wypytam cię później. Teraz nęka mnie sam problem różnic. Rozmawiając z Hubertynem, próbowałeś, tak mi się zdawało, udowodnić mu, że wszyscy są równi, święci i heretycy. Natomiast rozmawiając z opatem, robiłeś, co mogłeś, żeby wyjaśnić mu różnicę między jednym heretykiem a innym i między heretykiem a człowiekiem prawowiernym. Przeto wyrzucałeś Hubertynowi, że uznaje za różnych tych, którzy są w istocie równi, opatowi zaś, że uznaje za równych tych, którzy w istocie są odmienni.

Wilhelm odłożył na moment soczewki na stół.

– Mój poczciwy Adso – rzekł – staramy się ustalić odmienności i rozróżniamy w terminach szkół paryskich. Otóż powiadają tam, że wszyscy ludzie mają taką samą formę substancjalną, czyż nie tak?

– Oczywiście – odparłem, dumny ze swej wiedzy. – Są zwierzętami, ale rozumnymi, i ich właściwością jest to, że potrafią się śmiać.

– Doskonale. Ale jednak Tomasz jest inny niż Bonawentura, bo Tomasz jest tęgi, a Bonawentura chudy, może się nawet zdarzyć, że Uguccione jest zły, Franciszek zaś dobry, i znowuż Aldemar flegmatyczny, a Agilulf choleryczny. Tak czy nie?

– Jest tak bez wątpienia.

– Tak więc oznacza to, że jest w ludziach identyczność, jeśli chodzi o formę substancjalną, i rozmaitość, jeśli chodzi o akcydensy lub też cechy powierzchowne.

– Jest tak i nie może być inaczej.

– Kiedy przeto mówię Hubertynowi, że ta sama natura ludzka w całej złożoności swych poczynań prowadzi bądź do umiłowania dobra, bądź do umiłowania zła, staram się przekonać Hubertyna o identyczności ludzkiej natury. Kiedy potem powiadam opatowi, że jest różnica między katarem a waldensem, kładę nacisk na odmienność akcydensów. A kładę na to nacisk, gdyż pali się na stosie waldensa, przypisując mu akcydensy katara, i na odwrót. A kiedy pali się człowieka, pali się jego indywidualną substancję i obraca w nicość zupełną coś, co było konkretnym aktem istnienia, a przez to samo rzeczą dobrą, w każdym razie w oczach Boga, który owo istnienie podtrzymywał. Czy wydaje ci się to dość dobrą racją, by kłaść nacisk na różnice?

– Tak, mistrzu – odparłem z zapałem. – I teraz zrozumiałem, czemu mówiłeś w ten sposób, i poważam twoją dobrą filozofię.

– Nie jest moja – rzekł Wilhelm. – I nawet nie wiem, czy jest dobra. Ale ważne, byś zrozumiał. Przejdźmy teraz do twojej drugiej kwestii.

– Chodzi o to – powiedziałem – że, jak mi się zdaje, jestem do niczego. Nie potrafię już dostrzec różnicy akcydentalnej między waldensami, katarami, ubogimi z Lyonu, ruchem pokornych, beginami, pokutnikami, lombardczykami, joachimitami, patarenami, samozwańczymi apostołami, ubogimi z Lombardii, arnoldystami, wilhelmitami, braćmi wolnego ducha i wyznawcami Lucyfera. Co robić?

– O biedny Adso! – Wilhelm roześmiał się, klepiąc mnie przyjaźnie po karku. – Masz zupełną rację. Widzisz, to jakby w ciągu dwóch ostatnich wieków, i jeszcze przedtem, przez ten nasz świat przebiegło tchnienie niecierpliwości, nadziei, rozpaczy, wszystko naraz... Albo nie, to nie jest dobra analogia. Pomyśl o rzece potężnej i majestatycznej, która mila za milą płynie między mocnymi wałami, i wiesz dobrze, gdzie jest rzeka, gdzie grobla, gdzie stały ląd. W pewnym miejscu rzeka, ze znużenia, wskutek tego, że płynie zbyt długo i za dużo drogi przebyła, że zbliża się do morza, które unicestwia w sobie wszystkie rzeki, sama nie wie już, czym jest. Staje się deltą. Pozostaje być może główny nurt, ale jest wiele rozgałęzień we wszystkich kierunkach, a niektóre nawet wpływają z powrotem jedno do drugiego, i nie wiadomo, co skąd płynie, a czasem, co jest jeszcze rzeką, a co już morzem...

– Jeśli dobrze zrozumiałem twoją przenośnię, rzeka to państwo Boga lub królestwo sprawiedliwych, które zbliża się do milenium i, pełne niepewności, nie może już wytrwać przy swoim, zatem rodzą się fałszywi i prawdziwi prorocy i wszystko zlewa się na wielkiej równinie, gdzie nastąpi Armageddon...

– Nie to miałem na myśli. Choć jest również prawdą, że między nami, franciszkanami, ciągle żywa jest idea trzeciego wieku i nadejścia królestwa Ducha Świętego. Nie, raczej starałem się wytłumaczyć, że ciało Kościoła, które stało się w ciągu wieków także ciałem całej społeczności ludzkiej, ludem Bożym, zyskało zbyt wiele bogactwa i potęgi, że wlecze za sobą żużel wszystkich krajów, przez jakie przeszło, i że straciło przez to swą czystość. Odgałęzienia delty to, jeśli chcesz, podejmowane przez rzekę próby, by jak najszybciej dopłynąć do morza, to jest do momentu oczyszczenia. Ale moja przenośnia była niedoskonała, miała jedynie wskazać, jak liczne stają się odgałęzienia heretyckie i odnowicielskie, kiedy rzeka nie mieści się już w swym korycie, i jak się między sobą mieszają. Możesz również dołączyć do mojej marnej przenośni obraz człowieka, który próbuje naprawić groblę własnymi rękami, lecz daremnie. Niektóre odgałęzienia delty zostaną zasypane, inne doprowadzone sztucznymi kanałami na powrót do głównego nurtu, jeszcze innym zaś pozwoli się płynąć, jak im się podoba, ponieważ nie można opanować wszystkiego, i dobrze jest, by rzeka utraciła cząstkę własnej wody, jeśli chce utrzymać się w swoim biegu, jeśli chce, by dało się rozpoznać jej główny nurt.

– Coraz mniej rozumiem.

– Ja też. Nie umiem mówić przez przypowieści. Zapomnij o tej historii z rzeką. Staraj się raczej pojąć, że wiele ruchów, które wymieniłeś, zrodziło się co najmniej dwieście lat temu i są już martwe, wiele innych zaś powstało niedawno.

– Ale kiedy mówi się o heretykach, wymienia się ich wszystkich razem.

– To prawda, lecz jest to jeden ze sposobów, przez które herezja się szerzy i przez które jest niszczona.

– Znowu nie rozumiem.

– Mój Boże, jakie to trudne! No dobrze. Wyobraź sobie, że jesteś reformatorem obyczajów i zbierasz paru towarzyszy na szczycie góry, by żyć w ubóstwie. Wkrótce widzisz, że przychodzi do ciebie wielu, nawet z odległych ziem, i uważają cię za proroka lub nowego apostoła, i idą za tobą. Przybywają ze względu na ciebie czy raczej ze względu na to, co głosisz?

– Nie wiem, mam nadzieję, że ze względu na to ostatnie. Czemuż by inaczej?

– Ponieważ słyszeli od swoich ojców opowieści o innych reformatorach oraz legendy o mniej lub bardziej doskonałych wspólnotach i myślą, że ta właśnie jest tą lub tamtą.

– W ten sposób każdy ruch dziedziczy nie tylko swoich synów.

– Z pewnością, ponieważ przyłączają się do niego w większości prostaczkowie, którzy nie znają subtelności w sprawach doktrynalnych. Wszelako ruchy reformowania obyczajów rodzą się w rozmaitych miejscach i mają rozmaite doktryny. Na przykład często miesza się katarów z waldensami. Jest wszelako między nimi wielka różnica. Waldensi głoszą reformę obyczajów wewnątrz Kościoła, katarzy zaś inny Kościół, inną wizję Boga i moralności. Katarzy myślą, że świat jest podzielony na wrogie sobie siły dobra i zła, i utworzyli Kościół, w którym czynią rozróżnienie między doskonałymi a zwykłymi wiernymi; mają swoje sakramenty i swoje obrzędy; ustanowili nader sztywną hierarchię, prawie taką jak w świętej naszej matce Kościele, i ani myślą w rzeczywistości o niszczeniu jakiejkolwiek formy władzy. Co wyjaśnia, czemu dołączają do nich także ludzie żądni władzy, majętni, feudałowie. Nie myślą też o reformowaniu świata, albowiem, według nich, nigdy nie zginie przeciwieństwo między dobrem a złem. Natomiast waldensi (a wraz z nimi arnoldyści i lombardzcy ubodzy) chcą zbudować inny świat, oparty na ideale ubóstwa, i dlatego przyjmują wydziedziczonych i żyją we wspólności pracy swoich rąk. Katarzy odrzucają sakramenty Kościoła, waldensi nie, odrzucają jedynie spowiedź.

– Czemu więc miesza się ich ze sobą i mówi się o nich jak o jednym chwaście?

– Powiedziałem ci już: to, co sprawia, że żyją, sprawia też, że umierają. Wzbogacili się o prostaczków, których przedtem rozbudziły już inne ruchy i którzy sądzą, że chodzi o ten sam odruch buntu i nadziei; a niszczą ich inkwizytorzy, którzy przypisują jednym błędy drugich, i jeśli sekciarze z jednego ruchu popełnili jakąś zbrodnię, będzie ona przypisana każdemu sekciarzowi z każdego ruchu. Inkwizytorzy błądzą względem racji, ponieważ łączą sprzeczne ze sobą doktryny; mają zaś rację względem błędów innych, ponieważ gdy rodzi się w jakimś mieście ruch, *verbi gratia**, arnoldystów, przybiegają do niego także ci, którzy gdzie indziej byliby katarami lub waldensami. Apostołowie brata Dulcyna głosili cielesne unicestwienie duchowieństwa i panów oraz dopuścili się wielu aktów przemocy; waldensi są przeciwni przemocy, tak jak i braciaszkowie. Ale jestem pewien, że w czasach brata Dulcyna przyłączali się do jego grupy liczni tacy, którzy słuchali przedtem kazań braciaszków lub waldensów. Prostaczków, Adso, nie stać na wybranie sobie własnej herezji; przyłączają się do tego, który głosi kazania w ich stronach, który przechodzi akurat przez ich wieś lub przez plac w ich mieście. Na tym opierają swą grę wrogowie heretyków. Ukazać oczom ludu jedną tylko herezję, choć ta doradza jednocześnie i odrzucenie rozkoszy płciowej, i komunię ciał – oto zręczna, sztuka kaznodziejska, ponieważ przedstawia kacerstwo jako jeden węzeł diabelskich sprzeczności, które obrażają zdrowy rozsądek.

– A więc nie ma między nimi związku i tylko wskutek oszustwa demona prostaczek, który chciałby być joachimitą lub duchownikiem, wpada w ręce katarów albo na odwrót?

– Wcale tak nie jest. Postarajmy się, Adso, zacząć wszystko od początku, a zapewniam, że spróbuję wyjaśnić ci pewną rzecz, co do której sam zapewne nie posiadłem prawdy. Myślę, iż błędem jest uważać, że najpierw zjawia się herezja, potem zaś prostaczkowie, którzy są na nią skazani (i skazani na potępienie). Naprawdę to najpierw jest los prostaczków, a potem przychodzi herezja.

– Jakże to?

– Ty masz jasną wizję konstytucji ludu Bożego. Wielka trzoda, dobre owieczki i owieczki złe, trzymane na wodzy przez psy owczarskie, to jest wojowników, czyli władzę świecką, cesarza i panów, pod przewodem pasterzy, duchowieństwa, które daje wykładnię słowa Bożego. To wyobrażenie jest przejrzyste.

– Ale nieprawdziwe. Pasterze walczą z psami, gdyż jedni pragną praw drugich.

– Tak jest, i właśnie ten fakt sprawia, że trzoda się rozprasza. Zaprzątnięci wzajemną szarpaniną psy i pasterze nie dbają o trzodę. Jej część pozostaje poza stadem.

– Jak to poza stadem?

– Na jego obrzeżu. Wieśniacy nie są wieśniakami, bo nie mają ziemi, a ta, którą mają, nie może ich wyżywić. Mieszczanie nie są

---

* Dla przykładu (łac.).

mieszczanami, nie należą bowiem do żadnego stowarzyszenia, są drobnym ludem, łupem dla każdego. Czy widziałeś czasem idącą przez pola grupę trędowatych?

– Tak, widziałem ich raz setkę. Oszpeceni, o ciałach rozkładających się i całkiem białych, wspierali się na szczudłach, ich powieki były napuchnięte, a oczy przekrwione; nie mówili nic ani nie wykrzykiwali; piszczeli jak szczury.

– Oni właśnie są dla ludu chrześcijańskiego obcymi, tymi, którzy pozostają na obrzeżu trzody. Trzoda brzydzi się nimi, oni nienawidzą trzody. Chcieliby, byśmy wszyscy byli martwi, wszyscy trędowaci jak oni.

– Tak, przypominam sobie pewną historię o królu Marku, który musiał skazać piękną Izoldę i posłał ją na stos. I przyszli trędowaci, i powiedzieli królowi, że stos to niewielka kara i że jest gorsza. I krzyczeli mu: „Daj nam Izoldę i niech nam będzie wspólna! Choroba podsyca w nas żądzę. Daj ją trędowatym... Patrz, łachmany przylegają do naszych ran sączących ropę. Ona, która przy twoim boku kochała się w pięknych materiałach podbitych gronostajem, w klejnotach... kiedy ujrzy zagrodę trędowatych, kiedy jej trzeba będzie wejść w nasze niskie nory i legnąć z nami, wówczas... uzna swój grzech i żałować będzie tego pięknego ognia i stosu"*.

– Widzę, że jak na nowicjusza od Świętego Benedykta masz osobliwe lektury – zakpił Wilhelm, a ja zarumieniłem się, albowiem wiedziałem, że nowicjusz nie powinien czytać miłosnych romansów, ale krążyły po klasztorze wśród nas, pacholąt z Melku, i czytaliśmy je nocami przy świecach. – Nieważne – podjął Wilhelm – zrozumiałeś, co chciałem powiedzieć. Odsunięci od trzody trędowaci chcieliby wciągnąć wszystkich w swoje nieszczęście. I stają się tym bardziej źli, im bardziej ich odsuwasz, a im bardziej przedstawiasz ich sobie jako orszak lemurów, które pragną twojego nieszczęścia, tym bardziej będą odsunięci. Święty Franciszek zrozumiał to i jego pierwszym postanowieniem było iść i żyć wśród trędowatych. Nie można zmienić ludu Bożego, jeśli nie włączy się weń tych, co pozostają na obrzeżu.

– Ale ty mówiłeś o innych odsuniętych; nie z trędowatych składają się ruchy heretyckie.

– Trzoda jest niby pewna liczba koncentrycznych kręgów, od najdalszych środka aż po jego bezpośrednią bliskość. Trędowaci są zna-

---

* Dzieje Tristana i Izoldy w oprac. Josepha Bédiera; przeł. Tadeusz Boy-Żeleński.

202

kiem odsunięcia w ogóle. Święty Franciszek pojął to. Chciał nie tylko pomóc trędowatym, gdyż w takim razie jego czyn sprowadziłby się do biednego i bezsilnego aktu miłosierdzia. Chciał zaznaczyć coś innego. Czy mówiono ci o kazaniu do ptaszków?

– Och, tak, słyszałem tę przepiękną historię i podziwiałem świętego, który radował się towarzystwem tkliwych stworzeń Bożych – oznajmiłem z wielkim żarem.

– No więc opowiedziano ci historię sfałszowaną lub też historię, którą nasz zakon tworzy dzisiaj na nowo. Kiedy Franciszek mówił do ludu miasta i jego władców i zobaczył, że ci go nie pojmują, poszedł w stronę cmentarza i zaczął głosić kazanie krukom i srokom, krogulcom, tym drapieżnym ptakom, które żywią się trupami.

– Co za okropność! – rzekłem. – Nie były to więc dobre ptaszki.

– Były to ptaki drapieżne, ptaki odtrącone jak trędowaci. Franciszek myślał z pewnością o tym wersecie z Apokalipsy, który mówi: „I ujrzałem innego anioła stojącego w słońcu: i zawołał głosem donośnym do wszystkich ptaków, lecących środkiem nieba: «Pójdźcie, zgromadźcie się na wielką ucztę Boga, aby zjeść trupy królów, trupy wodzów i trupy mocarzy, trupy koni i tych, co ich dosiadają, trupy wszystkich – wolnych i niewolników, małych i wielkich»"*.

– Więc Franciszek pragnął zachęcić odtrąconych do buntu?

– Nie, to uczynił raczej Dulcyn i jego ludzie. Franciszek chciał wezwać odtrąconych, gotowych do buntu, by stali się cząstką ludu Bożego. Chcąc przywrócić porządek w trzodzie, trzeba było odzyskać odsuniętych. Franciszkowi nie powiodło się, i mówię ci to z wielką goryczą. Chcąc odzyskać tych, którzy zostali odsunięci, musiał działać wewnątrz Kościoła, chcąc działać w obrębie Kościoła, musiał doprowadzić do zatwierdzenia swojej reguły, bo z niej miał powstać zakon, a zakon, kiedy już powstał, odtworzył obraz kręgu oraz tych, którzy pozostają poza kręgiem. Pojmujesz zatem, skąd wzięły się bandy braciaszków i joachimitów, do których raz jeszcze ciągną odtrąceni.

– Lecz nie mówimy wszak o Franciszku, jeno o tym, w jaki sposób herezja jest wytworem prostaczków i odtrąconych.

– Rzeczywiście. Mówiliśmy o tych, którzy zostali odsunięci od trzody owieczek. W ciągu wieków papież i cesarz obrzucali się nawzajem błotem i wydzierali sobie władzę, a w tym czasie odsunięci żyli dalej poza obrębem, oni, prawdziwi trędowaci, wobec których trędowaci są tylko figurą daną przez Boga, byśmy zrozumieli tę cu-

---

* Ap 19, 17-18.

downą symbolikę i mówiąc „trędowaci", myśleli „odtrąceni, biedni, prostaczkowie, wydziedziczeni, oderwani od swoich pól, upokorzeni w miastach". Nie zrozumieliśmy, tajemnica trądu dalej nas nęka, bo nie rozpoznaliśmy natury znaku. Odtrąceni skłonni są słuchać wszelkiego kazania, głosić wszelkie kazanie, które odwołując się do słów Chrystusa, w rzeczywistości jest oskarżeniem postępowania psów i pasterzy oraz obietnicą, że nadejdzie dla nich dzień kary. Możni zawsze dobrze to pojmowali. Powtórne przyjęcie odtrąconych zakładało zmniejszenie przywilejów możnych i dlatego ci z odtrąconych, którzy zyskiwali świadomość swojego odsunięcia, byli piętnowani znakiem heretyków niezależnie od wyznawanej doktryny. Ich zaś, zaślepionych tym, że byli odtrąconymi, nie obchodziła w rzeczywistości żadna z doktryn. Oto złudzenie herezji. Każdy jest heretykiem, każdy jest prawowierny, liczy się nie wiara, jaką ruch ofiarowuje, lecz nadzieja, jaką podsuwa. Wszystkie herezje są znakami owej rzeczywistości odtrącenia. Poskrob herezję, znajdziesz trędowatego. Wszelkie batalie wydane herezji mają tylko jeden cel: by trędowaty pozostał trędowatym. Cóż zaś przyciąga trędowatych? Cóż postrzegają z dogmatu o Trójcy lub z definicji Eucharystii – w jakiej mierze jest słuszna, a w jakiej błędna? Tak, Adso, są to igraszki stosowne dla nas, ludzi doktryny. Prostaczkowie mają inne kłopoty. I zważ, uwalniają się od nich zawsze w sposób błędny. Dlatego też stają się heretykami.

– Lecz tamci, czemu ich wspierają?

– Ponieważ są przydatni w ich grze, w której rzadko chodzi o wiarę, a częściej o zdobycie władzy.

– I dlatego Kościół rzymski oskarża o herezję wszystkich swoich przeciwników?

– Dlatego, i dlatego również uznaje za prawowierną tę herezję, którą może poddać swojej kontroli lub którą musi zaakceptować, bo stała się zbyt silna i nie byłoby rzeczą dobrą mieć ją przeciw sobie. Lecz nie ma ścisłej reguły, wszystko zależy od ludzi, od okoliczności. I odnosi się to także do panów świeckich. Pięćdziesiąt lat temu gmina padewska wydała przepis, według którego kto zabije osobę duchowną, będzie skazany na grzywnę w wysokości jednego denara...

– Tyle co nic!

– No właśnie. Był to sposób na rozbudzenie niechęci ludu przeciw duchowieństwu, bo miasto prowadziło wojnę z biskupem. Rozumiesz więc, czemu przed laty w Cremonie ludzie wierni cesarstwu pomagali katarom – nie z racji wiary, ale by przysporzyć kłopotów Kościołowi rzymskiemu. Niekiedy władze miejskie zachęcały heretyków, by tłumaczyli Ewangelię na język ludowy; język pospólstwa stał się teraz językiem miast, łacina zaś językiem Rzymu i klasztorów. Albo też popierały waldensów, by ci twierdzili, że wszyscy, kobiety i mężczyźni, mali i wielcy, mogą nauczać i kazać, i wyrobnik, który dziesięć dni wstecz został uczniem, szuka kogoś, komu mógłby być mistrzem...

– I w ten sposób niweczą różnicę, która czyni osoby duchowne niezastąpionymi! Ale czemu w takim razie zdarza się później, że władze miejskie obracają się przeciw heretykom i pomagają Kościołowi palić ich na stosie?

– Ponieważ spostrzegają, że ich rozprzestrzenianie jest też zagrożeniem dla przywilejów świeckich, którzy mówią językiem ludowym. Na soborze laterańskim w tysiąc sto siedemdziesiątym dziewiątym roku (sam widzisz, że te historie sięgają czasów sprzed prawie dwustu lat) Walter Map ostrzegał już przed tym, co się stanie, jeśli będziemy udzielać wsparcia głupim i nieumiejącym czytać ni pisać ludziom, jakimi są waldensi. Powiada, jeśli dobrze pamiętam, że nie mają stałych siedzib, wędrują boso, pozbawieni wszystkiego, gdyż wszystko mają wspólne, i nadzy postępują za nagim Chrystusem; zaczynają w ten sposób, ponieważ teraz są odtrąceni, ale jeśli da się im zbyt wiele przestrzeni, wypędzą wszystkich. Dlatego miasta sprzyjały później zakonom żebraczym, a nam, franciszkanom, w szczególności; dzięki nam można było ustanowić harmonijny stosunek między potrzebą pokuty a życiem miejskim, między Kościołem a mieszczanami, których nie obchodziło nic poza handlem...

– Zatem zapanowała harmonia między umiłowaniem Boga a miłością do handlu?

– Nie, położono tamę ruchom odnowy duchowej, zostały skanalizowane w zakonie uznanym przez papieża. Ale to, co jest głębszym, ukrytym nurtem, nie zostało skanalizowane. Skończyło się z jednej strony na ruchach biczowników, którzy nie szkodzą nikomu, z drugiej zaś na bandach zbrojnych, jak bandy brata Dulcyna, na gusłach, jak w przypadku braci z Montefalco, o których wspomniał Hubertyn...

– Ale kto miał rację, kto ma rację, kto błądzi? – spytałem zbity z tropu.

– Wszyscy mają swoje racje i wszyscy zbłądzili.

– Lecz ty – wykrzyknąłem prawie w odruchu buntu – czemu nie zajmiesz stanowiska, czemu nie powiesz mi, gdzie jest prawda?

Wilhelm trwał przez chwilę w milczeniu, unosząc pod światło soczewkę, nad którą pracował. Potem opuścił rękę i pokazał mi przez szkiełko podkowę.

- Spójrz – powiedział. – Co widzisz?
- Podkowę, trochę większą.
- Oto najwięcej, co można uzyskać, patrząc uważniej.
- Przecież to ciągle ta sama podkowa!
- Także manuskrypt Wenancjusza będzie zawsze tym samym manuskryptem, kiedy już zdołam go odczytać dzięki tej soczewce. Ale, być może, kiedy przeczytam manuskrypt, lepiej poznam cząstkę prawdy. I może zdołam poprawić życie opactwa.
- To za mało!
- Mówię ci więcej, niż może się wydawać, Adso. Nie po raz pierwszy wspominam o Rogerze Baconie. Może nie był najmędrszym człowiekiem wszystkich czasów, ale zawsze pociągała mnie owa nadzieja, która ożywiała jego zamiłowanie do nauki. Bacon wierzył w siłę, w potrzeby, w duchowe wynalazki prostaczków. Nie byłby dobrym franciszkaninem, gdyby nie uważał, że biedni, wydziedziczeni, idioci i nieumiejący czytać ni pisać często przemawiają ustami naszego Pana. Gdyby mógł poznać ich z bliska, miałby większe baczenie na braciaszków niż na prowincjałów zakonu. Prostaczkowie mają coś ponad to, co mają uczeni, którzy często gubią się w poszukiwaniach reguł najogólniejszych. Mają przeczucie tego, co jednostkowe. Ale samo to przeczucie nie wystarcza. Prostaczkowie dostrzegają jakąś swoją prawdę, może prawdziwszą niż prawdy doktorów Kościoła, ale później zużywają ją w nieroztropnych gestach. Co należy czynić? Dać prostaczkom wiedzę? Tę z biblioteki Abbona? Mistrzowie franciszkańscy stawiali sobie to pytanie. Wielki Bonawentura powiadał, że mędrcy winni doprowadzać do jasności pojęciowej prawdę zawartą w odruchach prostaczków...
- Jak kapituła w Perugii i uczone memoriały Hubertyna, które przeobrażają w postanowienia teologiczne owo nawoływanie prostaczków do ubóstwa – rzekłem.
- Tak, lecz sam widziałeś, zjawia się to zbyt późno, prawda prostaczków przemieniła się już w prawdę możnych, stosowniejszą dla cesarza Ludwika niż dla biednego brata. Jak pozostać blisko doświadczenia prostaczków, podtrzymując jego, by tak rzec, cnotę czynną, zdolność do przeobrażania i ulepszania ich świata? Na tym polegał problem Bacona: *Quod enim laicali ruditate turgescit non habet effectum nisi fortuito** – powiadał. Doświadczenie prostaczków prowadzi do skutków dzikich i niepoddających się kontroli. *Sed opera*

---

* Co bowiem rozwija się za sprawą prostych ludzi, nie ma efektów, chyba że przypadkowe (łac.).

*sapientiae certa lege vallantur et in fine debitum efficaciter diriguntur**. To jakby powiedzieć, że również w prowadzeniu spraw praktycznych, czy będzie to mechanika, rolnictwo, czy rządzenie miastem, potrzebny jest rodzaj teologii. Myślał, że nowa nauka o przyrodzie winna być wielkim przedsięwzięciem uczonych, które dzięki rozmaitym wiadomościom o procesach naturalnych pozwoli harmonijnie zaspokoić najważniejsze potrzeby, owo bezładne, ale na swój sposób prawdziwe i słuszne nagromadzenie nadziei prostaczków. Nowa nauka, nowa magia naturalna. Tyle że podług Bacona to przedsięwzięcie winno być kierowane przez Kościół, i chyba mówił tak, bo w jego czasach wspólnota duchownych była tożsama ze wspólnotą ludzi uczonych. Dzisiaj jest inaczej, uczeni pojawiają się poza klasztorami i katedrami, nawet poza uniwersytetami. Spójrz, na przykład, na ten kraj, gdzie największy filozof naszego wieku nie był mnichem, ale aptekarzem. Mówię o tym Florentyńczyku, o którego poemacie słyszałem, ale którego nie czytałem, ponieważ nie rozumiem jego pospolitego języka, choć, o ile wiem, podobałby mi się nie zanadto, albowiem roi mu się w nim o sprawach dosyć odległych od naszego doświadczenia. Ale napisał, zdaje mi się, najroztropniejsze rzeczy, jakie dane jest człowiekowi pojąć, o naturze żywiołów i całego kosmosu, a też o kierowaniu państwami. Myślę przeto, że ponieważ ja i moi przyjaciele uznajemy dzisiaj za słuszne, by dla kierowania sprawami ludzkimi nie zwracać się do Kościoła, ale do zgromadzenia ludu ustanawiającego prawa, tak samo kiedyś wspólnocie mędrców przypadnie proponować tę najnowszą i ludzką teologię, jaką jest filozofia przyrody i magia doświadczalna.

– Piękne przedsięwzięcie – rzekłem. – Ale czy możliwe?

– Bacon tak uważał.

– A ty?

– Ja też w to wierzyłem. Ale żeby wierzyć, trzeba mieć pewność, że prostaczkowie mają rację, posiadają bowiem przeczucie tego, co jednostkowe, a tylko to jest dobre. Skoro jednak przeczucie tego, co jednostkowe, jest jedynym dobrym, w jaki sposób nauka zdoła ustalić na nowo prawa naturalne? A przecież przez nie i ich wykładnię dobra magia staje się czynna.

– No właśnie – wtrąciłem. – Jak zdoła?

– Już sam nie wiem. Tyle dyskusji odbyłem w Oksfordzie z moim przyjacielem Wilhelmem Ockhamem, który jest teraz w Awinionie.

---

* Lecz dzieła mądrości zabezpiecza pewne prawo i na koniec powinność swą skutecznie spełniają (łac.).

Zasiał w mojej duszy zwątpienie. Bo jeśli jeno przeczucie tego, co jednostkowe, jest dobre, to twierdzenie, że przyczyny tego samego rodzaju dają tego samego rodzaju skutki, jest trudne do udowodnienia. To samo ciało może być zimne lub gorące, słodkie lub gorzkie, wilgotne lub suche, być w jakimś miejscu, a w innym nie. Jak mogę odkryć powszechną więź, która porządkuje rzeczy, skoro nie mogę poruszyć palcem, nie tworząc nieskończonej ilości nowych bytów, albowiem przy tym ruchu zmieniają się wszystkie relacje położenia między moim palcem a wszelkimi innymi rzeczami? Relacja to sposób, przez który mój umysł postrzega związek między poszczególnymi bytami, lecz jaką mamy pewność, że ten sposób jest powszechny i stabilny?

– Ale wiesz przecież, że określona grubość szkła odpowiada określonej sile widzenia, i dlatego możesz zrobić soczewki takie same jak te, które zgubiłeś, bo inaczej jak mógłbyś?

– To bystra odpowiedź, Adso. Rzeczywiście, ustaliłem twierdzenie, że równej grubości winna odpowiadać równa siła widzenia. Ustaliłem je, ponieważ przedtem miałem już tego samego typu doznania jednostkowe. Ten, kto bada właściwości lecznicze ziół, wie, że wszystkie jednostkowe zioła, mające tę samą naturę, dają u pacjentów, jeśli są tak samo stosowane, skutki tej samej natury, i dlatego może sformułować twierdzenie, iż każde zioło tego to a tego gatunku jest dobre dla człowieka gorączkującego lub że każda soczewka tego to a tego typu powiększa w równej mierze to, co widzi oko. Nauka, o której mówił Bacon, obraca się niewątpliwie wokół takich twierdzeń. Zważ jednak, mówię o twierdzeniach dotyczących rzeczy, nie zaś o rzeczach samych. Nauka jest dosyć zaprzątnięta twierdzeniami i występującymi w nich określeniami, a określenia wskazują rzeczy poszczególne. Zrozum, Adso, muszę wierzyć, że moje twierdzenie sprawdza się, ponieważ poznałem je, opierając się na doświadczeniu, ale żeby w to wierzyć, muszę założyć istnienie praw powszechnych, nawet jeśli nie mogę o nich mówić, albowiem już sama myśl o istnieniu praw naturalnych oraz danego porządku rzeczy prowadziłaby do wniosku, iż Bóg jest ich więźniem, a przecież Bóg jest tak całkowicie wolny, że gdyby tylko zechciał, wystarczyłby akt jego woli, by świat był inny.

– A więc, jeśli dobrze rozumiem, robisz coś i wiesz dlaczego, ale nie wiesz, czemu wiesz, co robisz?

Muszę wyznać z dumą, że Wilhelm spojrzał na mnie pełen podziwu.

– Może tak i jest. W każdym razie wyjaśnia ci to, dlaczego czuję się niepewny mojej prawdy, nawet jeśli w nią wierzę.

– Jesteś bardziej mistykiem niż Hubertyn – powiedziałem z przekąsem.

– To być może. Ale jak widzisz, pracuję nad sprawami natury. I również w śledztwie, które prowadzimy, nie chcę wiedzieć, kto jest dobry, a kto zły, ale tylko, kto był wczoraj wieczorem w skryptorium, kto zabrał okulary, kto pozostawił na śniegu odcisk ciała ciągnącego inne ciało i gdzie jest Berengar. To są fakty, później spróbuję powiązać je ze sobą, jeśli okaże się to możliwe, bo trudno jest powiedzieć, jaki skutek wyniknie z takiej czy innej przyczyny; wystarczyłoby, że wmieszałby się anioł, by zmienić wszystko, nie ma się przeto czemu dziwić, jeżeli nie sposób pokazać, że jedna rzecz jest przyczyną innej. Aczkolwiek trzeba zawsze próbować, jak właśnie czynię.

– Twoje życie nie jest łatwe – rzekłem.

– Ale znalazłem Brunellusa! – wykrzyknął Wilhelm, czyniąc aluzję do wypadku z koniem sprzed dwóch dni.

– Więc istnieje porządek w świecie – oznajmiłem triumfalnie.

– Więc jest odrobina porządku w tej mojej biednej głowie – odparł Wilhelm.

W tym momencie wrócił Mikołaj, niosąc prawie skończone widełki i pokazując je z zadowoleniem.

– A kiedy te widełki znajdą się na moim biednym nosie – rzekł Wilhelm – być może moja biedna głowa będzie jeszcze lepiej uporządkowana.

Przyszedł jeden z nowicjuszy, by donieść nam, że opat pragnie zobaczyć się z Wilhelmem i czeka nań w ogrodzie. Mój mistrz musiał odłożyć swoje doświadczenia na później i pospieszyć na miejsce spotkania. Po drodze palnął się w czoło, jakby dopiero teraz przypomniał sobie o czymś, czego zapomniał.

– No właśnie – rzekł. – Odczytałem kabalistyczne znaki Wenancjusza.

– Wszystkie? Kiedy?

– Kiedy spałeś. I zależy, co rozumiesz przez wszystkie. Odczytałem znaki, które ukazały się w płomieniu, te, które skopiowałeś. Greckie notatki muszą zaczekać, aż będę miał nowe soczewki.

– No i co? Chodziło o sekret *finis Africae*?

– Tak, i klucz był dosyć prosty. Wenancjusz dysponował dwunastoma znakami zodiakalnymi i ośmioma znakami dla pięciu planet, dwóch ciał niebieskich i Ziemi. W sumie dwadzieścia znaków. Dosyć, żeby przyporządkować im litery alfabetu łacińskiego, zważywszy, że tej samej litery można użyć dla zapisania brzmienia inicjałów dwóch słów: *unum* i *velut*. Porządek liter znamy. Jaki mógł być po-

rządek znaków? Pomyślałem o porządku sfer, przykładając zodiakalny kwadrant do najdalszych peryferii. A więc Ziemia, Księżyc,
Merkury, Wenera, Słońce i tak dalej, a później znaki zodiakalne podług swojej tradycyjnej kolejności, jak klasyfikuje je również Izydor
z Sewilli, poczynając od Barana i przesilenia wiosennego, kończąc
zaś na Rybach. Jeśli teraz spróbujesz użyć tego klucza, notatka Wenancjusza zyskuje sens.

Pokazał mi pergamin, na którym przepisał notatkę wielkimi literami łacińskimi: *Secretum finis Africae manus supra idolum age primum et septimum de quatuor*.

– Czy to jasne? – zapytał.

– „Ręka na idolu działa na pierwszego i siódmego z czterech...” –
powtórzyłem, potrząsając głową. – Nie jest ani trochę jasne!

– Wiem. Trzeba by przede wszystkim wiedzieć, co Wenancjusz
rozumiał przez *idolum*. Obraz, urojenie, figurę? A następnie – czym
jest owa czwórka, w której jest pierwszy i siódmy. Co trzeba z nią
uczynić? Przesunąć, pchnąć, pociągnąć?

– Nie wiemy więc nic i jesteśmy w punkcie wyjścia – powiedziałem wielce rozczarowany.

Wilhelm zatrzymał się i spojrzał na mnie z miną, w której nie
było ani śladu życzliwości.

– Mój chłopcze – powiedział – masz przed sobą biednego franciszkanina, który dzięki skromnej wiedzy i tej odrobinie biegłości,
jakie zawdzięcza nieskończonej potędze Pana, zdołał w ciągu niewielu godzin odczytać tajne pismo, choć jego autor sądził, że jest
hermetyczne dla wszystkich poza nim samym... A ty, nędzny nieuk
i łapserdak, pozwalasz sobie twierdzić, że jesteśmy w punkcie wyjścia?

Przeprosiłem wielce niezręcznie. Zraniłem próżność mojego mistrza, choć wiedziałem przecież, jak dumny był z szybkości i nieza-
wodności swoich dedukcji. Wilhelm naprawdę dokonał dzieła godnego podziwu i nie było jego winą, że przebiegły Wenancjusz nie
tylko schował to, co był odkrył, pod szatą niezrozumiałego alfabetu
zodiakalnego, ale wymyślił też zagadkę nie do rozwikłania.

– Nieważne, nieważne, nie tłumacz się – przerwał mi Wilhelm. –
W gruncie rzeczy masz rację, wiemy jeszcze zbyt mało. Chodźmy.

Dzień trzeci

Nieszpór

*Kiedy to dochodzi do jeszcze jednej rozmowy z opatem,
Wilhelm ma wielce osobliwe pomysły, jak odcyfrować
zagadkę labiryntu, lecz osiąga to w sposób całkowicie
rozsądny. Potem spożywa się syr w zasmażce*

Opat oczekiwał nas z obliczem posępnym i zafrasowanym. Trzymał w dłoni jakąś kartę.

– Dostałem właśnie list od opata z Conques – oznajmił. – Podaje imię tego, któremu Jan powierzył dowództwo nad francuskimi żołnierzami i troskę o nietykalność legacji. Nie jest to mąż wojenny, nie jest to dworzanin i będzie jednocześnie członkiem legacji.

– Rzadkie połączenie rozmaitych cnót – rzekł zaniepokojony Wilhelm. – Któż to taki?

– Bernard Gui albo Bernard Guidoni, jeśli wolisz.

Wilhelm wykrzyknął w swoim ojczystym języku coś, czego ni ja, ni opat nie zrozumieliśmy, i być może tak było lepiej dla wszystkich, gdyż słowo, które wypowiedział, zasyczało sprośnie.

– Nie podoba mi się to – dodał zaraz. – Bernard był przez lata młotem na heretyków w okolicy Tuluzy i napisał *Practica officii inquisitionis heretice pravitatis* na użytek tych wszystkich, którzy mają ścigać i niszczyć waldensów, beginów, bigotów, braciaszków i dulcynian.

– Wiem. Znam tę księgę, wyśmienita, jeśli chodzi o doktrynę.

– Tak, jeśli chodzi o doktrynę – zgodził się Wilhelm. – Dedykował ją Janowi, który w minionych latach powierzał mu liczne misje we Flandrii i Górnej Italii. A kiedy został mianowany biskupem w Galicji, nie pokazał się ani razu w swojej diecezji i nie zaprzestał działalności inkwizytorskiej. Wydawało mi się, że teraz wycofał się do biskupstwa w Lodève, ale zda się, że Jan skłonił go do podjęcia nowego dzieła, i to tutaj, w północnej Italii. Czemu właśnie Bernard i dlaczego podlegają mu również zbrojni?

– Jest na to odpowiedź – rzekł opat. – I potwierdza ona wszystkie lęki, które wyjawiłem wczoraj. Wiesz dobrze, nawet jeśli nie chcesz mi tego przyznać, że stanowiska w sprawie ubóstwa Chrystusa i Kościoła, podtrzymanego przez kapitułę w Perugii, choćby i nie zbrakło na jego wsparcie argumentów teologicznych, broni się znacznie mniej ostrożnie i prawomyślnie, niż postępuje wiele ruchów kacerskich. Niewiele trzeba, by udowodnić, że poglądy Michała z Ceseny, które przyswoił sobie cesarz, są takie same jak poglądy Hubertyna i Angela Clarena. I aż do tego punktu obie legacje będą zgodne. Ale Gui może uzyskać więcej i ma po temu dane; będzie się starał utrzymywać, że tezy z Perugii są takie same jak stanowisko braciaszków lub pseudoapostołów. Czy zgodzisz się z tym?

– Powiadasz, że sprawy tak stoją czy że Bernard Gui to właśnie oznajmi?

– Powiedzmy, że powiadam, że on tak powie – przyznał ostrożnie opat.

– Zgadzam się z tym i ja. Ale to było pewne. Wiedziano mianowicie, że doszłoby do tego, nawet gdyby nie było Bernarda Gui. Co najwyżej Bernard uczyni to skuteczniej niźli wszystkie te mierności z kurii i przyjdzie dyskutować z nim subtelniej.

– Tak – rzekł opat – ale w tym miejscu staje przed nami kwestia podniesiona już wczoraj. Jeśli nie znajdziemy do jutra winnego dwóch, a może trzech zbrodni, będę musiał udzielić Bernardowi prawa nadzoru nad sprawami opactwa. Nie mogę ukryć przed człowiekiem mającym władzę Bernarda (a to za naszą wspólną zgodą, nie zapominajmy), że tutaj, w opactwie, miały miejsce, i mają nadal, wydarzenia niewyjaśnione. W innym razie, jeśliby odkrył je w chwili, kiedy (oby Bóg nas przed tym uchronił) zdarzy się nowy tajemniczy fakt, będzie miał wszelkie prawo krzyczeć: zdrada!

– To prawda – mruknął Wilhelm zatroskanym głosem. – Nic nie da się zrobić. Trzeba będzie strzec się i mieć na oku Bernarda, który będzie miał na oku tajemnicze morderstwo. Może na dobre to wyjdzie, gdyż Bernard, zaprzątnięty mordercą, mniej będzie skłonny wtrącać się do dysputy.

– Bernard zajęty poszukiwaniem mordercy stanie się kolcem w stosie pacierzowym mojego autorytetu, nie zapominaj o tym. Ta mętna sprawa narzuca mi po raz pierwszy konieczność odstąpienia części mojej władzy w tych murach i jest to fakt nowy nie tylko w historii tego opactwa, ale całego zakonu kluniackiego. Zrób coś, by temu zapobiec. A pierwszą rzeczą, jaką można by uczynić, byłoby odmówić gościny legacjom.

– Gorąco proszę waszą wielebność, by zechciał rozważyć tę nader poważną decyzję – rzekł Wilhelm. – Masz wszak w dłoniach list cesarza, który prosi cię gorąco o...

– Wiem, jakie mam powinności wobec cesarza – przerwał opryskliwie opat – i wiesz to także ty. Wiesz więc, że niestety nie mogę się wycofać. Ale to wszystko wygląda paskudnie. Gdzie jest Berengar, co mu się stało, co czynisz?

– Jestem tylko bratem, który jakże już dawno temu prowadził skutecznie dochodzenia inkwizycyjne. Wiesz, że prawdy w dwa dni się nie znajdzie. A zresztą, jakiejż to władzy mi udzieliłeś? Czyż mam dostęp do biblioteki? Czyż mogę stawiać pytania, jakie zechcę, korzystając z poparcia twojego autorytetu?

– Nie widzę żadnego związku między zbrodniami a biblioteką – odparł zagniewany opat.

– Adelmus był iluminatorem, Wenancjusz tłumaczem, Berengar pomocnikiem bibliotekarskim – wyjaśnił cierpliwie Wilhelm.

– W tym znaczeniu wszyscy spośród sześćdziesięciu mnichów mają coś wspólnego z biblioteką, tak jak mają coś wspólnego z kościołem. Czemuż więc nie szukasz w kościele? Bracie Wilhelmie, prowadzisz dochodzenie z mojego upoważnienia i w granicach, jakie ci mą prośbą wyznaczyłem. Co do reszty, ja jestem w tych murach jedynym panem po Bogu i z Jego łaski. I odnosi się to również do Bernarda. Z drugiej strony – dodał tonem łagodniejszym – nie jest powiedziane, że Bernard przybędzie tutaj właśnie na spotkanie. Opat z Conques pisze, że zjawia się w Italii, by pociągnąć na południe. Mówi mi też, że papież prosił kardynała Bertranda z Poggetto, by wyruszył z Bolonii, przybył tutaj i objął kierownictwo pontyfikalnej legacji. Być może Bernard przybywa po to, żeby spotkać się z kardynałem.

– Co, patrząc w szerszej perspektywie, byłoby gorsze. Bernard jest młotem na heretyków w Italii środkowej. To spotkanie między dwoma zwolennikami walki antyheretyckiej może zapowiadać szerszą ofensywę w kraju, by objąć w wyniku cały ruch franciszkański.

– I o tym bez zwłoki powiadomimy cesarza – oznajmił opat. – Ale w takim razie niebezpieczeństwo nie groziłoby natychmiast. Będziemy mieć baczenie. Żegnaj.

Wilhelm trwał przez chwilę w milczeniu, póki opat się nie oddalił. Potem rzekł:

– Nade wszystko, Adso, starajmy się nie działać na łapu-capu. Spraw nie da się rozwikłać szybko, kiedy trzeba nagromadzić takie mnóstwo drobnych doświadczeń pojedynczych. Ja idę do warsztatu, albowiem bez soczewek nie tylko nie mogę czytać manuskryptu, ale nie warto nawet wracać tej nocy do biblioteki. Idź, wypytaj, czy wiadomo coś nowego o Berengarze.

W tym momencie wybiegł nam na spotkanie Mikołaj z Morimondo, zwiastun jak najgorszych nowin. Kiedy starał się oszlifować, najlepiej jak potrafił, soczewkę, z którą Wilhelm wiązał takie nadzieje, ta pękła. A druga, która mogła, być może, tamtą zastąpić, porysowała się, kiedy próbował osadzić ją na widełkach. Mikołaj wskazał bezradnie na niebo. Była pora nieszporu i zapadał zmierzch. Dziś nie da się już pracować. Jeszcze jeden dzień stracony – przyznał z goryczą Wilhelm, tłumiąc (jak wyznał mi później) pokusę, by schwycić za gardło niezręcznego szkłodzieja, który, biorąc rzecz z drugiej strony, był już wystarczająco upokorzony.

Zostawiliśmy go z jego upokorzeniem i poszliśmy zasięgnąć nowin o Berengarze. Oczywiście nikt go nie znalazł.

Poczuliśmy, że tkwimy w martwym punkcie. Pospacerowaliśmy chwilę po dziedzińcu, niepewni, co czynić. Ale po krótkiej chwili zobaczyłem, że Wilhelm pogrążył się w myślach, ze spojrzeniem zagubionym gdzieś w przestrzeni, jakby nic nie widział. Dopiero co wydobył z habitu gałązkę tego ziela, które zbierał na moich oczach tydzień temu, i żuł je, jakby dobywał z niego jakiś rodzaj spokojnej ekscytacji. Rzeczywiście, zdawał się nieobecny, ale oczy co chwila mu się rozświetlały, jakby w pustce jego umysłu świtała jakaś nowa myśl; potem popadał z powrotem w to swoje osobliwe i czynne odrętwienie. Nagle rzekł:

– Z pewnością trzeba by...

– Co? – spytałem.

– Myślałem o sposobie miarkowania się w labiryncie. Niełatwo będzie wprowadzić go w życie, ale jest skuteczny... Wyjście jest w baszcie wschodniej, to wiemy. Przypuśćmy, że mamy maszynę, która mówi nam, gdzie jest północ. Co by się stało?

– Naturalnie wystarczyłoby obrócić się w prawo i miałoby się przed oczyma wschód. Czyli dość nam pójść w kierunku przeciwnym, by dotrzeć do baszty południowej. Ale jeśli nawet przyjąć, że takie czary istnieją, labirynt jest właśnie labiryntem i ledwie ruszymy na wschód, natkniemy się na ścianę, która przeszkodzi nam pójść prosto, i znowu zgubimy drogę... – zauważyłem.

– Tak, ale maszyna, o której mówię, zawsze wskazywałaby kierunek północny, nawet gdybyśmy poszli inną drogą, i w każdym miejscu mówiłaby nam, w którą stronę mamy się zwrócić.

– Byłoby to cudowne. Ale trzeba by mieć tę maszynę i musiałaby rozpoznawać północ w nocy i w miejscu zamkniętym, nie mogąc liczyć ni na słońce, ni na gwiazdy... I nie wierzę, by nawet twój Bacon miał taką rzecz! – roześmiałem się.

– Otóż mylisz się – oznajmił Wilhelm – albowiem maszyna tego rodzaju została zbudowana i niektórzy żeglarze jej używali. Nie potrzebuje ona gwiazd ani słońca, ponieważ wykorzystuje siłę pewnego cudownego kamienia, tego, który widzieliśmy w szpitalu Seweryna i który przyciąga żelazo. A był zbadany przez Bacona i przez pewnego pikardyjskiego czarownika, Piotra z Maricourt, który opisał liczne z niego pożytki.

– I umiałbyś taką maszynę zbudować?

– Samo w sobie nie byłoby to trudne. Kamień może być użyty do wytworzenia wielu cudownych rzeczy, a wśród nich maszyny, która porusza się stale bez stosowania żadnej siły zewnętrznej, ale wynalazek najprostszy został opisany przez Araba imieniem Bajlek al-Kabajaki. Bierzesz naczynie z wodą i kładziesz na niej korek, który przebiłeś żelazną igłą. Potem przesuwasz kamień magnetyczny nad powierzchnią wody ruchem okrężnym, aż igła zyska te same właściwości, co kamień. I wtedy igła... ale tak samo byłoby i z kamieniem, gdyby mógł obracać się wokół trzpienia... ustawi się jednym ostrzem w stronę północną, a kiedy będziesz poruszał się z naczyniem, ona zawsze obróci się w stronę Gwiazdy Polarnej. Nie muszę mówić, że jeśli mając na uwadze pozycję Gwiazdy Polarnej, oznaczysz na kraju naczynia stronę południową, północną i tak dalej, zawsze będziesz wiedział, jaki kierunek trzeba obrać w bibliotece, by dotrzeć do baszty wschodniej.

– Cóż to za dziw! – wykrzyknąłem. – Ale czemu igła obraca się zawsze ku północy? Kamień przyciąga żelazo, to widziałem, i przedstawiam sobie, że jakaś ogromna ilość żelaza, przyciągnie kamień. Ale zatem... zatem w kierunku Gwiazdy Polarnej, na najdalszych krańcach ziemskiego kręgu, są wielkie kopalnie żelaza!

– W istocie, niektórzy podsuwali myśl, że tak jest. Tyle że igła nie wskazuje ściśle w kierunku gwiazdy żeglarzy, lecz w stronę punktu przecięcia południków niebieskich. To znak, że, jako się rzekło, *hic lapis gerit in se similitudinem coeli**, a bieguny magnesu uzyskują swoje odchylenie od biegunów nieba, nie zaś ziemi. To z kolei stanowi piękny przykład ruchu narzuconego na odległość i nie przez bezpośrednią przyczynę materialną. Tym problemem zajmuje się mój przyjaciel, Jan z Jandun, kiedy tylko cesarz nie każe mu pogrążać Awinionu w trzewiach ziemi...

– Chodźmy więc wziąć kamień od Seweryna, naczynie i wodę, i korek... – powiedziałem podniecony.

– Zaraz, zaraz – odparł Wilhelm. – Nie wiem, dlaczego tak jest, ale nigdy jeszcze nie widziałem, by jakaś machina, doskonała w opi-

* Ten kamień nosi w sobie cząstkę nieba (łac.).

215

sie filozofów, okazała się równie doskonała w swoim działaniu mechanicznym. Gdy tymczasem nóż ogrodniczy wieśniaka, nieopisany wszak przez żadnego filozofa, działa należycie... Boję się, że krążenie po labiryncie ze światłem w jednej dłoni i naczyniem pełnym wody w drugiej... Czekaj, mam inny pomysł. Maszyna wskaże północ także, kiedy będziemy poza labiryntem, prawda?

– Tak, ale nic nam tu po niej, bo mamy słońce i gwiazdy...

– Wiem, wiem. Lecz jeśli maszyna działa na zewnątrz i wewnątrz Gmachu, czemuż nie miałoby być tak samo z naszymi głowami?

– Z naszymi głowami? Bez wątpienia działają także na zewnątrz i w istocie z zewnątrz wiemy doskonale, jakie są strony Gmachu! Ale właśnie kiedy jesteśmy w środku, nie pojmujemy nic!

– Otóż to! Ale zapomnij teraz o maszynie. To, że myślałem o maszynie, skłoniło mnie, bym zastanowił się nad prawami naturalnymi i nad prawidłami naszego myślenia. Owóż w czym rzecz: musimy znaleźć z zewnątrz sposób opisania Gmachu takim, jaki jest wewnątrz...

– Jak to uczynić?

– Daj mi pomyśleć, to nie powinno być zbytnio trudne...

– A metoda, o której mówiłeś wczoraj? Nie chcesz chodzić po labiryncie, robiąc znaki węglem?

– Nie – odrzekł. – Im więcej o tym myślę, tym mniej jestem do tego przekonany. A nuż nie potrafię przypomnieć sobie dobrze reguły albo może, by krążyć po labiryncie, trzeba mieć poczciwą Ariadnę, która czekałaby przy drzwiach, trzymając koniec nici. Ale nie ma nici tak długich. A gdyby nawet były, oznaczałoby to (bajki często mówią prawdę), że aby z labiryntu wyjść, trzeba mieć pomoc z zewnątrz. Gdzie prawa zewnętrzne byłyby podobne wewnętrznym. Otóż, Adso, wykorzystamy nauki matematyczne. Tylko w naukach matematycznych, jak powiada Awerroes, rzeczy znane nam są tym samym, co rzeczy znane w sposób absolutny...

– Widzisz zatem, że dopuszczasz wiedzę powszechną.

– Wiedza matematyczna składa się z twierdzeń zbudowanych przez nasz umysł w ten sposób, by zawsze funkcjonowały jako prawda, albo dlatego, że są przyrodzone, albo dlatego, że matematyka była wynaleziona wpierw niż inne nauki. A bibliotekę zbudował umysł ludzki, który myślał w sposób matematyczny, jako że bez matematyki nie ma labiryntów. Chodzi wszak o zestawienie naszych twierdzeń matematycznych z twierdzeniami budowniczego, więc z tego porównania może wyniknąć wiedza, ponieważ mamy tu do czynienia z wiedzą o terminach opisujących terminy. Tak czy owak, przestań wciągać mnie w dysputy metafizyczne. Co za diabeł ukąsił cię dzisiaj? Weź raczej, w końcu masz dobre oczy, pergamin, tabliczkę, coś, na czym można robić znaki, i rysik... Dobrze, masz, co trzeba, chwat z ciebie, Adso. Obejdźmy Gmach, dopóki mamy trochę światła.

Krążyliśmy więc długo wokół Gmachu. To jest oglądaliśmy z daleka basztę wschodnią, południową i zachodnią wraz z przylegającymi do nich murami. Reszta bowiem wychodziła na urwiska, ale z racji symetrii nie powinna być odmienna od tego, co oglądaliśmy.

– Widzimy – zauważył Wilhelm, nakazując zapisywać ściśle dane na mojej tabliczce – że każda ściana ma dwa okna, a każda baszta pięć. Teraz rozważ sobie – polecił mój mistrz. – Każdy pokój, który widzieliśmy, miał jedno okno...

– Prócz pokojów siedmiobocznych – rzekłem.

– I jest to naturalne, gdyż są w środku każdej wieży.

– I prócz tych kilku, które nie miały okien, choć nie były siedmioboczne.

– Zapomnij o nich. Najpierw znajdźmy regułę, potem postarajmy się uzasadnić wyjątki. A więc mielibyśmy po zewnętrznej stronie pięć pokojów na każdą wieżę i dwa na każdy mur, wszystkie z oknami. Ale jeśli z pokoju z oknem idzie się ku środkowi Gmachu, napotykamy kolejną salę z oknem. To znak, że chodzi o okna wewnętrzne. A teraz, jaki kształt ma dziedziniec wewnętrzny, kiedy patrzeć na niego z kuchni lub ze skryptorium?

– Ośmiokątny – odpowiedziałem.

– Świetnie. A w skryptorium na każdą stronę ośmiokąta wychodzi dwoje okien. Oznacza, to, że na bokach owego ośmiokąta mamy po dwa pokoje wewnętrzne. Czyż nie tak?

– Tak, ale pokoje bez okien?

– Jest ich wszystkiego osiem. W istocie wewnętrzna, siedmioboczna sala każdej baszty ma pięć ścian, które wychodzą na pięć pokoi. Z czym sąsiadują dwie pozostałe ściany? Z pokojem przylegającym do ściany zewnętrznej nie, gdyż byłyby w niej okna, ani z pokojem przylegającym do ośmiokąta – z tej samej przyczyny oraz dlatego, że byłyby to wówczas pokoje nader wydłużone. Spróbuj narysować bibliotekę, jakbyś patrzył na nią z góry. Widzisz, że każdej wieży winny odpowiadać dwa pokoje, które graniczą z pokojem siedmiobocznym i wychodzą na dwa pokoje graniczące z wewnętrzną studnią ośmiokątną.

Spróbowałem nakreślić rysunek, który mój mistrz mi podpowiadał, i wydałem z siebie okrzyk triumfu.

– Ależ w takim razie wiemy wszystko! Pozwól mi policzyć... Biblioteka ma pięćdziesiąt sześć pokojów, z czego cztery siedmiokątne, pięćdziesiąt dwa zaś mniej więcej kwadratowe, z tych cztery są bez okien, a dwadzieścia osiem wychodzi na zewnątrz i szesnaście do wewnątrz!

– A każda z czterech baszt ma pięć pokojów czworobocznych i jeden siedmioboczny... Biblioteka zbudowana jest zgodnie z niebiańską harmonią, której przypisać można rozmaite i zadziwiające znaczenia...

– Wspaniałe odkrycie – rzekłem. – Ale w takim razie dlaczego tak trudno rozeznać się w niej?

– Ponieważ układ przejść nie odpowiada żadnemu prawu matematycznemu. Jedne pokoje dają dostęp do kilku innych, inne do jednego tylko, i można zadać sobie pytanie, czy nie ma takich, które nie prowadzą do żadnych dalszych. Jeśli rozważysz ten element, jak też brak światła i brak wszelkiej wskazówki co do położenia słońca (dodaj jeszcze wizje i zwierciadła), zrozumiesz, czemu labirynt może zbić z pantałyku każdego, kto go przemierza, wzburzony już wszak poczuciem winy. Z drugiej strony pomyśl, jak byliśmy zrozpaczeni wczoraj wieczorem, kiedy nie potrafiliśmy znaleźć drogi. Zasada zbijania z pantałyku w połączeniu z zasadą ładu; ten rachunek wydaje mi się wzniosły. Budowniczowie biblioteki byli wielkimi mistrzami.

– Jak więc będziemy się rozeznawać?

– Teraz nie jest to już trudne. Mamy szkic, który nakreśliłeś i który lepiej lub gorzej musi odpowiadać planowi biblioteki; kiedy więc tylko znajdziemy się w pierwszej sali siedmiokątnej, ruszymy w takim kierunku, by od razu trafić na dwa pokoje ślepe. Potem, idąc stale w prawo, po przejściu trzech lub czterech pokojów winniśmy znowu znaleźć się w baszcie, tym razem niechybnie w północnej, a potem prędzej czy później trafimy do kolejnego pokoju ślepego, po lewej stronie sąsiadującego z salą siedmioboczną, a z prawej dającego dostęp do początku szlaku przypominającego ten, o którym mówiłem przed chwilą, aż dotrzemy do baszty zachodniej.

– Tak, jeśli tylko każdy z pokojów daje dostęp do wszystkich innych...

– W istocie. I dlatego przyda nam się twój plan, gdyż będziemy mogli zaznaczyć ściany ślepe i wiedzieć w ten sposób, jak bardzo zbaczamy. Ale to nie będzie trudne.

– Czy jednak możemy mieć pewność, że to się sprawdzi? – spytałem zaniepokojony, gdyż wszystko wydało mi się zbyt proste.

– Sprawdzi – odparł Wilhelm. – *Omnes enim causae effectuum naturalium dantur per lineas, angulos et figuras. Aliter enim impossibile est scire propter quid in illis** – zacytował. – To słowa jednego z wielkich mistrzów z Oksfordu. Lecz nie nauczyliśmy się jeszcze wszystkiego. Wiemy, jak się nie zgubić. Teraz trzeba się dowiedzieć, czy jest jakaś reguła, która rządzi rozmieszczeniem książek w pokojach. A wersety z Apokalipsy mówią nam raczej mało, również dlatego, że wiele z nich powtarza się w rozmaitych pokojach...

– A przecież w księdze apostoła można by znaleźć więcej niż pięćdziesiąt sześć wersetów!

– Bez wątpienia. Tak więc tylko niektóre z nich są właściwe. Jakby mieli ich mniej niż pięćdziesiąt, trzydzieści, dwadzieścia... Och, na brodę Merlina!

– Czyją?

– Nic, nic, to czarodziej z mojej krainy... Użyli tylu wersetów, ile jest liter alfabetu! Z pewnością tak jest! Tekst wersetu się nie liczy, liczą się tylko litery początkowe. Każdy pokój oznaczony jest literą alfabetu, wszystkie razem zaś tworzą pewien tekst, który winniśmy odkryć!

– Jak poemat ułożony w kształt krzyża albo ryby!

– Mniej więcej, i prawdopodobnie w czasach, kiedy budowano bibliotekę, ten rodzaj wiersza był bardzo w modzie.

– Ale gdzie zaczyna się tekst?

– Od kartusza większego niż inne w siedmiokątnej sali baszty wejściowej... chyba że... Ależ tak, zdania z literami czerwonymi!

– Jest ich mnóstwo!

– A więc będzie dużo tekstów albo dużo słów. Teraz przerysujesz staranniej i w powiększeniu ten plan, a potem, w trakcie zwiedzania biblioteki, nie tylko będziesz zaznaczał swoim rysikiem, ale leciutko, pokoje, przez które przechodzimy, oraz położenie drzwi i ścian (nie zapominając o oknach), lecz również początkową literę wersetu, a także, postępując jak biegły miniator, powiększysz litery czerwone.

– Ale jak to się dzieje – rzekłem pełen podziwu – że udało ci się rozwikłać tajemnicę biblioteki, patrząc na nią z zewnątrz, a nie zdołałeś, kiedy byłeś w środku?

– Tak też i Bóg zna świat, gdyż zamyślił go w swojej głowie jakby z zewnątrz, zanim go stworzył, my zaś zasady świata nie znamy, gdyż żyjemy w środku i oglądamy już stworzony.

---

* Wszystkie bowiem skutki efektów naturalnych objawiają się poprzez linie, kąty i figury. Inaczej bowiem niemożliwe byłoby zrozumienie, jaka jest ich przyczyna (łac.).

– Tak więc można poznawać rzeczy, patrząc na nie z zewnątrz!

– Rzeczy wytworzone sztuką, albowiem przebiegamy w naszym umyśle szlak rozumowania rzemieślnika. Natomiast rzeczy natury nie, gdyż nie są dziełem naszego umysłu.

– Czy w przypadku biblioteki na pewno będzie to wystarczające?

– Tak – odparł Wilhelm. – Ale tylko w tym właśnie przypadku. Teraz pójdziemy odpocząć. Ja nie mogę uczynić nic do jutra, kiedy dostanę w końcu, mam taką nadzieję, moje soczewki. Lepiej więc przespać się i wstać wcześnie. Spróbuję się zastanowić.

– A wieczerza?

– Ach, tak, wieczerza. Pora już minęła. Mnisi są na komplecie. Ale może kuchnia jest jeszcze otwarta. Chodźmy czegoś poszukać.

– Skraść?

– Poprosić Salwatora, który jest teraz twoim przyjacielem.

– Więc skradnie on!

– Czyż jesteś stróżem brata swego? – zapytał Wilhelm słowami Kaina. Ale spostrzegłem, że żartował i chciał powiedzieć, iż Bóg jest wielki i miłosierny. Z tej przyczyny przystąpiłem do poszukiwań i znalazłem Salwatora koło stajni.

– Piękny – rzekłem, wskazując na Brunellusa, by jakoś zacząć rozmowę. – Chciałbym go dosiąść.

– *No se puede. Abbonis est.* Ale nie trzeba dobrego konia, by mknąć szybko... – Wskazał na konia mocnego, lecz bez wdzięku. – Ten też *sufficit... Vide illuc, tertius equi...*

Chciał wskazać mi trzeciego konia. Roześmiałem się z jego błazeńskiej łaciny.

– I cóż uczyniłbyś z tym? – zapytałem.

I opowiedział mi dziwną historię. Rzekł, że każdego konia, nawet zwierzę najstarsze i najwątlejsze, można uczynić równie szybkim jak Brunellus. Należy domieszać mu do siana zielska, które zowie się satyrion, dobrze roztartego, a potem namaścić kopyta tłuszczem jelenia. Następnie dosiada się konia i nim zepnie się go ostrogami, obraca mu się nozdrza do Lewantu i trzykroć wypowiada do ucha szeptem słowa: „Kasper, Melchior, Merchizard". Koń ruszy z kopyta i przebędzie w godzinę drogę, na którą Brunellus potrzebuje ośmiu. A jeśli zawiesi mu się na szyi zęby wilka, którego tenże koń, pędząc, zabił, zwierzę nie będzie nawet czuło zmęczenia.

Zapytałem, czy kiedy próbował. Zbliżając się podejrzliwie i tchnąc swoim doprawdy niemiłym oddechem, szepnął mi do ucha, że jest to nader trudne, albowiem satyrion uprawiają teraz tylko biskupi i rycerze, którzy są tamtych przyjaciółmi, a posługują się nim dla spotęgowania swojej mocy. Przerwałem mu ten wykład i oznajmiłem, że mój mistrz chciałby przeczytać pewne księgi w swojej celi i pragnie tamże spożyć posiłek.

– Robię – odparł – robię syr w zasmażce.

– Jak to się przyrządza?

– *Facilis*. Weź *el* syr, który nie będzie zbyt stary ani zbyt nasolony, i pokrój na wąskie paski, kwadraty albo *sicut* zechcesz. *Et postea* położysz odrobinę *butierro* lub *structo fresco à rechauffer sobre* żar. A w to *vamos a poner* dwa plastry syra, a kiedy zmięknie, *sucrum et cannella supra positurum du bis*. I podawać natychmiast *in tabula*, gdyż należy spożywać *todo* gorący.

– Niechaj będzie syr w zasmażce – odparłem. A on zniknął w progu kuchni, mówiąc, bym zaczekał.

Przybył pół godziny później z talerzem pokrytym pianą. Zapach był przyjemny.

– Masz – rzekł i podał mi też wielki kaganek pełen oliwy.

– Po co? – zapytałem.

– *Sais pas, moi* – rzekł z miną obłudną. – *Fileisch* twój magister chce *ire in* miejsce ciemne *esta noche*.

Salwator najwidoczniej wiedział więcej, niż podejrzewałem. Nie pytałem dalej, tylko zaniosłem posiłek Wilhelmowi. Zjedliśmy i wróciłem do mojej celi. Albo przynajmniej udałem. Chciałem znaleźć jeszcze Hubertyna i cichcem przemknąłem do kościoła.

Dzień trzeci

Po komplecie

Kiedy to Hubertyn opowiada Adsowi historię brata Dulcyna,
sam Adso zaś przypomina sobie lub wyczytuje w bibliotece
na własną rękę jeszcze inne historie, po czym ma spotkanie
z dzieweczką piękną i groźną jak zbrojne zastępy

Zgodnie z rachunkiem zastałem Hubertyna przy statui Najświętszej Panny. Dołączyłem w milczeniu do niego i przez chwilę udawałem (wyznaję to), że pogrążyłem się w modlitwie. Potem ważyłem się odezwać.

– Ojcze święty – rzekłem – czy mogę prosić cię o światło i radę? Hubertyn spojrzał na mnie, ujął moją dłoń i wstał. Razem podeszliśmy do jednej z ław, by usiąść. Objął mnie ramieniem i poczułem na twarzy jego oddech.

– Najdroższy synu mój – ozwał się – wszystko, co biedny stary grzesznik może uczynić dla twojej duszy, uczynione będzie z radością. Cóż cię dręczy? Żądza, czyż nie? – zapytał, też prawie z żądzą w oczach. – Pokusy ciała?

– Nie – odparłem, rumieniąc się – raczej żądze umysłu, który zbyt wiele chce wiedzieć...

– I źle. Pan zna sprawy, do nas należy tylko czcić jego mądrość.

– Ale do nas należy także odróżniać zło od dobra i rozumieć ludzkie namiętności. Jestem tylko nowicjuszem, lecz będę mnichem i kapłanem, toteż muszę się nauczyć, gdzie jest zło i jak wygląda, bym rozpoznał je, kiedy przyjdzie chwila, i bym innych nauczał, jak je rozpoznawać.

– To słuszne, chłopcze. Cóż zatem chcesz poznać?

– Chwast herezji, ojcze – rzekłem z przekonaniem. A potem dodałem jednym tchem: – Słyszałem o człeku niegodziwym, który zwiódł innych, o bracie Dulcynie.

Hubertyn siedział jakiś czas w milczeniu. Potem rzekł:

– Słusznie, słyszałeś bowiem, jakeśmy wspominali o nim z bratem Wilhelmem. Ale jest to historia nader szkaradna, o której mówię z bólem, albowiem poucza (tak, w tym znaczeniu winieneś ją poznać, by dobyć z niej użyteczną naukę), albowiem poucza, jako rzekłem, jak z umiłowania pokuty i żądzy oczyszczenia świata mogą narodzić się krew i zniszczenie.

Usiadł wygodniej, zwalniając uścisk moich ramion, ale pozostawiając dłoń na mojej szyi, jakby chciał przekazać mi nie tylko swą mądrość, lecz i żar.

– Historia zaczyna się jeszcze przed bratem Dulcynem – oznajmił – ponad sześćdziesiąt lat temu, gdym był dziecięciem. Działo się to w Parmie. Począł tam głosić kazania niejaki Gerard Sagalelli, który zachęcał wszystkich do życia w pokucie i przebiegał drogi, krzycząc: *Penitenziagite!*, próbując w ten sposób, sposób człeka nieuczonego, rzec: *Penitentiam agite, appropinquabit enim regnum coelorum**. Nakłaniał swoich uczniów, żeby stali się podobni do apostołów, i chciał, by jego sektę nazwano zakonem apostołów i by jego ludzie przebiegali świat jako żebracy, żyjący tylko z jałmużny...

– Jak braciaszkowie – rzekłem. – Czyż nie takie było posłannictwo Naszego Pana i waszego świętego Franciszka?

– Tak – zgodził się Hubertyn z lekkim wahaniem w głosie i z westchnieniem. – Ale być może Gerard przesadził. On i jego ludzie zostali oskarżeni o to, że nie uznają autorytetu kapłanów, celebracji mszy, spowiedzi, i o gnuśne włóczęgostwo.

– Ale o to samo oskarżano franciszkanów duchowników. I czyż nie powiadają dzisiaj minoryci, że nie należy uznawać autorytetu papieża?

– Tak, lecz nie kapłanów. My sami jesteśmy kapłanami. Chłopcze, trudno jest odróżniać w tych sprawach. Jakże cienka linia oddziela dobro od zła... Tak czy owak, Gerard błądził i splamił się herezją... Domagał się przyjęcia do zakonu minorytów, ale nasi bracia odepchnęli go. Spędzał dnie w kościele naszych braci i ujrzał tam wizerunki apostołów z sandałami na stopach i płaszczami owiniętymi wokół ramion, więc zapuścił włosy i brodę, wzuł sandały i opasał się sznurem braci minorytów, gdyż kto chce założyć nową kongregację, zawsze coś bierze z zakonu błogosławionego Franciszka.

– A zatem kroczył dobrą ścieżką...

– Lecz zszedł z niej... Odziany w biały płaszcz, zarzucony na białą tunikę, i z długimi włosami, zyskał u prostaczków sławę świętości. Sprzedał swój dom i dzierżąc w dłoni sakwę z pieniędzmi, wstąpił na kamień, z którego w czasach starodawnych mieli obyczaj przemawiać podeści, i nie roztrwonił owych pieniędzy ani nie dał biednym, ale wezwał łotrów, co zabawiali się w pobliżu, i rzucił je między nich ze słowami: „Niechaj bierze, kto chce". Łotrzy zaś wzięli

---

* Czyńcie pokutę, bowiem nadejdzie królestwo niebieskie (łac.).

pieniądze i poszli grać o nie w kości, bluźniąc przeciw Bogu żywemu, a on, który wszak dał pieniądze, słyszał, a nie zarumienił się.

– Ale Franciszek też wyzbył się wszystkiego i słyszałem dzisiaj od Wilhelma, że poszedł kazać krukom i jastrzębiom, tudzież trędowatym, to jest mętom, choć ci, którzy mieli się za cnotliwych, odpychali tamtych od siebie...

– Tak, ale Gerard zszedł z właściwej ścieżki, gdyż Franciszek nigdy nie powaśnił się ze świętym Kościołem, Ewangelia zaś powiada, by dawać biednym, nie łotrom. Gerard dał i nie otrzymał nic w zamian, gdyż dał ludziom złym, i miał zły początek, zły dalszy ciąg i zły koniec, albowiem jego zgromadzenie zostało potępione przez papieża Grzegorza X.

– Być może – rzekłem – był to papież mniej przenikliwy niż ten, który zaaprobował regułę Franciszka...

– Tak, ale Gerard zszedł z właściwej ścieżki, gdy tymczasem Franciszek dobrze wiedział, co czyni. A wreszcie, chłopcze, ci strażnicy świń i krów, którzy nagle stali się pseudoapostołami, chcieli w pokoju i nie przelewając potu żyć z jałmużny tych, których bracia minoryci nauczali z takim mozołem, dając tak heroiczny przykład ubóstwa! Nie o to przecież chodzi – dodał zaraz – lecz o to, że chcąc upodobnić się do apostołów, którzy byli poza tym Żydami, Gerard Sagalelli kazał się obrzezać, co jest przeciw słowom Pawła do Galatów, a wiesz wszak, że wiele świętych osób głosi, iż Antychryst zrodzi się z ludu obrzezanych... Ale Gerard zrobił coś gorszego, gromadził bowiem prostaczków i mówił: „Chodźcie ze mną do winnicy", a ci, nie znając go, wchodzili do winnic bliźnich, uważając, że do niego należą, i jedli winogrona, które były własnością innych...

– Nie minoryci wszak bronią własności bliźniego – rzekłem bezwstydnie.

Hubertyn przyjrzał mi się surowym okiem.

– Minoryci żądają, by wolno im było żyć w ubóstwie, lecz nigdy nie nakłaniali innych, by stali się biedni. Nie możesz bezkarnie podnosić ręki na własność dobrych chrześcijan, dobrzy chrześcijanie bowiem wytkną cię palcem jako bandytę. I tak stało się z Gerardem, o którym rzeczone wreszcie (zważ, iż nie wiem, czy jest to prawda, i zawierzam słowem brata Salimbena, który znał tych ludzi), że chcąc poddać próbie swą siłę woli i powściągliwość, spał z kilkoma kobietami i nie zbliżył się do nich płciowo; ale kiedy uczniowie spróbowali go naśladować, skutek był całkowicie odmienny... Och, nie są to rzeczy, o których winno dowiedzieć się pacholę jak ty, niewiasta bowiem jest naczyniem diabła... Gerard dalej krzyczał Penitenziagite!, ale jeden z jego uczniów, niejaki Gwidon Putagio, chciał przejąć rządy nad grupą. Podróżował wśród przepychu, z licznymi wierzchowcami, i trwonił pieniądze, i wydawał uczty jak kardynałowie Kościoła rzymskiego. A potem doszło do waśni w sprawie rządzenia grupą i zdarzyły się rzeczy szpetne. Jednak liczni szli do Gerarda, nie tylko wieśniacy, ale również ludzie z miast, wpisani do ksiąg cechowych, i Gerard kazał im się obnażać, by nadzy szli za nagim Chrystusem, i słał ich po świecie, by głosili kazania, ale sam kazał sobie uszyć suknię bez rękawów, białą, z mocnych włókien, i tak ubrany wyglądał bardziej na błazna niż zakonnika! Mieszkali pod gołym niebem, ale czasem wstępowali na ambony kościołów, przerywając zgromadzenia ludu pobożnego i wyganiając predykantów, a raz posadzili na tronie biskupim dziecię, w kościele Sant'Orso w Rawennie. I mówili, że są dziedzicami nauki Joachima z Fiore...

– Jak i franciszkanie, jak Gerard z Borgo San Donnino, jak ty! – wykrzyknąłem.

– Uspokój się, chłopcze. Joachim z Fiore był wielkim prorokiem i pierwszy pojął, że Franciszek winien być znakiem odnowy Kościoła. Ale pseudoapostołowie używali jego nauki, by usprawiedliwić swoje szaleństwa. Sagalelli prowadzał ze sobą apostołkę, niejaką Tripię czy Ripię, która utrzymywała, że ma dar prorokowania. Niewiasta, pojmujesz?

– Ale, ojcze – próbowałem się sprzeciwić – sam mówiłeś tamtego wieczoru o świętości Klary z Montefalco i Anieli z Foligno...

– Były święte! Żyły w pokorze, uznając władzę Kościoła; nigdy nie przypisywały sobie daru prorokowania! Natomiast pseudoapostołowie twierdzili, podobnie jak wielu kacerzy, że nawet niewiasty mogą wędrować od miasta do miasta i głosić kazania. I nie znali już żadnej różnicy między przestrzegającymi celibat a żonatymi ni żaden ślub nie był uznawany za wieczny. Krótko mówiąc, by nie zanudzać cię zbytnio nader smutnymi historiami, których odcieni nie możesz dobrze pojąć, rzekę ci tylko, że biskup Obizzo z Parmy postanowił wreszcie zakuć Gerarda w żelaza. Ale wtedy wydarzyła się rzecz dziwna, która pokaże ci, jak słaba jest natura ludzka i jak zdradziecki chwast herezji. Albowiem w końcu biskup uwolnił Gerarda i przyjął go u siebie przy stole, i śmiał się z jego błazeństw, i trzymał go jako swego błazna.

– Lecz dlaczego?

– Tego nie wiem i lękam się dowiedzieć. Biskup był szlachcicem i nie podobali mu się kupcy i rzemieślnicy z miasta. Może nie było mu niemiłym, że Gerard, głosząc ubóstwo, przemawiał przeciw nim i od nawoływania do jałmużny przechodził do łupienia. Ale wreszcie wtrącił się papież, więc biskup powrócił na drogę sprawiedliwej surowości i Gerard skończył na stosie jako niepoprawny heretyk. Był to początek naszego wieku.

– A co ma z tym wspólnego brat Dulcyn?

– Ma, i pojmiesz, jak to herezja żyje dalej, choć zniszczono już heretyków. Ten Dulcyn był bękartem po jednym kapłanie, który żył w diecezji Novary, w tejże części Italii, lecz trochę bardziej ku północy. Ktoś mówił, że urodził się gdzie indziej, w dolinie Ossola lub w Romagnano. Ale to mało ważne. Był młodzieniaszkiem o bystrym rozumie i człekiem biegłym w naukach, lecz okradł kapłana, który miał nad nim pieczę, i uciekł ku wschodowi, do miasta Trydent. I tam podjął głoszenie nauk Gerarda, jednakowoż w sposób jeszcze bardziej heretycki, albowiem twierdził, że jest jedynym prawdziwym apostołem Boga, że wszystko winno być wspólne w miłości i że dozwolone jest obcować, bez czynienia różnicy, ze wszystkimi niewiastami, i z tej przyczyny nikt nie może być oskarżony o życie nierządne, nawet jeśli obcuje z małżonką i córką...

– Naprawdę głosił takie rzeczy czy jeno oskarżano go o nie? Słyszałem bowiem, że także duchowników oskarżano o zbrodnie podobne do zbrodni braci z Montefalco...

– *De hoc satis** – przerwał gwałtownie Hubertyn. – Oni nie byli już braćmi. Byli heretykami. I właśnie zbrukanymi przez Dulcyna. A z drugiej strony, posłuchaj, wystarczy wiedzieć, co Dulcyn uczynił potem, by uznać go za zło czyniącego. Skąd dowiedział się o nauce pseudoapostołów, nie wiem. Może w młodości był w Farmie i słyszał Gerarda. W regionie bolońskim, już po śmierci Sagalellego, stykał się z tymi heretykami. Wiadomo jednak z pewnością, że swoje kazania zaczął w Trydencie. Uwiódł tam piękne dziewczę ze szlachetnej rodziny, Małgorzatę, albo to ona uwiodła jego jak Heloiza Abelarda, gdyż, pamiętaj, właśnie przez niewiastę diabeł przenika do serc mężów! Wtedy to biskup Trydentu wygnał go ze swojej diecezji, lecz Dulcyn zgromadził już ponad tysiąc zwolenników i podjął długi marsz, aż dotarł w strony, gdzie się urodził. Po drodze zaś przyłączali się doń inni prostaczkowie, uwiedzeni jego słowami, a być może też liczni heretycy waldensi, żyjący w górach, przez które przechodził, a może to on chciał dołączyć do waldensów z tych północnych ziem. W krainie novarskiej Dulcyn znalazł klimat sprzyjający

_____

* O tym dość (łac.).

swojej rewolcie, albowiem wasale, sprawujący w imieniu biskupa z Vercelli rządy nad krajem Gattinara, zostali wypędzeni przez ludność, która w takim stanie rzeczy przyjęła bandytów Dulcyna jak najlepszych sprzymierzeńców.

– Cóż uczynili wasale biskupa?

– Nie wiem, i nie mnie to osądzać, lecz, jak widzisz, herezja często bierze ślub z buntem przeciw panom i dlatego zaczyna, od chwalenia Pani Biedy, a później nie opiera się żadnej z pokus władzy, wojny, przemocy. W mieście Vercelli trwała wojna rodów i pseudoapostołowie na tym zyskali, a i owe rody wykorzystywały nieład, jaki przynieśli pseudoapostołowie. Panowie feudalni werbowali awanturników, by łupić mieszczan, mieszczanie zaś prosili o wsparcie biskupa Novary.

– Co za poplątana historia! Ale czyją stronę trzymał Dulcyn?

– Nie wiem, był sam dla siebie stroną, wmieszał się w te wszystkie waśnie i szukał sposobności, by w imię ubóstwa głosić walkę z własnością bliźniego. Wraz ze swoimi, których było teraz trzy tysiące, osiadł na górze koło Novary, zwanej Łysą Górą; tam przybysze zbudowali zameczki i lepianki, a Dulcyn panował nad całym tym tłumem mężczyzn i kobiet, którzy żyli w najhaniebniejszym przemieszaniu. Stamtąd słał do swoich wyznawców listy, w których wykładał heretycką naukę. Powiadał i pisał, że ich ideałem jest ubóstwo, że nie są związani żadnym zewnętrznym węzłem posłuszeństwa i że on, Dulcyn, został zesłany przez Boga, by odpieczętował proroctwa i zrozumiał pisma Starego i Nowego Testamentu. Duchownych świeckich, predykantów i minorytów nazywał wysłannikami diabła i uwalniał wszystkich od obowiązku słuchania ich kazań. I wyróżniał cztery wieki życia ludu Bożego. Pierwszy w czasach Starego Testamentu, patriarchów i proroków, przed przyjściem Chrystusa, kiedy to małżeństwo było dobre, gdyż ludzie musieli się mnożyć. Drugi wiek to wiek Chrystusa i apostołów, okres świętości i czystości. Potem przyszedł trzeci, kiedy to papieże musieli najpierw przyjąć bogactwa doczesne, by móc rządzić ludem, lecz ludzie zaczęli oddalać się od miłości do Boga, i przyszedł Benedykt, który przemawiał przeciw wszelkiej własności doczesnej. Kiedy potem także mnisi od Benedykta zaczęli gromadzić bogactwa, przyszli bracia od świętego Franciszka i świętego Dominika, jeszcze surowsi od Benedykta w głoszeniu kazań przeciw władzy i doczesnemu bogactwu. Ale wreszcie teraz, kiedy życie tylu prałatów jest sprzeczne z dobrymi przepisami, doszliśmy do końca trzeciego wieku i trzeba się nawrócić na nauczanie apostołów.

– Ale w takim razie Dulcyn nauczał tych samych rzeczy, których nauczali franciszkanie, a wśród franciszkanów właśnie duchownicy i nawet ty, ojcze!

– O tak, ale dobył z tej nauki przewrotny sylogizm! Powiadał, że aby położyć kres trzeciemu wiekowi, wiekowi znieprawienia, trzeba, by wszyscy duchowni, mnisi i bracia umarli śmiercią okrutną; powiadał, że wszyscy prałaci Kościoła, duchowni, mniszki, zakonnicy i zakonnice z zakonów predykanckich i minoryckich, eremici i sam papież Bonifacy winni zostać wyniszczeni przez cesarza, którego wskaże on, Dulcyn, a miałby nim być Fryderyk z Sycylii.

– Ale czyż właśnie nie Fryderyk przyjął życzliwie na Sycylii duchowników wygnanych z Umbrii i czyż nie minoryci żądali, by cesarz, choć jest nim dzisiaj Ludwik, zniszczył władzę doczesną papieża i kardynałów?

– Jest właściwe herezji lub szaleństwu przekręcać myśli najbardziej prawe i obracać je przeciw prawu Bożemu i ludzkiemu. Minoryci nigdy nie domagali się od cesarza, by ten zabił innych kapłanów.

Mylił się, teraz to wiem. Kiedy bowiem kilka miesięcy później Bawarczyk ustanowił w Rzymie własny ład, Marsyliusz i inni minoryci uczynili duchownym, którzy dochowali wierności papieżowi, to właśnie, czego domagał się Dulcyn. Nie chcę przez to powiedzieć, że Dulcyn miał rację, tylko że także Marsyliusz zbłądził. Zacząłem się jednak zastanawiać, zwłaszcza po południowej rozmowie z Wilhelmem, jak prostaczkowie, którzy poszli za Dulcynem, mogli rozróżnić między obietnicami duchowników a wprowadzeniem tych obietnic w życie przez Dulcyna. Czyż jego wina nie polegała na tym, że uczynił rzeczywistością to, co ludzie uznawani za prawowiernych chrześcijan głosili w celach czysto mistycznych? A może w tym właśnie tkwiła różnica, może świętość polegała na czekaniu, by Bóg dał nam to, co Jego święci obiecali, nie dążąc do zyskania tego środkami ziemskimi? Teraz wiem, że tak właśnie jest, i wiem, czemu Dulcyn był w błędzie; nie należy zmieniać porządku rzeczy, choć trzeba żarliwie oczekiwać jego odmiany. Ale owego wieczoru byłem wydany na pastwę sprzecznych myśli.

– Wreszcie – mówił Hubertyn – piętno herezji znajdziesz zawsze w pysze. W swoim drugim liście, z roku tysiąc trzysta trzeciego, Dulcyn mianował sam siebie najwyższą głową kongregacji apostolskiej, na namiestników zaś wyznaczył przewrotną Małgorzatę (niewiastę) i Longina z Bergamo, Fryderyka z Novary, Alberta Carentina i Walderyka z Brescii. I zaczął bredzić o następstwie przyszłych papieży, dwóch dobrych, pierwszym i ostatnim, dwóch złych, drugim i trzecim. Pierwszym jest Celestyn, drugim Bonifacy VIII, o którym prorocy powiadają: „Hardość twoja uwiodła cię i pycha serca twego, bo mieszkasz w jaskiniach skały". Trzeci papież nie został nazwany, lecz o nim rzekłby Jeremiasz: „Oto ten lew". I, o hańbo, Dulcyn rozpoznawał lwa we Fryderyku z Sycylii. Czwarty papież, zdaniem Dulcyna, nie jest jeszcze znany i winien to być papież święty, papież anielski, o którym mówił opat Joachim. Winien być wybrany przez Boga, a wtenczas Dulcyn i wszyscy jego zwolennicy (a było ich w tym momencie już cztery tysiące) otrzymaliby łaskę Ducha Świętego, Kościół zaś zostałby odnowiony aż do końca świata. Jednak w ciągu trzech lat, które poprzedzają jego nadejście, musi się spełnić całe zło. I to Dulcyn starał się uczynić, szerząc wszędzie wojnę. Czwartym papieżem... i widać tu, jak demon kpi sobie ze swoich sukubów... był właśnie Klemens V, który ogłosił krucjatę przeciw Dulcynowi. I było to sprawiedliwe, bo Dulcyn podtrzymywał teraz w swoich listach teorie nie do pogodzenia z prawą wiarą. Twierdził, że Kościół rzymski jest wszetecznicą, że nikt nie musi być posłuszny kapłanom, że wszelka władza duchowa przeszła teraz na sektę apostołów, że jedynie apostołowie tworzą nowy Kościół, że apostołowie mogą unieważnić małżeństwo, że nikt nie będzie mógł być zbawiony, jeśli nie przystąpi do sekty, że żaden papież nie może odpuszczać grzechów, że nie należy płacić dziesięcin, że życiem doskonalszym jest życie bez ślubowania niż w ślubowaniu, że kościół poświęcony tak samo nadaje się do modlitwy jak obora i że można czcić Chrystusa w lasach i w kościołach, bez żadnej różnicy.

– Naprawdę powiedział to wszystko?

– Oczywiście, nie ma wątpliwości, napisał to. Ale uczynił coś gorszego. Kiedy umocnił się na Łysej Górze, zaczął pustoszyć wsie w dolinie, plądrować, by zapewnić sobie zaopatrzenie, w sumie wypowiedział prawdziwą wojnę całej okolicy.

– Wszyscy byli przeciw niemu?

– Nie wiadomo. Może miał wsparcie niektórych. Mówiłem ci już, że wmieszał się w miejscowe waśnie, w ten splot nie do rozwikłania. Nadeszła jednak zima roku tysiąc trzysta piątego, jedna z najsurowszych w ostatnich dziesięcioleciach, i wszędzie dokoła panował wielki niedostatek. Dulcyn wysłał trzeci list do swoich zwolenników i wielu doń jeszcze dołączyło, ale życie tam na górze stało się nie do zniesienia i nadeszły takie głody, że zjadali mięso koni i innych zwierząt, jak też gotowane siano. I wielu od tego umarło.

– Ale z kim teraz walczyli?

– Biskup z Vercelli odwołał się do Klemensa V i zwołano krucjatę przeciw heretykom. Ogłoszono odpust zupełny dla każdego, kto weźmie w niej udział, a zaproszono Ludwika Sabaudzkiego, inkwizytorów z Lombardii, arcybiskupa Mediolanu. Wielu wzięło krzyż, dążąc z pomocą vercelczykom i novaryjczykom, również w Sabaudii, Prowansji, Francji, biskup z Vercelli zaś objął dowództwo. Dochodziło do ciągłych starć między awangardami obu wojsk, ale umocnienia Dulcyna były nie do wzięcia i bezbożnicy otrzymywali w taki czy inny sposób wsparcie.

– Od kogo?

– Od innych bezbożników, jak myślę, którzy radowali się z tego zarzewia nieładu. Pod koniec roku tysiąc trzysta piątego herezjarcha został jednak zmuszony do opuszczenia Łysej Góry. Pozostawiając rannych i chorych, ruszył zatem na ziemie Trivero, gdzie przywarł do skały, która wtedy zwała się Zubello, potem zaś i na wieki przemianowano ją na Rubello albo Rebello, stała się bowiem opoką rebeliantów przeciw Kościołowi. Nie mogę opowiedzieć ci wszystkiego, co się zdarzyło, ale doszło do straszliwych rzezi. Na koniec jednak rebelianci musieli się poddać. Dulcyn i jego zwolennicy zostali ujęci i sprawiedliwie skończyli na stosie.

– Również piękna Małgorzata?

Hubertyn spojrzał na mnie.

– Pamiętasz, że była piękna, prawda? Była piękna, powiadano, i wielu tamtejszych panów pragnęło wziąć ją za żonę, by uratować od stosu. Ale nie chciała, umarła nieskruszona wraz ze swoim nieskruszonym kochankiem. I niechaj będzie z tego dla ciebie nauka, strzeż się wszetecznic Babilonu, nawet jeżeli przybierają kształty stworzeń najpowabniejszych.

– Ale teraz powiedz mi coś, ojcze. Dowiedziałem się, że klucznik klasztoru, a może też Salvator, spotkali Dulcyna i poniekąd doń przystali...

– Milcz i nie wypowiadaj sądów zuchwałych. Poznałem klucznika w pewnym klasztorze minorytów. Co prawda już po wydarzeniach związanych z historią Dulcyna. W owych latach wielu duchowników, nim jeszcze postanowiliśmy znaleźć schronienie w Zgromadzeniu Świętego Benedykta, wiodło żywot niespokojny i musiało opuścić swoje klasztory. Nie wiem, gdzie był Remigiusz, nim go spotkałem. Wiem, że zawsze był dobrym bratem, przynajmniej jeśli chodzi o prawość wiary. Co do reszty, niestety, ciało jest słabe...

– Co masz na myśli?

– Nie są to sprawy, o których powinieneś wiedzieć. Chociaż właściwie, skoro i tak mówiliśmy o tym i trzeba, byś umiał odróżnić dobro od zła... – zawahał się jeszcze – powiem ci, że słyszałem, jak tutaj w opactwie szepcze się, iż klucznik nie potrafi się oprzeć pewnym pokusom... Ale to plotki. Ty musisz nauczyć się nie myśleć nawet o tych sprawach. – Przyciągnął mnie znowu do siebie i wskazał na posąg Najświętszej Panny. – Ty musisz wtajemniczyć się w miłość bez skazy. Oto Ta, w której kobiecość uwzniośliła się. Dlatego o Niej możesz powiedzieć, że jest piękna jak kochanka z Pieśni nad Pieśniami. W niej – rzekł, a w jego twarzy było uniesienie płynące z wewnętrznej radości, zupełnie tak samo jak poprzedniego dnia w twarzy opata, kiedy mówił o klejnotach i złocie naczyń – w Niej nawet wdzięk ciała staje się znakiem piękności niebiańskich i dlatego rzeźbiarz przedstawił ją ze wszystkimi powabami, którymi niewiasta winna być ozdobiona. – Wskazał drobne piersi Panny, wzniesione wysoko i sterczące pod gorsetem związanym pośrodku sznurówką, którą igrały drobne rączki Dzieciątka. – Widzisz? *Pulchra enim sunt ubera quae paululum supereminent et tument modice, nec fluitantia licenter, sed leniter restricta, repressa sed non depressa**... Czegóż doświadczasz w obliczu tej słodkiej wizji?

Zarumieniłem się gwałtownie, czując, że trawi mnie jakby wewnętrzny ogień. Hubertyn musiał to spostrzec, a może zauważył żar moich policzków, bo zaraz dodał:

– Lecz musisz nauczyć się odróżniać ogień miłości nadprzyrodzonej od rozkoszy zmysłów. Jest to trudne nawet dla świętych.

– Lecz jak rozpoznaje się miłość dobrą? – spytałem, drżąc cały.

– Czym jest miłość? Nie masz niczego na świecie, ni człeka, ni diabła, ni żadnej rzeczy, którą miałbym za równie podejrzaną jak miłość. Z tej przyczyny jeśli dusza nie ma oręża, który nią kieruje, wali się przez miłość w ogromną ruinę. I wydaje mi się, że gdyby nie uwodzicielski czar Małgorzaty, Dulcyn nie skazałby się na potępienie, i gdyby nie zuchwałość i przemieszanie żywota na Łysej Górze, nie tak wielu poddałoby się urzeczeniu jego buntem. Bacz, nie mówię ci tych rzeczy tylko o miłości występnej, przed którą naturalnie wszyscy winni uciekać jako przed rzeczą diabelską, lecz mówię to, i z wielkim strachem, także o miłości dobrej, która ustanawia się między Bogiem a człekiem, między człekiem a jego bliźnim. Często zdarza się, że dwoje albo troje mężczyzn lub kobiet kocha się nader gorąco, żywią jedni ku drugim osobliwy afekt i chcą nigdy się nie rozłączać, a gdy jedno z nich pożąda, drugie takoż. I wyznam ci, że

---

* Piękne bowiem są piersi, które sterczą odrobinkę i są umiarkowanie pełne, nie zwisają luźno, lecz są lekko zebrane, ściągnięte ale nie ściśnięte (łac.).

uczuć tego rodzaju doznawałem dla niewiast cnotliwych jak Aniela i Klara. Owóż to nawet jest raczej naganne, choć dzieje się w sposób duchowy i dla chwały Boga... Albowiem nawet miłość, jaką odczuwa dusza, jeśli nie ma się na baczności i wita ową miłość żarliwie, upada potem lub też dział w nieładzie. Och, miłość ma rozmaite właściwości, dusza najpierw roztkliwia się przez nią, potem staje ułomna... Ale później czuje prawdziwy żar miłości Boskiej i krzyczy, i płacze, i czyni się kamieniem włożonym do pieca, by rozpadł się w wapno, i trzeszczy liźnięta płomieniem...

– I ta jest godziwa?

Hubertyn pogładził mnie po głowie i kiedy spojrzałem na niego, zobaczyłem, że oczy zaszły mu łzami rozczulenia.

– Tak, ta jest wreszcie miłością godziwą. – Cofnął rękę obejmującą moje ramiona. – Ale jakże trudną – dodał – jakże jest bowiem trudno odróżnić ją od tamtej. I czasem, kiedy twoją duszę kuszą demony, czujesz się niby wisielec, który trwa na szubienicy, z rękami związanymi na plecach, oczyma zasłoniętymi, i wirując w pustce, żyje wszak, lecz bez żadnej pomocy, żadnego wsparcia, żadnego lekarstwa...

Jego twarz była teraz nie tylko zalana łzami, lecz i zroszona potem.

– Idź już – rzekł pospiesznie. – Powiedziałem ci to, co chciałeś wiedzieć. Z jednej strony chór anielski, z drugiej gardziel piekła. Idź i niechaj pochwalony będzie Pan Nasz.

Z powrotem rzucił się na kolana przed Najświętszą Panną i usłyszałem, jak łka cicho. Modlił się.

Nie wyszedłem z kościoła. Rozmowa z Hubertynem rozpaliła mi w duszy i w trzewiach dziwny ogień i niewypowiedziany niepokój. Być może przez to stałem się skłonny do nieposłuszeństwa i postanowiłem ruszyć do biblioteki. Nawet nie wiedziałem, czego tam szukam. Chciałem samotnie zwiedzić nieznane miejsce, urzekała mnie myśl, że rozeznam się bez pomocy mojego mistrza. Wspiąłem się tam niby Dulcyn na górę Rubello.

Miałem ze sobą kaganek (czemu zabrałem go ze sobą? może już przedtem powziąłem ten sekretny plan?) i wszedłem do ossuarium prawie z zamkniętymi oczyma. Raz-dwa znalazłem się w skryptorium.

Musiał to być wieczór zgubny, bo kiedy szperałem z zaciekawieniem między stołami, spostrzegłem, że na jednym z nich spoczywa otwarty manuskrypt, który jeden z mnichów w tych dniach przepisywał. Natychmiast przyciągnął mój wzrok tytuł: *Historia fratris Dulcini Heresiarche*. Zdaje się, że był to stół Piotra z Sant'Albano, o którym powiedziano mi, że pisze monumentalną historię herezji (po tym wszystkim, co zdarzyło się w opactwie, naturalnie już jej nie pisze – lecz nie uprzedzajmy wydarzeń). Nie widziałem więc niczego niezwykłego w tym, że ten tekst tu się znalazł, a były też inne traktujące o pokrewnym temacie, o patarenach i biczownikach. Ale przyjąłem tę sposobność jako nadprzyrodzony znak, nie wiem jeszcze, niebiański czy diabelski, i pochyliłem się, by czytać chciwie to, co tam napisano. Tekst nie był zbyt długi i w pierwszej części mówił, ze znacznie większą ilością szczegółów, których nie pamiętam, to samo, co powiedział mi już Hubertyn. Była tam również mowa o wielu zbrodniach popełnionych przez dulcynian w czasie wojny i oblężenia. I o końcowej bitwie, która była bardzo okrutna. Ale znalazłem tam także rzeczy, o których Hubertyn mi nie mówił, i opowiedziane przez kogoś, kto najwyraźniej je widział i jeszcze miał nimi rozpaloną wyobraźnię.

Dowiedziałem się więc, jak to w marcu 1307 roku, w Wielką Sobotę, Dulcyn, Małgorzata i Longin, wreszcie ujęci, doprowadzeni zostali do miasta Biella i oddani biskupowi, który czekał na postanowienie papieża. Papież zaraz, jak poznał nowinę, przekazał ją królowi Francji, Filipowi, pisząc: „Doszły do nas wieści wielce pożądane, płodne w radość i wesele, albowiem ten diabelski siewca zarazy, ten syn Beliala i szpetny herezjarcha Dulcyn, po wielu niebezpieczeństwach, trudach, rzeziach i częstych najazdach, wraz ze swoimi zwolennikami trafił do naszych lochów przez zasługę naszego czcigodnego brata Raniera, biskupa z Vercelli, schwytany w dniu Świętej Wieczerzy Pana, a liczni ludzie, którzy byli z nim, dotknięci zarazą, padli zabici tegoż dnia". Papież był bez litości dla więźniów i polecił biskupowi skazać ich na śmierć. Tak więc w lipcu tegoż roku, pierwszego dnia miesiąca, heretycy oddani zostali ramieniu świeckiemu. I kiedy rozdźwięczały wszystkie dzwony, wprowadzono ich między oprawcami na wóz, za którym szła milicja i który jechał przez całe miasto, a na każdym rogu szarpano rozpalonymi cęgami ciała winowajców. Małgorzatę spalono najpierw, przed Dulcynem, któremu nawet nie drgnął żaden mięsień na twarzy, tak jak nie wydał z siebie jęku, kiedy cęgi kąsały mu ciało. Potem wóz jechał dalej i po drodze oprawcy zanurzali swoje żelaza w naczyniach pełnych rozżarzonych głowni. Dulcyn przeszedł inne jeszcze męki i przez cały czas był niemy, poza momentem, kiedy odcinali mu nos, gdyż skulił nieco ramiona, i kiedy wyrywali mu członek męski, gdyż w tym momencie wydał przeciągłe westchnienie, jakby skowyt. Ostatnie słowa, jakie wyrzekł, świadczyły o braku skruchy, i ostrzegł, że zmartwychwsta-

233

nie trzeciego dnia. Potem został spalony, a jego prochy rozrzucono na cztery wiatry.

Zamknąłem manuskrypt drżącymi dłońmi. Dulcyn popełnił wiele zbrodni, jak mi powiedziano, ale został w straszliwy sposób spalony. I zachowywał się na stosie... jak? Z nieugiętością męczenników czy z zuchwałością potępionych? Kiedy piąłem się chwiejnym krokiem po schodach prowadzących do biblioteki, pojąłem, czemu jestem taki udręczony. Przypomniałem sobie nagle scenę, którą widziałem niewiele miesięcy wcześniej, wkrótce po przybyciu do Toskanii. Rozważałem nawet, jak to się stało, że dotąd jej sobie nie przypomniałem; może chora dusza chciała zatrzeć wspomnienie, które ciążyło na niej niby inkub. Po prawdzie nie zapomniałem, gdyż za każdym razem, kiedy słyszałem, że rozmawia się o braciaszkach, wracał mi obraz tej sprawy, ale zaraz odganiałem go w kryjówki mego ducha, jakbym zgrzeszył przez to, iż byłem świadkiem owej okropności.

Po raz pierwszy o braciaszkach usłyszałem w owych dniach, kiedy ujrzałem we Florencji, jak palono jednego z nich na stosie. Było to na krótko przed spotkaniem w Pizie z bratem Wilhelmem. Opóźniał swój przyjazd do tego miasta i ojciec dał mi pozwolenie, bym zwiedził Florencję, której piękne kościoły przy mnie wychwalano. Wędrowałem po Toskanii, by lepiej nauczyć się pospolitego języka italskiego, i w końcu przebywałem przez tydzień we Florencji, gdyż wiele słyszałem o tym mieście i pragnąłem je poznać.

Tak się złożyło, że ledwie przybyłem, usłyszałem, jak mówią o sprawie, która wzburzyła całe miasto. Pewien braciaszek heretyk, oskarżony o zbrodnie przeciw religii i postawiony przed biskupem i innymi ludźmi Kościoła, był w tych dniach poddany surowej inkwizycji. I idąc za tymi, którzy mi o tej sprawie powiedzieli, udałem się na miejsce, gdzie miało się to stać, i słyszałem, jak ludzie mówią, że ten braciaszek imieniem Michał był w istocie człekiem nader pobożnym, że głosił pokutę i ubóstwo, powtarzając słowa świętego Franciszka, i został postawiony przed sędziów wskutek niegodziwości kilku niewiast, które udając, iż się przed nim spowiadają, przypisały mu później heretyckie słowa; i nawet został ujęty przez ludzi biskupa właśnie w domu owych niewiast, co zdumiało mnie, albowiem człowiek Kościoła nie powinien udzielać sakramentów w miejscach tak mało stosownych; lecz niechybnie słabością braciaszków było to, że nie zachowywali w należytym poszanowaniu nakazów obyczajności, i może tkwiła jaka prawda w powszechnej opinii, która zarzucała im nie tylko herezję, ale też wątpliwe obyczaje (tak samo o katarach mówiło się zawsze, iż są bułgarami i sodomitami).

Przybyłem do kościoła San Salvatore, gdzie odbywał się proces, lecz nie mogłem wejść, gdyż wielki tłum zebrał się przed drzwiami. Jednak niektórzy wspięli się na okna i przywiązali do krat, więc widzieli i słyszeli, co się dzieje, i opowiadali o tym innym, którzy pozostali na dole. Czytano właśnie bratu Michałowi wyznanie, które złożył poprzedniego dnia, kiedy mówił, że Chrystus i Jego apostołowie „nie mieli żadnej rzeczy ni osobno, ni we wspólnej własności", ale Michał zaprotestował, gdyż pisarz sądowy dołączył słowa „mnogie fałszywe wnioski", i krzyczał (to słyszałem z zewnątrz): „Zdacie z tego sprawę w dniu Sądu!" Ale inkwizytorzy przeczytali wyznanie tak, jak je ujęli, i na koniec zapytali go, czy zechce pokornie dostosować się do poglądów Kościoła i całego ludu miasta. I usłyszałem, jak Michał krzyczy głośno, że chce dostosować się do tego, w co wierzy, to jest, że „chce mieć Chrystusa za ukrzyżowanego biedaczynę, papieża Jana XXII zaś za heretyka, gdyż głosił rzeczy wręcz przeciwne". Nastąpiła wielka dysputa, podczas której inkwizytorzy, a wśród nich wielu franciszkanów, chcieli, by pojął, że Pismo nie mówi tego, co powiedział on, on zaś oskarżał ich, że zaparli się reguły zakonu, a ci z kolei grzmieli przeciw niemu, pytając, czy mniema, iż lepiej rozumie Pismo od nich, mistrzów w tym przedmiocie. A brat Michał, doprawdy wielce uparty, zaprzeczał, ci zaś zaczęli go podżegać, mówiąc: „Chcemy zatem, byś uznał, że Chrystus miał rzeczy na własność, a papież Jan jest katolikiem i świętym". A Michał, nie odstępując od swego stanowiska: „Nie, heretykiem". Oni zaś mówili, że nie widzieli nikogo tak zatwardziałego w swojej hańbie. Ale w tłumie na zewnątrz budynku słyszałem wielu, którzy powiadali, że jest jak Chrystus pośród faryzeuszy, i spostrzegłem, iż liczni spośród ludu wierzą w świętość brata Michała.

W końcu ludzie biskupa zabrali go, zakutego, z powrotem do więzienia. A wieczorem powiedziano mi, że wielu spośród braci zaprzyjaźnionych z biskupem poszło znieważać go i żądać, by zaparł się, ale on odpowiadał jak ktoś, kto jest pewny swojej prawdy. I powtarzał każdemu, że Chrystus był biedny i że biedni byli też święty Franciszek i święty Dominik, i że jeśli za głoszenie tego słusznego sądu ma być skazany na męki, tym lepiej, gdyż szybko ujrzy ⁺o, o czym mówi Pismo i dwudziestu czterech starców z Apokalipsy, i Jezus Chrystus, i święty Franciszek, i pełni chwały męczennicy. I powiedziano mi, że rzekł: „Jeśli z takim zapałem czytamy nauki niektórych świętych opatów, z o ileż większym zapałem i radością winniśmy pragnąć znaleźć się pośród nich". I słysząc tego rodzaju słowa, inkwizytorzy wychodzili z lochu z pociemniałymi twarzami, krzycząc w oburzeniu (i to słyszałem): „Ma w sobie diabła!"

Następnego dnia dowiedzieliśmy się, że ogłoszono wyrok skazujący, i kiedy poszedłem do biskupstwa, miałem sposobność zobaczyć pergamin i część z niego przepisać na mojej tabliczce. Zaczynał się: *In nomine Domini amen. Hec est quedam condemnatio corporalis et sententia condemnationis corporalis lata, data et in hiis scriptis sententialiter pronumptiata et promulgata...** i tak dalej, i następował surowy opis grzechów i win rzeczonego Michała, które tutaj w części przytaczam, by czytelnicy osądzili według swego rozeznania:

Johannem vocatum fratrem Micchaelem Jacobi, de comitatu Sancti Frediani, hominem male condictionis, et pessime conversationis, vite et fame, hereticum et heretica labe pollutum et contra fidem catolicam credentem et affirmantem... Deum pre oculis non habendo sed potius humani generis inimicum, scienter, studiose, appensate, nequiter et animo et intentione exercendi hereticam pravitatem stetit et conversatus fuit cum Fraticellis, vocatis Fraticellis ubogiego żywota *hereticis et scismaticis et eorum pravam sectam et heresim secutus fuit et sequitur contra fidem catolicam... et accessit ad dictam civitatem Florentie, et in locis publicis dicte civitatis in dicta inquisitione contentis, credidit, tenuit et pertinaciter affirmavit ore et corde... quod Christus redentor noster non habuit rem aliquam in proprio vel comuni sed habuit a quibuscumque rebus quas sacra scriptura eum habuisse testatur, tantum simplicem facti usum**.

---

* W imię Pana, amen. To jest kara cielesna i wyrok na nią skazujący wydany, przedstawiony i w tych pismach ostatecznie ogłoszony i obwieszczony... (łac.).
* Jana, zwanego bratem Michałem, syna Jakuba, ze Zgromadzenia Świętego Frediana, człowieka o niegodziwych zasadach i najgorszym prowadzeniu się, życiu i sławie, heretyka i splamionego heretycką zmazą, rzeczy przeciwne wierze katolickiej wierzącego i uznającego... nie mając przed oczyma Boga, lecz raczej wroga rodzaju ludzkiego, świadomie, gorliwie i niezmiennie trwał niegodziwie w myśli i zamiarze praktykowania heretyckiej nieprawości i obcował z braciszkami, zwanymi braciszkami ubogiego żywota, heretykami i schizmatykami, i do ich przewrotnej sekty i herezji się przyłączył, i dąży do rzeczy przeciwnych wierze katolickiej... i przybył do rzeczonego miasta Florencji, i w miejscach publicznych rzeczonego miasta, w rzeczonym śledztwie ujętych, uznawał, utrzymywał i uparcie twierdził ustami i w sercu... że Chrystus, nasz Odkupiciel, nie miał żadnej rzeczy we własności osobistej ani wspólnej, lecz miał zawsze wobec niektórych rzeczy, które wedle Pisma Świętego posiadał, tylko prostą władzę rzeczywistego użytku (łac.).

Ale nie tylko o te zbrodnie był oskarżony, a wśród owych innych jedna wydała mi się osobliwie nikczemna, chociaż nie wiem (z toku procesu), czy on naprawdę do tego się posunął, lecz powiadało się, że utrzymywał, iż święty Tomasz z Akwinu ani był świętym, ani cieszy się wiecznym zbawieniem, ale jest potępiony i zgubiony! I wyrok kończył się określeniem kary, albowiem oskarżony nie chciał się poprawić.

Constat nobis etiam ex predictis et ex dicta sententia lata per dictum dominum episcopum florentinum, dictum Johannem fore hereticum, nolle se tantis herroribus et heresi corrigere et emendare, et se ad rectam viam fidei dirigere, habentes dictum Johannem pro irreducibili, pertinace et hostinato in dictis suis perversis herroribus, ne ipse Johannes de dictis suis sceleribus et herroribus perversis valeat gloriari, et ut eius pena aliis transeat in exemplum; idcirco, dictum Johannem vocatum fratrem Micchaelem hereticum et scismaticum quod ducatur ad locum iustitie consuetum, et ibidem igne et flammis igneis accensis concrematur et comburatur, ita quod penitus moriatur et anima a corpore separatur*.

A potem, kiedy wyrok został ogłoszony publicznie, przybyli do więzienia także ludzie Kościoła i zawiadomili Michała, co się stanie, i usłyszałem, jak mówili: „Bracie Michale, oto już przygotowano mitry i narzutki i wymalowani są na nich braciaszkowie u boku diabłów", aby go przerazić i skłonić, by się wreszcie zaparł. Ale brat Michał padł na kolana i powiedział: „Ja myślę, że w pobliżu stosu będzie nasz ojciec Franciszek, i powiem więcej, wierzę, że będzie tam Jezus i apostołowie, i pełni chwały męczennicy Bartłomiej i Antoni". W ten sposób odrzucił ostatecznie ofertę inkwizytorów.

---

* Wiadomo nam także z tego, co zostało wcześniej wspomniane, i z wyroku wydanego przez rzeczonego pana biskupa florenckiego, że rzeczony Jan będzie heretykiem, że nie chce tak wielkich błędów i herezji naprawić i poprawić się, i nawrócić się na właściwą drogę wiary; uważając rzeczonego Jana za niechętnego poprawie, upartego i trwającego w rzeczonych jego straszliwych błędach, żeby sam Jan nie mógł się chełpić rzeczonymi swymi występkami i błędami i aby jego kara była dla innych przykładem, dlatego rzeczony Jan, zwany bratem Michałem, zostanie zaprowadzony na miejsce, gdzie wedle zwyczaju wymierza się kary i tam w ogniu i płomieniach ognistych będzie ogniem trawiony i palony aż całkowicie umrze i dusza jego od ciała się oddzieli (łac.).

Następnego ranka byłem także i ja na pomoście koło biskupstwa, gdzie zgromadzili się inkwizytorzy, przed których przyprowadzono brata Michała, nadal w łańcuchach. Jeden z wiernych ukląkł przed nim, by otrzymać błogosławieństwo; i został wzięty przez zbrojnych i natychmiast zaprowadzony do więzienia. Później inkwizytorzy odczytali wyrok skazanemu i spytali jeszcze, czy chce się skruszyć. Przy każdym punkcie, w którym wyrok mówił, że był heretykiem, Michał odpowiadał: „Heretykiem nie jestem, grzesznikiem tak, lecz katolikiem", a kiedy tekst wymienił „czcigodnego i świątobliwego papieża Jana XXII", Michał odpowiedział: „Nie, heretyka". Wtenczas biskup rozkazał, by Michał podszedł i uklęknął przed nim, a Michał powiedział, że nie uklęknie przed heretykami. Siłą zmusili go do klęknięcia, a on szepnął: „Bóg mi to wybaczy". A ponieważ przywleczono go tu ze wszystkimi kapłańskimi paramentami, zaczął się rytuał, podczas którego sztuka po sztuce zdzierano zeń paramenta, aż został w kaftaniku, który we Florencji nazywają *cioppa*. I jak chce zwyczaj w przypadku księdza, któremu odbiera się święcenia, ostrym żelazem ścięli mu opuszki palców i ogolili włosy. Potem powierzony został kapitanowi i jego ludziom, którzy obeszli się z nim bardzo okrutnie i zakuli go w łańcuchy, by odprowadzić do lochu, on zaś mówił tłumowi: *Per Dominum moriemur**. Miał być spalony, jak się dowiedziałem, dopiero następnego dnia. A tego dnia poszli jeszcze go zapytać, czy chce się wyspowiadać i przyjąć komunię. I odmówił popełnienia grzechu przez przyjęcie sakramentów od tych, którzy w grzechu trwali. I w tym, jak sądzę, uczynił źle, gdyż pokazał, że jest znieprawiony herezją patarenów.

I wreszcie nadszedł poranek kaźni, i przybył po niego gonfalonier, który wydał mi się człowiekiem przyjaznym, spytał go bowiem, cóż z niego za człek i czemu trwa przy swoim, kiedy wystarczy stwierdzić to, co cały lud stwierdzał, i przyjąć zapatrywanie naszej świętej matki Kościoła. Ale Michał odparł twardo: „Wierzę w Chrystusa ubogiego, ukrzyżowanego". I gonfalonier odszedł, rozkładając ręce. Przybył wtenczas kapitan ze swoimi ludźmi i zawlekli Michała na dziedziniec, gdzie był wikariusz biskupa, który odczytał mu i zeznanie, i wyrok. Michał zabrał jeszcze głos, by zaprzeczyć fałszywym opiniom, jakie zostały mu przypisane; i były to doprawdy rzeczy tak subtelne, że już nie przypominam ich sobie, a i wtedy nie pojąłem dobrze. Lecz z pewnością one właśnie doprowadziły do śmierci Michała i do prześladowania braciaszków. Nie rozumiałem więc, cze-

---

* Przez Pana umrzemy (łac.).

mu ludzie Kościoła i świeckiego ramienia tak nastawali na tych, którzy chcieli żyć w ubóstwie i uznawali, że Chrystus nie miał dóbr ziemskich. Albowiem – powiadałem sobie – winni raczej obawiać się ludzi, którzy chcą żyć w bogactwie i zabierać pieniądze innym, i wprowadzić Kościół na drogę grzechu, i ustanowić w nim praktyki symonii. I powiedziałem o tym jednemu, który stał blisko, gdyż nie potrafiłem zmilczeć. A ten uśmiechnął się szyderczo i rzekł mi, że brat, który praktykuje ubóstwo, staje się złym przykładem dla ludu, gdyż ten nie chce potem przywyknąć do innych braci, niepraktykujących ubóstwa. Albowiem – dodał – to głoszenie ubóstwa podsuwa ludowi niegodziwą myśl, by ze swego ubóstwa mieć powód do dumy, a duma może doprowadzić do wielu czynów pełnych pychy. A wreszcie powinienem wiedzieć, iż również dla niego nie jest jasne, z jakiego sylogizmu wynika, że kiedy nakłania się braci do ubóstwa, stają po stronie cesarza, co nie podoba się ani trochę papieżowi. Wszystkie te racje wydały mi się wyśmienite, aczkolwiek podał je człek niewielkiej nauki. Nie zrozumiałem tylko, czemu brat Michał chce umrzeć w tak straszny sposób, by przypodobać się cesarzowi lub rozstrzygnąć spór między zakonami. W istocie, ktoś z obecnych powiedział: „Nie jest świętym, wysłał go Ludwik, by posiał niezgodę między mieszczanami, a braciaszkowie są Toskańczykami, lecz za nimi stoją wysłannicy cesarstwa". A inni: „Ależ to szaleniec, opętał go diabeł, ten nadęty pychą człek raduje się męczeństwem przez potępieńczą butę; za wiele daje się im do czytania żywotów świętych, lepiej byłoby, gdyby wszyscy chrześcijanie byli tacy, gotowi zaświadczać swoją wiarę, jak w czasach pogan". Kiedy słuchałem tych głosów, nie wiedząc już, co powinienem myśleć, zdarzyło się, że spojrzałem skazanemu prosto w twarz, którą czasem przesłaniał tłum przede mną. I ujrzałem oblicze kogoś, kto ogląda rzeczy, które nie są z tego świata, oblicze przywodzące mi na myśl posągi świętych, utrwalonych w zachwyceniu wizją. I zrozumiałem, że niezależnie od tego, czy jest szaleńcem, czy widzącym, z całą trzeźwością umysłu chciał umrzeć, gdyż wierzył, że umierając, zada klęskę swojemu wrogowi, kimkolwiek on jest. I zrozumiałem też, że jego przykład zaprowadzi na śmierć wielu innych. I w osłupienie wprawiła mnie taka nieugiętość, albowiem dzisiaj jeszcze nie wiem, czy u tych ludzi górę bierze dumne umiłowanie prawdy, w którą wierzą i która prowadzi ich na śmierć, czy też dumne pragnienie śmierci, które każe im świadczyć o ich prawdzie, jakakolwiek ona jest. I przenikają mnie podziw i lęk.

Lecz wróćmy do samej kaźni, gdyż wszyscy teraz ruszyli w stronę miejsca, gdzie wyrok miał być wykonany.

Kapitan i jego ludzie wyciągnęli go z bramy, ubranego w ową lekką suknię z niektórymi guzikami rozpiętymi, on zaś szedł krokiem zamaszystym i z głową pochyloną, recytując modlitwę, zapewne jedną z modlitw za męczenników. Zebrał się niewiarygodny tłum i wielu krzyczało: „Nie umieraj!", a on odpowiadał: „Chcę umrzeć za Chrystusa". „Ale ty nie umierasz za Chrystusa" – mówili mu, a on: „Ale za prawdę". Kiedy dotarli do miejsca zwanego narożnikiem prokonsula, ktoś krzyknął, by modlił się do Boga za nich wszystkich, a on błogosławił ciżbę. I przy fundamentach Świętej Liperaty ktoś rzekł mu: „Ty głupcze, uwierz w papieża", a on odpowiedział: „Uczyniliście boga z waszego papieża", i dodał: „Nieźle zaleźli wam za skórę ci wasi papieże, gąsiory odziane w pierze" (była to gra słów lub dowcip równający w narzeczu toskańskim papieży ze zwierzętami, jak mi wyjaśniono); i wszyscy zdumieli się, że idąc na śmierć, żartuje.

Przy Świętym Janie krzyknęli mu: „Zbaw życie!", a on odparł: „Zbawcie się od waszych grzechów!"; przy Starym Rynku krzyknęli: „Zbaw się, zbaw!", on zaś odpowiedział: „Zbawcie się od piekła"; na Nowym Rynku krzyczeli: „Okaż skruchę, skruchę!", a on odpowiedział: „Pokutujcie za waszą lichwę". A kiedy dotarli do kościoła Świętego Krzyża, zobaczył na schodach braci ze swojego zakonu i skarcił ich, gdyż nie przestrzegali reguły świętego Franciszka. I niektórzy z nich wzruszali ramionami, lecz inni ze wstydu zakrywali kapturami oblicza.

Kiedy szli w stronę Bramy Sprawiedliwości, wielu mówiło mu: „Zaprzyj się, zaprzyj, nie umieraj", a on: „Chrystus umarł za nas". Odkrzyknęli wtedy: „Ale ty nie jesteś Chrystusem, nie musisz za nas umierać!", on zaś: „Ale chcę umrzeć za Niego". Na Łące Sprawiedliwości spytał go ktoś, czy nie mógłby uczynić jak pewien brat, jego przełożony, który się zaparł, ale Michał odpowiedział, że nie zaprze się, i ujrzałem, że liczni spośród ciżby zachęcali go, by był silny, tak że ja i wielu innych zrozumieliśmy, iż byli to ludzie spośród mu bliskich, i odsunęliśmy się.

Nareszcie wyszliśmy za bramę i naszym oczom ukazał się stos, lub szałas, jak go nazywano, bo drzewo ustawiano w kształt dachu szałasu, i stał wokół krąg zbrojnych jeźdźców, aby tłum zbytnio się nie zbliżał. I tam przywiązali brata Michała do słupa. I usłyszałem jeszcze, jak ktoś krzyknął do niego: „Ale czym jest to, za co chcesz umrzeć?!", a on odpowiedział: „Jest to prawda, która mieszka we mnie, a której świadectwo dać mogę tylko przez śmierć". Podpalili stos. Brat Michał, który zaintonował już *Credo*, teraz zaczął śpiewać

Te Deum. Odśpiewał może osiem wersów, potem zgiął się, jakby miał kichnąć, i padł, gdyż spłonęły więzy. I już nie żył, umiera się bowiem, nim ciało spłonie do końca, z wielkiego żaru, od którego pęka serce, i dymu, który dostaje się do piersi.

Potem szałas spalił się do reszty niby pochodnia i była wielka łuna, a gdyby nie biedne, zwęglone ciało Michała, które można było jeszcze dostrzec między rozżarzonymi głowniami, powiedziałbym może, że stoję przed krzakiem gorejącym. I byłem tak bliski wizji, że (przypomniałem sobie, pnąc się na schody biblioteki) same nasunęły mi się na wargi słowa o zachwyconym uniesieniu, które wyczytałem z ksiąg świętej Hildegardy: „Płomień polega na wspaniałej jasności o wrodzonej sile i na ognistym żarze, ale wspaniałą jasność ma po to, by błyszczeć, ognisty żar zaś, by spalać".

Przyszły mi na myśl niektóre ze słów, jakie Hubertyn wypowiedział o miłości. Obraz Michała na stosie splótł się z obrazem Dulcyna, obraz Dulcyna zaś z obrazem pięknej Małgorzaty. Znowu poczułem niepokój, ten sam, który ogarnął mnie już był w kościele.

Próbowałem nie myśleć o tym i szedłem stanowczym krokiem w kierunku labiryntu.

Znalazłem się tam po raz pierwszy samotnie; długie cienie, które kaganek rzucał na posadzkę, przerażały mnie nie mniej niż poprzedniej nocy wizje. Bałem się, że każdej chwili stanę przed jakimś innym zwierciadłem, taki jest bowiem czar zwierciadeł, że nawet jeśli wiemy, że to zwierciadła, nie przestają budzić lęku.

Z drugiej strony nie starałem się rozeznać ani unikać pokoju zapachów, które powodują wizje. Szedłem, jakby trawiła mnie gorączka, i nie wiedziałem nawet, dokąd chcę dotrzeć. W rzeczywistości niewiele oddaliłem się od punktu wyjścia, gdyż wkrótce potem znalazłem się w siedmiokątnej sali, z której wyszedłem. Leżało tu na stole parę ksiąg, których, jak mi się zdawało, nie widziałem poprzedniego wieczoru. Odgadłem, że były to dzieła, które Malachiasz przyniósł ze skryptorium i których nie ustawił jeszcze na przeznaczonych im miejscach. Nie pojmowałem, czy jestem bardzo daleko od sali kadzideł, gdyż czułem się jakby odrętwiały, być może przez jakieś wyziewy, które docierały aż do tego miejsca, albo przez rzeczy, o których roiłem do tej chwili. Otworzyłem bogato zdobiony wolumin, który, jak osądziłem po stylu, pochodził z klasztorów Ultima Thule.

Na którejś ze stron, gdzie zaczynała się święta Ewangelia apostoła Marka, uwagę mą przykuł wizerunek lwa. Był to na pewno lew, choć nigdy takiego zwierzęcia żywym nie widziałem, a iluminator wiernie przedstawił jego postawę, być może czerpiąc natchnienie z lwów widzianych w Hibernii, ziemi potwornych stworzeń, i przekonałem się, że zwierzę to, jak zresztą powiada Fizjolog, skupia w sobie wszystkie cechy rzeczy najstraszliwszych i jednocześnie pełnych majestatu. Tak więc ten obraz kojarzył mi się z wizerunkiem nieprzyjaciela i z obrazem Pana Naszego Chrystusa i nie wiedziałem, podług jakiego symbolicznego klucza winienem go odczytywać, i cały drżałem z lęku i z powodu wiatru, który przedostawał się przez szczeliny w ścianach.

Lew, którego oglądały moje oczy, miał paszczę pełną sterczących zębów, łeb pokryty, jak u węża, cienkim pancerzem, olbrzymie cielsko wspierał na czterech łapach o pazurach spiczastych i przerażających, sierścią zaś przypominał jeden z tych przywiezionych ze Wschodu kobierców, jakie widywałem później; okryty był czerwonymi i szmaragdowymi łuskami, na których rysowało się żółte jak zaraza, szkaradne i mocne belkowanie kości. Żółty był też ogon, który wił się od zadu aż do czubka łba, kończąc się ostatnim zawijasem w białych i czarnych kępkach.

Byłem już pod wielkim wrażeniem lwa (i nieraz odwracałem się, jakbym oczekiwał, że nagle ukaże się zwierzę tej postawy), kiedy postanowiłem obejrzeć inne karty i mój wzrok padł na umieszczony na samym początku Ewangelii Mateusza wizerunek człowieka. Nie wiem czemu, przeraził mnie bardziej niż obraz lwa; twarz miał ludzką, lecz człek ten opancerzony był jakby sztywnym ornatem, który okrywał go do samych stóp, i ornat ów lub kirys był wysadzany czerwonymi i żółtymi kamieniami. Ta twarz, wyłaniająca się, zagadkowa, z fortecy rubinów i topazów, jawiła mi się (przerażenie uczyniło mnie bluźniercą!) jako tajemniczy morderca, którego nienamacalnym tropem szliśmy. A później zrozumiałem, czemu wiązałem tak ściśle bestię i opancerzonego z labiryntem; albowiem oboje, podobnie jak wszystkie postacie w tej księdze, wyłaniali się z tkanki splątanych ze sobą labiryntów, których linie z onyksu i szmaragdu, nitki z chryzoprazu, wstęgi z berylu zdawały się nawiązywać do gmatwaniny sal i korytarzy, gdzie się znajdowałem. Mój wzrok wpatrzony w kartę gubił się wśród wspaniałych ścieżek, podobnie jak moje nogi gubiły się w niepokojącej procesji sal bibliotecznych, a to, że widziałem własne błądzenie przedstawione na tym pergaminie, napełniło mnie niepokojem i przekonało, iż każda z tych ksiąg opowiada tajemniczym chichotem moją historię w tym momencie. *De te fabula narratur** –

_____

* O tobie opowiada bajka (łac., z Horacego).

rzekłem sam do siebie i zadałem sobie pytanie, czy te stronice nie zawierają już historii przyszłych chwil, które mnie czekają.

Otworzyłem inną księgę i wydało mi się, że ta pochodzi ze szkoły hiszpańskiej. Kolory były tu jaskrawe, czerwień wyglądała jak krew i ogień. Była to księga objawień apostoła i tak samo jak poprzedniego wieczoru natknąłem się na stronicę z *mulier amicta sole*. Ale chodziło o inną księgę, miniatura była odmienna, artysta większy nacisk położył na rysy niewiasty. Porównałem jej twarz, pierś, obfite biodra z posągiem Najświętszej Panny, któremu przyglądałem się w towarzystwie Hubertyna. Inny kontur, lecz także ta *mulier* wydała mi się piękna. Pomyślałem, że nie powinienem pogrążać się w takich myślach, i obróciłem kilka stronic. Ujrzałem jakąś niewiastę, ale tym razem była to wszetecznica Babilonu. Uderzyły mnie nie tyle jej kształty, ile myśl, że to niewiasta jak i te oglądane przedtem, a jednak ta jest naczyniem wszelkiego występku, tamte zaś przytułkiem wszelkiej cnoty. Ale w obydwu przypadkach chodziło o kształty niewieście i w pewnym momencie nie byłem już w stanie pojąć, co je odróżnia. Znowu poczułem wewnętrzny zamęt, wizerunek Dziewicy z kościoła nałożył się na wizerunek pięknej Małgorzaty. „Jestem potępiony!" – pomyślałem. Albo: „Oszalałem". I doszedłem do wniosku, że nie mogę pozostawać dłużej w bibliotece.

Na szczęście schody były blisko. Rzuciłem się w dół, nie zważając, że mogę potknąć się i zgasić światło. Znalazłem się pod rozległymi łukami skryptorium, ale nawet tutaj się nie zatrzymałem, tylko popędziłem w dół po schodach wiodących do refektarza.

Tam przystanąłem, zadyszany. Przez szyby przenikał tej świetlistej nocy blask księżyca i prawie niepotrzebna już mi była lampka, tak przedtem niezbędna wśród izb i galerii bibliotecznych. Jednak pozostawiłem ją zapaloną, jakby szukając pokrzepienia. Ale dyszałem jeszcze i pomyślałem, że powinienem napić się wody, by uśmierzyć napięcie. Ponieważ kuchnia była blisko, przemierzyłem refektarz i otworzyłem powoli jedne z drzwi, które prowadziły do drugiej części parterowej Gmachu.

I w tym momencie moje przerażenie nie tylko nie zmalało, ale wzmogło się. Albowiem od razu zdałem sobie sprawę z tego, że ktoś jest w kuchni, koło pieca chlebowego, a w każdym razie dostrzegłem, że w tamtym kącie pali się lampka, i pełen strachu zgasiłem moją. Moje przerażenie widocznie udzieliło się, bo tamten (lub tamci) też zgasił swoją. Ale daremnie, gdyż światło księżyca oświetlało kuchnię wystarczająco, by na posadzce przede mną zarysował się cień, może więcej niż jeden tylko.

Zmroził mnie strach i nie śmiałem już się cofnąć ani postąpić do przodu. Usłyszałem jakiś bełkotliwy głos i zdało mi się, że moich uszu dobiegają pokorne słowa wypowiadane przez niewiastę. Potem od niekształtnej grupy, rysującej się niewyraźnie w pobliżu pieca, oderwał się mroczny, pękaty cień, który uciekł w stronę zewnętrznych drzwi, najwidoczniej tylko przymkniętych, i zatrzasnął je za sobą.

Stałem na progu między refektarzem a kuchnią, sam na sam z czymś niewyraźnym w pobliżu pieca. Czymś niewyraźnym i... jak by to powiedzieć... kwilącym. Rzeczywiście z cienia dochodził jęk, prawie cichy płacz, rytmiczne łkanie ze strachu.

Nic nie daje większej odwagi lękliwemu niż lęk bliźniego; ale ruszyłem w stronę cienia bynajmniej nie dlatego, że poczułem przypływ odwagi. Raczej, powiedziałbym, pchnęło mnie jakieś oszołomienie dosyć podobne do tego, jakie ogarnęło mnie, kiedy miałem wizje. Było w kuchni coś pokrewnego woni kadzideł, która zaskoczyła mnie ostatniej nocy w bibliotece. Może nie chodziło o te same substancje, ale na moje pobudzone nad wszelką miarę zmysły wpływ był jednaki. Rozróżniłem cierpkość tragantu, ałun i kamień winny, którego kucharze używają, by nadać aromat winu. A może, jak dowiedziałem się później, robiono w owym czasie piwo (które w tych północnych stronach półwyspu było w pewnej cenie), i to na sposób mojego kraju, z wrzosem, mirtem z bagnisk i rozmarynem ze stawów leśnych. Wszystkie te aromaty upajały raczej mój umysł niźli nozdrza.

I podczas gdy instynkt rozumny wykrzykiwał: „Cofnij się!", nakłaniając, bym oddalił się od tej jęczącej rzeczy, która z pewnością była sukubem podstawionym mi tutaj przez demona, jakaś moc pożądliwa pchała mnie do przodu, jakbym chciał być świadkiem dziwu.

Tak więc zbliżyłem się do cienia, aż w nocnym świetle padającym od wysokich okien spostrzegłem, że jest tam drżąca niewiasta, która ściska w ręku jakieś zawiniątko i płacząc, cofa się w stronę gardzieli pieca.

Oby Bóg, Błogosławiona Dziewica i wszyscy święci z raju wspomogli mnie teraz, kiedy mam wysłowić, co mi się przydarzyło. Wstydliwość, godność mojego stanu (starego mnicha w pięknym klasztorze w Melku, miejscu pokoju i pogodnej medytacji) doradzają mi zbożną ostrożność. Powinienem powiedzieć tylko, że stało się coś złego, lecz nie jest rzeczą uczciwą mówić, co to było, i wtedy nie wzburzyłbym ani siebie, ani mojego czytelnika.

Ale postawiłem sobie za cel opowiedzieć o tych odległych wydarzeniach całą prawdę, prawdy zaś nie da się podzielić, lśni własnym blaskiem i nie chce, by pomniejszały ją wzgląd na nasze dobro i nasze zawstydzenie. Chodzi raczej o to, aby powiedzieć, co się stało, nie tak, jak widzę to i przypominam sobie teraz (aczkolwiek przypominam sobie z całą bezbożną żywością i nie wiem, czy to skrucha, która potem przyszła, utrwaliła w sposób tak wyraźny wypadki i myśli w mojej pamięci, czy też niedostatek tej skruchy dręczy mnie jeszcze, dając, w zbolałym umyśle, życie najmniejszemu drgnieniu mojego wstydu), ale tak, jak widziałem i czułem wtedy. I mogę to uczynić z wiernością kronikarza, albowiem gdy przymykam oczy, potrafię powtórzyć nie tylko wszystko, com czynił, ale i com myślał w owej chwili, jakbym przepisywał stworzony wówczas pergamin. Muszę więc postępować w ten właśnie sposób i niechaj ma pieczę nade mną święty Michał Archanioł, albowiem dla zbudowania przyszłych czytelników i chłostania mojego grzechu chcę teraz opowiedzieć, jak młodzieniaszek może wpaść w sieci diabła – by stały się znane i widoczne i by ten, kto w nie jednak wpadnie, umiał je rozplątać.

Była tam więc niewiasta. Co rzekę, dzieweczka. Mając wówczas (a i później, dzięki niech będą Bogu) mało do czynienia z istotami tej płci, nie umiem powiedzieć, w jakim mogła być wieku. Wiem, że była młodziutka, prawie dziewczątko, może miała siedemnaście albo osiemnaście wiosen, a może dwadzieścia, i uderzyło mnie wrażenie człeczej rzeczywistości, jakim tchnęła ta postać. Nie była to zjawa, a mnie w każdym razie zdała się *valde bona**. Może dlatego, że drżała niczym ptaszyna w zimie i płakała, i lękała się mnie.

Tak więc uznając, że obowiązkiem każdego dobrego chrześcijanina jest ratowanie bliźniego swego, podszedłem do niej z wielką słodyczą i w dobrej łacinie wyjaśniłem, że nie powinna się lękać, gdyż jestem przyjacielem, nie zaś nieprzyjacielem, czego ona zapewne się bała.

Być może dobrotliwość, którą tchnęło moje spojrzenie, sprawiła, że owo stworzenie uspokoiło się i podeszło do mnie. Spostrzegłem, że nie pojmuje łaciny, i odruchowo zwróciłem się do niej w moim pospolitym niemieckim, i to przeraziło ją bardzo, nie wiem, czy przez szorstkie dźwięki, nie do wypowiedzenia dla ludzi z tych stron, czy też dlatego, że dźwięki te przypominały jej jakieś przeżycie z żołnierzami z mojej ziemi. Uśmiechnąłem się zatem, uznając, że język gestów i twarzy jest powszechniejszy niźli mowa. Ona uspokoiła się, też uśmiechnęła się do mnie i wypowiedziała parę słów.

---

* Bardzo dobra (łac.).

Bardzo słabo znałem jej pospolite narzecze, a w każdym razie był to język inny niż ten, którego nauczyłem się trochę w okolicach Pizy, ale z tonu spostrzegłem, że przemawia do mnie słowami słodkimi, i zdało mi się, iż powiada coś jakby: „Jesteś młody, jesteś piękny...” Nieczęsto zdarza się nowicjuszowi, który całe dzieciństwo spędził w klasztorze, słyszeć, jak mówią o jego urodzie, zwykle przypomina się, że uroda cielesna jest ulotna i należy mieć ją za rzecz nader mało wartą; lecz nieprzyjaciel zarzuca swe sieci nieskończenie szeroko i wyznaję, iż owo napomknięcie o moim powabie, choć kłamliwe, słodko zadźwięczało mi w uszach i nie mogłem oprzeć się poruszeniu. Tym bardziej że dzieweczka, mówiąc to, wyciągnęła dłoń i palcami musnęła moje lico, wtenczas całkiem bez zarostu. Miałem uczucie, jakbym omdlewał, ale w owym momencie nie zdołałem dostrzec ni cienia grzechu w moim sercu. Tak może urządzić diabeł, kiedy chce wystawić nas na próbę i zatrzeć w duszy ślad łaski.

Co czułem? Co widziałem? Przypominam sobie tylko, że wzruszenia pierwszych chwil były zbyte wszelkiego wyrazu, albowiem język mój i umysł nie zostały wyćwiczone do nazywania doznań tego rodzaju. Później nasunęły mi się inne słowa wewnętrzne, zasłyszane w innym czasie i w innych miejscach, z pewnością też wypowiedziane w innym celu, które jednak, zdało mi się, cudownie zestrajały się z rozradowaniem przeżywanym wtedy, jakby zrodziły się współistnie, by właśnie to moje rozradowanie wyrazić. Słowa, które tłoczyły się w pieczarach pamięci, dobyły się na (niemą) powierzchnię mych warg, i zapomniałem, iż użyte zostały w Piśmie i na stronicach o świętych, by wyrazić o ileż bardziej jaśniejące rzeczywistości. Czy wszelako naprawdę jest różnica między rozkoszami, o których powiadali święci, a tymi, których moja znękana dusza zaznawała w tamtej chwili? W tamtej chwili zniweczyło się we mnie czujne baczenie na różnicę. Co stanowi właśnie, zda mi się, znak runięcia w otchłań tożsamości.

Nagle dzieweczka zdała mi się jako czarna i piękna oblubienica, o której powiada Pieśń nad Pieśniami. Ubrana była w znoszoną sukienkę z grubego sukna, otwierającą się w sposób nader bezwstydny na piersi, a na szyi miała naszyjnik z kolorowych i, mniemam, bardzo tanich kamyków. Ale głowa wznosiła się dumnie na białej szyi niby wieża z kości słoniowej, a jej oczy były jasne jak sadzawki w Cheszbonie, nos był wieżą Libanu, warkocze jej głowy królewską purpurą. Tak, jej włosy zdały mi się niby trzoda kóz, zęby niby trzoda owiec, które wyszły z kąpieli, wszystkie mające po dwojgu jagniąt, a niepłodnej nie masz między nimi. „O jak piękna jesteś, przy-

jaciółko moja, jakże piękna! – szepnąłem. – Włosy twe jak stado kóz
falujące na górach Gileadu. Jak wstążeczki purpury wargi twe i usta
twe pełne wdzięku. Jak okrawek granatu skroń twoja za twoją zasłoną. Szyja twoja jak wieża Dawida, warownie zbudowana; tysiąc tarcz
na niej zawieszono"*. I rozważałem, przerażony i porwany zachwyceniem, kimże była ta, która świeciła z wysoka jak zorza, piękna jak
księżyc, jaśniejąca jak słońce, *terribilis ut castrorum acies ordinata**.
Wtenczas stworzenie zbliżyło się do mnie jeszcze bardziej, od-
rzucając w kąt ciemne zawiniątko, które dotychczas tuliło do piersi,
i raz jeszcze uniosło dłoń, by pogładzić mi lico, i raz jeszcze wypo-
wiedziało te same słowa, co przed chwilą. I kiedy nie wiedziałem,
uciekać li czy zbliżyć się bardziej, a w głowie pulsowało mi, jakby
trąby Jozuego rozbrzmiały, by zburzyć mury Jerycha, i pożądałem
jej, i lękałem się ją tknąć, ona uśmiechnęła się z wielką radością,
wydała uległy jęk rozczulonej kozy, rozwiązała do końca sznurówki,
przytrzymujące jeszcze suknię na piersiach, i suknia zsunęła się
z ciała niby tunika, i oto dzieweczka stała przede mną tak samo jak
Ewa, kiedy ukazała się Adamowi w ogrodzie Edenu. *Pulchra sunt
ubera quae paululum supereminent et tument modice* – szepnąłem,
powtarzając zdanie, które usłyszałem z ust Hubertyna, albowiem jej
piersi wydały mi się jak dwoje koźląt, bliźniąt gazeli, które pasą się
między liliami, pępek niby czasza okrągła, w której nigdy nie zabraknie wina, brzuch jak stos pszenicznego ziarna, okolony wian-
kiem lilii.
    – *O sidus clarum puellarum!* – wykrzyknąłem. – *O porta clausa,
fons hortorum, cella custos unguentorum, cella pigmentaria!** I choć
wcale tego nie pragnąłem, znalazłem się tuż przy jej ciele i czułem
jego ciepło i cierpką woń balsamów, jakich dotąd nie znałem. Przypomniałem sobie: „Synu, kiedy przyjdzie miłość szalona, nic nie po-
radzi człek!", i pojąłem, że to, czego doświadczam, jest albo pułapką
diabła, albo darem niebios, lecz ja i tak nic już nie mogę uczynić, by
sprzeciwić się skłonności, która mną zawładnęła. „Och, *langueo!* –
wykrzyknąłem, a potem: – *Causam languoris video nec caveo!*"*,
gdyż z jej warg dobywał się różany zapach i piękne były jej stopy
w sandałach, i nogi były jako kolumny, i jako kolia linia jej bioder,

---

* Pnp 4, 1, 3-4.
* Straszna jak zbrojny zastęp (łac., Pnp 6, 4).
* O jaśniejąca gwiazdo dziewcząt! O podwoje zamknięte, źródło ogrodów,
   spiżarnio strzegąca pachnideł, spiżarnio pełna wonnych olejków! (łac.).
* Och, słabnę! Przyczyny słabości ni nie znam, ni się lękam! (łac.).

dzieło rąk mistrza. O miłości, córo rozkoszy, królewska purpura wplotła się w twój warkocz – szeptałem do siebie, i znalazłem się w jej ramionach, i padliśmy na gołą posadzkę kuchni, i nie wiem, azaliż to z mojego przedsięwzięcia czyli też przez jej sztukę uwolniłem się z mojego habitu, i nie wstydziliśmy się naszych ciał, i *cuncta erant bona**.

A ona całowała mnie pocałunkiem ust swoich i jej miłość była słodsza od wina, i jej zapach upajał mnie rozkoszą, i piękna była jej szyja jak klejnoty, i jagody jej lic pośród złotych łańcuszków, otoś ty piękna, przyjaciółko moja, otoś ty jest piękna, oczy twoje jak gołębice (mówiłem), i ukaż mi oblicze twoje, niechaj głos twój zabrzmi w uszach moich, albowiem głos twój wdzięczny, a oblicze twoje piękne, oczarowałaś me serce, siostro ma, jednym spojrzeniem twych oczu, jednym paciorkiem twych naszyjników, miodem najświeższym ociekają wargi twe, miód i mleko pod twoim językiem, tchnienie twe jak zapach jabłek, piersi twe jako grona winne, usta twoje jak wino wyborne, które spływa mi po podniebieniu, zwilżając wargi i zęby... Ogrodem zamkniętym jesteś, źródłem zapieczętowanym, nard i szafran, wonna trzcina i cynamon, mirra i aloes, spożywam plaster z miodem moim, piję wino moje wraz z mlekiem moim; kimże była, kimże więc była ta, która świeciła z wysoka jak zorza, piękna jak księżyc, jaśniejąca jak słońce, groźna jak zbrojne zastępy.

O Panie, kiedy dusza jest w zachwyceniu, wtenczas jedyną cnotą jest kochać to, co się widzi (czy nie jest to prawdą?), najwyższym szczęściem posiadać to, co się ma, wtenczas błogie życie pije się z jego źródeł (czyż nie zostało to już powiedziane?) i kosztuje się prawdziwego życia, jakie po tym śmiertelnym przyjdzie nam przeżywać u boku aniołów przez wieczność całą... Tak myślałem i wydawało mi się, że spełniają się nareszcie proroctwa, gdy dzieweczka napełniała mnie nieopisanymi słodyczami, i było tak, jakby całe me ciało stało się okiem jeno, z przodu i z tyłu, i nagle widziałem wszystko, co mnie otacza. I pojąłem, że owóż miłość właśnie wytwarza równocześnie jedność i słodycz, i dobro, i pocałunek, i obłapianie, jak o tym już słyszałem, choć myślałem, iż mówią mi o czym innym. I tylko przez chwilę, kiedy moja uciecha sięgnąć miała szczytu, przyszło mi na myśl, że może przebywam, i to nocą, w mocy diabła godziny południowej, któremu nakazano w końcu, by w swej prawdziwej i diabelskiej naturze objawił się duszy pytającej w uniesieniu „kimżeś jest?" jako ten, który umie porwać duszę i uwieść ciało. Ale

---

* Wszystko było dobrze (łac.).

szybko przekonałem się, że diabelskie były właśnie moje wahania, nie mogło być bowiem nic sprawiedliwszego, lepszego, bardziej świętego niźli to, czego doświadczałem i czego słodycz z każdą chwilą się wzmagała. Jak kropla wody, wpuszczona do dzbana z winem, całkiem rozpływa się, by przyjąć kolor i smak wina, jak rozżarzone i rozpłomienione żelazo staje się podobne do ognia, tracąc swoją pierwotną formę, jak powietrze, kiedy przenika je światło słońca, by przemienić w największy splendor i w samą jasność, iż zda się już nie rozświetlonym powietrzem, lecz światłem samym, tak ja czułem, że umieram z tkliwego roztopienia, i ostało mi dość siły na to jeno, by wyszeptać słowa: „Oto wnętrze moje jest jak uwięzione młode wino, które bukłaki rozsadza", i zaraz zobaczyłem promienne światło i w nim kształt barwy szafiru, który pałał cały ogniem lśniącym i pełnym słodyczy, i to wspaniałe, pełne przepychu światło rozproszyło się bez reszty w lśniącym ogniu, lśniący ogień zaś w tej formie olśniewającej, a znowuż światło promienne i ogień lśniący w całej formie.

Kiedy tak, prawie omdlały, padałem na ciało, z którym się złączyłem, pojąłem w ostatnim tchnieniu żywota, że płomień polega na wspaniałej jasności, na wrodzonym wigorze i ognistym żarze, ale wspaniała jasność posiada go, by jaśniał, i ognisty żar, by palił. Potem pojąłem przepaść i pojąłem dalsze przepaści, które owa przyzywa.

Teraz, kiedy drżącą dłonią (i nie wiem, czy z odrazy do grzechu, o którym powiadam, czy przez grzeszną tęsknotę za wydarzeniem, które wspominam) piszę te linijki, spostrzegam, że użyłem, by opisać moje szpetne zachwycenie w owej chwili, takichże samych słów, jakich niewiele stronic wcześniej potrzebowałem, by opisać ogień, który trawił męczeńskie ciało braciaszka Michała. I nie przypadkiem moja dłoń, posłuszna służka duszy, te same wyrażenia wystylizowała dla dwóch przeżyć tak do siebie nieprzystających, gdyż niechybnie w ten sam sposób przeżywałem je wtenczas, doznając ich, jak i niedawno, kiedy próbowałem przywrócić im życie na tym pergaminie.

Jest jakaś tajemnicza mądrość, która sprawia, że zjawiska tak od siebie odmienne mogą być nazwane podobnymi słowy, ta sama mądrość, która sprawia, że rzeczy Boskie mogą być wskazane terminami ziemskimi i dwuznaczne symbole mogą nazywać Boga lwem lub panterą i śmierć raną, radość płomieniem, płomień śmiercią, śmierć otchłanią, otchłań zgubą, zgubę występkiem, a występek namiętnością.

Czemuż ja, pacholę, zachwycenie śmiercią, jakie uderzyło mnie w męczeństwie Michała, nazwałem słowami, którymi święta nazwała zachwycenie życiem Boskim, i miałbym nie nazwać tymi samymi słowami zachwycenia (grzesznego i przelotnego) uciechą ziemską, co chwilę potem zdała mi się uczuciem śmierci i unicestwienia? Staram się ująć rozumowo i to, jak w odstępie niewielu miesięcy przeżyłem dwa doświadczenia, oba zachwycające i bolesne, i to, jak owej nocy w opactwie, w odstępie niewielu godzin, wspominałem jedno i zmysłowo postrzegałem drugie, i jeszcze to, jak przeżywam je na nowo teraz, spisując te linijki, i jak w tych trzech przypadkach opowiadałem je samemu sobie słowami odmiennego doznania przeżytego przez świętą duszę, która unicestwiała siebie w wizji boskości. Może bluźniłem (wtedy, teraz)? Co było wspólnego w pragnieniu śmierci u Michała, w uniesieniu, jakiego doświadczyłem na widok spalającego go płomienia, w pragnieniu, by połączyć się cieleśnie, jakiego doznawałem przy dzieweczce, w mistycznej wstydliwości, z jaką wyrażałem owo pragnienie alegorycznie, i w tym samym pragnieniu weselnego unicestwienia, które skłaniało świętą do śmierci z miłości, by żyć dłużej i wiecznie? Czy to możliwe, by rzeczy tak wieloznaczne dały się powiedzieć w sposób tak jednoznaczny? A wszelako w tym właśnie jest, jak się zdaje, owa nauka, którą zostawili nam najznakomitsi pośród doktorów: *Omnis ergo figura tanto evidentius veritatem demonstrat quanto apertius per dissimilem similitudinem figuram se esse et non veritatem probat**. Czy jednak, skoro miłość do płomienia i do otchłani są figurami umiłowania Boga, mogą być też figurami umiłowania śmierci i umiłowania grzechu? Tak, podobnie jak lew i wąż są jednocześnie figurami i Chrystusa, i demona. Słuszność bowiem interpretacji można ustalić tylko z autorytetu ojców, a w przypadku, który mnie zaprząta, nie mam *auctoritas*, by mój posłuszny umysł mógł się na nie powołać, i spalam się w zwątpieniu (i oto symbol ognia pojawia się, by określić też brak prawdy i pełnię błędu, które mnie przytłaczają!). Co dzieje się, o Panie, w mej duszy, kiedy pozwoliłem, by porwał mnie wicher wspomnień, i kiedy wzniecam pożogę innych czasów, jakbym zamierzał zmącić porządek gwiazd i sekwencję ich ruchów niebieskich? Z pewnością przekracza to granice mojego grzesznego i chorego rozumu. Wróćmy więc do zadania, które sobie w pokorze wyznaczyłem. Opowiadałem o dniu owym i o tym, że pogrążyłem się w zamęcie zmysłów. Powiedziałem to, co przypomniałem sobie w tej

---

* Każda bowiem figura o tyle dokładniej przedstawia prawdę, o ile otwarciej przedstawia przez niepodobieństwo, że jest figurą, i nie potwierdza prawdy (łac.).

sposobności, i na tym niechaj poprzestanie moje słabe pióro wiernego i prawdomównego kronikarza.

Leżałem sam nie wiem jak długo, a dzieweczka obok mnie. Ręką jeno, lekkim ruchem, nadal dotykała mojego ciała, wilgotnego teraz od potu. Doznawałem wewnętrznego rozradowania, które nie było spokojem, ale jakby ostatnim żarem pozostałym z ognia, co nie wygasał zgoła pod popiołem, choć płomień był już martwy. Nie zawaham się nazwać błogosławionymi tych, którym dane było przeżyć coś podobnego (szeptałem jak we śnie), choćby rzadko jeno w tym życiu (a w istocie doznałem tego raz tylko) i jeno w pośpiechu, i jeno przez krótką chwilę. Prawie jakby człowiek przestał czuć samego siebie, jakby został umniejszony, prawie zniweczony, i jeśliby tylko jaki śmiertelnik (powiadałem sobie) mógł, choćby przez jedną tylko chwilę i bardzo szybko, zakosztować tego, czego ja zakosztowałem, zaraz spojrzałby złym okiem na ten świat przewrotny, byłby udręczony złością codziennego życia, czułby ciężar swego ciała, tego trupa... Lecz czyż nie tego właśnie mnie nauczano? Ta skłonność całego mego ducha, by zapaść w dobrostan zapomnienia, była z pewnością (teraz to pojąłem) promieniowaniem wiecznego słońca, radość zaś – jaką ono wytwarza – otwiera, poszerza, powiększa człowieka, a rozwarta gardziel, którą człowiek ma w sobie, nie zamyka się już tak łatwo, jest raną otwartą mieczem miłości, i nie masz na tym padole innej rzeczy słodszej i straszniejszej. Ale takie jest prawo słońca, miota strzały swoich promieni na rannego i wszystkie rany rozwierają się, człowiek otwiera się i poszerza, nawet jego żyły są otwarte, i siły jego są za słabe, by wykonać otrzymywane rozkazy, i rządzi nimi tylko pragnienie, a umysł płonie zanurzony w otchłań tego, czego dotyka w tej chwili, widząc, że własnym pragnieniem i własną prawdą góruje nad rzeczywistością, którą przeżył i przeżywa. I patrzy oszołomiony na swój upadek.

Pogrążony w takim doznawaniu niewypowiedzianej radości wewnętrznej, zasnąłem.

Otworzyłem znowu oczy jakiś czas później i światło nocy, być może z przyczyny jakiejś chmury, wielce osłabło. „Wyciągnąłem dłoń i nie poczułem ciała dzieweczki. Obróciłem głowę: już jej nie było.

Nieobecność podmiotu, który zwolnił z łańcucha moje pożądanie i ugasił pragnienie, sprawiła, że dostrzegłem od razu i próżność owego pożądania, i przewrotność pragnienia. *Omne animal triste post coitum**.

---

* Każde stworzenie jest smutne po cielesnym obcowaniu (łac., z Arystotelesa).

251

Pojąłem, iż zgrzeszyłem. Teraz, po wielu latach, choć nadal płaczę nad moim upadkiem, nie mogę zapomnieć, że tego wieczoru doświadczyłem wielkiej radości, i uchybiłbym Najwyższemu, który napełnił wszystkie rzeczy dobrocią i pięknem, gdybym nie przyznał, iż także w owym przeżyciu dwojga grzeszników było coś, co samo w sobie, *naturaliter*, było dobre i piękne.

Ale może to podeszły wiek każe mi widzieć, grzesznie, jako piękne i dobre wszystko to, co należało do mojej młodości. A wszak winienem zwrócić myśl ku śmierci, która się zbliża. Wtedy byłem pacholęciem i o śmierci nie myślałem, lecz gorąco i szczerze opłakiwałem mój grzech.

Podniosłem się drżący, także dlatego, że długo spoczywałem na lodowatych kamieniach kuchni i ciało mi skostniało. Odziałem się prawie gorączkowo. Dostrzegłem wtedy w kącie zawiniątko, które dzieweczka zostawiła, uciekając. Pochyliłem się, by je obejrzeć; był to jakby woreczek uczyniony ze zwiniętego płótna i zdawał się pochodzić z kuchni. Rozwinąłem i w pierwszej chwili nie pojąłem, co jest w środku, albo z powodu marnego światła, albo z powodu niekształtnej zawartości. Potem zrozumiałem; pośród skrzepów krwi i strzępów mięsa bardziej miękkiego i białawego spoczywało przed moimi oczyma martwe, ale jeszcze pulsujące galaretowatym życiem martwych trzewi, poorane przejrzystymi nerwami, olbrzymie serce.

Ciemna zasłona opadła mi na oczy, kwaśna ślina napłynęła do ust. Wrzasnąłem i padłem, jako ciało martwe pada.

Dzień trzeci

Noc

Kiedy to wstrząśnięty Adso spowiada się Wilhelmowi
i rozmyśla nad miejscem niewiasty w planie stworzenia,
potem zaś odkrywa zwłoki

Uświadomiłem sobie nagle, że ktoś zwilża mi oblicze. Był to brat Wilhelm, który trzymał kaganek i podłożył mi coś pod głowę.
– Co się stało, Adso, że błąkasz się nocą i wykradasz podroby z kuchni? – zapytał.

Krótko mówiąc, Wilhelm obudził się, zaczął mnie szukać, nie wiem już z jakiej przyczyny, i nie znajdując, jął podejrzewać, że poszedłem dokonać jakiegoś zuchwałego czynu w bibliotece. Zbliżając się do Gmachu od strony kuchni, dostrzegł, że jakiś cień wymknął się przez drzwi wychodzące na ogród (była to dzieweczka, która oddalała się, być może usłyszawszy zbliżające się kroki). Próbował dowiedzieć się, kim jest, i gonić ją, ale ona (dla niego cień tylko) uciekła w stronę muru, a potem zniknęła. Wtenczas Wilhelm – po przeszukaniu miejsca – wszedł do kuchni i ujrzał mnie omdlałego.

Kiedy wskazałem, przerażony jeszcze, na zawiniątko z sercem, bełkocząc o nowej zbrodni, począł się śmiać.
– Adso, jakiż człowiek mógłby mieć tak wielkie serce? To serce krowy albo wołu, właśnie dzisiaj zabili zwierzę! Powiedz raczej, jak dostało się w twoje ręce!

W tym momencie, zgnębiony wyrzutami sumienia, a poza tym oszołomiony od wielkiego strachu, wybuchnąłem rzewnym płaczem i poprosiłem, by udzielił mi sakramentu pokuty. To uczynił, a ja opowiedziałem mu wszystko, niczego nie tając.

Brat Wilhelm wysłuchał mnie z wielką powagą, ale i z odcieniem pobłażliwości. Kiedy skończyłem, przybrał poważny wyraz twarzy i rzekł:
– Adso, zgrzeszyłeś, to pewna, i przeciw przykazaniu, które każe ci nie obcować z kobietą, i przeciw obowiązkom nowicjusza. Na twoją korzyść przemawia fakt, że była to jedna z tych sytuacji, w których upadłby nawet ojciec z pustyni. A o kobiecie jako źródle pokusy dosyć powiedziało już Pismo. Eklezjastyk rzecze o niewieście, że rozmowa z nią jak ogień się rozpala, a *Przypowieści*, że chwyta drogą duszę mężczyzny i że najmocniejszych doprowadza do zniszczenia. I powiada też Eklezjastes: „I przekonałem się, że bardziej gorzką

niż śmierć jest kobieta, bo ona jest siecią, serce jej sidłem, a ręce jej więzami"*. Inni zaś ogłosili, że jest okrętem demona. To rzekłszy, mój drogi Adso, nie jestem w stanie uwierzyć, że Bóg wprowadził do dzieła stworzenia istotę tak sprośną, nie obdarzając jej paroma cnotami. I muszę rozważyć to, że przyznał jej On liczne przywileje oraz powody, by ją cenić, w tym co najmniej trzy bardzo wielkie. W istocie, stworzył mężczyznę na tym niecnym świecie i stworzył go z błota, niewiastę zaś w drugiej kolejności, w raju i ze szlachetnej ludzkiej materii. I nie uformował jej ze stóp albo z trzewi ciała Adamowego, lecz z żebra. Po drugie, Pan Nasz, który może wszystko, potrafiłby w jakiś cudowny sposób i bez żadnego pośrednictwa wcielić się w człowieka, a przecież wybrał mieszkanie w brzuchu niewiasty, co stanowi znak, że nie jest taka nieczysta. Kiedy zaś przyszedł po zmartwychwstaniu, ukazał się niewieście. A wreszcie w niebieskiej chwale żaden mąż nie będzie królem, jeno królować będzie w owej ojczyźnie niewiasta, która nigdy nie zgrzeszyła. Jeśli więc Pan miał tyle względów dla samej Ewy i jej cór, czyż jest rzeczą niezwykłą, że nas także przyciągają powab i szlachetność tej płci? Chcę ci przez to powiedzieć, Adso, że z pewnością nie powinieneś czynić tego więcej, ale nie jest bynajmniej tak potworne, iżeś poczuł pokusę, by to uczynić. A z drugiej strony mnich powinien przynajmniej raz w ciągu żywota doświadczyć namiętności cielesnej, by móc później okazywać pobłażliwość i wyrozumiałość grzesznikom, którym udzielał będzie rady i pocieszenia... Więc, drogi Adso, nie jest to rzecz, której należałoby sobie życzyć, zanim się zdarzy, ale nie trzeba też łajać samego siebie zbytnio, jeśli już się zdarzyła. Idź więc z Bogiem i nie mówmy o tym więcej. Aby jednak nie medytować nadmiernie nad tym, o czym lepiej będzie zapomnieć, jeśli się nam uda – i wydało mi się, że w tym miejscu jego głos osłabł, jakby wskutek jakiegoś wewnętrznego wzruszenia – zastanówmy się raczej nad sensem tego, co zdarzyło się w nocy. Kim była ta dzieweczka i z kim miała spotkanie?

– Tego właśnie nie wiem i nie widziałem mężczyzny, który z nią był – odparłem.

– Dobrze, ale możemy wydedukować, kto to był, z wielu niewątpliwych wskazówek. Przede wszystkim był to człowiek brzydki i stary, z którym dziewczę nie legnie chętnie, osobliwie jeśli jest piękne, jak sam powiadasz, aczkolwiek zda mi się, mój drogi wilczku, że ty byłbyś skłonny uznać za wyśmienite każde danie.

_____

* Koh 7, 26.

– Czemu brzydki i stary?

– Dzieweczka bowiem nie szła do niego z miłości, lecz za paczkę cynadrów. Z pewnością to dziewczyna ze wsi, być może nie po raz pierwszy oddaje się z głodu lubieżnemu mnichowi i dostaje od niego w nagrodę coś, co może włożyć do ust ona i jej rodzina.

– Nierządnica! – rzekłem z odrazą.

– Biedna wieśniaczka, Adso. Może ma braci, których trzeba wyżywić. Gdyby tylko mogła, oddawałaby się z miłości, nie zaś dla zysku. Tak uczyniła dzisiejszego wieczoru. W istocie, powiadasz mi, że uznała cię za młodego i pięknego, a i dała ci *gratis* z miłości to, co innym dałaby za serce wołu i kawałek płuc. I poczuła się tak cnotliwa przez ten bezinteresowny dar z siebie, i tak podniesiona, że uciekła, nie biorąc niczego w zamian. Oto czemu myślę, że tamten, do którego cię porównała, nie był ni młody, ni piękny.

Wyznaję, że choć moja skrucha była żywa, to wyjaśnienie napełniło mnie słodką dumą, ale zmilczałem i pozwoliłem, by mówił mój mistrz.

– Ten szpetny starzec musi mieć możliwość schodzenia do wsi i stykania się z wieśniakami, a to z jakiegoś powodu związanego z jego urzędem. Musi znać sposób wprowadzania ludzi w obręb murów i wyprowadzania, a także wiedzieć, że w kuchni znajdzie jakieś podroby (nazajutrz można wszak powiedzieć, że drzwi były uchylone i jakiś pies dostał się do środka i pożarł mięso). A wreszcie musi być gospodarny i zainteresowany tym, by kuchnia nie została pozbawiona artykułów cenniejszych, inaczej dałby jej antrykot lub jakąś inną część lepszą gatunkowo. Widzisz więc, że wizerunek naszego nieznajomego rysuje się nader wyraźnie i że wszystkie te właściwości, albo akcydensy, pasują dobrze do pewnej substancji, której nie zlęknę się określić jako naszego klucznika, Remigiusza z Varagine. Lub, jeśli się mylę, jako naszego tajemniczego Salvatora. Który, co więcej, pochodząc z tych stron, umie nieźle dogadać się z ludźmi tutejszymi i gdybyś nie przybył ty, wiedziałby, jak przekonać dziewczę, by uczyniło to, co on zechce.

– Z pewnością tak jest – rzekłem z przekonaniem. – Ale co nam z tego, że będziemy to wiedzieć?

– Nic. I wszystko – odparł Wilhelm. – Historia może mieć, albo nie, coś wspólnego ze zbrodniami, którymi się zajmujemy. Z drugiej strony jeśli klucznik był dulcynianem, jedno wyjaśnia drugie i na odwrót. I wiemy teraz wreszcie, że to opactwo jest w nocy miejscem, po którym niejeden się błąka, załatwiając jakieś ciemne sprawki. I kto wie, może nasz klucznik albo Salvator, którzy tak swobodnie poruszają się w ciemności, widzą więcej, niż mówią.

– Ale czy powiedzą to nam?

– Nie, jeśli zachowywać będziemy się tak, jakbyśmy im współczuli, jeśli nie będziemy zważać na ich grzechy. Skoro jednak mamy się czegoś dowiedzieć, dostaliśmy do ręki sposób, by nakłonić ich do mówienia. Innymi słowy, jeśli zajdzie taka potrzeba, klucznik albo Salwator są w naszych rękach, a Bóg wybaczy nam nadużycie, zważywszy na to, że tyle innych rzeczy wybacza – rzekł i spojrzał na mnie złośliwie, ja zaś nie miałem śmiałości, by uczynić jaką uwagę na temat dopuszczalności tych zamiarów. – A teraz musimy iść do łóżka, ponieważ za godzinę już jutrznia. Lecz widzę, że jesteś jeszcze wzburzony, mój biedny Adso, jeszcze trapisz się swoim grzechem... Nie ma nic lepszego niż chwila spędzona w kościele, by ukoić twoją duszę. Ja cię rozgrzeszyłem, ale nigdy nie wiadomo. Idź, poproś Pana Naszego o potwierdzenie. – I klepnął mnie dosyć energicznie w głowę, być może na dowód męskiego i ojcowskiego afektu, być może miała to być pobłażliwa pokuta. A może (jak pomyślałem grzesznie w tym momencie) przez rodzaj dobrotliwej zazdrości, był to bowiem człek spragniony nowych i żywych doświadczeń.

Ruszyliśmy w stronę kościoła i wyszliśmy znaną nam już drogą, którą przebiegłem spiesznie i z zamkniętymi oczami, gdyż wszystkie te kości ze zbyt wielką oczywistością przypominały mi tej nocy, że ja również jestem prochem i że bezrozumna jest duma z mojego ciała.

Dotarłszy do nawy, zobaczyliśmy jakiś cień przed głównym ołtarzem. Wydało mi się, że to znowu Hubertyn. Był to jednak Alinard, który w pierwszej chwili nie rozpoznał nas. Powiedział, że nie jest już w stanie spać i postanowił spędzić noc, modląc się za młodo zgasłego mnicha (nie przypominał sobie nawet jego imienia). Modlił się za jego duszę, jeśli nie żyje, za jego ciało, jeśli leży gdzieś, okaleczony i samotny.

– Zbyt dużo zmarłych – rzekł – zbyt dużo... Lecz było to zapisane w księdze apostoła. Wraz z pierwszą trąbą powstanie grad, z drugą trzecia część morza stanie się krwią, i oto jednego znaleźliście pośród gradu, drugiego we krwi... Trzecia trąba oznajmia, że gwiazda gorejąca upadnie na trzecią część rzek i źródeł wód. Tam, powiadam wam, zniknął nasz trzeci brat. I lękajcie się o czwartego, gdyż porażona będzie trzecia część słońca, trzecia część księżyca i trzecia część gwiazd, tak że zapadnie prawdziwa ciemność...

Kiedy wychodziliśmy z transeptu, Wilhelm zastanawiał się, czy w słowach starca nie ma szczypty prawdy.

– Ale – zwróciłem mu uwagę – to zakładałoby, że ten sam diabelski umysł, używając jako przewodnika Apokalipsy, przygotował trzy zgony, jeśli Berengar także nie żyje. Wiemy jednak, że śmierć Adelmusa z własnej była woli...

– To prawda – rzekł Wilhelm. – Ale ten diabelski albo chory umysł mógł zaczerpnąć natchnienie ze śmierci Adelmusa, by przedstawić w sposób symboliczny pozostałe dwie. I jeśli tak jest, Berengara winno się znaleźć w rzece lub źródle. A nie ma wszak ni rzek, ni źródeł w opactwie, a przynajmniej nie takie, by ktoś mógł w nich utonąć lub zostać utopiony...

– Są tylko łaźnie – rzuciłem prawie na chybił trafił.

– Adso! – rzekł Wilhelm. – Wiesz, że to może być myśl! Łaźnie!

– Ale już do nich zaglądali...

– Widziałem dzisiaj rano służbę, jak prowadziła poszukiwania. Otworzyli drzwi budynku łaziebnego i rzucili okiem do środka, nie rozglądając się dokładnie, nie szukali bowiem czegoś dobrze ukrytego, spodziewali się trupa, który leżałby teatralnie jak trup Wenancjusza w kadzi... Chodźmy zerknąć; jeszcze jest ciemno, ale wydaje mi się, że nasz kaganek płonie ochoczo.

Tak uczyniliśmy i otworzyliśmy bez trudu drzwi budynku łaziebnego przylegającego do szpitala.

Były tam, oddzielone od siebie obszernymi zasłonami, wanny, nie przypominam już sobie ile. Mnisi używali ich do zabiegów higienicznych, kiedy reguła wyznaczała odpowiedni dzień, Seweryn zaś stosował je ze względów leczniczych, nic bowiem nie uspokaja ciała i umysłu tak jak kąpiel. Kominek w kącie pozwalał z łatwością ogrzewać wodę. Był zabrudzony świeżym popiołem, a przed nim leżał na boku wielki kocioł. Wodę można było brać z małej fontanny w rogu pomieszczenia.

Zajrzeliśmy do pierwszych wanien, lecz były puste. Tylko ostatnia, z zaciągniętą zasłoną, była pełna, a obok niej leżała zmoczona szata. Na pierwszy rzut oka, w świetle lampki, powierzchnia wody wydała się spokojna; kiedy światło padło głębiej, zobaczyliśmy na dnie bezwładne i nagie ciało mężczyzny. Powoli je wydobyliśmy. Był to Berengar. I ten – oznajmił Wilhelm – ma naprawdę oblicze topielca. Rysy twarzy były nabrzmiałe. Ciało, białe i miękkie, pozbawione owłosienia, zdawało się ciałem kobiety, poza sprośnym widokiem zwiotczałej pudendy. Zarumieniłem się, potem przebiegł mnie dreszcz. Przeżegnałem się, kiedy Wilhelm błogosławił zwłoki.

Dzień
czwarty

Dzień czwarty

Lauda

*Kiedy to Wilhelm i Seweryn badają zwłoki Berengara
i spostrzegają czarny język, co jest osobliwe u topielca.
Potem rozprawiają o nader bolesnych truciznach i o kradzieży
dokonanej w dawno minionych czasach*

Nie będę mówił o tym, jak zawiadomiliśmy opata ani jak całe
opactwo obudziło się przed godziną kanoniczną, ani o okrzykach
odrazy, ani o przerażeniu i bólu, jakie widać było na wszystkich ob-
liczach, ani jak wiadomość rozeszła się wśród całej ludności równi,
nawet wśród famulusów, którzy czynili znak krzyża, i szeptali zaklęcia. Nie wiem, czy tego ranka nabożeństwo odbyło się zgodnie
z regułą ani kto wziął w nim udział. Ja poszedłem za Wilhelmem
i Sewerynem, którzy kazali owinąć ciało Berengara i położyć je na
stole w szpitalu.

Kiedy opat i inni mnisi oddalili się, herborysta i mój mistrz długo
przyglądali się zwłokom zimnym okiem ludzi medycyny.

– Zmarł utopiony – rzekł Seweryn. – Nie ma wątpliwości. Twarz
jest obrzmiała, brzuch naprężony...

– Lecz nie został utopiony – zauważył Wilhelm. – Inaczej sta-
wiałby opór zabójczej przemocy i znaleźlibyśmy koło wanny ślady
wychlapanej wody. A przecież wszystko było uładzone i czyste, jakby Berengar zagrzał wodę, wypełnił wannę i z własnej woli się
w niej zanurzył.

– To mnie nie dziwi – rzekł Seweryn. – Berengar cierpiał na drgaw-
ki i ja sam wiele razy mówiłem mu, że ciepłe kąpiele sprzyjają uko-
jeniu wzburzonego ciała i ducha. Wiele razy prosił o pozwolenie
wejścia do łaźni. Tak samo mógł uczynić tej nocy...

– Poprzedniej – zauważył Wilhelm – gdyż ciało, jak sam widzisz,
pozostawało w wodzie co najmniej przez dzień...

– Może być, że stało się to ubiegłej nocy – zgodził się Seweryn.

Wilhelm częściowo wprowadził go w wydarzenia owej nocy. Nie
powiedział jednak, że wkradliśmy się do skryptorium, choć zatajając

rozmaite okoliczności, wyjawił, że ścigaliśmy tajemniczą postać, która zabrała nam księgę. Seweryn zrozumiał, że Wilhelm podaje mu tylko część prawdy, ale o nic nie pytał. Zauważył, że wzburzenie Berengara, jeśli to on był tajemniczym złodziejem, mogło skłonić go do szukania ukojenia w uśmierzającej kąpieli. Berengar – stwierdził – był z natury bardzo wrażliwy, czasem jakaś trudność lub wzruszenie doprowadzały go do drżączki, zimnych potów; zakrywał oczy i padał na ziemię, tocząc białawą ślinę.

– W każdym razie – rzekł Wilhelm – zanim przyszedł tutaj, był gdzie indziej, gdyż nie spostrzegłem w łaźni księgi, którą ukradł.

– Tak – potwierdziłem z pewną dumą. – Uniosłem jego suknię, która spoczywała obok wanny, i nie znalazłem ani śladu żadnego większego przedmiotu.

– Świetnie. – Wilhelm uśmiechnął się do mnie. – Gdzieś zatem poszedł; a przyjmijmy też, że chcąc uśmierzyć swoje wzburzenie i być może uniknąć naszych poszukiwań, wszedł do łaźni i zanurzył się w wodzie. Sewerynie, czy uważasz, że choroba, na którą cierpiał, była dość ciężka, by stracił zmysły i utopił się?

– To mogło być – rzekł powątpiewającym głosem Seweryn. – Z drugiej strony jeśli wszystko zdarzyło się dwie noce temu, mogła być dokoła wanny woda, która potem wyschła. Nie da się więc wykluczyć, że został utopiony przy użyciu siły.

– Nie – rzekł Wilhelm. – Czy widziałeś kiedy topielca, który by się rozebrał, zanim ktoś go utopi?

Seweryn potrząsnął głową, jakby ten argument nie miał już wielkiej wartości. Od jakiegoś czasu oglądał dłonie zwłok.

– Ciekawa rzecz... – odezwał się.

– Co?

– Tamtego dnia przyglądałem się dłoniom Wenancjusza, kiedy już ciało oczyszczone zostało z krwi, i zauważyłem pewną osobliwość, do której nie przywiązywałem wielkiego znaczenia. Opuszki dwóch palców prawej jego ręki były ciemne, jakby zabrudzone jakąś czarną substancją. Dokładnie tak, widzisz? Jak teraz opuszki palców Berengara. Mamy tutaj nawet jakiś ślad na trzecim palcu. Wówczas pomyślałem, że Wenancjusz dotykał inkaustów w skryptorium...

– Wielce ciekawe – rzekł w zamyśleniu Wilhelm, zbliżając oblicze do palców Berengara. Wstawał świt, światło w pomieszczeniu było jeszcze słabe, mój mistrz najwyraźniej cierpiał z powodu braku szkiełek. – Wielce ciekawe – powtórzył. – Palec wskazujący i kciuk są ciemne na opuszkach, środkowy tylko od strony wewnętrznej i mało. Ale są też ślady, choć mniej wyraźne, na ręce lewej, przynajmniej na palcu wskazującym i na kciuku.

– Gdyby to była tylko dłoń prawa, chodziłoby o te palce, którymi ujmuje się jakąś rzecz małą albo długą i cienką...

– Jak pióro. Albo jedzenie. Albo owada. Albo węża. Albo monstrancję. Albo patyk. Zbyt wiele rzeczy. Ale jeśli znaki są także na drugiej ręce, mógłby to być również kielich, gdyż prawa dłoń chwyta go mocno, a lewa podtrzymuje tylko z mniejszą siłą.

Seweryn pocierał teraz lekko palce zmarłego, ale brunatny kolor nie znikał. Zauważyłem, że włożył parę rękawic, których prawdopodobnie używał, kiedy manipulował substancjami trującymi. Powąchał, ale nie poczuł nic.

– Mógłbym wymienić ci liczne substancje roślinne (i także mineralne), które powodują ślady tego rodzaju. Jedne są śmiercionośne, inne nie. Iluminatorzy mają czasem palce pobrudzone złotym pyłem...

– Adelmus był iluminatorem – powiedział Wilhelm. – Spodziewam się, że mając przed sobą jego strzaskane ciało, nie pomyślałeś o obejrzeniu jego palców. Ale ci dwaj mogli dotknąć czegoś, co należało do Adelmusa.

– Doprawdy nie wiem – rzekł Seweryn. – Dwaj zmarli, obaj z czarnymi palcami. Jaki stąd dobędziesz wniosek?

– Żaden; *nihil sequitur geminis ex particularibus unquam**. Należałoby sprowadzić oba przypadki do jednej reguły. Na przykład: „Istnieje substancja, czerniąca palce tych, którzy jej dotykają".

Triumfalnie dokończyłem sylogizm:

– „...Wenancjusz i Berengar mają palce poczernione, *ergo* dotykali tej substancji!"

– Brawo, Adso – rzekł Wilhelm. – Szkoda, że twój sylogizm się wywraca, gdyż *aut semel aut iterum medium generaliter esto**, a w tym sylogizmie termin środkowy nie staje się nigdy ogólnym. To znak, że źle wybraliśmy przesłankę większą. Nie powinienem mówić: „Wszyscy, którzy dotykają pewnej substancji, mają palce czarne", mogą być bowiem osoby z czarnymi palcami, choć owej substancji nie dotknęły. Powinienem rzec: „Ci wszyscy, i tylko ci, którzy mają czarne palce, z pewnością dotknęli danej substancji. Wenancjusz, Berengar..." i tak dalej. Teraz będziemy mieli Darii, wyśmienity trzeci sylogizm pierwszej figury.

---

* Nic nie wypływa nigdy z dwóch jednakowych przypadków (łac.).
* Niech jeden raz albo drugi środek będzie zasadą ogólną (łac.).

– Mamy więc odpowiedź! – wykrzyknąłem z zadowoleniem.
– Niestety, Adso, zbytnio ufasz sylogizmatom! Mamy tylko, i znowu, pytanie. To jest wysunęliśmy hipotezę, że Wenancjusz i Berengar dotknęli tej samej rzeczy, hipotezę bez wątpienia rozumną. Ale kiedy tylko wyobraziliśmy sobie substancję, która jako jedyna spośród wszystkich powoduje ten skutek (co trzeba by jeszcze wyjaśnić), nie wiemy, jaką jest, gdzie ci dwaj ją znaleźli i dlaczego jej dotknęli. I zważ dobrze, nie wiemy nawet, czy ta właśnie substancja, której dotknęli, doprowadziła do ich śmierci. Wyobraźmy sobie szaleńca, dążącego do zabicia wszystkich, którzy dotknęli złotego pyłu. Czyż powiemy, że to złoty pył niesie śmierć?

Byłem zbity z pantałyku. Zawsze sądziłem, że logika jest uniwersalnym orężem, teraz zaś spostrzegłem, jak bardzo jej wartość zależy od sposobu stosowania. Z drugiej strony, przebywając u boku mego mistrza, zdawałem sobie sprawę, i to coraz bardziej w miarę upływu dni, że logika może być wielce pożyteczna, pod warunkiem jednakowoż, iż wejdzie się w nią, by potem wyjść.

Seweryn, który z pewnością nie był dobrym logikiem, rozważał w tym czasie podług własnego doświadczenia.

– Uniwersum trucizn jest równie urozmaicone, jak rozmaite są tajemnice natury – rzekł. Wskazał na szereg naczyń i ampuł, które już kiedyś podziwialiśmy, rozstawionych w pięknym porządku, obok licznych woluminów, na półkach wzdłuż ścian. – Jak ci już powiedziałem, z wielu spośród tych ziół, jeśli odpowiednio je przyrządzić i dawkować, można otrzymać śmiercionośne napoje lub balsamy. Oto mamy tu *Datura stramonium*, belladonnę, cykutę; mogą wywołać senność, wzburzenie albo jedno i drugie; podawane ostrożnie, stanowią wyśmienite lekarstwa, w dawkach nadmiernych zaś prowadzą do śmierci. Tutaj mamy bób świętego Ignaca, *Angostura pseudo ferruginea*, *Nux vomica*, który może odebrać dech...

– Lecz żadna z tych substancji nie zostawiłaby znaków na palcach?
– Chyba żadna. Potem mamy substancje, które stają się niebezpieczne jedynie, jeśli zostaną spożyte, i inne, które, przeciwnie, działają na skórę. Ciemiężyca biała może spowodować wymioty, kiedy kto schwyci ją, by wyrwać z ziemi. Są begonie, które kiedy kwitną, wprowadzają dotykających je ogrodników w stan jakby upojenia winem. Ciemiężyca czarna wywołuje biegunkę. Niektóre rośliny powodują palpitacje serca, inne pulsowanie w głowie, jeszcze inne odbierają głos. Natomiast jad żmii, jeśli zostanie przyłożony do skóry tak, by nie przeniknął do krwi, daje tylko lekkie podrażnienie... Ale pewnego razu pokazali mi kompozycję, która jeśli przyłożyć ją

do części wewnętrznej uda psa, w pobliżu genitaliów, prowadzi zwierzę do szybkiej śmierci wśród straszliwych drgawek, a przy tym członki powolutku sztywnieją...

– Wiele rzeczy wiesz o truciznach – zauważył Wilhelm głosem, który zdawał się pełen podziwu.

Seweryn zwrócił nań wzrok i przez jakiś czas wytrzymywał jego spojrzenie.

– Wiem to, co medyk, herborysta, miłośnik nauki o ludzkim zdrowiu wiedzieć winien.

Wilhelm popadł na dłuższą chwilę w zamyślenie. Potem poprosił Seweryna, by ten otworzył usta zwłok i obejrzał język. Zaciekawiony Seweryn za pomocą cienkiej łopatki, jednego z narzędzi jego medycznej sztuki, wykonał polecenie. Wykrzyknął ze zdumieniem:

– Język jest czarny!

– Więc tak – szepnął Wilhelm. – Ujął coś w palce i spożył... To eliminuje trucizny, które wyliczyłeś przedtem, gdyż zabijają przez skórę. Ale nie czyni to naszych indukcji łatwiejszymi. Albowiem teraz i w jego przypadku, i w przypadku Wenancjusza musimy myśleć o czynie dobrowolnym, nie przypadkowym, nie spowodowanym roztargnieniem lub nieostrożnością, nie narzuconym przemocą. Ujęli coś i włożyli do ust, wiedząc, co czynią...

– Jedzenie? Napój?

– Być może. Albo... bo ja wiem? Jakiś instrument muzyczny w rodzaju fletu...

– Niedorzeczność – rzekł Seweryn.

– Z pewnością niedorzeczność. Ale nie możemy zaniechać żadnej hipotezy, choćby była nie wiem jak dziwaczna. Na razie jednak spróbujmy powrócić do materii trującej. Czy jeśliby ktoś, kto zna trucizny, jak ty, zakradł się tutaj i użył niektórych z twoich ziół, mógłby przyrządzić śmiertelną maść, która wytworzyłaby te znaki na palcach i języku? Taką, że można ją umieścić w jedzeniu lub w napoju, na łyżce, na czymś, co wkłada się do ust?

– Tak – potwierdził Seweryn – ale kto? A zresztą nawet jeśli przyjąć tę hipotezę, jakże podano truciznę tym dwóm naszym biednym konfratrom?

Szczerze mówiąc, ja też nie potrafiłem wyobrazić sobie, że Wenancjusz lub Berengar godzą się na rozmowę z kimś, kto pokazuje im tajemniczą substancję i przekonuje, by spożyli ją lub wypili. Ale ta dziwaczność nie zbiła, jak się zdaje, Wilhelma z tropu.

– O tym pomyślimy później – rzekł – albowiem teraz chciałbym, byś postarał się przypomnieć sobie jakieś wydarzenie, którego, być

może, pamięć dotychczas ci nie podsunęła... bo ja wiem... kogoś, kto wypytywałby cię o twoje zioła, kto wchodziłby łatwo do szpitala...
– Chwileczkę – powiedział Seweryn. – Dawno temu, mam na myśli wiele lat temu, przechowywałem na jednej z tych półek substancję bardzo potężną, którą dał mi pewien konfrater podróżujący po dalekich krajach. Nie umiał mi powiedzieć, z czego jest sporządzona, ale niechybnie z ziół, choć nie wszystkie są znane. Była z wyglądu lepka i żółtawa, lecz poradzono mi, bym jej nie dotykał, jeśli bowiem choćby muśnie moich warg, zabije mnie bardzo szybko. Konfrater ów powiedział, że jeśli spożyje się najmniejszą jej dawkę, spowoduje, nim minie pół godziny, uczucie wielkiego wycieńczenia, potem powolny paraliż wszystkich członków, a wreszcie śmierć. Nie chciał nosić jej ze sobą, więc oddał mnie. Trzymałem ją długo, bo zamierzałem w jakiś sposób ją zbadać. Potem pewnego razu przeszła nad równią wielka zawierucha. Jeden z moich pomocników, nowicjusz, zostawił otwarte drzwi szpitala i huragan powywracał wszystko do góry nogami w całym tym pokoju, w którym jesteśmy teraz. Ampułki potłuczone, płyny rozlane po posadzce, zioła i proszki rozsypane. Pracowałem przez cały dzień, by doprowadzić do ładu moje rzeczy, i pozwoliłem tylko, żeby pomagano mi przy usuwaniu tych skorup i ziół, których nie dało się już odzyskać. Na koniec spostrzegłem, że brakuje właśnie owej ampułki, o której ci mówiłem. Najpierw strapiłem się, ale potem powiedziałem sobie, że stłukła się i wmieszała w inne szczątki. Kazałem umyć porządnie posadzkę szpitala i półki...
– A czy widziałeś ampułkę na kilka godzin przed huraganem?
– Tak... A raczej nie, kiedy teraz o tym myślę. Stała z tyłu, za rządkiem naczyń, dobrze ukryta, i nie codziennie ją sprawdzałem...
– Tak więc, wedle tego, co wiesz, mogła być ci skradziona również na długo przed huraganem, a ty nie miałbyś o tym pojęcia?
– Tak, bez wątpienia, teraz, kiedy skłoniłeś mnie, bym się nad tym zastanowił...
– A ten twój nowicjusz mógłby ją zabrać, a potem skorzystać z huraganu, żeby zostawić drzwi otwarte i spowodować zamęt w twoich rzeczach?
Seweryn zdawał się bardzo podniecony.
– Z pewnością. Mało tego, przypominam sobie, iż zdumiałem się wtedy bardzo, że huragan, choćby i gwałtowny, tyle rzeczy poprzewracał. Mógłbym doskonale powiedzieć, że ktoś skorzystał z huraganu, by wywrócić wszystko do góry nogami i narobić więcej szkód, niźli mógłby uczynić wiatr!

266

– Kim był ten nowicjusz?

– Zwał się Augustyn. Ale umarł w minionym roku, gdyż spadł z rusztowania, kiedy z innymi mnichami i famulusami czyścił rzeźby na frontonie kościoła. A poza tym, kiedy dobrze pomyśleć, przypominam sobie, że klął się na wszystko, iż nie zostawił przed huraganem otwartych drzwi. To ja, byłem bowiem zagniewany, uznałem go za winnego tego wydarzenia. Może był naprawdę niewinny.

– I w ten sposób mamy trzecią osobę, niechybnie znacznie bardziej doświadczoną niż nowicjusz, która wiedziała o twojej truciźnie. Z kim o niej mówiłeś?

– Tego właśnie nie mogę sobie przypomnieć. Z pewnością z opatem, gdyż prosiłem, by pozwolił zatrzymać substancję tak groźną. I z kimś jeszcze, może w bibliotece, albowiem szukałem zielników, z których mógłbym się czegoś dowiedzieć.

– Czyż nie mówiłeś mi, że trzymasz u siebie księgi najbardziej potrzebne w twojej sztuce?

– Tak, i to dużo – rzekł, wskazując w kącie pokoju parę półek zapełnionych dziesiątkami woluminów. – Ale wtedy szukałem pewnych ksiąg, których nie mogłem zatrzymać i których Malachiasz nie chciał mi nawet pokazać, tak że musiałem prosić opata o pozwolenie. – Zniżył głos, jakby się starał, bym go nie usłyszał. – Wiesz, w jakimś nieznanym miejscu biblioteki chowają również dzieła z nekromancji, czarnej magii, recepty na diabelskie filtry. Dane mi było zajrzeć do niektórych z tych dzieł, gdyż ciąży na mnie obowiązek zyskiwania wiedzy, i miałem nadzieję znaleźć w nich opis trucizny i jej działania. Daremnie.

– Mówiłeś więc o niej Malachiaszowi.

– Jemu z pewnością, a może temu oto Berengarowi, który mu pomagał. Ale nie wyciągaj pospiesznych wniosków; nie pamiętam, może gdy mówiłem, byli przy tym inni mnisi, sam wiesz, w skryptorium jest czasem tłumnie.

– Nikogo nie podejrzewam. Staram się jedynie pojąć, co mogło się zdarzyć. W każdym razie, jak powiedziałeś, wydarzenie miało miejsce parę lat temu, i byłoby osobliwe, gdyby ktoś okazał tak wielką dalekowzroczność i zabrał truciznę, której użył dopiero po długim czasie. Byłby to znak jakiejś złośliwej woli, która długo pielęgnowała w ukryciu zamiar zabójstwa.

Seweryn przeżegnał się z wyrazem przerażenia na twarzy.

– Oby Bóg nam wszystkim wybaczył! – rzekł.

Nie było nic więcej do powiedzenia. Zakryliśmy ciało Berengara, które trzeba było przygotować do egzekwii.

Dzień czwarty

Pryma

*Kiedy to Wilhelm skłania najpierw Salwatora, a potem klucznika
do wyznania przeszłości, Seweryn odnajduje skradzione soczewki,
Mikołaj przynosi nowe, Wilhelm zaś, wyposażony już w trzy pary
oczu, odcyfrowuje manuskrypt Wenancjusza*

Kiedy wychodziliśmy, natknęliśmy się w progu na Malachiasza.
Wydało się, że jest niezadowolony z naszej obecności, i zrobił ruch,
jakby chciał się wycofać. Seweryn dostrzegł go ze środka i rzekł:
– Szukałeś mnie? Chciałeś... – przerwał i spojrzał na nas.

Malachiasz zrobił niedostrzegalny gest, jakby miał zamiar rzec:
„Pomówimy później..."

My wychodziliśmy, on wchodził, wszyscy trzej znaleźliśmy się
w drzwiach. Malachiasz, dosyć się plącząc, powiedział:
– Szukałem brata herborysty... Jestem... boli mnie głowa.

– Niechybnie z przyczyny ciężkiego powietrza w bibliotece – odparł
Wilhelm tonem skwapliwej troski. – Winieneś dokonać okadzania.

Malachiasz poruszył wargami, jakby chciał jeszcze coś powiedzieć,
lecz zrezygnował, pochylił głowę i wszedł, kiedy się oddaliliśmy.

– Co on ma wspólnego z Sewerynem? – zapytałem.

– Adso – rzekł ze zniecierpliwieniem mistrz – naucz się posługiwać własną głową. – Potem zmienił temat. – Musimy teraz wypytać
kilka osób. Dopóki – dodał, obrzucając spojrzeniem równię – dopóki
jeszcze żyją. A właśnie, od tej chwili będziemy uważać na to, co
jemy i pijemy. Bierz zawsze jedzenie ze wspólnego półmiska, napoje
zaś z dzbana, po który sięgali przedtem inni. Po Berengarze my właśnie jesteśmy tymi, którzy najwięcej wiedzą. Poza, naturalnie, mordercą.

– Ale kogo chcesz wypytać teraz?

– Adso – rzekł Wilhelm – zauważyłeś, że rzeczy najciekawsze
dzieją się tu nocą. Nocą się umiera, nocą krąży się po skryptorium,
nocą sprowadza się w obręb murów niewiasty... Mamy opactwo dzienne i opactwo nocne, a to nocne wydaje się na nieszczęście ciekawsze
od dziennego. Dlatego zaciekawia nas każdy, kto błąka się tu po no-
cach, nie wyłączając na przykład człowieka, którego widziałeś wczoraj
w towarzystwie dzieweczki. Może historia z dzieweczką nie ma nic
wspólnego z historią z truciznami, a może ma. W każdym razie przyszły mi do głowy różne pomysły co do owego wczorajszego czło-

wieka, osoby, która niechybnie wie także inne rzeczy o nocnym życiu tego świętego miejsca. Otóż o wilku mowa, a wilk tu.

Wskazał Salwatora, który też nas spostrzegł. Zauważyłem lekkie zawahanie w jego krokach, jakby pragnąc nas uniknąć, zatrzymał się, by zawrócić. Była to chwila. Oczywiście zdał sobie sprawę z tego, że nie może uchylić się od spotkania, i ruszył dalej. Odwrócił się w naszą stronę z szerokim uśmiechem i nieco namaszczonym *benedicte*. Mój mistrz ledwie dał mu dokończyć i zaraz przemówił doń szorstko:

– Czy wiesz, że jutro przybywa tu inkwizycja? – zapytał.

Salwator nie miał zachwyconej miny. Cichutkim głosem zadał pytanie:

– A co ja?

– A ty dobrze uczynisz, jeśli powiesz prawdę mnie, który jestem ci przyjacielem i bratem minorytą, jakim i ty byłeś, miast mówić tym, których doskonale znasz.

Wzięty ostro w obroty, Salwator porzucił, zdać by się mogło, wszelką obronę. Spojrzał uległym wzrokiem na Wilhelma, jakby chciał dać do zrozumienia, że gotów jest odpowiedzieć na to, o co ów będzie pytał.

– Tej nocy przebywała w kuchni niewiasta. Kto z nią był?

– Och, *femena*, która sprzedawa się *como* towar, nie może *bon essere* ni *aver cortesia* – wyrecytował Salwator.

– Nie chcę wiedzieć, czy to poczciwa dziewczyna. Chcę wiedzieć, kto z nią był!

– *Deu*, jakież są *femene malveci scaltride!* Myślą dniem i nocą ino, *como* męża zwieść...

Wilhelm chwycił go gwałtownie za pierś.

– Kto z nią był, ty czy klucznik?

Salwator pojął, że nie zdoła dłużej kłamać. Zaczął opowiadać dziwaczną historię, z której z trudem się dowiedzieliśmy, że to on, by przypodobać się klucznikowi, dostarcza mu dziewczęta ze wsi, wprowadzając je nocą w obręb murów, ale nie chciał powiedzieć, jakimi drogami. Zaklinał się tylko, że czyni to z dobrego serca, i dobywał z siebie komiczną skargę, gdyż nie umiał znaleźć sposobu, by też mieć z tego przyjemność, by dziewczyna, po zaspokojeniu klucznika, dała także coś jemu. Powiedział to wszystko pośród obłudnych, lubieżnych uśmiechów i mrugnięć, jakby dawał do zrozumienia, że ma do czynienia z mężczyznami z krwi i kości, z takimi, dla których tego rodzaju praktyki są chlebem powszednim. I patrzył na mnie spod oka, a ja nie mogłem powściągnąć go, jak chciałbym, gdyż czułem się powiązany z nim wspólnym sekretem, jakbym był jego wspólnikiem i towarzyszem w grzechu.

Wilhelm w tym momencie postanowił rzucić wszystko na jedną szalę. Spytał nagle:

– Czy Remigiusza poznałeś, zanim jeszcze byłeś z Dulcynem, czy potem?

Salwator padł mu do kolan, błagając śród łez, by go nie gubić, tylko uratować przed inkwizycją, i Wilhelm przysiągł uroczyście, że nikomu nie powie o tym, czego się dowie, a wtenczas Salwator nie zawahał się wydać klucznika na naszą łaskę i niełaskę. Poznali się na Łysej Górze, obaj byli w bandzie Dulcyna, razem z klucznikiem uciekł i wstąpił do klasztoru w Casale; z nim też przeniósł się między kluniaków. Bełkotał, błagając o wybaczenie, i było rzeczą jasną, że niczego więcej odeń się nie dowiemy. Wilhelm doszedł do wniosku, że warto wziąć Remigiusza z zaskoczenia, i zostawił Salwatora, który pobiegł schronić się w kościele.

Klucznik był w przeciwległej części opactwa, przed spichlerzami, i układał się z kilkoma chłopami z doliny. Spojrzał na nas nie bez lęku i starał się zrobić wrażenie człowieka nader zaprzątniętego, ale Wilhelm nalegał na rozmowę. Dotychczas mieliśmy z tym człekiem niewielką styczność; był wobec nas uprzejmy, a i my wobec niego. Tego ranka Wilhelm zwrócił się doń, jakby miał do czynienia z konfratrem ze swojego zakonu. Klucznik wydawał się zakłopotany tą konfidencją i odpowiedział najpierw z wielką ostrożnością.

– Z racji swojego urzędu jesteś oczywiście zmuszony krążyć po opactwie także, kiedy inni śpią, tak mniemam – rzekł Wilhelm.

– To zależy – odparł Remigiusz. – Czasem są drobne sprawy do szybkiego załatwienia i muszę im poświęcić parę godzin snu.

– Czy w takich razach nie zdarzyło ci się nic, co mogłoby nam wskazać, kto krążyłby, według ciebie bez uzasadnienia, między kuchnią a biblioteką?

– Gdybym coś zobaczył, doniósłbym opatowi.

– Słusznie – zgodził się Wilhelm i nagle zmienił temat. – Wieś w dolinie nie jest zbyt majętna, nieprawdaż?

– Tak i nie – odpowiedział Remigiusz. – Mieszkają tam prebendarze, zależni od opactwa, i dzielą naszą zamożność w latach tłustych. Na przykład w dniu świętego Jana otrzymali dwanaście korców słodu, konia, siedem wołów, byka, cztery jałówki, pięć cieląt, dwadzieścia owiec, piętnaście wieprzków, pięćdziesiąt kur i siedemnaście uli. A dalej dwadzieścia wieprzków wędzonych, dwadzieścia siedem form smalcu, pół miary miodu, trzy miary mydła, jedną sieć rybacką...

– Rozumiem, rozumiem – przerwał Wilhelm. – Ale dowiedz się, że nie mówi mi to jeszcze, jaka jest sytuacja wsi, którzy spośród jej mieszkańców są prebendarzami opactwa i ile ziemi ma pod uprawę dla siebie ten, kto prebendarzem nie jest...

– Ach, to – rzekł Remigiusz. – Zwykła rodzina ma tutaj do pięćdziesięciu tabul ziemi.

– Ile to jest jedna tabula?

– Naturalnie cztery sążnie kwadratowe.

– Sążnie kwadratowe? Ile to?

– Trzydzieści sześć stóp kwadratowych daje sążeń kwadratowy. Albo, jeśli wolisz, osiemset sążni liniowych czyni jedną milę piemoncką. A stąd da się obliczyć, że rodzina – na ziemiach po stronie północnej – może z uprawy oliwek mieć co najmniej pół wańtucha oliwy.

– Pół wańtucha?

– Tak, wańtuch to pięć hemin, hemina zaś osiem czarek.

– Zrozumiałem – powiedział mój mistrz zniechęcony. – Każdy kraj ma swoje miary. Czy wy na przykład mierzycie wino na pinty?

– Albo na garnce. Pięć garncy czyni konew, dwanaście zaś czaszę. Jeśli wolisz, garniec daje cztery kwarty po dwie pinty każda.

– Wydaje mi się, że rozjaśniło mi się w głowie – rzekł Wilhelm z rezygnacją.

– Czy chcesz wiedzieć coś więcej? – spytał Remigiusz tonem, który wydał mi się wyzywający.

– Tak. Pytałem cię o to, jak żyją w dolinie, albowiem rozmyślałem dzisiaj w bibliotece nad kazaniami dla niewiast ułożonymi przez Humberta z Romans, a w szczególności nad rozdziałem *Ad mulieres pauperes in villulis*, gdzie powiada, że te bardziej niż inne narażone są na pokusę grzechów cielesnych z przyczyny swej nędzy, i mądrze rzecze, że one *peccant enim mortaliter, cum peccant cum quocumque laico, mortalius, vero quando cum Clerico in sacris ordinibus constituto, maxime vero quando cum Religioso mundo mortuo**. Wiesz lepiej ode mnie, że nawet w miejscach świętych, jak opactwa, nie brak nigdy pokus demona południowego. Rozważałem, czy stykając się z ludźmi ze wsi, zdołałeś się dowiedzieć, azali niektórzy mnisi, oby Bóg ich przed tym chronił, nakłonili jakie dziewczę do czynów rozpustnych.

---

* Popełniają bowiem grzech śmiertelny ci, którzy grzeszą z osobą świecką, jeszcze bardziej zaś śmiertelny ci, którzy grzeszą z księdzem wypełniającym święte obrzędy, najbardziej zaś ci, którzy grzeszą z zakonnikiem dla świata umarłym (łac.).

Chociaż mój mistrz wypowiedział te słowa prawie z roztargnieniem, czytelnik pojmie, w jakie zakłopotanie wprawiły biednego klucznika. Nie umiem powiedzieć, czy zbladł, ale tak tego czekałem, że ujrzałem, jak blednie.

— Pytasz mnie o rzeczy, które, gdybym o nich wiedział, wyznałbym opatowi — odrzekł pokornie. — W każdym razie jeśli, jak sobie wyobrażam, rzeczy te służą twojemu śledztwu, nie zmilczę przed tobą niczego, o czym zdołam się dowiedzieć. Owszem, kiedy zastanawiam się nad twoim pierwszym pytaniem... W nocy, kiedy umarł biedny Adelmus, krążyłem po dziedzińcu... wiesz, chodziło o kury... doszły mnie słuchy, że jakiś kowal przychodzi nocą okradać kurnik... A więc tej nocy zdarzyło mi się widzieć (z daleka, nie mógłbym zatem przysiąc), że Berengar wracał do dormitorium, idąc wzdłuż chóru, jakby szedł od strony Gmachu... Nie zdziwiło mnie to, gdyż wśród mnichów szeptało się od jakiegoś czasu o Berengarze, może słyszałeś...

— Nie, powiedz.

— Cóż, jak by to powiedzieć? Berengara podejrzewano o to, że żywi namiętności... które nie przystoją mnichowi...

— Chcesz mi może podsunąć, że miał stosunki z dziewczętami ze wsi, o co cię pytałem?

Klucznik chrząknął zakłopotany i uśmiechnął się dosyć szkaradnie.

— Och, nie, chodzi o namiętności jeszcze mniej stosowne...

— Gdy tymczasem mnich, który zażywa rozkoszy cielesnej z dziewczęciem ze wsi, ulega, przeciwnie, namiętnościom w jakiś sposób stosownym?

— Nie rzekłem tego, lecz podsunąłeś mi myśl, że jest pewna hierarchia tak w znieprawieniu, jak i w cnocie. Ciało może ulegać pokusom podług natury i... przeciw naturze.

— Powiadasz, że Berengarem władały żądze cielesne do osób tej samej płci?

— Mówię, że tak się o nim szeptało... Zawiadomiłem cię o tych sprawach w dowód mojej szczerości i dobrej woli...

— Ja zaś dziękuję ci za to. I zgadzam się z tobą, że grzech sodomii jest znacznie gorszy od innych form lubieżności, co do których nie mam, szczerze mówiąc, zamiaru prowadzić śledztwa...

— Marność, sama marność, gdyby nawet się to sprawdziło — rzekł filozoficznie klucznik.

— Marność, Remigiuszu. Wszyscy jesteśmy grzesznikami. Nigdy nie dopatruję się słomki w oku mego brata, tak bardzo boję się znaleźć belkę w moim. Ale będę ci wdzięczny za wszystkie belki, o których zechcesz mi powiedzieć w przyszłości. W ten sposób poprzestaniemy na wielkich i mocnych pniach drzewa, a pozwolimy, by słomki uleciały z wiatrem. Ile to, powiadałeś, jest jeden sążeń kwadratowy?

– Trzydzieści sześć stóp kwadratowych. Ale nie kłopocz się tym. Kiedy będziesz chciał dowiedzieć się czegoś dokładnie, przyjdź do mnie. Możesz liczyć na to, że masz we mnie wiernego przyjaciela.

– Za takiego cię też biorę – oznajmił serdecznie Wilhelm. – Hubertyn powiedział mi, że kiedyś należałeś do tego co ja zakonu. Nigdy nie zdradziłbym dawnego konfratra, a osobliwie w tych dniach, kiedy to czekamy na przybycie legacji papieskiej, na której czele znajdzie się wielki inkwizytor, sławny z tego, że wielu dulcynian spalił. Powiadałeś, że jeden sążeń czyni trzydzieści sześć stóp kwadratowych?

Klucznik nie był głupcem. Doszedł do wniosku, że nie warto już bawić się w kotka i myszkę, tym bardziej iż, jak się spostrzegł, jest tu myszką.

– Bracie Wilhelmie – rzekł – widzę, że wiesz więcej rzeczy, niż sobie wyobrażałem. Nie zdradź mnie, a i ja ciebie nie zdradzę. To prawda, jestem biednym człekiem z krwi i kości i ulegam zachciankom ciała. Salwator powiedział mi, że ty albo twój nowicjusz wczoraj wieczorem przyłapaliście go w kuchni. Podróżowałeś wiele, Wilhelmie, wiesz więc, że nawet kardynałowie z Awinionu nie są wzorem cnót. Wiem, że wypytujesz mnie nie z powodu tych drobnych i nędznych grzeszków. Ale pojmuję też, że dowiedziałeś się czegoś o moich dawnych dziejach. Miałem życie dziwaczne, jak zdarza się to wielu spośród nas, minorytów. Przed laty wierzyłem w ideał ubóstwa, porzuciłem wspólnotę zakonną, by wieść życie wędrowne. Uwierzyłem w to, co głosił Dulcyn, jak i wielu innych ze mną. Nie jestem człowiekiem wykształconym, zostałem wyświęcony, lecz ledwie mszę potrafię odklepać. Niewiele wiem o teologii. I być może nie potrafię nawet wzbudzić w sobie zajęcia ideami. Widzisz, jakiś czas temu spróbowałem zbuntować się przeciw panom, teraz im służę i dla pana tych ziem władam takimi jak ja sam. Buntować się albo zdradzić – niewielki wybór zostawiono nam, prostaczkom.

– Czasem prostaczkowie lepiej pojmują sprawy niźli uczeni – rzekł Wilhelm.

– Być może – odpowiedział klucznik, wzruszając ramionami. – Ale nawet nie wiem, dlaczego uczyniłem to, co uczyniłem wtedy. Widzisz, w przypadku Salwatora było to zrozumiałe, wyszedł ze sług ziemi ornej, z dzieciństwa pełnego niedostatku i chorób... Dulcyn przedstawiał sobą bunt i zniszczenie panów. W moim przypadku było inaczej, jestem z rodziny mieszczańskiej, nie uciekałem przed głodem. Było to... nie wiem, jak powiedzieć... święto szaleńców, wspaniały karnawał... Tam na górze, u boku Dulcyna, zanim jeszcze musieliśmy zjadać ciała naszych towarzyszy poległych w bitwach, zanim jeszcze tylu umarło z wycieńczenia, że nie można było wszystkich zjeść i rzucaliśmy ich na pastwę ptaków i dzikich zwierząt, na zbocza Rebello... a może nawet w tych chwilach... oddychaliśmy powietrzem... czy mogę powiedzieć: wolności? Przedtem nie wiedziałem, czym jest wolność, kaznodzieje powiadali nam: „Prawda uczyni was wolnymi". Czuliśmy się wolnymi, myśleliśmy więc, że prawda jest z nami. Myśleliśmy, że wszystko, co czynimy, jest sprawiedliwe.

– I tam... jęliście łączyć się swobodnie z niewiastą? – zapytałem i nie wiem nawet dlaczego, ale od poprzedniej nocy nękały mnie słowa Hubertyna i to, co przeczytałem w skryptorium, i to, co sam przeżyłem.

Wilhelm spojrzał na mnie zaciekawiony; nie oczekiwał, że będę taki śmiały i bezwstydny, to pewna. Klucznik przyjrzał mi się, jakbym był jakimś osobliwym zwierzęciem.

– Na Rebello – rzekł – byli ludzie, którzy przez całe dzieciństwo spali w dziesięcioro lub więcej na niewielu łokciach izby, bracia z siostrami, ojcowie i córki. Czymże więc było dla nich przyjęcie nowej okoliczności? Czynili z wyboru to, co wpierw czynili z konieczności. A poza tym nocą, kiedy boisz się przybycia wrogich wojsk i przytulasz się do swojego towarzysza, leżąc na gołej ziemi, by nie czuć chłodu... Heretycy... Wy, mniszkowie pochodzący z zamków i kończący na opactwie, sądzicie, że ich sposób myślenia natchniony jest przez demona. Jest to jednak sposób życia i jest... i było przeżyciem nowym... Nie było już panów, a Bóg, mówiono nam, był z nami. Nie powiem, że mieliśmy rację, Wilhelmie, i w istocie, widzisz mnie tutaj, bardzo prędko ich bowiem porzuciłem. Lecz rzecz w tym, że nigdy nie pojmowałem waszych uczonych dysput o ubóstwie Chrystusa i praktykowaniu, i fakcie, i prawie... Powiedziałem ci, był to wielki karnawał, a w czasie karnawału dzieją się rzeczy na opak. Potem człek starzeje się, nie mądrzeje, ale staje się łakomy. I tutaj jestem właśnie żarłoczny... Możesz potępić heretyka, ale czy możesz potępić żarłoka?

– Dosyć tego, Remigiuszu – rzekł Wilhelm. – Nie wypytuję o to, co wydarzyło się wtedy, ale o to, co wydarzyło się ostatnio. Pomóż mi, a ja z pewnością nie będę dążył do tego, by cię zniszczyć. Nie mogę i nie chcę cię osądzać. Ale musisz mi powiedzieć, co wiesz o wydarzeniach w opactwie. Zbyt wiele tu się kręcisz nocą i dniem, by czegoś nie wiedzieć. Kto zabił Wenancjusza?

– Nie wiem, przysięgam. Wiem, kiedy umarł i gdzie.

– Kiedy? Gdzie?

– Pozwól mi opowiedzieć. Tej nocy, godzinę po komplecie, wszedłem do kuchni...

– Którędy i z jakiej przyczyny?

– Przez drzwi wychodzące na ogród. Mam klucz, który kiedyś kazałem zrobić kowalom. Drzwi od kuchni są jedynymi niezaryglowanymi od środka. A przyczyny... nie mają znaczenia, jak sam rzekłeś, ty, który nie chcesz mnie oskarżać z powodu słabości ciała... – Uśmiechnął się z zakłopotaniem. – Ale nie chciałbym jednak, byś myślał, że całe życie spędzam na rozpuście... Tego wieczoru poszedłem po mięso, by obdarować dziewczę, które Salwator miał wprowadzić w obręb murów...

– Którędy?

– Och, w murach są inne wejścia, nie tylko brama. Zna je opat, znam ja... Ale tego wieczoru dziewczę nie przyszło, odesłałem je właśnie z powodu tego, co odkryłem i o czym właśnie opowiadam. Oto czemu spróbowałem sprowadzić ją wczoraj wieczorem. Gdybyście przyszli trochę później, zastalibyście mnie, nie zaś Salwatora, gdyż to on ostrzegł, że ktoś jest w Gmachu, więc wróciłem do mojej celi...

– Zajmijmy się nocą z niedzieli na poniedziałek.

– Dobrze. Wszedłem do kuchni i zobaczyłem martwego Wenancjusza.

– W kuchni?

– Tak, w pobliżu zbiornika na wodę. Być może dopiero co zszedł ze skryptorium.

– Żadnego śladu walki?

– Żadnego. Lub raczej w pobliżu ciała była rozbita czarka i trochę wody na ziemi.

– Skąd wiesz, że była to woda?

– Nie wiem. Pomyślałem, że to woda. Cóż mogło być innego?

Jak wskazał mi później Wilhelm, ta czarka mogła oznaczać dwie różne rzeczy. Albo właśnie w kuchni ktoś podał Wenancjuszowi do picia zatruty napój, albo biedaczyna połknął już truciznę (ale gdzie? kiedy?) i zszedł, by się napić, bo męczyła go nagła suchość, skurcz, ból, co palił trzewia albo język (który z pewnością był czarny jak język Berengara).

Tak czy owak, na razie nie można było się dowiedzieć niczego więcej. Ujrzawszy zwłoki, przerażony Remigiusz rozważył, co czynić, i umyślił nie czynić nic. Gdyby wezwał pomoc, musiałby przyznać, że błąkał się nocą po Gmachu, a to nie pomogłoby zgoła straconemu już konfratrowi. Dlatego postanowił zostawić rzeczy tak, jak były; oczekiwał, że ktoś odkryje ciało następnego ranka, otwierając drzwi. Pobiegł powstrzymać Salwatora, który wprowadzał już dziewczynę do opactwa, a potem – on i jego wspólnik – poszli spać, jeśli snem można nazwać trwożliwe czuwanie do samego rana. A kiedy podczas jutrzni świniarze przyszli zawiadomić opata, Remigiusz sądził, że zwłoki zostały znalezione tam, gdzie je zostawił, i osłupiał, widząc je w kadzi. Kto usunął trupa z kuchni? O tym Remigiusz nie miał najmniejszego pojęcia.

– Jedynym, który może swobodnie poruszać się po Gmachu, jest Malachiasz – rzekł Wilhelm.

Klucznik zareagował stanowczo.

– Nie, Malachiasz nie. To jest... nie przypuszczam... W każdym razie ja nic ci nie powiedziałem przeciw Malachiaszowi...

– Bądź spokojny, jakikolwiek dług masz względem Malachiasza. Czy coś o tobie wie?

– Tak – zaczerwienił się klucznik – i zachowywał się, jak przystało człekowi dyskretnemu. Na twoim miejscu miałbym oko na Bencjusza. Dziwne więzy łączyły go z Berengarem i Wenancjuszem... Lecz przysięgam ci, niczego więcej nie widziałem. Jeśli czegoś się dowiem, wyjawię ci.

– Na razie wystarczy. Spotkam się z tobą, jeśli zajdzie potrzeba.

Klucznik z widoczną ulgą wrócił do swoich targów, łając ostro chłopów, którzy w tym czasie przestawili jakieś worki z ziarnem siewnym.

Podszedł do nas Seweryn. Miał w ręku szkiełka, te same, które zabrano Wilhelmowi dwie noce wcześniej.

– Znalazłem w habicie Berengara – rzekł. – Widziałem je na twoim nosie wtedy w bibliotece. Są twoje, prawda?

– Chwała Bogu! – wykrzyknął radośnie Wilhelm. – Rozwiązaliśmy dwa problemy! Mam moje szkła i jestem w końcu pewny, że to Berengar okradł nas tamtej nocy w skryptorium!

Ledwie skończyliśmy rozmawiać, przybiegł Mikołaj z Morimondo, jeszcze bardziej triumfujący niż Wilhelm. Trzymał w dłoniach parę ukończonych soczewek, osadzonych w widełkach.

– Wilhelmie! – krzyczał. – Zrobiłem je sam, skończyłem, chyba działają!

Potem zobaczył, że mój mistrz ma inne soczewki na twarzy, i skamieniał. Ten nie chciał go upokorzyć, zdjął więc stare szkła i przymierzył nowe.

– Są lepsze od tamtych – rzekł. – Tak więc stare będę miał w zapasie, a nosił będę zawsze twoje. – Potem zwrócił się do mnie: – Adso, teraz idę do celi, by przeczytać te karty, co to wiesz. Wreszcie! Poczekaj na mnie gdzieś tutaj. I dzięki, dzięki wam wszystkim, najdrożsi bracia.

Zadzwoniono na tercję i udałem się do chóru, by recytować wraz z innymi hymn, psalmy, wersety i Kyrie. Inni modlili się za duszę zmarłego Berengara. Ja dziękowałem Bogu, że odzyskaliśmy nie jedną, lecz dwie pary soczewek.

Panował tak wielki spokój, że zapomniałem o wszystkich niegodziwościach, które widziałem i słyszałem, i usnąłem, a obudziłem się, kiedy nabożeństwo dobiegło końca. Zdałem sobie sprawę z tego, że tej nocy nie spałem zgoła, i zaniepokoiłem się, pomyślawszy, że roztrwoniłem też wiele z moich sił. I w tym momencie, kiedy wyszedłem na zewnątrz, moje myśli zaczęło dręczyć wspomnienie dzieweczki.

Starałem się zapomnieć i zacząłem pospiesznie chodzić po równi. Doznawałem uczucia lekkiego zawrotu głowy. Biłem skostniałymi rękami jedną o drugą. Tupałem. Byłem jeszcze śpiący, a jednak czułem się rozbudzony i pełen życia. Nie rozumiałem, co się ze mną dzieje.

Dzień czwarty

Tercja

Kiedy to Adso szamocze się w cierpieniach miłosnych, potem przybywa Wilhelm z notatką Wenancjusza, która pozostaje nieczytelna, nawet kiedy już została odczytana

Prawdę mówiąc, od czasu grzesznego spotkania z dzieweczką inne straszliwe wydarzenia kazały mi prawie zapomnieć o tej sprawie, a z drugiej strony, kiedy już wyspowiadałem się przed bratem Wilhelmem, dusza ma zaraz zbyła się ciężaru wyrzutów sumienia, jakie czułem w chwili przebudzenia po moim występnym upadku, i zdało mi się, że wraz ze słowami złożyłem na brata brzemię, które one niosły. Czemuż innemu służy, w istocie, dobroczynna kąpiel spowiedzi, jak nie zdjęciu brzemienia grzechu i wyrzutu sumienia, który w nim się mieści, na łono Pana Naszego, by zyskać wraz z przebaczeniem nową powietrzną lekkość duszy, by zapomnieć o ciele udręczonym przez hańbę występku? Lecz nie uwolniłem się do końca. Teraz, gdy przechadzałem się w wyblakłym i chłodnym słońcu zimowego poranka, pośród krzątaniny ludzi i zwierząt, jąłem inaczej wspominać minione wydarzenia. Jakby z wszystkiego, co się przydarzyło, zostały już nie skrucha i kojące słowa kąpieli spowiedniej, tylko obrazy ludzkich ciał i członków. W moim pobudzonym nad miarę umyśle wyłaniała się zjawa Berengara obrzmiałego od wody i dygotałem ze zgrozy i politowania. Potem, jakby chcąc oddalić tego lemura, umysł mój zwrócił się ku innym obrazom, takim, że wspomnienie o nich było miłym przytułkiem, i nie mogłem uniknąć, oczywistego dla mych oczu (dla oczu duszy, ale prawie jakby ukazywał się przed oczyma cielesnymi), obrazu dziewczęcia, pięknego i groźnego jak zbrojne zastępy.

Obiecałem sobie (ja, stary kopista tekstu nigdy dotąd nienapisanego, ale przez długie dziesiątki lat przemawiającego w moim umyśle), że będę kronikarzem wiernym, nie tylko przez umiłowanie prawdy i nie tylko przez pragnienie (zresztą godziwe), by pouczyć moich przyszłych czytelników, ale również by uwolnić moją pamięć, zwiędłą i znużoną, od wizji, które dręczyły ją przez całe życie. Muszę więc powiedzieć wszystko, przystojnie, ale i bez wstydu. Muszę powiedzieć teraz i zapisać wyraźnymi literami to, co wtenczas myślałem i prawie próbowałem ukryć przed samym sobą, kiedy przechadzałem się po równi, czasem podbiegając, by narzucić ruchom ciała nagłe uderzenia serca, zatrzymując się, by podziwiać dzieła wieśniaków, i łudząc się, że zmienię bieg mych myśli, jeśli będę się owym wieśniakom przyglądał, wdychając pełną piersią zimne powietrze, jak czyni ten, kto pije wino, by zapomnieć o strachu lub bólu. Daremnie. Nie przestawałem myśleć o dzieweczce. Moje ciało zapomniało o rozkoszy, ostrej, grzesznej i chwilowej (rzeczy występnej), jaką miałem, połączywszy się z nią; ale moja dusza nie zapomniała jej twarzy i nie potrafiła uczynić znieprawionym tego wspomnienia, lecz przeciwnie, drżała, jakby w tym obliczu jaśniały wszystkie słodycze dzieła stworzenia.

W sposób niejasny i prawie przed samym sobą zapierając się prawdy tego, co czułem, dostrzegałem, że to ubogie, brudne, bezwstydne stworzenie, które sprzedawało się (któż wie, z jaką zuchwałą stałością) innym grzesznikom, ta córa Ewy, która, słaba jak wszystkie jej siostry, tyle razy kupczyła własnym ciałem, była jednak czymś wspaniałym i cudownym. Mój rozum wiedział, że jest ona zarzewiem grzechu, ale moja potrzeba uczuciowa dostrzegała w niej przybytek wszelkiego powabu. Trudno powiedzieć, co przeżywałem. Mógłbym napisać, że jeszcze wplątany w sieci grzechu pragnąłem, występnie, ujrzeć, jak pojawia się co chwila, i prawie śledziłem pracę robotników, ażeby wypatrzyć, czy zza rogu chaty, z mroku obory nie wyłoni się postać, która mnie uwiodła. Lecz nie napisałbym prawdy albo próbowałbym okryć zasłoną prawdę, by zmniejszyć jej siłę i oczywistość. Prawdą jest bowiem, że widziałem dziewczę, widziałem wśród bezlistnych gałęzi drzewa, które drżały lekko, kiedy skostniały wróbel leciał, by znaleźć wśród nich schronienie; widziałem ją w oczach jałówek, które wychodziły z obory, i słyszałem w beczeniu jagniąt, które przebiegały przede mną. Było tak, jakby całe dzieło stworzenia mówiło mi o niej, i pragnąłem, o tak, zobaczyć ją jeszcze, ale byłem też gotów przystać na myśl, że nigdy już jej nie ujrzę i nie połączę się z nią, bylebym tylko mógł radować się tą szczęśliwością, która przenikała mnie tego ranka, i mieć ją zawsze blisko siebie, nawet jeśli miałaby pozostać, i to na wieczność, daleka. Było tak, staram się to teraz pojąć, jakby cały wszechświat, owa niechybnie zapisana palcem Boga księga, w której rzecz każda mówi nam o bezmiernej dobroci swojego Stwórcy, w której wszelkie stworzenie jest jakby ustępem tekstu i zwierciadłem życia i śmierci, w której najskromniejsza róża staje się komentarzem do naszej ziemskiej wędrówki – w sumie, jakby wszystko nie mówiło mi o niczym innym, jeno o licu ledwie dostrzeżonym w wonnych mrokach kuchni. Nie wyrzekałem się snucia tych rojeń, ponieważ mówiłem sobie (albo raczej nie mówiłem, bo wtedy nie formułowałem myśli dających się ująć w słowa), że jeśli świat cały po to jest, by mówił mi o potędze, dobroci i mądrości Stwórcy, i jeśli tego ranka świat cały mówi mi o dzieweczce, która (choć grzeszna) jest na zawsze rozdziałem w wielkiej księdze stworzenia, wersetem wielkiego psalmu śpiewanego przez kosmos – mówiłem więc sobie (mówię teraz), że skoro zaszły te właśnie zdarzenia, musiały stanowić cząstkę wielkiego teofanicznego zamysłu rządzącego światem, zestrojonego na sposób liry, cudu współbrzmienia i harmonii. Prawie upojony, radowałem się tedy jej obecnością w rzeczach, które widziałem, a w nich jej pragnąc, w ich widoku znajdowałem zaspokojenie. Czułem przecież jakby ból, gdyż cierpiałem z powodu nieobecności, a zarazem byłem szczęśliwy z tylu zjaw obecności. Trudno mi wyjaśnić tę tajemniczą sprzeczność i znak to, że umysł ludzki jest nader kruchy i nie postępuje nigdy prosto po ścieżkach Boskiego rozumu, który zbudował świat na wzór doskonałego sylogizmu; umysł ludzki zaś z tego sylogizmu chwyta tylko zdania odosobnione, często niepowiązane ze sobą, i stąd bierze się owa łatwość, z jaką padamy ofiarą złud diabła. Czy była złudą diabelską ta, która tego ranka dała mi tak wielkie wzruszenie? Dzisiaj myślę, że tak, wtedy bowiem byłem nowicjuszem, jednakowoż mniemam też, że ludzkie uczucie, które burzyło się we mnie, nie było złe samo w sobie, lecz jedynie w odniesieniu do mojego stanu. Albowiem samo w sobie było to uczucie nakłaniające mężczyznę ku niewieście, by złączyli się ze sobą, jak chce apostoł pogan, i oboje byli ciałem z jednego ciała, i razem spłodzili nowe istoty ludzkie, i wspierali się wzajemnie od młodości po starość. Tyle że apostoł przemawiał do tych, którzy szukali lekarstwa na chuć, i do tych, którzy nie chcieli spłonąć, pamiętając jednakowoż, że znacznie godziwszy jest stan czystości, mój stan mnisi. Tak zatem znosiłem owego ranka to, co było złem dla mnie, lecz dla innych było może dobrem, dobrem najsłodszym, a pojmuję to teraz w ten sposób, że moja udręka nie była spowodowana nieprawością myśli, w istocie godziwych i słodkich, ale nieprawością, która tkwiła w związku między owymi myślami a złożonym przeze mnie ślubem. Tak więc czyniłem źle, radując się rzeczą dobrą w jednym rozumieniu, złą w innym, a błąd mój polegał na tym, że próbowałem naturalną skłonność pogodzić z nakazami rozumnej duszy. Teraz wiem, że cierpiałem z powodu sprzeczności między skłonnością umysłową, gdzie winno przejawić się władanie woli, a skłonnością zmysłową, podporządkowaną ludzkim namiętnościom. W istocie *actus appetiti sensitivi in quantum habent transmutationem corporalem annexam, passiones dicuntur, non au-*

*tem actus voluntatis**. I czynowi, do którego pchnęła mnie moja skłonność, towarzyszyło właśnie drżenie całego ciała, fizyczna potrzeba, by krzyczeć i miotać się. Anielski doktor powiada, że namiętności same w sobie nie są złe, byle były miarkowane przez wolę, którą kieruje rozumna dusza. Ale moja dusza rozumna była tego ranka uśpiona ze znużenia, trzymającego na wodzy porywczą skłonność, która zwraca się ku dobru lub złu jako kresom do osiągnięcia, lecz nietrzymającego na wodzy skłonności pożądliwej, która zwraca się ku dobru i złu, jako znanym. Dla usprawiedliwienia mojej ówczesnej nieodpowiedzialnej lekkomyślności powiem dzisiaj, i to słowami anielskiego doktora, że niewątpliwie ogarnęła mnie miłość, która jest namiętnością i kosmicznym prawem, albowiem nawet ciężkość ciał jest miłością naturalną. I przez ową namiętność zostałem naturalnie uwiedziony, w niej bowiem *appetitus tendit in appetibile realiter consequendum ut sit ibi finis motus**. Przez co naturalnie *amor facit quod ipsae res quae amantur, amarti aliquo modo uniantur et amor est magis cognitivus quam cognitio**. Rzeczywiście, widziałem teraz dzieweczkę lepiej, niż kiedy patrzyłem na nią poprzedniego wieczoru, i rozumiałem ją *intus et in cute**, bo w niej pojmowałem siebie i w sobie ją. Rozważam dzisiaj, czy to, co odczuwałem, było miłością z przyjaźni, w której podobne kocha podobne i pragnie tylko dobra tego drugiego, czy miłością z chuci, w której pragnie się własnego dobra, cierpiące zaś brak chce tylko tego, co je dopełnia. I sądzę, że miłością z chuci była ta nocna, kiedy chciałem od dzieweczki czegoś, czego nigdy nie miałem, gdy tymczasem tego ranka nie pragnąłem od niej niczego i chciałem jeno jej dobra, by uwolniona została od okrutnej konieczności, która zmuszała ją do oddawania się za odrobinę strawy, i by była szczęśliwa, i nie chciałem żądać już nic, tylko nadal o niej myśleć i widzieć ją w owcach, wołach, drzewach, w spokojnym świetle, co okrywało weselem mury opactwa.

Teraz wiem, że przyczyną miłości jest dobro, a to, co jest dobre, definiuje się przez wiedzę; i można kochać to tylko, o czym się wie, że jest dobre, gdy tymczasem dzieweczkę, tak, poznałem jako dobro

---

* Akty pożądania cielesnego, z którymi związana jest przemiana duchowa, nazywane są namiętnościami a nie aktami wolnej woli (łac.).
* Pożądanie dąży do zdobycia przedmiotu pożądania, aby tym samym znaleźć kres ruchu (łac.).
* Miłość sprawia, że sama rzecz, którą się kocha, łączy się w pewien sposób z kochającym i miłość staje się bardziej poznawaniem niż poznaniem (łac.).
* Wewnątrz i pod skórą (łac.).

gwałtownej skłonności, ale jako zło woli. Wtedy jednak byłem wydany na pastwę wielu sprzecznych ze sobą poruszeń duszy, gdyż to, co odczuwałem, było podobne do miłości najświętszej, dokładnie jak ją opisywali doktorowie; wytworzyła we mnie uniesienie, w którym kochający i kochany chcą tego samego (i przez tajemnicze oświecenie wiedziałem w tamtym momencie, że dzieweczka, kimkolwiek jest, chciała tych samych rzeczy co ja), i czułem o nią zazdrość, lecz nie tę niegodziwą, ową potępioną przez Pawła w Pierwszym Liście do Koryntian *principium contentionis**, co nie dopuszcza *consortium in amato**, ale tę, o której mówi Dionizy w *Nomini Divini*, a przez którą także Bóg zwany jest zazdrosnym *propter multum amorem quem habet ad existentia** (a ja kochałem dzieweczkę właśnie dlatego, że istniała, i byłem rozradowany, nie zazdrosny, że istnieje).

Byłem zazdrosny w sposób, w jaki dla doktora anielskiego zazdrość jest *motus in amatum**, zazdrością z przyjaźni, zazdrością, która skłania, by stawić czoło temu wszystkiemu, co ukochanemu szkodzi (i ja o niczym innym nie roiłem w tamtej chwili, jeno by wyzwolić dzieweczkę spod władzy tego, kto kupował jej ciało, brukając je własnymi zgubnymi namiętnościami).

Teraz wiem, że, jak powiada doktor, miłość może obrazić kochanego, jeśli jest nadmierna. A moja była nadmierna. Próbowałem wyjaśnić, co wówczas odczuwałem, nie próbuję zaś w niczym tego usprawiedliwić. Mówię o występnych zapałach mej młodości. Były złe, lecz prawda nakazuje mi powiedzieć, że wtenczas postrzegałem je jako nadzwyczajnie dobre. I oby wyciągnęli stąd naukę ci, którzy jak ja wpadną w sieci pokusy. Dzisiaj, starzec, znałbym tysiące sposobów, by uciec od tych powabów (i zastanawiam się, jak bardzo powinienem być z tego dumny teraz, gdy wolny jestem od pokus południowego demona; lecz bynajmniej nie wolny od innych, tak że zastanawiam się, czy to, co teraz czynię, nie jest występną uległością wobec ziemskiej namiętności wspomnienia, owej głupiej pokusy ucieczki przed płynącym czasem i przed śmiercią).

Wtenczas uratowałem się, ale prawie tylko dzięki cudownemu instynktowi. Dzieweczka objawiła mi się w naturze i w ludzkich dziełach, które mnie otaczały. Starałem się więc, by przez szczęśliwe przeczucie duszy zanurzyć się w szczegółowej kontemplacji tych dzieł.

---

* Przyczyna niezgody (łac.).
* Wspólności w miłości (łac.).
* Wielką miłość, jaką czuje, ku temu co żyje (łac.).
* Ruch ku ukochanemu (łac.).

Przyglądałem się pracom wolarzy, którzy wyprowadzali woły z obór, świniarzy, który podawali karmę wieprzkom, pasterzy, którzy zachęcali psy do spędzania owiec w stado, wieśniaków, którzy nieśli orkisz i proso do młynów i wychodzili stamtąd z workami dobrej mąki. Pogrążyłem się w kontemplacji natury, starając się zapomnieć o mych myślach i patrzeć na istoty tak jeno, jak nam się jawią, i radośnie zapamiętać się w ich obrazie.

Jakże piękne było widowisko natury, nietkniętej jeszcze przewrotną nieraz mądrością człowieka! Ujrzałem jagnię, któremu to miano nadano jakby z wdzięczności za jego czystość i dobroć. W istocie, nazwa *agnus* bierze się z faktu, że zwierzę to *agnoscit*, rozpoznaje własną matkę i rozpoznaje jej głos pośród stada, a matka pośród tylu jagniąt identycznego kształtu i identycznie beczących rozpoznaje zawsze i tylko swoje dziecię i je żywi. Ujrzałem owcę, która *ovis* jest zwana *ab oblatione*, gdyż od początku czasów służyła do rytuałów ofiarnych; owcę, która, jak to jest w jej zwyczaju, u progu zimy szuka chciwie trawy i napełnia się karmą, zanim pastwiska ścięte będą mrozem. A stad pilnowały psy, tak nazwane od *canor* z powodu ich ujadania. Pies, zwierzę spośród innych najdoskonalsze, mające najwyższy dar bystrości, rozpoznaje swojego pana i jest przyuczony do polowania na dziką zwierzynę w kniei, do strzeżenia stad przed wilkami, pilnuje domu i dzieci swojego pana, a czasem, pełniąc obowiązek obrońcy, pada zabity. Król Garamant, wtrącony do więzienia przez swoich wrogów, wrócił do ojczyzny, bo odprowadziła go sfora dwustu psów, które wywalczyły sobie drogę pośród nieprzyjacielskich wojsk; pies Jazona Licyniusza po śmierci swojego pana odmawiał spożywania pokarmu, aż zdechł z wycieńczenia; pies króla Lizymacha rzucił się na stos swojego pana, by wraz z nim umrzeć. Pies ma moc leczenia ran, liżąc je językiem, a język jego szczeniąt może wyleczyć uszkodzenia kiszek. Z przyrodzenia nawykły spożywać po raz wtóry to samo pożywienie, kiedy je zwymiotuje. Skromność ta jest symbolem doskonałości ducha, tak jak traumaturgiczna moc jego języka jest symbolem oczyszczenia z grzechów, oczyszczenia, jakie zyskuje się przez spowiedź i pokutę. Lecz to, że pies wraca do tego, co zwymiotował, jest też znakiem, iż po spowiedzi wraca się do poprzednich grzechów, i ten morał był mi nader użyteczny owego ranka, by ostrzec moje serce, kiedy podziwiałem cudowności natury.

W tym czasie nogi niosły mnie w stronę obór dla wołów, które wychodziły właśnie licznie, prowadzone przez wolarzy. Wydały mi się nagle, takie jakie były i są, symbolami przyjaźni i dobroci, bo każdy wół obraca się przy pracy, szukając swojego towarzysza od pługa, jeśli przypadek sprawi, że tamten jest w tym momencie nieobecny, i zwraca się do niego z pełnymi uczucia porykiwaniami. Posłuszne woły uczą się same iść do obór, kiedy pada, a kiedy pożywiają się u żłobu, wysuwają ciągle łby, by patrzeć na zewnątrz, czy zła pogoda nie minęła, gdyż chcą wrócić do pracy. A z wołami wychodzą w tym momencie z obór cielęta obu płci, biorące swe miano od słowa *veriditas* albo też od *virgo*, gdyż w tym wieku są jeszcze świeże, młode i cnotliwe, i źle uczyniłem i czynię – mówiłem sobie – że widzę w ich wdzięcznych poruszeniach obraz dziewczątka wcale nie cnotliwego. O tych sprawach myślałem, pogodzony ze światem i z sobą samym, przyglądając się wesołej pracy w tej porannej godzinie. I nie myślałem więcej o dzieweczce, to jest czyniłem wysiłek, by zapał, który do niej odczuwałem, przemienić w poczucie wewnętrznego rozradowania i pobożnego pokoju.

Powiedziałem sobie, że świat jest piękny i godny podziwu. Że dobroć Boga przejawia się także w najstraszliwszych bestiach, jak wyjaśnia Honoriusz Augustodunensis. To prawda, są węże tak wielkie, że pożerają jelenie i pływają po oceanie, jest bestia *cenocroca* o ciele osła, rogach koziorożca, piersi i gardzieli lwa, nogach konia, ale dwukopytnych jak u wołu, paszczy sięgającej do uszu, głosie prawie ludzkim, z jedną stałą i mocną kością w miejscu zębów. I jest bestia mantykora o twarzy człowieka, potrójnym rzędzie zębów, ciele lwa, ogonie skorpiona, oczach seledynowych, barwie krwi jak u węża i świszczącym wężowym głosie, łasa na ludzkie mięso. I są potwory o ośmiu palcach u nóg, pyskach wilka, pazurach zakrzywionych, sierści owczej, szczekające niby pies, i stają się czarne, nie zaś siwe na starość, i żyją znacznie od nas dłużej. I są stworzenia o oczach na plecach i z dwiema dziurami na piersi zamiast nozdrzy, bo głów nie mają, i inne jeszcze, które mieszkają nad rzeką Ganges i żyją tylko zapachem pewnego jabłka, a kiedy się odeń oddalą, umierają. Ale także wszystkie te nieczyste bestie śpiewają w swojej rozmaitości chwałę Stwórcy i Jego mądrości, tak samo jak pies, wół, jagnię i ryś. Jakże wielki jest – rzekłem sobie wówczas, powtarzając słowa Wincentego z Beauvais – najskromniejszy powab tego świata, jakie miłe dla oczu rozumu baczne rozważanie nie tylko sposobów, liczb i porządków rzeczy, tak zacnie ustanowionych w całym wszechświecie, ale także biegu czasu, który bezustannie toczy się przez następstwa i upadki, naznaczony śmiercią tego, co się zrodziło. Wyznaję, grzesznik, jakim jestem, z duszą ciągle pozostającą więźniem ciała, że duchowa słodycz niosła mnie wtedy ku Stwórcy i regule tego świata i z radosną czcią podziwiałem wielkość i stałość dzieła stworzenia.

W tym dobrym stanie ducha ujrzał mnie mój mistrz, kiedy nie zdając sobie z tego sprawy, obszedłem całe już prawie opactwo i znalazłem się w miejscu, gdzie rozstaliśmy się dwie godziny wcześniej. Wilhelm już tam był, a to, co powiedział, oderwało mnie od moich rojeń i zwróciło znowu ku mrocznym tajemnicom opactwa.

Wilhelm zdawał się bardzo zadowolony. Miał w dłoni kartę Wenancjusza, którą wreszcie odcyfrował. Udaliśmy się do jego celi, daleko od niedyskretnych uszu, i przetłumaczył mi to, co odczytał. Oto co tekst grecki mówił po zdaniu w alfabecie zodiakalnym (*secretum finis Africae manus supra idolum age primum et septimum de quatuor*):

Straszliwa trucizna, która przynosi oczyszczenie...
Najlepsza broń, by zniszczyć nieprzyjaciela...
Użyj osób niskiego stanu, podłych i szpetnych, dobądź rozkosz z ich przywary... Nie powinny umrzeć... Nie w domach szlachetnych i możnych, ale z wiosek chłopów, po obfitym posiłku i libacjach... Ciała krępe, oblicza niekształtne.
Gwałcą dziewice i zabawiają się z nierządnicami, nie nikczemni, bez strachu.
Prawda odmienna, odmienny obraz prawdy...
Czcigodne drzewa figowe.
Kamień bezwstydny toczy się po równi... Na oczach.
Trzeba zwodzić i zaskakiwać, zwodząc, mówić rzeczy przeciwne do tego, w co się wierzy, mówić jedną rzecz, a mieć na myśli inną.
Dla tych koniki polne zaśpiewają spod ziemi.

Nic więcej. Według mojego sądu zbyt mało, prawie nic. Zdało się to bredzeniem człeka niepoczytalnego i podzieliłem się tym sądem z Wilhelmem.

– Może to być. I bardziej szalone, niż jest, wydaje się z powodu mojego tłumaczenia. Nie za dobrze znam grekę. A jeśli uznamy, że Wenancjusz albo autor księgi był szaleńcem, nie dowiemy się stąd, dlaczego tyle osób, i nie wszystkie szalone, zadało sobie trud, najpierw by ukryć księgę, a później by ją odzyskać...

– Ale czy rzeczy, które są tu zapisane, pochodzą z tajemniczej księgi?

– Bez wątpienia chodzi o rzeczy zapisane przez Wenancjusza. Widzisz przecież, że to nie żaden starodawny pergamin. I muszą to być właśnie notatki spisane przy czytaniu księgi, inaczej Wenancjusz nie pisałby po grecku. Z pewnością przepisał, skracając, zdania, które znalazł w woluminie zabranym z *finis Africae*. Zaniósł go do skryptorium i zaczął czytać, zapisując to, co wydawało mu się godne zapisania. Potem coś się stało. Albo poczuł się źle, albo usłyszał, jak ktoś idzie na górę. Odłożył więc księgę wraz z notatkami pod swój stół, prawdopodobnie obiecując sobie wrócić do niej następnego wieczoru. W każdym razie, tylko wychodząc od tej karty, możemy odtworzyć naturę tajemniczej księgi, a tylko z natury tej księgi możemy się domyślić natury zabójcy. Albowiem w każdej zbrodni popełnionej, by zyskać jakiś przedmiot, natura tego przedmiotu winna dostarczyć nam wyobrażenia, choćby bladego, o naturze mordercy. Jeśli zabija się dla garści złota, mordercą będzie osoba chciwa, jeśli dla księgi, morderca będzie zabiegał, by zachować dla siebie jej sekrety. Trzeba więc dowiedzieć się, co mówi księga, której nie mamy.

– A ty potrafisz z tych niewielu linijek pojąć, o jaką księgę chodzi?

– Drogi Adso, wygląda to na słowa jakiegoś świętego tekstu, którego znaczenie wychodzi poza literę. Kiedy czytałem je tego ranka, po naszej rozmowie z klucznikiem, uderzył mnie fakt, że tutaj także czyni się aluzję do prostaczków i wieśniaków jako nosicieli prawdy odmiennej od prawdy mędrców. Klucznik dał do zrozumienia, że dziwne wspólnictwo łączy go z Malachiaszem. Może Malachiasz ukrył jakiś niebezpieczny heretycki tekst, który Remigiusz mu powierzył? Wówczas Wenancjusz przeczytałby i wynotował jakąś tajemniczą instrukcję dotyczącą wspólnoty ludzi grubiańskich i niegodziwych, zbuntowanych przeciw wszystkiemu i wszystkim. Ale...

– Ale?

– Ale dwa fakty zaprzeczają tej hipotezie. Jeden to ten, że Wenancjusz nie robił wrażenia kogoś, kto byłby zaciekawiony takimi kwestiami; był tłumaczem tekstów greckich, nie zaś głosicielem herezji... Drugi to ten, że zdań takich, jak to o drzewach figowych, kamieniach albo polnych konikach, nie da się wyjaśnić przez tę pierwszą hipotezę...

– Może to są zagadki mające inne znaczenie – podsunąłem. – A może masz jeszcze jakąś hipotezę?

– Mam, ale wciąż jest niejasna. Kiedy czytam tę stronicę, zdaje mi się, że skądś już te słowa znam, i przychodzą mi na myśl zdania podobne, które widziałem gdzie indziej. Wydaje mi się nawet, że ten tekst mówi o czymś, o czym mówiło się już w ubiegłych dniach... Ale nie mogę sobie przypomnieć. Muszę o tym pomyśleć. Może winienem przeczytać inne księgi.

– Jakże to? Żeby wiedzieć, o czym mówi jedna księga, musisz czytać inne?

– Czasem może tak być. Często księgi mówią o innych księgach. Często w księdze nieszkodliwej jest jakby ziarno, które rozkwitnie w księdze niebezpiecznej, albo na odwrót, mamy słodki owoc wyrosły z gorzkiego korzenia. Czyż czytając Alberta, nie mógłbyś się dowiedzieć, co mówi Tomasz? Albo czytając Tomasza, tego, co rzekł Awerroes?

– To prawda – powiedziałem z podziwem. Dotychczas myślałem, że wszelka księga mówi o rzeczach, ludzkich albo Boskich, które są poza księgami. Teraz zdałem sobie sprawę, że nierzadko księgi mówią o księgach albo jakby ze sobą rozmawiają. W świetle tej refleksji biblioteka wydała mi się jeszcze bardziej niepokojąca. Była więc miejscem długiego i wiekowego szeptania, niedostrzegalnego dialogu między pergaminami, czymś żywym, schronieniem sił, których ludzki umysł nie mógł opanować, skarbcem tajemnic pochodzących z mnóstwa umysłów i żyjących po śmierci tych, którzy je wytworzyli albo uczynili się ich pośrednikami.

– Ale w takim razie – rzekłem – czemu służy ukrywanie ksiąg, skoro poprzez księgi jawne można dotrzeć do zakrytych?

– Mierząc wiekami, nie służy niczemu. Mierząc latami i dniami, czemuś jednak służy. Sam widzisz, jacy jesteśmy zagubieni.

– Tak więc biblioteka nie jest narzędziem szerzenia prawdy, tylko ma opóźniać jej ujawnienie? – spytałem zdumiony.

– Nie zawsze i niekoniecznie. Ale w tym wypadku tak.

Dzień czwarty

Seksta

Kiedy to Adso rusza szukać trufli, a znajduje przybywających minorytów, ci rozprawiają długo z Wilhelmem i Hubertynem i dowiadujemy się mnóstwa wielce smutnych rzeczy o Janie XXII

Po tych rozważaniach mój mistrz postanowił nie robić więcej nic. Mówiłem już o tym, że zdarzały mu się takie chwile całkowitego braku aktywności, jakby ustał nieprzerwany cykl ciał niebieskich i on wraz z nim. Tak było i tego ranka. Położył się na sienniku i wpatrywał w pustkę, z dłońmi skrzyżowanymi na piersi, ledwie poruszając wargami, jakby odmawiał modlitwę, ale nieporządnie i bez pobożnego skupienia.

Uznałem, że myśli, i postanowiłem uszanować jego medytację. Powróciłem na dziedziniec i spostrzegłem, że słońce osłabło. Z pięknego i przejrzystego, jakim było rano (a teraz dzień dobiegał już końca swojej pierwszej połowy), przemieniało się w wilgotne i mgliste. Wielkie chmury napływały od północy i ogarniały górną część równi, okrywając ją lekkim oparem. Zdawał się mgłą i może w istocie mgła podchodziła z dołu, ale na tej wysokości trudno było odróżnić mgły, które przybywały z dołu, od tych, które opadały z góry. Coraz trudniej przychodziło wypatrzyć bryły odleglejszych budynków.

Zobaczyłem Seweryna, jak spędzał świniarzy i trochę ich przychówku. Powiedział mi, że chodzą po zboczach góry i w dolinie, szukając trufli. Nie znałem jeszcze tego wyśmienitego owocu leśnego poszycia, który rósł na półwyspie, czarny w Nursji, a w tych stronach – bielszy i wonniejszy, i zdawał się typowy dla ziem benedyktyńskich. Seweryn wyjaśnił mi, co to takiego i jakie jest smaczne, przyrządzone na najrozmaitsze sposoby. I powiedział, że nader trudno go znaleźć, gdyż kryje się pod ziemią, bardziej utajony niż grzyb, i jedynym zwierzęciem zdolnym go wydobyć, idąc za zapachem, jest świnia. Tyle że kiedy go znajdzie, chce pożreć, i trzeba czym prędzej ją odpędzić i wygrzebać samemu. Dowiedziałem się później, że wielu spośród szlachetnie urodzonych nie gardzi takim polowaniem i kroczy za świniami, jakby to były najszlachetniejsze ogary, mając z tyłu służbę, która niesie motyki. Przypominam sobie też, że w latach późniejszych pewien pan z naszych ziem, wiedząc, że znam Italię, zapytał, czy widziałem tam panów pasących wieprze, a ja roześmiałem się, rozumiejąc, iż szli na poszukiwanie trufli. Ale kiedy powiedziałem owemu, że ci panowie zamierzali znaleźć pod ziemią *tar-tufo*, by go potem zjeść, pojął, iż szukali *der Teufel*, czyli diabła, i przeżegnał się nabożnie, patrząc na mnie w osłupieniu. Potem nieporozumienie się wyjaśniło i obaj śmialiśmy się z niego. Takie są czary człowieczych języków, że przez ludzką zgodę oznaczają często tymi samymi dźwiękami rzeczy różne.

Zaciekawiony przygotowaniami Seweryna, postanowiłem pójść za nim, a pojąłem nadto, że oddaje się temu zajęciu, by zapomnieć o smutnych sprawach, które trapiły wszystkich; i pomyślałem, iż pomagając jemu zapomnieć o jego myślach, zdołam może zapomnieć o moich, a przynajmniej utrzymać je na wodzy. Nie ukrywam też – postanowiłem wszak pisać zawsze i tylko prawdę – że wabiła mnie skryta myśl, iż zszedłszy w dolinę, zdołam może zobaczyć kogoś, o kim nie powiem ni słowa. Ale sam sobie, i prawie na głos, oznajmiłem, że ponieważ tego dnia oczekuje się dwóch legacji, może uda mi się zobaczyć z daleka choćby jedną.

W miarę jak schodziliśmy stokiem góry, powietrze się przejaśniało; nie wróciło wprawdzie słońce, gdyż wyższa część nieba brzemienna była chmurami, ale rzeczy widziało się wyraźnie, chmura bowiem pozostała nad naszymi głowami. A nawet, kiedy znaleźliśmy się już bardzo nisko, obejrzałem się, by spojrzeć na szczyt, i nie zobaczyłem nic; począwszy od połowy stoku, górna część tego wzniesienia, wierzchołkowa równia, Gmach – wszystko zniknęło za chmurą.

W ranek naszego przybycia, kiedy byliśmy już wśród gór, pokonawszy jakiś załom, dało się jeszcze dostrzec, w odległości nie większej niż dziesięć mil, mniejszej nawet, morze. Nasza podróż obfitowała w niespodzianki, nagle bowiem wkraczaliśmy na górski taras, który wychodził urwiskiem na piękne zatoki, a zaraz potem zagłębialiśmy się w otchłanne wąwozy, gdzie góry piętrzyły się jedna za drugą, przesłaniając sobie wzajemnie widok odległego wybrzeża, a słońce z trudem przenikało w głąb dolin. Nigdzie, z wyjątkiem tego miejsca w Italii, nie widziałem, by tak ciasno i niespodziewanie mieszały się ze sobą morze i góry, wybrzeże i krajobraz alpejski, i by w wietrze, który wiał poprzez wąwozy, można było dosłuchać się zmagań morskich balsamów i lodowatych powiewów od skał.

Natomiast tego ranka wszystko było szare i prawie mlecznobiałe i skrywało horyzont, nawet kiedy wąwozy otwierały się w stronę odległych wybrzeży. Ale zapóźniam się przy wspomnieniach mało dotyczących sprawy, która nas zajmuje, mój cierpliwy czytelniku. Tak więc nie opowiem o naszym poszukiwaniu *derteufel*. Zajmę się raczej legacją braci mniejszych, którą zobaczyłem pierwszy, więc pobiegłem zaraz do klasztoru, żeby zawiadomić o tym Wilhelma.

Mój mistrz odczekał, aż nowo przybyli wejdą w obręb murów i zostaną zgodnie z rytuałem przywitani przez opata. Potem ruszył na spotkanie gromadki i nastąpiła seria uścisków i braterskich pozdrowień.

Minęła już pora posiłku, ale zastawiono stół dla gości, a opat okazał wielką delikatność, pozwolił im bowiem zasiąść we własnym gronie i sam na sam z Wilhelmem, by wolni od nakazów reguły mogli pożywić się i wymienić wrażenia, zważywszy na to, że w istocie rzeczy chodziło, oby Bóg wybaczył mi niemiłe porównanie, jakby o radę wojenną, która winna odbyć się jak najrychlej, nim nadciągną wojska nieprzyjacielskie, to jest legacją awiniońska.

Nie trzeba mówić, że nowo przybyli spotkali się zaraz z Hubertynem, którego wszyscy pozdrowili ze zdumieniem, rozradowaniem i czcią, należnymi z przyczyny i jego długiej nieobecności, i lęków, jakie towarzyszyły jego zniknięciu, i przymiotów tego śmiałego wojownika, od dziesiątków lat stającego wszak ramię w ramię z nimi do bitwy.

O braciach wchodzących w skład grupy opowiem później, kiedy będę mówił o zgromadzeniu, które odbyło się następnego dnia. Również dlatego, że bardzo mało z nimi rozmawiałem, gdyż pochłonęła mnie rada trzech, która ustaliła się natychmiast w składzie: Wilhelm, Hubertyn i Michał z Ceseny.

Michał musiał być nader osobliwym człekiem: żarliwym w swoim franciszkańskim zapale (miewał czasami gesty i ruchy Hubertyna w momentach mistycznego uniesienia); bardzo jowialnym i ludzkim w swej doczesnej naturze człowieka z Romanii, potrafiącego docenić dobrze zastawiony stół i szczęśliwego, że znalazł się wśród przyjaciół; subtelnym i wymykającym się nagle, roztropnym i zręcznym jak lis, skrytym niby kret, kiedy dotykało się kwestii stosunków między możnymi; zdolnym do wielkich wybuchów śmiechu, do przeżywania chwil żarliwego napięcia, wymownego milczenia; zręcznie odrywającym wzrok od rozmówcy, jeśli pytanie owego wymagało zamaskowania roztargnieniem odmowy udzielenia odpowiedzi.

Co nieco powiedziałem już o nim na stronicach poprzednich, a były to rzeczy zasłyszane od osób, które, być może, same je zasłyszały. Teraz natomiast lepiej pojąłem, dlaczego często zajmuje sprzeczne ze sobą stanowiska i ciągle odmienia zamiar polityczny, czym ostatnimi laty zadziwiał nawet przyjaciół i zwolenników. Jako minister generalny zakonu braci mniejszych był w zasadzie spadkobiercą świętego Franciszka, w istocie zaś spadkobiercą interpretatorów owego; musiał rywalizować w świętości i mądrości z poprzednikiem takim jak Bonawentura z Bagnoregio, musiał zapewnić poszanowanie dla reguły, ale jednocześnie przyszłość zakonowi tak potężnemu i rozpowszechnionemu, musiał słuchać dworów i rad miejskich, one bowiem dawały zakonowi, w formie jałmużny, darów i zapisów, możność rozkwitu i bogactwa; i musiał w tym samym czasie uważać, by potrzeba pokuty nie rzuciła poza zakon najżarliwszych duchowników, rozbijając tym sposobem wspaniałą wspólnotę, której był głową, na konstelację kacerskich band. Musiał przypodobać się papieżowi, cesarzowi, braciom ubogiego żywota, świętemu Franciszkowi, który z pewnością baczył na niego z nieba, ludowi chrześcijańskiemu, który baczył na niego z ziemi. Kiedy Jan potępił jako kacerzy wszystkich duchowników, Michał nie zawahał się oddać w jego ręce pięciu spośród najbardziej buntowniczych braci z Prowansji, pozwalając, by papież posłał ich na stos. Lecz widząc (i chyba swoje znaczenie miały tu zabiegi Hubertyna), że wielu w zakonie sprzyja zwolennikom ewangelicznej prostoty, postępował tak właśnie, by w cztery lata później kapituła w Perugii uznała za swoje dążenia owych spalonych. Naturalnie, starając się włączyć tę potrzebę, która mogła być heretycka, w urządzenia i instytucje zakonu i mając na celu, by tego, czego pragnął teraz zakon, pragnął też papież. Ale choć próbował przekonać papieża, bez którego zgody nie chciał postępować, nie gardził faworami cesarza i cesarskich teologów. Jeszcze dwa lata przed dniem, kiedy go ujrzałem, nakazał swoim braciom, by podczas kapituły generalnej w Lyonie o osobie papieża, wyrażali się zawsze z umiarem i szacunkiem (a to w niewiele miesięcy po tym, jak papież, mówiąc o minorytach, wystąpił przeciw „ich ujadaniu, ich błędom i obłędom"). Ale teraz siedział za stołem, nader przyjaźnie usposobiony, wraz z osobami, które o papieżu wyrażały się z szacunkiem mniejszym niż żaden.

O innych rzeczach już mówiłem. Jan chciał go mieć w Awinionie, on zaś chciał tam się udać i zarazem nie chciał, a spotkanie, jakie odbyło się następnego dnia, miało postanowić co do sposobów i gwarancji owej wyprawy, która nie powinna mieć pozoru aktu uległości, ale też nie powinna wyglądać na akt wyzwania. Nie sądzę, by Michał spotkał kiedykolwiek Jana we własnej osobie, przynajmniej odkąd ów był papieżem. W każdym razie nie widział go od dawna i jego towarzysze pospieszyli odmalować mu w barwach najciemniejszych postać tego przekupnego człeka.

– Jednego musisz się nauczyć – mówił mu Wilhelm – nie ufać jego przysięgom, których zawsze dotrzymuje co do litery, ale gwałci w substancji.

– Wszyscy wiedzą – mówił Hubertyn – co zdarzyło się podczas jego wyboru...

– Nie nazwałbym tego wyborem, lecz narzuceniem – wtrącił jeden ze współbiesiadników, którego później nazywano, słyszałem, Hugonem z Novocastro i który mówił z podobnym akcentem jak mój mistrz. – Już sprawa śmierci Klemensa V nie jest zbyt jasna. Król nie wybaczył mu nigdy, że obiecał wszcząć proces przeciw pamięci Bonifacego VIII, a następnie uczynił wszystko, by nie potępić swojego poprzednika. Jak skonał w Carpentras, nie wie dobrze nikt. Faktem jest, że kiedy kardynałowie zgromadzili się w Carpentras na konklawe, nowego papieża nie wyłonili, albowiem dysputa przeniosła się (i słusznie) na wybór między Awinionem a Rzymem. Nie wiem zbyt dobrze, co zdarzyło się w tamte dni, rzeź – powiedziano mi; i przy tym kardynałowie, którym groził bratanek zmarłego papieża, ich słudzy ukatrupieni, pałac wydany na pastwę ognia, kardynałowie, którzy odwołali się do króla, ten zaś powiada, że nigdy nie chciał, by papież opuścił Rzym, niechże więc czekają cierpliwie i dokonają dobrego wyboru... Potem Filip Piękny umarł, też Bóg jeden wie jak...

– Lub wie to diabeł – rzekł Hubertyn, robiąc znak krzyża, a wszyscy poszli w jego ślady.

– Lub wie to diabeł – zgodził się Hugo z drwiną w głosie. – Krótko mówiąc, nastał nowy król, przeżył osiemnaście miesięcy, umarł; umarł w ciągu niewielu dni również ledwie narodzony następca i tron objął brat króla, regent...

– I jest to właśnie ten Filip V, który gdy był jeszcze hrabią Poitiers, zebrał kardynałów, którzy uciekali z Carpentras – rzekł Michał.

– W istocie – ciągnął Hugo. – Zasadził ich do konklawe w Lyonie w klasztorze dominikanów, przysięgając, że bronić będzie bezpieczeństwa i że nie staną się jego więźniami. Ledwie jednak zdali się na jego łaskę, nie tylko wziął ich pod klucz (co jest w końcu zwyczajem słusznym), lecz także zmniejszał im z dnia na dzień racje pożywienia, aż do czasu, kiedy podejmą postanowienie. I każdemu obiecał podtrzymywać go w dążeniu do stolca. Kiedy później zasiadł na tronie, kardynałowie, znużeni dwuletnim więzieniem, lękając się, że zostaną tam do końca życia, źle żywieni, zgodzili się na wszystko, żarłoki, wynosząc na Stolicę Piotrową tego ponadsiedemdziesięcioletniego karła...

– Karła z pewnością – roześmiał się Hubertyn – i z wyglądu suchotnika, lecz mocniejszego i sprytniejszego, niż się sądziło!

– Syn szewca! – mruknął pod nosem jeden z legatów.

– Chrystus był synem cieśli! – napomniał go Hubertyn – Nie w tym rzecz. Jest to człek wykształcony, studiował prawo w Montpellier i medycynę w Paryżu, umiał podtrzymywać swoje przyjaźnie w odpowiedni sposób, by zyskać tron biskupi i kardynalski kapelusz, gdy wydało mu się to dogodne, a kiedy został doradcą Roberta Mądrego w Neapolu, wielu zadziwił przenikliwością. A jako biskup Awinionu dawał tylko słuszne rady (słuszne – powiadam – dla celów tego nędznego przedsięwzięcia) Filipowi Pięknemu, by zniszczyć templariuszy. A po wyborach zdołał uniknąć spisku kardynałów, którzy chcieli go zabić... Ale nie o tym miałem powiedzieć; mówiłem o jego zręczności w zdradzaniu przysiąg tak, by nikt nie oskarżył go o krzywoprzysięstwo. Kiedy został wybrany, i żeby zostać wybrany, obiecał kardynałowi Orsiniemu, że przeniesie stolicę papieską do Rzymu, i przysiągł na poświęconą hostię, że jeśli nie dotrzyma swojej obietnicy, nie wsiądzie już na konia ni muła. I wiecie, co ten lis uczynił? Kiedy kazał się intronizować w Lyonie (wbrew woli króla, który chciał, żeby ceremonia odbyła się w Awinionie), podróż z Lyonu do Awinionu odbył statkiem!

Wszyscy bracia roześmieli się. Papież był krzywoprzysięzcą, ale nie można mu było odmówić pewnej pomysłowości.

– To bezwstydnik – skomentował Wilhelm. – Czy Hugo nie powiedział, że nawet nie próbował ukryć złej woli? Czyż nie ty, Hubertynie, opowiadałeś mi, co powiedział Orsiniemu w dniu przybycia do Awinionu?

– Oczywiście – odparł Hubertyn. – Powiedział mu, iż niebo Francji jest tak piękne, że nie widzi, czemu miałby postawić stopę w mieście tak pełnym ruin jak Rzym. I że ponieważ papież, jako Piotr, ma prawo zawiązywać i rozwiązywać, on teraz z tej władzy korzysta i postanawia pozostać tam, gdzie jest i gdzie tak mu dobrze. A kiedy Orsini chciał mu przypomnieć, że jego obowiązkiem jest mieszkać na watykańskim wzgórzu, przywołał go oschle do posłuszeństwa i przeciął dyskusję. Ale na tym historia przysięgi się nie skończyła. Kiedy zszedł ze statku, powinien dosiąść białego konia przed kardynałami na koniach czarnych, jak chce tradycja. Poszedł jednak do pałacu biskupiego na piechotę. Nie wiem, czy naprawdę nie dosiadł już nigdy konia. I po tym człowieku, Michale, oczekujesz, że dotrzyma wiary poręczeniom, jakie ci da?

Michał siedział długo w milczeniu. Potem rzekł:

– Mogę zrozumieć pragnienie papieża, by pozostać w Awinionie, i nie odmawiam mu tego. Ale i on nie będzie mógł podać w wątpliwość naszego pragnienia ubóstwa i naszej interpretacji przykładu Chrystusa.

– Nie bądź naiwny, Michale – wtrącił się Wilhelm. – Twoje, nasze pragnienie rzuca ponure światło na pragnienie, które on żywi. Musisz zdać sobie sprawę z tego, że od wieków nie zasiadał na papieskim stolcu człek tak chciwy. Wszetecznice Babilonu, przeciw którym grzmiał jakiś czas temu nasz Hubertyn, znieprawieni papieże, o których mówili poeci twojego kraju, jak ów Alighieri, byli łagodnymi i wstrzemięźliwymi jagniętami w porównaniu z Janem. To złodziejska sroka, żydowski lichwiarz, w Awinionie więcej się handluje niż we Florencji! Dowiedziałem się o haniebnym targu z siostrzeńcem Klemensa, Bertrandem de Goth, tym od rzezi w Carpentras (kiedy to między innymi kardynałowie stali się lżejsi o wszystkie swoje klejnoty); ten położył rękę na skarbie stryjca, wcale nie małym, uwagi zaś Jana nie uszło nic z tego, co zostało skradzione (w *Cum venerabiles* wylicza dokładnie monety, naczynia ze złota i ze srebra, księgi, dywany, cenne kamienie, paramenty...). Jan jednak udał, że nie wie, iż w ręce Bertranda trafiło podczas złupienia Carpentras ponad półtora miliona złotych florenów, i kwestionował jeno dalsze trzydzieści tysięcy florenów, które Bertrand, jak sam wyznał, otrzymał od stryjca na „pobożny cel", to jest na krucjatę. Ustalono, że zachowa połowę sumy na krucjatę, druga zaś połowa pójdzie do stolicy papieskiej. Bertrand nigdy nie ruszył na krucjatę, w każdym razie nie ruszył po dziś dzień, a papież nie zobaczył ani florena...

– Nie jest więc taki zręczny – zauważył Michał.

– To jedyny raz, kiedy dał się wywieść w pole w sprawach pieniężnych – powiedział Hubertyn. – Winieneś dobrze wiedzieć, z jakiego gatunku kupcem będziesz miał do czynienia. We wszystkich innych przypadkach bowiem okazał diabelską zręczność w zagarnianiu pieniędzy. To król Midas, który wszystko, czego się tknie, zamienia w złoto spływające do kas Awinionu. Za każdym razem, kiedy wchodziłem do jego apartamentów, zastawałem tam bankierów, wymieniających monety, i stoły zawalone złotem, i kleryków, którzy liczyli i układali w słupki floreny... I zobaczysz, jaki pałac kazał sobie wybudować, pełen bogactw, które niegdyś przypisywano tylko cesarzowi Bizancjum albo wielkiemu chanowi Tatarów. I teraz pojmujesz, czemu wydał wszystkie te bulle przeciw idei ubóstwa. Czy wiesz, że skłonił dominikanów, niechętnych naszemu zakonowi, by wyrzeźbili Chrystusa w królewskiej koronie, tunice z purpury i złota i w bogatym obuwiu? W Awinionie wystawiono krucyfiksy z Jezusem przybitym jedną tylko ręką, bo drugą trzyma sakiewkę zawieszoną u pasa, by wskazać, że On godzi się na użycie pieniędzy dla celów religijnych...

– O bezwstydnik! – wykrzyknął Michał. – Ależ to czyste bluź-nierstwo!

– Dołożył trzecią koronę do papieskiej tiary – ciągnął Wilhelm. – Czyż nie tak, Hubertynie?

– Oczywiście. Z początkiem milenium papież Hildebrand przyjął jedną, z napisem: *Corona regni de manu Dei**, niesławny Bonifacy dodał niedawno drugą, pisząc na niej: *Diadema imperii de manu Petri***, Jan zaś udoskonalił tylko symbol: władza duchowa, doczes-na i kościelna. Symbol królów perskich, symbol pogański...

Był wśród nich brat, który dotychczas trwał w milczeniu, zajęty pochłanianiem z wielkim nabożeństwem godziwej wielce spyży, którą opat kazał podać do stołu. Nastawiał z roztargnieniem ucho na roz-maite dyskusje, wydając z siebie co jakiś czas sarkastyczny śmiech pod adresem papieża albo pomruk aprobaty na wykrzykniki oburze-nia, jakich nie szczędzili współbiesiadnicy. Ale co do reszty baczył, by oczyścić sobie brodę z sosów i kawałków mięsiw, które wypadały z ust bezzębnych, ale żarłocznych, a jeśli kiedy kierował jakieś sło-wa do któregoś z sąsiadów, to po to, by pochwalić wyborny smak jakiegoś specyjału. Dowiedziałem się później, że był to messer Hie-ronim, ów biskup z Kaffy, którego Hubertyn parę dni temu uważał za zmarłego (a muszę powiedzieć, że nowina, jakoby zmarł był dwa lata wcześniej, krążyła jako wieść prawdziwa po całym świecie chrze-ścijańskim nader długo, słyszałem ją bowiem nawet później; i rze-czywiście umarł w kilka miesięcy po tym naszym spotkaniu, a nadal myślę, że umarł z wielkiego gniewu, jakim zgromadzenie z następ-nego dnia przepoiło jego ciało, gdyż prawie wydawało mi się, iż pęk-nie ze złości od razu i nagle, tak słaby był na ciele i tyle było w nim żółci).

Wtrącił się w tym momencie do dysputy, mówiąc z pełnymi ustami:

– A poza tym wiecie, że ten infamis opracował konstytucję o *ta-xae sacrae poenitentiariae**, w której spekuluje na grzechach osób

_____

* Korona królestwa z ręki Boga (łac.).
* Diadem imperium z ręki Piotra (łac.).
* Taksach świętego trybunału sądowego (łac.).

duchownych, by wydrzeć z nich więcej pieniędzy. Jeśli duchowny popełni grzech cielesny z mniszką, krewną albo nawet z jakąkolwiek niewiastą (gdyż tak też się zdarza!), będzie mógł być rozgrzeszony dopiero, kiedy wypłaci sześćdziesiąt siedem liwrów złotych i dwanaście solidów. A gdy popełni jaką sodomię, kosztować go to będzie ponad dwieście liwrów, ale jeśli popełni ją z dzieckiem jeno lub zwierzęciem, nie zaś z kobietą, grzywna zostanie zmniejszona o sto liwrów. Mniszka, która oddała się wielu mężczyznom, bądź jednocześnie, bądź w chwilach różnych, poza klasztorem lub w jego obrębie, a później chciałaby zostać opatessą, winna zapłacić sto trzydzieści jeden liwrów złotych i piętnaście solidów...

– No, no, messer Hieronimie – zaprotestował Hubertyn – wiesz, jak mało kocham papieża, ale w tej sprawie muszę go bronić! Jest to kalumnia puszczona w obieg w Awinionie, nigdy takiej konstytucji nie widziałem!

– Jest – potwierdził energicznie Hieronim. – Ja też jej nie widziałem, ale jest.

Hubertyn potrząsnął głową, a inni zamilkli. Zdałem sobie sprawę, że przywykli nie brać zbyt poważnie messer Hieronima, którego poprzedniego dnia Wilhelm określił jako głupca. W każdym razie właśnie Wilhelm podjął rozmowę.

– Tak czy owak, czy ta pogłoska jest prawdziwa, czy fałszywa, mówi nam, jaki jest klimat moralny w Awinionie, gdzie każdy, wyzyskiwany i wyzyskiwacz, wie, iż żyć mu przyszło na targu raczej niż na dworze przedstawiciela Chrystusa. Kiedy Jan wstąpił na tron, mówiło się o skarbie wynoszącym sześćdziesiąt tysięcy złotych florenów, a teraz niektórzy mówią, że zgromadził ponad dziesięć milionów.

– To prawda – powiedział Hubertyn. – Michale, Michale, nie wiesz nawet, jak bezwstydne rzeczy musiałem oglądać w Awinionie!

– Postarajmy się być uczciwi – rzekł Michał. – Wiemy, że także nasi przekraczali miarę. Doszły mnie słuchy o franciszkanach, którzy zbrojnie atakują klasztory dominikańskie i grabią nieprzyjaznych braci, by narzucić im ubóstwo... Dlatego właśnie nie śmiałem przeciwstawić się Janowi w czasach owych spraw z Prowansji... Chcę dojść z nim do zgody, nie upokorzę jego dumy, zażądam tylko, by nie upokarzał naszej pokory. Nie będę mu mówił o pieniądzach, zażądam jeno, by przystał na zdrową interpretację Pisma. I tak też winniśmy czynić z jego legatami jutro. W końcu to teologowie i nie wszyscy będą drapieżni jak Jan. Kiedy ludzie mądrzy przedyskutują sprawę interpretacji Pisma, nie będzie mógł...

– On? – przerwał Hubertyn. – Ależ ty nie znasz jego szaleństw na polu teologicznym. On naprawdę chce zawiązywać wszystko własną ręką, w niebie i na ziemi. Widzieliśmy, co czynił na ziemi. Co się zaś tyczy nieba... Cóż, nie obwieścił jeszcze myśli, o których ci mówię, przynajmniej publicznie, ale wiem z całą pewnością, że szeptał o nich ze swoimi zaufanymi. Opracowuje właśnie pewne szalone, jeśli nie przewrotne propozycje, które zmieniłyby samą substancję doktryny i odebrały wszelką siłę naszemu nauczaniu!

– Jakie? – rozległy się głosy.

– Spytajcie Berengara, on wie, mówił mi o nich. – Hubertyn obrócił się w stronę Berengara Talloniego, który w ubiegłych latach był jednym z najbardziej stanowczych przeciwników papieża na jego własnym dworze. Wyruszył z Awinionu i dwa dni temu dołączył do grupy franciszkanów, by wraz z nimi przybyć do opactwa.

– Jest to historia niejasna i prawie nie do wiary – oznajmił Berengar. – Jak się zdaje, Janowi przyszło do głowy, że sprawiedliwi będą radować się błogą wizją dopiero po Sądzie. Od jakiegoś czasu rozmyśla nad dziewiątym wersetem z szóstego rozdziału Apokalipsy, nad tym, gdzie mówi się o otwarciu piątej pieczęci; kiedy to pod ołtarzem ukazują się ci, którzy byli zabici za świadczenie słowu Bożemu, i proszą o sprawiedliwość. Każdemu dana jest biała suknia i powiedziane, by jeszcze trochę cierpliwie poczekał... To znak, wywodzi Jan, że Boga w jego esencji ujrzą dopiero, kiedy spełni się końcowy sąd.

– Ale komu powiedział o tych rzeczach? – zapytał Michał z przygnębieniem.

– Dotąd garstce najbliższych, lecz pogłoska się rozeszła; powiadają, że Jan przygotowuje się do wystąpienia publicznego, nie zaraz, może za kilka lat, radzi się teologów...

– Ach, ach! – roześmiał się szyderczo Hieronim, nie przestając żuć.

– Nie tylko, zdaje się, że chce pójść dalej i twierdzić, że także piekło przed tym dniem nie będzie otwarte... Nawet dla diabłów.

– Panie Jezu, pomóż! – wykrzyknął Hieronim. – I cóż powiemy grzesznikom, skoro nie możemy zagrozić im piekłem natychmiastowym, jak tylko zejdą z tego świata?

– Jesteśmy w rękach szaleńca – rzekł Hubertyn. – Ale nie pojmuję, czemu chce wspierać takie twierdzenia...

– Pójdzie z dymem cała doktryna odpustów – lamentował Hieronim – i nawet on nie znajdzie już na nie kupca. Po cóż ksiądz, który zgrzeszył sodomią, miałby płacić tyle złotych liwrów, by uniknąć kary równie odległej?

– Nie tak bardzo odległej – rzekł z siłą Hubertyn. – Czasy są bliskie!

– Ty wiesz o tym, drogi bracie, lecz prostaczkowie nie. Oto jak stoją sprawy! – wykrzyknął Hieronim, który zrobił minę, jakby jedzenie przestało mu smakować. – Cóż za zgubna myśl, to oni musieli mu nią nabić głowę, bracia predykanci... Ach! – I potrząsnął głową.

– Ale dlaczego? – dopytywał się Michał z Ceseny.

– Nie sądzę, by była jakaś przyczyna – odparł Wilhelm. – To dowód, że pozwala sobie na akt dumy. Chce naprawdę być tym, który decyduje w niebie i na ziemi. Wiedziałem o tych pogłoskach, pisał o nich Wilhelm Ockham. Zobaczymy, czy dopnie swego papież, czy teologowie, głos całego Kościoła, pragnienie ludu Bożego, biskupów...

– Och, w materii doktrynalnej zdoła rzucić na kolana także teologów – rzekł zasmucony Michał.

– To nie jest powiedziane – odparł Wilhelm. – Żyjemy w czasach, kiedy uczeni w rzeczach Boskich nie obawiają się głosić, że papież jest heretykiem. Uczeni w rzeczach Boskich są w pewien sposób głosem chrześcijańskiego ludu, przeciw któremu nawet papież nie będzie mógł pójść.

– To źle, to jeszcze gorzej – szepnął przerażony Michał. – Z jednej strony szalony papież, z drugiej lud Boży, który, choćby tylko przez usta swoich teologów, będzie wkrótce rościł sobie prawo do samowolnego interpretowania Pisma...

– Dlaczego? Cóż innego uczyniliście w Perugii? – zapytał Wilhelm.

Michał wzdrygnął się, jakby dotknięty do żywego.

– Z tego właśnie względu chcę spotkać się z papieżem. Nic nie możemy, jeśli on najprzód nie wyrazi zgody.

– Zobaczymy, zobaczymy – rzekł Wilhelm zagadkowo.

Mój mistrz był doprawdy bardzo bystry. Jak zdołał przewidzieć, że sam Michał postanowi kiedyś oprzeć się na teologach cesarstwa i na ludzie, by potępić papieża? Jak zdołał przewidzieć, że kiedy cztery lata później Jan po raz pierwszy ogłosi swą niewiarygodną naukę, część chrześcijaństwa powstanie przeciw niemu? Jeśliby niebiańska wizja została do tego stopnia odsunięta w przyszłość, jakże zmarli mogliby się wstawiać za żywymi? I czym skończyłby się kult świętych? Właśnie minoryci pierwsi podejmą nieprzyjazne kroki, potępiając papieża, a Wilhelm Ockham stanie na czele szeregów, surowy i nieubłagany w swoich racjach. Walka potrwa trzy lata, aż Jan, bliski już śmierci, dokona częściowej poprawki. Słyszałem, jak wiele lat później mówiono, że ukazał się na konsystorzu w grudniu 1334 roku, mniejszy, niż wydawał się dotychczas, wysuszony przez wiek, dziewięćdziesięcioletni i umierający, blady na twarzy, i powiedział (lis, tak zręczny w igraniu słowami nie tylko, by pogwałcić własne przysięgi, ale również, by zaprzeczyć temu, przy czym się upierał): „Wyznajemy i wierzymy, że dusze oddzielone od ciała i całkowicie oczyszczone są w niebie, w raju, razem z aniołami i z Jezusem Chrystusem, i że widzą Boga w Jego Boskiej esencji, wyraźnie i twarzą w twarz...", potem zaś, po przerwie, a nikt nie wiedział, czy spowodowanej trudnością w oddychaniu, czy też przewrotnym pragnieniem, by podkreślić ostatnią klauzulę jako przeciwstawną, dodał: „...w tej mierze, w jakiej stan i kondycja duszy oddzielonej na to pozwalają". Następnego ranka, a była niedziela, kazał, by ułożono go na wydłużonym fotelu o pochyłym oparciu, przyjął pocałowanie dłoni od swoich kardynałów i umarł.

Ale znowu odbiegam od tematu i opowiadam nie o tym, o czym opowiadać winienem. Również dlatego, że w gruncie rzeczy reszta tej rozmowy przy stole niewiele dodaje do zrozumienia spraw, o których tutaj mowa. Minoryci uzgodnili, jaką postawę przyjąć następnego dnia. Ocenili po kolei swoich przeciwników. Z troską skomentowali podaną przez Wilhelma wiadomość o przybyciu Bernarda Gui. A z jeszcze większą fakt, że legacji awiniońskiej będzie przewodniczył kardynał Bertrand z Poggetto. Dwóch inkwizytorów to zbyt wiele; znak, że chce się użyć przeciw minorytom oskarżenia o herezję.

– Trudno – oznajmił Wilhelm – będziemy więc ich także traktować jako heretyków.

– Nie, nie – rzekł Michał. – Postępujmy ostrożnie, nie możemy narażać się na to, że chybimy jaką okazję do zgody.

– Chociaż pracowałem nad tym, by spotkanie doszło do skutku, i wiesz o tym, Michale – odparł Wilhelm – nie mogę uwierzyć, żeby awiniończycy przybyli tutaj dla osiągnięcia jakiegoś pozytywnego wyniku. Jan chce mieć ciebie w Awinionie, samego i bez żadnych gwarancji. Ale to spotkanie będzie miało przynajmniej ten rezultat, że to właśnie pojmiesz. Byłoby gorzej, gdybyś pojechał, zanim doświadczysz tego na własnej skórze.

– Tak więc trudziłeś się, i to przez wiele miesięcy, by dokonać rzeczy, którą uważasz za niepotrzebną – powiedział z goryczą Michał.

– Prosił mnie o to cesarz, prosiłeś ty – odparł Wilhelm. – A zresztą, lepiej poznać swoich nieprzyjaciół nigdy nie jest rzeczą niepotrzebną.

W tym miejscu przybyli zawiadomić nas, że w obręb murów wkracza drugie poselstwo. Minoryci wstali i wyszli naprzeciw ludziom papieża.

Dzień czwarty

Nona

*Kiedy to przybywają kardynał z Poggetto, Bernard Gui
i inne osoby z Awinionu, a potem każdy robi, co chce*

Ludzie, którzy znali się już od dawna, i tacy, którzy nie znając
się, słyszeli jedni o drugich, pozdrowili się na dziedzińcu z pozorną
przychylnością. Kardynał z Poggetto poruszał się u boku opata jak
człowiek oswojony z władzą, prawie jakby był drugim papieżem,
i rozdzielał wszystkim, a zwłaszcza minorytom, serdeczne uśmie-
chy, wyrażając pragnienie, by następnego dnia doszło do cudownych
porozumień, i przekazując wyraźnie życzenie pokoju i dobra (spe-
cjalnie użył wyrażenia tak drogiego franciszkanom) od Jana XXII.

– Świetnie, świetnie – rzekł mi, kiedy Wilhelm zechciał w dobroci swojej przedstawić mnie jako swojego pisarza i ucznia. Potem zapytał, czy znam Bolonię, i zachwalał mi jej uroki, dobre jedzenie
i wspaniały uniwersytet, zachęcając, bym tam złożył wizytę, zamiast
wracać pewnego dnia, jak rzekł, między tych moich Niemców, którzy tylu cierpień przysparzają naszemu panu, papieżowi. Potem podsunął mi pierścień do pocałowania i już odwracał swoją uśmiechnię-
tą twarz do kogo innego.

Z drugiej strony moją uwagę przykuła od razu osobistość, o której najwięcej w tych dniach mówiono: Bernard Gui, jak nazywają go
Francuzi, albo Bernardo Guidoni czy Bernardo Guido, jak nazywają
go gdzie indziej.

Był to dominikanin mniej więcej siedemdziesięcioletni, szczu-
pły, ale prostej postawy. Uderzyły mnie jego oczy, szare, zimne, umie-
jące wpatrywać się bez żadnego wyrazu, jak też – i widziałem to
wiele razy – rzucać wieloznaczne błyski, zdolne bądź ukrywać myśli
i namiętności, bądź wyrażać je według woli.

W ogólnej wymianie pozdrowień nie był jak inni serdeczny
i wylewny, lecz zawsze, i ledwie, uprzejmy. Kiedy ujrzał Hubertyna,
którego już znał, był wobec niego uprzedzająco grzeczny, ale przypatrywał mu się w taki sposób, że poczułem dreszcz zaniepokojenia.
Kiedy pozdrowił Michała z Ceseny, na twarz przywołał uśmiech trudny do odcyfrowania i mruknął bez śladu serdeczności: „Czekamy
tam na ciebie od dawna", w czym nie zdołałem pochwycić ani śladu
pragnienia, ani cienia ironii, ani nakazu, ani zresztą odcienia zainteresowania. Podszedł do Wilhelma i kiedy dowiedział się, kim ów

jest, spojrzał nań z wyszukaną wrogością; lecz nie dlatego, że twarz zdradzała jego tajemne uczucia, tego byłem pewien (chociaż nie miałem pewności, czy ten człek żywi kiedykolwiek jakieś uczucia), ale z pewnością dlatego, że chciał, by Wilhelm tę wrogość poczuł. Wilhelm odwzajemnił mu się uśmiechem przesadnie serdecznym, mówiąc: „Od dawna pragnąłem poznać człowieka, którego sława stała się dla mnie nauką i napomnieniem w wielu ważnych postanowieniach, jakimi natchnione było moje życie". Zdanie bez wątpienia pochwalne i prawie pochlebne dla kogoś, kto nie wiedział – a Bernard wszak wiedział doskonale – że jednym z najważniejszych postanowień w życiu Wilhelma było porzucenie profesji inkwizytora. Miałem wrażenie, że Wilhelm chętnie ujrzałby Bernarda w cesarskich lochach, a Bernard z pewnością byłby rad, widząc Wilhelma powalonego nagłą śmiercią; a ponieważ Bernard miał w tych dniach pod swoim dowództwem zbrojnych, zląkłem się o życie mojego dobrego mistrza.

Bernard zapewne dowiedział się już od opata o zbrodniach popełnionych w opactwie. W istocie, udając, że nie dostrzega jadu skrytego w zdaniu Wilhelma, rzekł mu:

– Zdaje się, że w tych dniach, na prośbę opata i z racji obowiązku powierzonego mi w warunkach ugody, która zgromadziła nas tutaj, będę musiał zająć się nader smutnymi sprawami, wydającymi z siebie zapach szkaradny i diabelski. Mówię ci o tym, albowiem wiem, że w odległych czasach, kiedy pozostawałeś bliżej mnie, a nawet u mego boku – i u boku takich jak ja – walczyłeś na tym polu, na którym starły się w bitwie wojska zła z wojskami dobra.

– Rzeczywiście – powiedział spokojnie Wilhelm – ale potem przeszedłem na tę drugą stronę.

Bernard dzielnie przyjął cios.

– Czy możesz powiedzieć mi coś pożytecznego o tych zbrodniczych sprawach?

– Na nieszczęście nie – odparł uprzejmie Wilhelm. – Nie mam twego doświadczenia na polu zbrodni.

Potem straciłem wszystkich z oczu. Wilhelm, po kolejnej rozmowie z Michałem i Hubertynem, udał się do skryptorium. Poprosił Malachiasza o pozwolenie przejrzenia pewnych ksiąg, których tytułów nie udało mi się zapamiętać. Malachiasz przyjrzał mu się dziwnym wzrokiem, ale nie mógł odmówić. Osobliwe, że nie musiał szukać ich w bibliotece. Mój mistrz zagłębił się w lekturze, toteż postanowiłem, że nie będę mu przeszkadzał.

Zszedłem do kuchni. Zobaczyłem tam Bernarda Gui. Może chciał obejrzeć rozkład opactwa i krążył to tu, to tam. Usłyszałem, jak wypytywał kucharzy i inną służbę, mówiąc jako tako miejscowym narzeczem pospolitym (przypomniałem sobie, że był inkwizytorem w północnej Italii). Wydało mi się, że zasięga informacji co do zbiorów i urządzenia pracy w klasztorze. Ale również, zadając najniewinniejsze pytania, przyglądał się swemu rozmówcy przenikliwie, a potem ni z tego, ni z owego stawiał kolejne pytanie i oto jego ofiara bladła i zaczynała się jąkać. Wywnioskowałem stąd, że w jakiś osobliwy sposób prowadzi śledztwo inkwizycyjne i korzysta z groźnego oręża, który ma i którym włada każdy inkwizytor pełniący swe obowiązki: ze strachu, jaki może wzbudzić w bliźnim. Albowiem każdy, kto zostanie poddany inkwizycji, ze strachu, że może być o coś posądzony, mówi zwykle inkwizytorowi to, co może posłużyć do skierowania podejrzeń na kogoś innego.

Przez resztę popołudnia, błądząc po opactwie, widziałem, jak Bernard ten sam sposób postępowania stosuje to przy młynach, to znów na dziedzińcu. Ale prawie nigdy nie rozmawiał z mnichami, zawsze z braćmi świeckimi i wieśniakami. Przeciwnie niż do tej pory postępował Wilhelm.

Dzień czwarty

Nieszpór

Kiedy to Alinard przekazuje Wilhelmowi cenne, jak się zdaje,
wiadomości, a Wilhelm ujawnia swoją metodę docierania do
prawdy możliwej poprzez szereg niewątpliwych błędów

Później Wilhelm zszedł w dobrym humorze ze skryptorium. Czekając na porę wieczerzy, odnaleźliśmy w krużgankach Alinarda. Przypomniawszy sobie o jego prośbie, już dzień przedtem wziąłem z kuchni groch i teraz mu go dałem. Podziękował, umieszczając ziarnka w bezzębnych i zaślinionych ustach.

– Widziałeś, chłopcze – rzekł – te zwłoki też leżały tam, gdzie zapowiadała księga... Czekaj teraz na czwartą trąbę.

Zapytałem, skąd wzięła mu się myśl, że klucz do ciągu zbrodni jest w księdze objawień. Spojrzał na mnie zdumiony.

– Księga Jana daje klucz do wszystkiego! – I dodał z grymasem urazy: – Wiedziałem o tym i mówiłem od dawna... To ja, wiesz, podsunąłem opatowi... tamtemu opatowi... by zebrał możliwie najwięcej komentarzy do Apokalipsy. Ja powinienem był zostać bibliotekarzem... Ale potem tamten uzyskał, że wysłano go do Silos, gdzie znalazł najpiękniejsze manuskrypty, i wrócił ze wspaniałą zdobyczą... Och, wiedział, gdzie szukać, mówił też językiem niewiernych... Więc jemu powierzono bibliotekę, nie mnie. Lecz Bóg go pokarał i sprawił, że przed swoim czasem wkroczył do królestwa ciemności. Ha, ha! – roześmiał się złym śmiechem ten starzec, który dotychczas zdał mi się pogrążony w spokoju sędziwego wieku, podobny niewinnemu dziecku.

– Kim był ten, o którym mówisz? – zapytał Wilhelm.

Spojrzał na nas osłupiały.

– O kim mówiłem? Nie pamiętam... to było tak dawno. Lecz Bóg karze, Bóg zaciera, Bóg zaciemnia nawet wspomnienia. Wiele aktów pychy popełniono w bibliotece. Szczególnie odkąd wpadła w ręce cudzoziemców. Bóg karze nadal...

Nie zdołaliśmy wydobyć z niego nic więcej, zostawiliśmy go zatem z jego cichym i obrażonym majaczeniem, a Wilhelm, wielce zaciekawiony tą rozmową, rzekł mi:

– Alinard to człowiek, którego trzeba słuchać. Za każdym razem, kiedy się odzywa, mówi coś interesującego.

– Cóż powiedział tym razem?

304

– Adso – rzekł Wilhelm – rozwikłanie tajemnicy to nie to samo, co dedukowanie z pierwszych zasad. I nie jest nawet równoważne zbieraniu licznych danych poszczególnych, by potem wydobyć z nich prawo ogólne. Oznacza raczej, że człowiek znajduje jedną, dwie lub trzy dane poszczególne, z pozoru niemające ze sobą nic wspólnego, i stara się wyobrazić sobie, czy każda z nich może być przypadkiem prawa ogólnego, którego jeszcze nie zna i które, być może, nigdy nie zostało wypowiedziane. Zapewne, jeśli wiesz, jak rzecze filozof, że człowiek, koń i muł nie pamiętają uraz i żyją długo, możesz podjąć próbę i wypowiedzieć zasadę, według której zwierzęta niepamiętające uraz żyją długo. Ale weźmy przypadek zwierząt rogatych. Po co im rogi? Nagle dostrzegasz, że wszystkie zwierzęta z rogami nie mają zębów w górnej szczęce. Byłoby to piękne odkrycie, gdybyś nie zdawał sobie sprawy, że, niestety, są zwierzęta bez zębów w górnej szczęce, a jednak bezrogie, jak wielbłąd. Wreszcie spostrzegasz, że wszystkie zwierzęta bez zębów w szczęce górnej mają dwa żołądki. No dobrze, możesz sobie wyobrazić, że jeśli ktoś ma za mało zębów, żuje źle, potrzebuje więc dwóch żołądków, by lepiej przetrawić pokarm. Ale rogi? Próbujesz więc wymyślić materialną przyczynę rogów, powiadającą, że brak zębów daje zwierzęciu nadmiar materii kostnej, która gdzieś musi się podziać. Ale czy jest to wyjaśnienie wystarczające? Nie, gdyż wielbłąd nie ma zębów górnych, ma dwa żołądki, ale rogów nie ma. Musisz więc wymyślić również przyczynę celowościową. Materia kostna wyłania się jako rogi jedynie u zwierząt, które nie mają innych sposobów obrony. Natomiast wielbłąd ma nader twardą skórę i nie potrzebuje rogów. Prawo więc mogłoby brzmieć...

– Ale co rogi mają tu do rzeczy? – zapytałem zniecierpliwiony. – I czemu zajmujesz się zwierzętami rogatymi?

– Ja nigdy się nimi nie zajmowałem, ale biskup Lincolnu owszem, idąc w tym za myślą Arystotelesa. Uczciwie mówiąc, nie wiem, czy powody, które znalazł, są właściwe; nigdy też nie sprawdzałem, gdzie wielbłąd ma zęby i ile żołądków. Lecz chciałem ci powiedzieć, że poszukiwanie praw wyjaśniających w zakresie faktów naturalnych przebiega w sposób kręty. W obliczu pewnych faktów niedających 'ı się wyjaśnić musisz spróbować wymyślić wiele praw ogólnych, których koneksji z faktami ciebie zajmującymi jeszcze nie widzisz; i w nagłym związku jakiegoś rezultatu, przypadku lub prawa rysuje ci się rozumowanie, bardziej w twym mniemaniu przekonywające od innych. Próbujesz zastosować je do wszystkich przypadków podobnych, używać do snucia przewidywań, i oto odkrywasz, że odgadłeś. Ale do samego końca nie będziesz wiedział, które predykaty wprowadzić do twojego rozumowania, a które odrzucić. Tak też czynię teraz ja. Ustawiam w szereg mnóstwo elementów bez związku i wysuwam hipotezy. Ale muszę wysunąć ich dużo i liczne są tak niedorzeczne, że wstydziłbym się o nich mówić. Widzisz, w przypadku konia, Brunellusa, kiedy zobaczyłem ślady, wysunąłem liczne hipotezy uzupełniające się i sprzeczne ze sobą; mógł to być uciekający koń, mogło być tak, że na tym pięknym koniu opat jechał w dół po zboczu, albo tak, że jeden koń, Brunellus, zostawił ślady na śniegu, inny zaś, Favellus, dzień wcześniej włosie na krzaku, a gałązki połamali ludzie. Nie wiedziałem, która hipoteza jest słuszna, aż zobaczyłem, jak klucznik i słudzy rozglądają się z niepokojem. Wówczas pojąłem, że tylko hipoteza z Brunellusem była dobra, i spróbowałem sprawdzić, czy jest dobra, nagabując mnichów tak, jak to uczyniłem. Wygrałem, ale mogłem przegrać. Tamci uznali mnie za mądrego, gdyż wygrałem, ale nie wiedzieli o wielu przypadkach, w których zostałem zbity z tropu, bo przegrałem, i nie wiedzieli, że kilka sekund wcześniej nie byłem pewny, czy nie przegram. Otóż w związku z wydarzeniami w opactwie mam wiele pięknych hipotez, lecz nie ma żadnego oczywistego faktu, bym mógł orzec, która jest najlepsza. Nie chcąc więc wyjść na głupca później, wyrzekam się okazania, że jestem bystry teraz. Pozwól mi jeszcze pomyśleć, przynajmniej do jutra.

W tym momencie pojąłem, jaki jest sposób rozumowania mojego mistrza, i wydał mi się zgoła nieprzylegający do tego sposobu, w jaki filozof rozmyśla nad zasadami pierwszymi, tak by jego umysł kroczył prawie ścieżkami umysłu Boskiego. Pojąłem, że kiedy Wilhelm nie miał odpowiedzi, udzielał sobie ich wiele i nader różniących się między sobą. Byłem zbity z pantałyku.

– Ale zatem – ośmieliłem się skomentować – jeszcze ci daleko do rozwiązania...

– Bardzo blisko – odparł Wilhelm – ale nie wiem do którego.

– A zatem nie masz jednej odpowiedzi na swoje pytania?

– Adso, gdybym miał, nauczałbym teologii w Paryżu.

– Czy w Paryżu mają na wszystko prawdziwą odpowiedź?

– Nigdy – rzekł Wilhelm – ale są bardzo pewni swoich błędów.

– A ty – zapytałem z dziecinną zuchwałością – nigdy nie popełniasz błędów?

– Często – odparł. – Lecz zamiast płodzić jeden tylko, wymyślam ich wiele, tak że nie jestem niewolnikiem żadnego.

Miałem uczucie, że Wilhelmowi w istocie nie zależało na prawdzie, która wszak nie jest niczym innym, jak tylko zgodnością rzeczy z umysłem. On natomiast zabawiał się wymyślaniem większej liczby możliwości, niż jest to możliwe.

W tym momencie, wyznaję, zwątpiłem w mojego mistrza i przyłapałem się na myśli: „Dobrze choć, że przybyła inkwizycja". Dzieliłem pragnienie prawdy, które ożywiało Bernarda Gui.

I w tym występnym nastawieniu umysłu, bardziej udręczony niż Judasz w noc Wielkiego Czwartku, wszedłem z Wilhelmem do refektarza, by spożyć wieczerzę.

Dzień czwarty

Kompleta

Kiedy to Salwator mówi o magii cudownej

Wieczerzę dla legacji podano z przepychem. Opat musiał znać bardzo dobrze słabości ludzkie i obyczaje papieskiego dworu (które nie wzbudziłyby również, muszę to powiedzieć, niechęci nawet minorytów brata Michała). Wieprzki zabito niedawno, więc powinna znaleźć się kiszka na sposób Monte Cassino – powiedział nam kucharz. Ale nędzny koniec Wenancjusza zmusił do wylania całej świńskiej krwi i trzeba poczekać, dopóki nie zarżnie się następnych. Poza tym sądzę, że w tych dniach we wszystkich budziło wstręt zabijanie Bożych stworzeń. Ale mieliśmy potrawkę z gołąbków marynowanych w tutejszym winie, królika upieczonego jak mleczne prosię, chleb świętej Klary, ryż z migdałami, czyli budyń wigilijny, prażynki z ogórecznika, nadziewane oliwki, smażony ser, baraninę w ostrym sosie paprykowym, biały bób i wyśmienite słodycze, łakocie świętego Bernarda, ciasto świętego Mikołaja, oczka świętej Łucji, wina i likiery ziołowe, które wprawiły w dobry humor nawet Bernarda Gui, zwykle tak surowego, likier z melisy, orzechówkę, wino na podagrę i wino z goryczki. Zdać by się mogło, biesiada żarłoków, gdyby nie to, że każdemu łykowi i każdemu kęsowi towarzyszyły pobożne lektury.

Na koniec wszyscy podnieśli się bardzo rozweseleni, niektórzy wysuwając jakieś błahe niedomagania, by nie zejść na kompletę. Ale opat nie gniewał się. Nie wszyscy mają przywileje i obowiązki wynikające z poświęcenia się naszemu zakonowi.

Kiedy mnisi wychodzili, ja zostałem, zaciekawiony kuchnią, którą uprzątano, zanim się ją zamknie na noc. Ujrzałem Salwatora, który z zawiniątkiem pod pachą wymykał się w stronę ogrodu. Poszedłem za nim, wiedziony ciekawością, i zawołałem go. Chciał mi się wymknąć, ale na moje pytania odpowiedział, że ma w zawiniątku (które poruszało się, jakby mieszkała w nim jakaś rzecz żywa) bazyliszka.

– *Cave basilischium! Est lo reys* węży, tak wypełniony trucizną, że jaśnieje nią *todo* na zewnątrz! Cóż *dicam*, trucizna, smród, jaki się z niego dobywa, starczy, by cię *ancide!* Zatruje... I ma białe *macule* na grzbiecie, *et caput* niby kogut i połową idzie prosto nad ziemią, a połową po ziemi, jak inne *serpentes*. I zabija go *la bellula*...

– *La bellula*?

– Och! Bestyja maleńka *est*, dłuższa niźli mysz i wroga jej mysz nader. I też wąż *et* ropucha. A kiedy ją kąsają, *bellula* biegnie do kopru albo do czartawy i gryzie *et redet ad helium*. *Et dicunt*, że płodzi przez oczy, ale większość mówi, że mówią fałsz.

Zapytałem, co zrobi z bazyliszkiem, i powiedział, że to jego sprawa. Powiedziałem mu, zaciekawiony bardzo, że w tych dniach, przy tylu zabitych, nie ma już spraw tajemnych i że powiem o tym Wilhelmowi. Wtenczas Salwator prosił mnie gorąco, bym zmilczał, otworzył zawiniątko i pokazał mi kota o czarnej sierści. Przyciągnął mnie do siebie i powiedział ze sprośnym uśmiechem, że nie chce, byśmy, klucznik i ja, przez to, iż jeden jest możny, drugi młody i piękny, mogli mieć miłość dziewcząt ze wsi, on zaś nie, bo brzydki i ubogi. Że zna cudowną magię, przez którą ulegnie mu każda niewiasta ogarnięta miłością. Trzeba zabić czarnego kota i wyłupić mu oczy, potem włożyć je do dwóch jaj czarnej kury, po oku w każde jajo (i pokazał mi dwa jaja, które, jak zapewnił, wziął od właściwych kur). Potem trzeba pozostawić jaja, by zgniły w kupie końskiego łajna (i przygotował taką kupę w kącie ogrodu, gdzie nikt się nie pokazuje), a z każdego z nich zrodzi się diablę, które następnie odda mu się na usługi, zapewniając wszystkie rozkosze tego świata. Ale niestety – oznajmił – aby magia miała skutek, niewiasta, której miłości pragnie, musi splunąć na jaja, zanim zostaną zagrzebane w łajnie, i ta trudność go trapi, gdyż trzeba mu właśnie tej nocy mieć tu ową niewiastę, by ta uczyniła, co trzeba, nie wiedząc, czemu to służy.

Nagły płomień ogarnął moją twarz i trzewia, ciało całe, i spytałem cichutko, czy tej nocy sprowadzi w obręb murów ową dzieweczkę z poprzedniego dnia. Zaśmiał się ze mnie szyderczo i rzekł, że zawładnęła mną wielka lubieżność (powiedziałem, że wcale nie, że pytam z czystej ciekawości), a potem powiedział, że we wsi nie brak niewiast i że zaniesie jaja do innej, jeszcze piękniejszej od tej, którą ja sobie upodobałem. Mniemałem, że kłamie, by oddalić mnie od siebie. A z drugiej strony, cóż mogłem uczynić? Chodzić za nim przez całą noc, kiedy Wilhelm czeka na mnie z innym całkiem przedsięwzięciem? I znowu zobaczyć tę (jeśli o nią chodziło), ku której pchała mnie skłonność, choć odwodził rozum, i której nie powinienem więcej ujrzeć, choć teraz jeszcze tego pragnę? Z pewnością nie. Tak więc przekonałem siebie samego, że co się tyczy niewiasty, Salwator mówi prawdę. Albo że może wszystko, co mówił, było kłamstwem, że magia, o której gadał, była urojeniem prostackiego i zabobonnego umysłu i że niczego nie dokona.

Rozzłościłem się i potraktowałem go ostro, powiedziałem, że tej nocy lepiej by uczynił, gdyby poszedł spać, jako że w obrębie murów krążą łucznicy. Odpowiedział, że zna opactwo lepiej niż łucznicy i że przy takiej mgle nikt nikogo nie zobaczy. Tak więc – powiedział – teraz wymykam się i nawet ty już mnie nie zobaczysz, choćbym był stąd o dwa kroki i igrał z dzieweczką, której pragniesz. Wyraził się innymi słowy, o wiele grubszymi, ale taki był sens tego, co rzekł. Oddaliłem się wzburzony, albowiem nie moją rzeczą, jako szlachcica i nowicjusza, było stawać do rywalizacji z tą kanalią.

Poszedłem do Wilhelma i uczyniliśmy to, co należało. To jest przygotowaliśmy się, by wysłuchać komplety, stojąc w nawie, i kiedy nabożeństwo dobiegnie końca, podjąć drugą wyprawę (dla mnie już trzecią) do trzewi labiryntu.

Dzień czwarty

Po komplecie

Kiedy to znowu zwiedza się labirynt, dociera do progu
finis Africae, *lecz nie udaje się tam wejść, gdyż nie wiadomo,*
czym są pierwszy i siódmy z czterech, na koniec zaś Adso
ma nawrót, nader zresztą uczony, swej miłosnej choroby

Wizyta w bibliotece zajęła nam wiele pracowitych godzin. W teorii sprawdzenie, którego mieliśmy dokonać, było łatwe, lecz poruszanie się przy świetle kaganka, czytanie napisów, zaznaczanie na planie przejść i ślepych ścian, zapisywanie inicjałów, wchodzenie wszędzie tam, gdzie układ przejść i przegrodzeń na wejście pozwalał, trwało długo. I było nudne.

Panował dojmujący chłód. Noc była bezwietrzna i nie dawały się słyszeć te delikatne świsty, które takie wrażenie wywarły na nas poprzedniego wieczoru, ale przez szczeliny napływało powietrze lodowate i wilgotne. Założyliśmy wełniane rękawiczki, by przy dotykaniu woluminów nie kostniały nam dłonie. Ale były to owe rękawice, których używa się zimą przy pisaniu, z odciętymi końcami palców, i co jakiś czas musieliśmy podsuwać dłonie nad płomień albo wkładać pod szkaplerz, albo bić jedną o drugą, podskakując przy tym, by się rozgrzać.

Dlatego nie dopełniliśmy całego dzieła od razu. Zatrzymywaliśmy się, by poszperać w almariach, a teraz, kiedy Wilhelm – ze swoimi nowymi szkiełkami na nosie – mógł zagłębiać się w księgach, przy każdym tytule, który odczytywał, wybuchał okrzykami radości, albo dlatego, że znał to dzieło, albo dlatego, że od dawna go szukał, albo wreszcie dlatego, że nigdy o nim nie słyszał i był nadzwyczajnie podniecony i zaciekawiony. Mówiąc krótko, wszelka księga była dla niego niby bajeczne zwierzę, które spotkał na nieznanej ziemi. A kiedy sam przerzucał manuskrypt, mnie nakazywał szukać dalszych.

– Zobacz, co jest w tej szafie!

A ja dukałem, przestawiając woluminy:

– Historia anglorum *Bedy... I znowu Bedy* De aedificatione templi, De tabernaculo, De temporibus et computo et chronica et circuli Dyonisi, Ortographia, De ratione metrorum, Vita Sancti Cuthberti, Ars metrica...

– To naturalne, wszystkie dzieła Czcigodnego... A patrz tutaj! *De rhetorica cognatione, Locorum rhetoricum distinctio*, a tu znowu

gramatycy, Priscianus, Honorat, Donatus, Maksym, Wiktoryn, Metroriusz, Eustyches, Serwiusz, Fokas, Asperus... Dziwne, myślałem z początku, że tutaj są autorzy z Anglii... Spójrzmy niżej...
– *Hesperica... famina.* Co to takiego?
– Poemat z Hibernii. Posłuchaj:

Hoc spumans mundanas obvallat Pelagus oras
Terrestres amniosis fluctibus cudit margines,
Saxeas undosis molibus irruit avionias.
Infima bomboso vertice miscet glareas
Asprifero spergit spumas sulco,
Sonoreis frequenter quatitur flabris... *

Nie pojąłem sensu, ale Wilhelm czytał, tocząc słowa w ustach tak, iż zdawało mi się, że słyszę szum fal i morskiej piany.
– A to? Adelmus z Malmesbury, posłuchaj tej stronicy: *Primitus pantorum procerum poematorum pio potissimum paternoque presertim privilegio panegiricum poemataque passim prosatori sub polo promulgatas...* Wszystkie słowa zaczynają się od tej samej litery!
– Ludzie z moich wysp są wszyscy nieco stuknięci – powiedział Wilhelm z dumą. – Zajrzyjmy do innej szafy.
– Wergiliusz.
– Jakże to? Co Wergiliusza? *Georgiki*?
– Nie. *Epitomi.* Nigdy o nich nie słyszałem.
– Ależ to nie Maro. To Wergiliusz z Tuluzy, retor, sześć wieków po narodzinach Pana Naszego. Był uważany za wielkiego mędrca...
– Tutaj powiada, że sztukami są *poema, rethoria, grama, leporia, doalecta, geometria...* Lecz w jakimż języku pisał?
– Po łacinie, ale była to łacina wymyślona przez niego samego, którą on uznawał za znacznie piękniejszą. Przeczytaj tu: powiada, że astronomia bada znaki zodiaku, którymi są *mon, man, tonte, piron, dameth, perfellea, belgalic, margaleth, lutamiron, taminon i raphalut.*
– Wariat?

---

* Spienione morze oblewa brzegi świata
  i w krańce ziemi uderza w wielkich bałwanach,
  na skaliste pustkowia wdziera się nawałą fal.
  Sięgając od góry do dna miesza piaski,
  Pieni się na niespokojnych falach,
  Wstrząsa cały czas głośnymi podmuchami. (łac.).

– Nie wiem, lecz nie pochodził z moich wysp. Posłuchaj dalej, mówi, że jest dwanaście sposobów nazwania ognia: *ignis, coquihabin (quia incocta coquendi habet dictionem), ardo, calax ex calore, fragon ex fragore flammae, rusin de rubore, fumaton, ustrax de urendo, vitius quia pene mortua membra suo vivificat, siluleus, quod de silice siliat, unde et silex non recte dicitur, nisi ex qua scintilla silit. I aeneon, de Aenea deo, qui in eo habitat, sive a quo elementis flatus fertur.*

– Ależ nikt tak nie mówi!

– Na szczęście. Ale były to czasy, kiedy pragnąc zapomnieć o złym świecie, gramatycy rozkoszowali się zawiłymi kwestiami. Mówiono mi, że wtedy to przez piętnaście dni i piętnaście nocy retorzy Gabundus i Terencjusz dyskutowali nad wołaczem od *ego*, aż wreszcie chwycili za broń.

– Ale tutaj też, sam posłuchaj... – Chwyciłem księgę cudownie ozdobioną miniaturami roślinnych labiryntów, w których wolutach przedstawiono małpy i węże. – Posłuchaj tych słów: *cantamen, collamen, gongelamen, stemiamen, plasmamen, sonerus, alboreus, gaudifluus, glaucicomus...*

– Moje wyspy – rzekł znowu z rozczuleniem Wilhelm. – Nie bądź surowy dla mnichów z odległej Hibernii, może, jeśli istnieje to opactwo i jeśli mówimy jeszcze o Świętym Cesarstwie Rzymskim, im to zawdzięczamy. W tych czasach reszta Europy była kupą gruzów, pewnego dnia ogłoszono za nieważny chrzest udzielany przez niektórych księży w Galii, gdyż chrzciło się tam *in nomine patris et filiae*, i to nie dlatego, że praktykowali nową herezję i mieli Jezusa za niewiastę, ale dlatego, że nie znali już łaciny.

– Jak Salwator.

– Mniej więcej. Piraci z najdalszej północy przypływali rzekami, by pustoszyć Rzym. Pogańskie świątynie waliły się w gruzy, chrześcijańskich zaś jeszcze nie było. I tylko mnisi z Hibernii w swoich klasztorach pisali i czytali, czytali i pisali, i zdobili miniaturami, a potem wskoczyli do łodzi ze skór zwierzęcych i żeglowali ku tym ziemiom i ewangelizowali je, jakbyście byli niewiernymi, czy pojmujesz to? Byłeś w Bobbio, zostało założone przez świętego Kolumbana, jednego z nich. Pozwól więc im wymyślać nową łacinę, bo w Europie nie znano już tej starej. Byli wielkimi ludźmi. Święty Brendan dotarł aż do Wysp Szczęśliwych i płynął wzdłuż brzegu piekła, gdzie ujrzał Judasza przykutego łańcuchami do skały podwodnej, a pewnego dnia przybił do jakiejś wyspy, wyszedł na brzeg, a był to morski potwór. Naturalnie byli stuknięci – powtórzył z zadowoleniem.

– Ich obrazki są... są takie, że własnym oczom nie wierzę! A ile barw! – rzekłem, wpadając w uniesienie.

– I to na ziemi, gdzie kolorów jest niewiele, nieco błękitu i dużo zieleni. Ale nie będziemy rozprawiać o mnichach z Hibernii. Chcę wiedzieć, dlaczego są tutaj razem z Anglikami i gramatykami z innych krajów. Spójrz na swój plan, gdzież winniśmy być?

– W pokojach baszty zachodniej. Przepisałem także kartusze. Tak więc, wychodząc z pokoju ślepego, wchodzi się do sali siedmiobocznej i mamy jedno przejście do jednego pokoju w baszcie, a literą czerwoną jest H. A potem, idąc z pokoju do pokoju, obchodzi się wieżę dokoła i wraca do pokoju ślepego. Kolejność liter da... masz rację! HIBERNI!

– HIBERNIA, jeśli z pokoju ślepego przejdziesz do sali siedmiokątnej, która, jak i wszystkie trzy pozostałe, ma literę A od Apocalypsis. Dlatego są tu dzieła autorów z Ultima Thule, a również gramatycy i retorzy, gdyż ci, którzy urządzali bibliotekę, pomyśleli, że gramatyk powinien zawsze znaleźć się z gramatykami z Hibernii, nawet jeśli jest z Tuluzy. Oto kryterium. Widzisz, że zaczynamy coś rozumieć?

– Ale w pokojach baszty wschodniej, przez którą weszliśmy, przeczytaliśmy FONS... Co to znaczy?

– Przeczytaj uważnie swój plan, czytaj litery sal tak, jak następują po sobie w kolejności wchodzenia.

– FONS ADAEU...

– Nie, Fons Adae, gdyż U to drugi ślepy pokój wschodni, pamiętam go, być może wchodzi w inny ciąg liter. I co znaleźliśmy w Fons Adae, to jest w raju ziemskim (a wspomnij, jest tam pokój z ołtarzem skierowanym ku wschodzącemu słońcu)?

– Mnóstwo Biblii i komentarzy do Biblii, same księgi o Piśmie Świętym.

– Widzisz więc, słowo Boże w korespondencji do raju ziemskiego, który, jak powiadają wszyscy, jest daleko na wschód. A tutaj, na zachodzie, Hibernia.

– Tak więc plan biblioteki naśladuje mapę całego świata?

– To podobne do prawdy. A książki są tam ułożone podług krajów, z których pochodzą, oraz miejsca, gdzie urodzili się ich autorzy, albo, jak w tym przypadku, miejsca, gdzie powinni byli się urodzić. Bibliotekarze powiedzieli sobie, że Wergiliusz gramatyk przez pomyłkę urodził się w Tuluzie, a powinien był na wyspach zachodnich. Poprawili pomyłki natury.

Poszliśmy dalej. Przebyliśmy ciąg sal bogatych w świetne Apokalipsy, a wśród tych pokojów był ów, w którym miałem wizje.

Z daleka dostrzegliśmy już światło. Wilhelm zatkał sobie nos i pobiegł, by je zgasić, plując na popiół. Na wszelki wypadek przeszliśmy przez ten pokój pospiesznie, ale pamiętałem, że widziałem tam przedtem przepiękną, wielobarwną Apokalipsę z *mulier amicta sole* i smokiem. Odnaleźliśmy kolejność tych sal, wychodząc od tej, do której trafiliśmy na końcu i która miała jako inicjał czerwone Y. Odczytanie wspak dało słowo YSPANIA, ale ostatnie A było tym samym, którym kończyła się HIBERNIA. To znak – oznajmił Wilhelm – że pozostają jeszcze pokoje, w których gromadzi się dzieła o charakterze mieszanym.

Tak czy inaczej, strefa nazwana YSPANIA zdała się nam wypełniona wieloma kodeksami Apokalips, wszystkimi pięknej roboty, którą Wilhelm rozpoznał jako sztukę hiszpańską. Zauważyliśmy, że biblioteka ma najobszerniejszy, być może, zbiór kopii księgi apostoła, istniejący w świecie chrześcijańskim, i ogromną ilość komentarzy do tego tekstu. Olbrzymie woluminy poświęcone były komentarzowi do Apokalipsy pióra Beatusa z Liebany, a tekst był zawsze mniej więcej taki sam, ale znaleźliśmy zadziwiającą rozmaitość odmian w obrazach, a Wilhelm rozpoznał rękę takich, których uważał za najlepszych iluminatorów królestwa Asturii: Magiusza, Fakundiusza i innych.

Dokonując tych i innych spostrzeżeń, dotarliśmy do baszty południowej, do której zbliżyliśmy się już poprzedniego wieczoru. Pokój S z YSPANIĄ – bez okien – wychodził na pokój E; przebywając po kolei pięć pokojów wieży, doszliśmy do ostatniego, bez dalszych przejść, gdzie zobaczyliśmy czerwone L. Przeczytaliśmy wspak i mieliśmy LEONES.

– Leones, południe, według naszej mapy jesteśmy w Afryce, *hic sunt leones**. I to wyjaśnia, czemu znaleźliśmy tu tyle tekstów autorów niewiernych.

– Są też inni – powiedziałem, szperając po almanach. – *Canon* Awicenny i ten piękny kodeks wypełniony kaligrafią, której nie znam...

– Sądząc po ozdobach, winien to być Koran, lecz niestety nie znam arabskiego.

– Koran, biblia niewiernych, księga przewrotna...

– Księga, która zawiera mądrość inną niźli nasza. Lecz pojmujesz, czemu postawili ją tutaj, gdzie są lwy i potwory. Oto czemu widzieliśmy tu księgi o bestiach potwornych, wśród których znala-

---

* Tu są lwy (łac.).

złeś też jednorożca. Strefa zwana LEONES zawiera te księgi, które dla budowniczych biblioteki są księgami kłamstwa. Co mamy tutaj?

– Po łacinie, ale dzieła Araba. Ajjub al-Ruhawi, traktat o wodowstręcie u psów. A tutaj księga o skarbach. Tutaj zaś *De aspectibus* Alhazena...

– Widzisz, między potworami i kłamstwami umieścili również dzieła naukowe tych, od których chrześcijanie wiele mogą się nauczyć. Tak oto myślało się w czasach, kiedy biblioteka była budowana...

– Ale dlaczego ustawili pośród fałszów także księgę o jednorożcu? – zapytałem.

– Najwidoczniej założyciele biblioteki mieli dziwaczne poglądy. Uznali, że księga, która mówi o bestiach fantastycznych i żyjących w dalekich krajach, stanowi część zestawu kłamstw szerzonych przez niewiernych...

– Ale czy jednorożec jest kłamstwem? Jest zwierzęciem łagodnym i wzniośle symbolicznym. Figurą Chrystusa i czystości. Może być pochwycony jedynie, jeśli zaprowadzi się do lasu dziewicę, tak że zwierzę, czując przeczysty zapach, idzie złożyć łeb na jej łonie, wystawiając się na sidła łowców.

– Tak się powiada, Adso. Ale wielu skłania się ku myśli, że to bajeczny wymysł pogan.

– Co za szkoda! – powiedziałem. – Tak bym chciał spotkać takiego, idąc przez las. Inaczej cóż za przyjemność z przechadzki lasem?

– Nie jest powiedziane, że nie istnieje. Może wygląda nie tak, jak przedstawiają go te księgi. Pewien wenecki podróżnik ruszył w bardzo odległe strony, nader bliskie *fons paradisi**, o których mówią mapy, i widział jednorożce. Lecz uznał je za grubiańskie i bez wdzięku, za brzydkie i czarne. Sądzę, że naprawdę widział czarne bestie z rogiem na czole. Były to pewnie też same, które opisali po raz pierwszy prawdziwi mistrzowie mądrości starożytnej, nie we wszystkim błądzącej, mieli bowiem od Boga sposobność zobaczenia rzeczy, jakich my nie widzieliśmy. Potem ten opis, wędrując od *auctoritas* do *auctoritas*, przeobraził się wskutek kolejnych przeróbek dokonanych przez wyobraźnię i jednorożce stały się zwierzętami powabnymi, białymi i łagodnymi. Dlatego jeśli dowiesz się, że w jakimś lesie żyje jednorożec, nie udawaj się tam z dziewicą, albowiem zwierzę może okazać się podobniejsze do tego, o którym świadczy Wenecjanin, niźli do tego, o którym mówi ta księga.

---

* Źródłu rajskiemu (łac.).

– Ale jak to się stało, że mistrzowie starożytnej mądrości mogli mieć od Boga objawienie prawdziwej natury jednorożca?

– Nie jest to objawienie, lecz doświadczenie. Mieli szczęście urodzić się na ziemiach, gdzie jednorożce żyły, albo w czasach, kiedy jednorożce żyły nawet tutaj.

– Jak zatem możemy ufać starożytnej mądrości, której śladu ty bez ustanku szukasz, skoro została nam przekazana przez księgi kłamliwe, objaśniające ją w sposób tak dowolny?

– Księgi nie po to są, by w nie wierzyć, lecz by poddawać je badaniu. Mając przed sobą księgę, nie powinniśmy zadawać sobie pytania, co ona zawiera, ale co chce powiedzieć, i tę myśl jasno widzieli starzy komentatorzy świętych ksiąg. Jednorożec, taki, o jakim mówią te księgi, osłania prawdę moralną albo alegoryczną, albo anagogiczną, która pozostaje prawdą, jak prawdą pozostaje myśl, że czystość jest cnotą szlachetną. Ale co się tyczy prawdy literalnej, która wspiera tamte trzy, trzeba sprawdzić, z jakiej danej oryginalnego doświadczenia zrodziła się litera. Nad literą należy dyskutować, nawet jeśli utajony sens pozostaje słuszny. W pewnej księdze napisano, że diament przecina się tylko krwią kozła. Mój wielki mistrz, Roger Bacon, powiedział, że to nie była prawda, bo po prostu spróbował i nic nie uzyskał. Lecz jeśliby związek między diamentem a krwią kozła miał jakiś sens wyższego rzędu, ten sens pozostałby nienaruszony.

– Można więc wypowiedzieć prawdy wyższego rzędu, kłamiąc co do litery – rzekłem. – A jednak żałuję, że jednorożec taki, jaki jest, nie istnieje i nie istniał, i nie może pewnego dnia zaistnieć.

– Nie wolno stawiać granic Boskiej wszechmocy, i gdyby Bóg zechciał, mogłyby istnieć także jednorożce. Ale pociesz się, istnieją w tych księgach, które choć nie mówią o bycie rzeczywistym, mówią o bycie możliwym.

– Czy w takim razie trzeba czytać księgi, nie odwołując się do wiary, która jest cnotą teologiczną?

– Pozostają jeszcze dwie cnoty teologiczne. Nadzieja, że to, co możliwe, jest. I miłość ku temu, który w dobrej wierze mniemał, że to, co możliwe, jest.

– Lecz po co ci jednorożec, skoro twój umysł w niego nie wierzy?

– Potrzebny jest mi tak samo, jak odcisk stóp Wenancjusza, ciągniętego po śniegu do kadzi ze świńską krwią. Jednorożec z ksiąg jest jakby śladem. Jeśli jest ślad, musi być coś, co go odcisnęło.

– Lecz w takim razie jest to coś odmiennego od samego śladu.

– Z pewnością. Nie zawsze ślad ma ten sam kształt co ciało, które go odcisnęło, i nie zawsze powstaje z nacisku ciała. Czasem odtwarza wyobrażenie, jakie ciało pozostawiło w naszym umyśle, i jest to wtenczas ślad idei. Idea jest znakiem rzeczy, a obraz jest znakiem idei, znakiem znaku. Ale z obrazu odtwarzam jeśli nie ciało samo, to ideę, jaką ktoś inny o nim miał.

– I to ci wystarcza?

– Nie, gdyż prawdziwa mądrość nie może zadowalać się ideami, które są właśnie znakami, lecz winna odnaleźć rzeczy w ich prawdzie poszczególnej. Tak więc chętnie wspiąłbym się od tego śladu do jednorożca pojedynczego, który jest na początku łańcucha. Tak jak chętnie wspiąłbym się od niejasnych znaków pozostawionych przez mordercę Wenancjusza (znaków, które mogłyby odsyłać do wielu innych) do jedynego osobnika, do mordercy. Lecz nie zawsze jest to możliwe w krótkim czasie i bez pośrednictwa innych znaków.

– Ale w takim razie mogę zawsze i tylko mówić o czymś, co mówi mi o czymś innym, i tak dalej, ale tego czegoś ostatecznego, tego prawdziwego, nie ma nigdy?

– Może jest, może jest jednorożec jednostkowy. I nie trap się, któregoś dnia go spotkasz, choćby był czarny i brzydki.

– Jednorożce, lwy, arabscy i mauretańscy autorzy w ogólności – rzekłem wtedy. – Niechybnie tutaj jest ta Afryka, o której mówili mnisi.

– Niechybnie. A jeśli tak, winniśmy znaleźć poetów afrykańskich, o których wspomniał Pacyfik z Tivoli.

I w istocie, pokonując drogę w przeciwnym kierunku i wracając do pokoju L, znalazłem w jednej z szaf kolekcję ksiąg Florusa, Fronta, Apulejusza, Martianusa Capelli i Fulgencjusza.

– Tutaj więc, wedle tego, co mówił Berengar, winno być wyjaśnienie pewnej tajemnicy – rzekłem.

– Prawie tu. Użył określenia *finis Africae*, i właśnie słysząc je, Malachiasz tak się rozzłościł. *Finis* mogłoby oznaczać ten ostatni pokój, chyba że... – wykrzyknął: – Na siedem kościołów w Clonmacnois! Czyś niczego nie zauważył?

– Czego?

– Wracamy do pokoju S, z którego wyruszyliśmy!

Wróciliśmy do pierwszego ślepego pokoju, gdzie werset mówił: *Super thronos viginti quatuor*. Miał cztery otwory drzwiowe. Jeden wychodził na pokój Y, z oknem na ośmiokąt. Drugi wychodził na pokój P, który był, wzdłuż fasady zewnętrznej, dalszym ciągiem YSPANIA. Ten od strony baszty prowadził do pokoju E, przez który dopiero co przeszliśmy. Potem była ściana ślepa i dalej drzwi, które prowadziły do następnego pokoju ślepego z inicjałem U. Pokój S był owym ze zwierciadłem i szczęście, że znajdowało się ono na ścianie zaraz po mojej prawej ręce, gdyż inaczej znowu ogarnąłby mnie strach. Przyglądając się uważnie planowi, zdałem sobie sprawę z osobliwości tego pokoju. Podobnie jak wszystkie pokoje ślepe w trzech pozostałych basztach, winien prowadzić do centralnego pokoju siedmiokątnego. Jeśli tak nie było, wejście do siedmiokąta musiało się znajdować w przyległym pokoju ślepym, U. Jednak ten miał drzwi do pokoju T z oknem na ośmiokąt wewnętrzny, drugimi łączył się z pokojem S, a trzy inne ściany miał ślepe i zajęte przez szafy. Rozglądając się dokoła, dostrzegliśmy to, co teraz oczywiste było również na planie; z przyczyn logicznych, nie tylko zaś ze względu na rygorystyczną symetrię, ta baszta winna mieć swój pokój siedmiokątny, lecz nie miała.

– Nie ma go – rzekłem.

– Niemożliwe, żeby go nie było. Gdyby nie istniał, inne pokoje byłyby większe, gdy tymczasem są, z grubsza biorąc, tych samych wymiarów co te po innych stronach. Jest, ale nie można do niego dotrzeć.

– Zamurowany?

– Prawdopodobnie. I oto mamy *finis Africae*. Wokół tego miejsca krążyli wszyscy ciekawscy, którzy już nie żyją. Jest zamurowane, ale to nie znaczy, że nie ma do niego żadnego wejścia. Przeciwnie, z pewnością jest, i Wenancjusz je znalazł albo miał jego opis od Adelmusa, ten zaś od Berengara. Sięgnijmy raz jeszcze do jego notatek.

Wydobył z habitu kartę Wenancjusza i odczytał: „Ręka na idolu działa na pierwszy i siódmy z czterech". Rozejrzał się dokoła.

– Ależ tak! *Idolum* to wyobrażenie zwierciadła! Wenancjusz myślał po grecku, a w tym języku, bardziej jeszcze niż w naszym, *eidolon* jest zarówno obrazem, jak i widmem, a zwierciadło oddaje nam zdeformowany obraz, który my też tamtej nocy wzięliśmy wszak za widmo! Lecz czym byłyby zatem cztery *supra speculum*? Coś na odbijającej powierzchni? Ale wówczas winniśmy ustawić się w określony sposób, tak by dostrzec coś, co odbija się w zwierciadle i odpowiada opisowi podanemu przez Wenancjusza...

Przesuwaliśmy się we wszystkie strony, ale bez skutku. Poza naszymi wizerunkami zwierciadło odbijało niewyraźny zarys sali, marnie oświetlonej przez kaganek.

– A zatem – medytował Wilhelm – przez *supra speculum* należałoby rozumieć „za zwierciadłem"... Co wskazywałoby, że najpierw winniśmy przejść na drugą stronę, gdyż z pewnością zwierciadło to drzwi...

Zwierciadło było wyższe niż normalny człowiek, utwierdzone w murze mocną dębową ramą. Obmacywaliśmy ją na wszystkie sposoby, próbowaliśmy wsunąć palce i paznokcie między nią a ścianę, ale zwierciadło ani drgnęło, jakby było częścią muru, kamieniem oprawionym w kamień.

– A jeśli nie jest to z drugiej strony, musi być *super speculum* – mruczał Wilhelm i podnosił ramię, stawał na palcach i wodził dłonią po górnej krawędzi ramy, nie znajdując jednak nic poza kurzem.

– Z drugiej strony – rozmyślał Wilhelm z melancholią – jeśli za zwierciadłem jest pokój, księgi, której szukamy i której szukali inni, już tam nie ma, gdyż najpierw wyniósł ją Wenancjusz, a potem, i któż wie dokąd, Berengar.

– Ale może Berengar odniósł ją z powrotem.

– Nie, tego wieczoru byliśmy w bibliotece i wszystko wskazuje, że zakończył życie niedługo po kradzieży, tejże nocy w łaźniach. W przeciwnym wypadku ujrzelibyśmy go następnego ranka. Nieważne... Na razie uzyskaliśmy to, że wiemy, gdzie jest *finis Africae*, i mamy prawie wszystkie elementy, by ulepszyć plan biblioteki. Musisz przyznać, że wiele z tajemnic labiryntu już się wyjaśniło. Powiedziałbym, że wszystkie poza jedną. Wydaje mi się, że więcej dobędę z uważnego czytania manuskryptu Wenancjusza niż z dalszych oględzin. Sam widziałeś, że tajemnicę labiryntu lepiej rozwikłaliśmy z zewnątrz, niż będąc w środku. Tego wieczoru, stojąc tak przed własnymi powykręcanymi wizerunkami, nie zobaczymy istoty problemu. Zresztą światło słabnie. Chodź, zapiszmy czarno na białym resztę wskazówek, które posłużą nam do sporządzenia ostatecznego planu.

Przebiegliśmy inne sale, zapisując spostrzeżenia na moim planie. Natknęliśmy się na sale poświęcone wyłącznie pismom matematycznym i astronomicznym, inne z dziełami napisanymi alfabetem aramejskim, którego żaden z nas nie znał, inne z alfabetami jeszcze mniej znanymi, może były to teksty z Indii. Poruszaliśmy się w obrębie dwóch splątanych ze sobą sekwencji, które mówiły IUDAEA i AEGYPTUS. W sumie – żeby nie nudzić czytelnika kroniką naszego odcyfrowywania – kiedy później ostatecznie opracowaliśmy mapę, przekonaliśmy się, że biblioteka naprawdę jest zbudowana i podzielona zgodnie z obrazem kręgu ziemskiego. Na północy znaleźliśmy ANGLIA i GERMANI, które wzdłuż ściany zachodniej łączyły się z GALLIA, by potem zrodzić na najdalszym zachodzie HIBERNIA i ku ścianie południowej ROMA (raj rzymskich klasyków) i YSPANIA. Następowały później na południu LEONES i AEGYPTUS, które

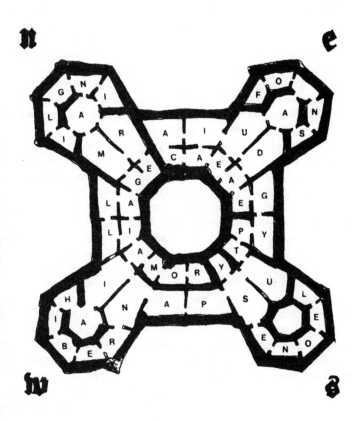

ku wschodowi stawały się IUDAEA i FONS ADAE. Między wschodem a północą, wzdłuż ściany, ACAIA, dobra synekdocha, by wskazać Grecję, i rzeczywiście w tych czterech pokojach była wielka obfitość poetów i filozofów starożytności pogańskiej.

Sposób odczytywania był dziwaczny, raz szło się stale w jednym kierunku, to znowuż wspak albo wokoło, często, jak już rzekłem, jedna litera wchodziła w skład dwóch różnych słów (i w tych przypadkach pokój miał szafę poświęconą jednemu tematowi i inną drugiemu). Lecz bez wątpienia nie było co szukać w tym układzie złotej reguły. Chodziło o sztuczkę czysto mnemotechniczną, pozwalającą bibliotekarzowi odnaleźć dane dzieło. Powiedzieć o książce, że znajduje się w *quarta Acaiae*, oznaczało, że była w czwartym pokoju od tego, w którym pojawiło się początkowe A, co zaś do sposobu trafienia, zakładało się, że bibliotekarz zna na pamięć szlak, prosty albo okrężny, jaki trzeba przebyć. Na przykład ACAIA była podzielona na cztery pokoje ustawione w kwadrat, co oznacza, że pierwsze A było również ostatnim, czego nawet my dowiedzieliśmy się nader rychło. Tak samo, jak szybko zrozumieliśmy układ przegród. Jeśli na przykład szło się od wschodu, żaden z pokojów ACAIA nie prowadził do pokojów następnych; w tym punkcie labirynt się kończył i żeby dotrzeć do wieży północnej, trzeba było przejść przez trzy pozostałe. Ale naturalnie bibliotekarze, wchodząc przez FONS, wiedzieli dobrze, że aby dojść, powiedzmy, do ANGLIA, muszą przejść przez AEGYPTUS, YSPANIA, GALLIA i GERMANI.

Na tych oraz innych pięknych odkryciach skończyło się nasze owocne poznawanie biblioteki. Ale zanim oznajmię, że zadowoleni ruszyliśmy do wyjścia (by stać się uczestnikami innych wydarzeń, o których wkrótce opowiem), z czegoś muszę się czytelnikowi zwierzyć. Powiedziałem, że nasze rozpoznanie prowadziliśmy, z jednej strony poszukując klucza do tego tajemniczego miejsca, a z drugiej wchodząc do kolejnych sal, które odróżnialiśmy pod względem położenia i tematu, i kartkując rozmaite księgi, jakbyśmy odkrywali nieznany kontynent lub jakąś *terra incognita**. I zwykle to odkrywanie przebiegało w harmonii, obaj zatrzymywaliśmy się bowiem przy tych samych księgach, ja wskazując Wilhelmowi najciekawsze, on objaśniając mi wiele rzeczy, których nie mogłem pojąć.

Lecz w pewnym momencie, i właśnie gdy krążyliśmy po salach baszty południowej, zwanych LEONES, zdarzyło się, że mój mistrz zatrzymał się w pokoju bogatym w arabskie dzieła, opatrzone cieka-

---

* Ziemię nieznaną (łac.).

wymi rysunkami z dziedziny optyki; a ponieważ tego wieczoru mieliśmy nie jedno światło, lecz dwa, skierowałem z ciekawości kroki do pokoju sąsiedniego, tam zaś spostrzegłem, że mądrość i przezorność założycieli l biblioteki zgromadziła wzdłuż jednej ze ścian księgi, które z pewnością nie każdemu można dać do czytania, omawiały bowiem na rozmaite sposoby różne choroby ciała i ducha i prawie wszystkie wyszły spod pióra mędrców niewiernych. Mój wzrok padł na księgę niezbyt wielką, ozdobioną miniaturami wielce odległymi (na szczęście!) od tematu, kwiatami, wolutami, parami zwierząt, kilkoma ziołami leczniczymi; nosiła tytuł *Speculum amoris*, przez brata Maksyma z Bolonii, i podawała cytaty z wielu innych dzieł mówiących o chorobie miłości. Jak czytelnik pojmuje, nie trzeba było niczego więcej, by obudzić moją chorą wyobraźnię, od poranka uśpioną już, podniecając ją na nowo obrazem dzieweczki.

Ponieważ przez cały dzień odpędzałem od siebie poranne myśli, powiadając sobie, że nie przystoją nowicjuszowi zdrowemu i zrównoważonemu, i ponieważ, z drugiej strony, dzień był dość bogaty w mocne wydarzenia, by od owych myśli mnie oderwać, moje skłonności usnęły i sądziłem już, iż uwolniłem się od tego, co nie było niczym innym, jak tylko przelotnym wzburzeniem. Wystarczył jednak widok tej księgi, bym rzekł: *De te fabula narratur*, i odkrył, że jestem bardziej chory na miłość, niż myślałem. Nauczyłem się później, że kiedy człowiek czyta książki z medycyny, wmówi sobie zawsze bóle, o których one mówią. I właśnie lektura tych stronic, przebieganych w pośpiechu z lęku przed Wilhelmem – mógł bowiem wejść do pokoju i zapytać, nad czym to tak uczenie się pochylam – przekonała mnie, że cierpię właśnie na tę chorobę, której objawy były opisane tak wspaniale, że choć z jednej strony się trapiłem, bo uznałem się za poważnie chorego (wraz z niezawodną kompanią tylu *auctoritates*), z drugiej radowałem się, widząc, iż moje położenie odmalowano w sposób tak żywy; przekonałem się, że choć zachorowałem, moja choroba była, by tak rzec, normalna, albowiem inni takoż na nią cierpieli, przytaczani zaś autorzy zdawali się mnie właśnie brać za wzór swoich opisów.

Wzruszyłem się tedy nad stronicami Ibn Hazma, określającego miłość jako chorobę krnąbrną, która lekarstwo znajduje w sobie samej, i taką, że chory nie chce wyzdrowieć, a kto na nią zapadł, nie pragnie się od niej uwolnić (i Bóg jeden wie, że była to prawda!). Zrozumiałem, czemu rankiem tak podniecało mnie wszystko, co widziałem; albowiem zda się, że miłość wchodzi przez oczy, jak powiada także Bazyli z Ancyry, i – a jest to objaw niezawodny – kogo ogarnie ta niemoc, ten pokazuje zbytnią wesołość, choć jednocześnie pragnie oddalić się od innych i nade wszystko droga mu samotność (tak było ze mną tego ranka), a towarzyszą jej inne jeszcze zjawiska, gwałtowny niepokój i odrętwienie, co odbiera mowę... Przestraszyłem się, czytając, że u szczerego kochanka, jeśli odbierze mu się widok przedmiotu kochania, musi wystąpić stan wyniszczenia, który często składa chorego do łoża, czasem zaś choroba gnębi mózg, traci się rozum, poczyna majaczyć (najwidoczniej nie osiągnąłem jeszcze tego stanu, albowiem zupełnie dobrze pracowałem przy oględzinach biblioteki). Ale przeczytałem z lękiem, że jeśli choroba się pogłębia, może sprawić zgon, i zadawałem sobie pytanie, czy radość, jaką dawała mi dzieweczka, kiedy o niej myślałem, warta jest tego najwyższego poświęcenia ciała, nie zważając już nawet na troskę o zdrowie duszy.

Znalazłem też bowiem inny cytat z Bazylego, który powiada: *Qui animam corpori per vitia conturbationesque commiscent, utrinque quod habet utile ad vitam necessarium demoliuntur, animamque lucidam ac nitidam carnalium voluptatum limo perturbant, et corporis munditiam atque nitorem hac ratione miscentes, inutile hoc ad vitae officia ostendunt**. Doprawdy nie chciałem się znaleźć w tak skrajnym położeniu.

Dowiedziałem się również z pewnego zdania świętej Hildegardy, że ten melancholijny nastrój, którego doświadczałem w ciągu dnia, a który przypisywałem uczuciu słodkiego strapienia z powodu nieobecności dzieweczki, niebezpiecznie przypomina uczucie doznawane przez kogoś, kto odwraca się od stanu harmonijnego i doskonałego, jaki człowiek przeżywa w raju, i że tę melancholię *nigra et amara** wytwarza dech węża i podszepty diabła. Myśl tę dzielili także niewierni równej mądrości, gdyż wpadły mi w oczy linijki przypisane Abu Bakr-Muhammadowi Ibn Zaka-rijja ar-Razi, który w *Liber continens* utożsamia melancholię miłosną z likantropią, co tego, kto jest nią dotknięty, pcha, by postępował jak wilk. Jego opis ścisnął mi gardło: najprzód kochankowie zdają się odmienieni w wyglądzie zewnętrznym, wzrok im słabnie, oczy stają się zapadłe i bez łez, język powoli się wysusza i ukazują się na nim pryszcze, ciało całe pali i bez ustanku cierpią na pragnienie. W tym stadium choroby spędzają

---

* Ci, którzy duszę do ciała poprzez błędy i grzechy łączą, w dwojaki sposób, to co do życia konieczne i niezbędne niszczą, jasną i świetlistą duszę brukają brudem cielesnych pragnień i czystość i blask ciała z tego powodu oszpecając, sprawiają, że staje się dla obowiązków życia niezdatne (łac.).
* Czarną i gorzką (łac.).

dnie, leżąc twarzą do dołu; na licu i piszczelach ukazują się znaki podobne do ukąszeń psa, a wreszcie nocami błądzą po cmentarzach niby wilki.

A w końcu nie miałem żadnych już wątpliwości co do powagi mojego stanu, kiedy przeczytałem cytaty z wielkiego Awicenny, gdzie miłość określona jest jako dręczące rojenie natury melancholijnej, które rodzi się wskutek ustawicznego rozmyślania o licu, gestach i obyczajach osoby przeciwnej płci (jakże wiernie i żywo przedstawił Awicenna mój przypadek!); nie rodzi się jak choroba, ale chorobą się staje, gdy nie znajdując zaspokojenia, przemienia się w nękającą myśl (a czemuż czułem się we władzy nękających myśli ja, który, oby Bóg mi wybaczył, znalazłem wszak zaspokojenie? A może to, co zdarzyło się poprzedniej nocy, nie było zaspokojeniem miłości? Lecz w takim razie jakże zaspokaja się tę chorobę?), to zaś prowadzi do nieustannego poruszania powiekami, do zakłócenia regularności oddechu, do tego, że raz człek płacze, raz znów śmieje się, a jego puls bije mocno (i rzeczywiście u mnie prawie łomotał i dech mi zapierało, kiedy czytałem te linijki!). Awicenna podsuwał niezawodną metodę, doradzaną już przez Galena, by odkryć, w kim ktoś się zakochał: trzymać puls cierpiącego i wypowiadać liczne imiona osób innej płci, aż dostrzeże się, przy którym imieniu puls ulegnie przyspieszeniu; i zląkłem się, że nagle wejdzie tu mój mistrz, chwyci mnie za ramię i z pulsowania żył wybada moją tajemnicę, a wtenczas bardzo bym się zasromał... Niestety, Awicenna jako remedium podsuwał połączenie dwojga kochanków węzłem małżeńskim, i choroba minie. Niechybnie był niewiernym – aczkolwiek nie brakło mu przenikliwości – bo nie brał pod uwagę kondycji benedyktyńskiego nowicjusza, skazanego na to, że nie wyzdrowieje nigdy, czy raczej poświęcającego się z własnego wyboru lub z przezornego wyboru rodziców, by nigdy nie zapaść na tę chorobę. Na szczęście Awicenna, choć nie z myślą o zakonie kluniackim, rozważał przypadek kochanków rozdzielonych na zawsze i doradzał jako kurację niezawodną ciepłe kąpiele (którymi Berengar chciał się wyleczyć ze swojej choroby miłości do zmarłego Adelmusa? Czy jednak można odczuwać chorobę miłości do istoty tej samej płci, czy też jest to tylko zwierzęca lubieżność? A czyż nie była zwierzęca moja lubieżność z poprzedniej nocy? Nie, z pewnością – powiedziałem sobie – była bardzo słodka, a zaraz potem dodałem w myślach: mylisz się, Adso, to diabelska ułuda, była zwierzęca, i jeśli grzeszyłeś, stając się zwierzęciem, grzeszysz jeszcze bardziej teraz, gdy nie chcesz tego wiedzieć!). Ale potem przeczytałem też, że – nadal według Awicenny – są też inne sposoby; na przykład uciekać się do towarzystwa niewiast starych i doświadczonych, które spędzają czas na oczernianiu ukochanej – a zda się, że stare niewiasty są bardziej doświadczone od mężczyzn w tej potrzebie. Może było to rozwiązanie słuszne, lecz starych niewiast w opactwie nie znajdę (prawdę mówiąc, nawet młodych), przyjdzie mi więc prosić którego mnicha, by mi mówił źle o dzieweczce, lecz którego? A zresztą czy mnich może znać niewiasty tak, jak zna je niewiasta stara i miłująca plotki? Ostatnie rozwiązanie podsunięte przez Saracena było po prostu bezwstydne, zalecało bowiem, by połączyć nieszczęsnego kochanka z licznymi niewolnicami, to zaś było dla mnicha rzeczą zgoła nieprzystojną. Jakże więc – powiedziałem sobie – ma wyleczyć się z choroby miłosnej młody mniszek, czyż nie masz dla niego ratunku? Może trzeba uciec się do Seweryna i jego ziół? W istocie, natknąłem się na ustęp z Arnolda z Villanovy, autora, którego z uznaniem cytował już przy mnie Wilhelm, a który utrzymywał, iż choroba miłosna rodzi się z obfitości humorów i tchnień, kiedy to ludzki organizm ma nadmiar wilgotności i ciepła, albowiem krew (która wytwarza nasienie płodzące), wzrastając w nadmiarze, wytwarza nadmiar nasienia, *complexio venerea*, i pragnienie połączenia między mężczyzną a kobietą. Jest moc osądzająca, umiejscowiona w grzbietowej części trzeciej komory mózgowia (cóż to takiego? – zadałem sobie pytanie), której zadaniem jest postrzeganie niewyczuwalnych *intentiones*, tkwiących w przedmiotach wyczuwalnych, poznawalnych przez zmysły, i kiedy pragnienie przedmiotu poznanego przez zmysły staje się zbyt silne, zdolność osądzająca zostaje naruszona i żywi się jeno zjawą osoby kochanej; wówczas potwierdza się stan zapalny całej duszy i ciała, wraz z przechodzeniem od smutku do radości i na powrót, albowiem ciepło (które w chwilach desperacji schodzi w głębsze partie ciała i okrywa chłodem naskórek) w momentach radości wyłania się na powierzchnię, rozpalając twarz. Kuracja doradzana przez Arnolda polegała na staraniach, by utracić ufność i nadzieję, że dojdzie do połączenia z przedmiotem kochanym, ażeby tym sposobem myśl się odeń oddaliła.

Ale w takim razie jestem wyleczony albo na drodze do wyleczenia – powiedziałem sobie – albowiem mam niewielką, albo i żadną, nadzieję, że ujrzę przedmiot moich myśli, a gdybym i ujrzał, że się z nim połączę, a gdybym i się połączył, że posiądę, a gdybym i posiadł, że zatrzymam u mego boku, tak z przyczyny mojego mnisiego stanu, jak obowiązków, które narzuciła mi pozycja mojej rodziny... Jestem uratowany – powiedziałem sobie; zamknąłem fascykuł i doszedłem do siebie w momencie, kiedy Wilhelm właśnie wkraczał do pokoju. Podjąłem z nim podróż poprzez rozpoznany już labirynt (jak to opowiedziałem) i na razie zapomniałem o tym, co mnie gnębiło.

Jak zobaczymy, przypomnę sobie już wkrótce, ale w sposobności (niestety!) nader odmiennej.

Dzień czwarty

Noc

Kiedy to Salwator daje się głupio przyłapać Bernardowi Gui,
dzieweczka zaś, którą miłuje Adso, jest zatrzymana jako
czarownica i wszyscy idą spać bardziej nieszczęśliwi
i zatroskani, niż byli przedtem

Rzeczywiście, schodziliśmy do refektarza, kiedy usłyszeliśmy
jakieś krzyki i zobaczyliśmy mdłe światełka, błyskające gdzieś od
strony kuchni. Wilhelm zaraz zgasił kaganek. Przemykając pod ścianami, zbliżaliśmy się ku drzwiom wychodzącym do kuchni i zauważyliśmy, że owe odgłosy dobiegają z zewnątrz, ale drzwi są otwarte.
Potem głosy i światła oddaliły się i ktoś zatrzasnął gwałtownie drzwi.
Był to wielki tumult, który zapowiadał, że zdarzyło się coś niemiłe-
go. Czym prędzej przecięliśmy ossuarium, wyłoniliśmy się w pu-
stym kościele, wyszliśmy przez portal południowy i dostrzegliśmy,
że światło łuczyw pojawiło się w krużgankach.

Pospieszyliśmy tam i w ogólnym zamieszaniu można było mniemać, że my także, wraz z licznymi, którzy byli już na miejscu, przybiegliśmy z dormitorium albo domu pielgrzymów. Zobaczyliśmy, że
łucznicy trzymają mocno Salwatora, białego jak białko jego oczu,
i niewiastę, która płakała. Serce mi się ścisnęło: była to ona, dzieweczka z moich myśli. Kiedy mnie zobaczyła, poznała i rzuciła spojrzenie błagalne i pełne rozpaczy. Pchany porywem, chciałem sko-
czyć jej na ratunek, ale Wilhelm mnie powstrzymał, szepcząc do ucha
napomnienia, w których nie było ni śladu serdeczności. Mnisi i goście nadbiegali teraz ze wszystkich stron.

Przybył opat, przybył też Bernard Gui, któremu kapitan łuczników złożył krótki raport. Oto co się wydarzyło.

Z rozkazu inkwizytora patrolowali nocą całą równię, szczególną
uwagę zwracając na drogę od bramy w murach do kościoła, okolicę
ogrodów i fasadę Gmachu (dlaczego? – zadałem sobie pytanie i zaraz pojąłem. Oczywiście Bernard zebrał od famulusów i kucharzy
plotki o jakichś nocnych handlach, jakie odbywały się między światem spoza murów a kuchnią, choć nie dowiedział się, kto właściwie
jest w nie wmieszany, a głowy bym nie dał, czy ten głupi Salwator,
który wyjawił wszak swoje zamiary przede mną, nie wygadał się już
przedtem w kuchni lub stajniach przed jakimś nędznikiem, ten zaś,
przestraszony popołudniowym wypytywaniem, rzucił Bernardowi

ochłap tej pogłoski). Krążąc podejrzliwie w ciemności i mgle, łucznicy przyłapali w końcu Salwatora w towarzystwie niewiasty, kiedy krzątał się koło drzwi od kuchni.

– Niewiasta w tym świętym miejscu! I do tego z mnichem! – rzekł surowo Bernard, obracając się do opata. – Magnificencjo – ciągnął – gdyby tylko chodziło o pogwałcenie ślubu czystości, ukaranie tego człowieka podlegałoby twojej jurysdykcji. Ale ponieważ nie wiemy jeszcze, czy zabiegi tych dwojga nędzników nie dotyczą zdrowia wszystkich, którym udzieliłeś gościny, musimy najpierw rozjaśnić tę tajemnicę. Nuże, mówię do ciebie, nędzniku! – I wyrwał Salwatorowi dobrze widoczne zawiniątko, choć ten mniemał, że skrył je na piersi. – Co jest w środku?

Ja już wiedziałem: nóż, czarny kot, który zaraz po rozwinięciu pakunku uciekł, miaucząc z wściekłością, i dwa jaja, rozbite teraz i lepkie, które wszyscy wzięli za krew albo żółć, albo inną nieczystą substancję. Salwator miał właśnie wejść do kuchni, zabić kota i wyłupić mu oczy, a dzieweczkę skłonił, kto wie, jakimi obietnicami, by z nim tu przyszła. Jakimiż to obietnicami, dowiedziałem się rychło. Łucznicy, wśród złośliwych śmiechów i lubieżnych słów, przeszukali dzieweczkę i znaleźli przy niej martwego kogucika, jeszcze nieoskubanego. Nieszczęście chciało, że nocą, kiedy wszystkie koty są czarne, kogut też wydał się czarny. Pomyślałem, że nie trzeba niczego więcej, by skusić wygłodniałą biedaczkę, która już poprzedniej nocy porzuciła (i z miłości do mnie!) cenne serce wołu...

– Ach, ach! – wykrzyknął Bernard wielce zatroskanym głosem. – Czarny kot i czarny kogut... Przecież znam te parafernalia... – Wśród stojących dostrzegł Wilhelma. – Czyż nie znasz ich też, bracie Wilhelmie? Czyż trzy lata temu nie byłeś inkwizytorem w Kilkenny, gdzie owa dziewczyna obcowała z diabłem, który ukazywał się jej w postaci czarnego kota?

Wydało mi się, że mój mistrz milczy z tchórzostwa. Chwyciłem go za rękaw, szarpnąłem i wyszeptałem z rozpaczą:

– Powiedzże mu, iż był do zjedzenia...

Wyzwolił się z mojego uchwytu i zwrócił się grzecznie do Bernarda.

– Nie wydaje mi się, byś potrzebował moich dawnych doświadczeń, by wyciągnąć własne wnioski – rzekł.

– Ależ nie, są świadectwa znacznie większych autorytetów. – Bernard się uśmiechnął. – Stefan de Bourbon opowiada w swojej rozprawie poświęconej siedmiu darom Ducha Świętego, jak to święty Dominik, po wygłoszeniu w Fanjeaux kazania przeciw heretykom, zapowiedział niektórym niewiastom, że zobaczą, komu dotychczas służyły. I nagle rzucił między nie przerażającego kota, wielkości dużego psa, o oczach wielkich i pałających, krwawym języku sięgającym pępka, ogonie krótkim i sterczącym do góry w ten sposób, że w którą stronę zwierzę się obróciło, pokazywało bezeceństwo swojego tyłka, cuchnącego jak żaden inny, tak przystoi bowiem temu odbytowi, który liczni czciciele szatana, a wśród nich nie na ostatnim miejscu rycerze templariusze, zawsze całowali podczas swoich zgromadzeń. Krążył ów kot wokół kobiet przez godzinę całą, a potem skoczył na sznur dzwonu i wspiął się po nim, zostawiając za sobą swoje śmierdzące odchody. I czyż nie jest kot miłowany przez katarów, którzy według Alanusa ab Insulis wzięli swe imię od *catus*, gdyż całują zadek owej bestii, uznając ją za wcielenie Lucyfera? I czyż nie potwierdza tej szkaradnej praktyki również Wilhelm z Owernii w *De legibus*? I czyż nie powiada Albert Wielki, że koty są potencjalnymi demonami? I czyż nie przytacza mój czcigodny konfrater Jakub Fournier, jak na łożu śmierci inkwizytora Gaufrida z Carcassonne pojawiły się dwa czarne koty, które nie były niczym innym, tylko demonami pragnącymi uczynić pośmiewisko ze śmiertelnych szczątków?

Szept przerażenia przebiegł przez grupę mnichów, wielu z nich uczyniło święty znak krzyża.

– Panie opacie, panie opacie – mówił dalej Bernard z cnotliwą miną – może jego magnificencja nie wiesz, jaki użytek czynią grzesznicy z tych narzędzi! Lecz wiem ja, gdyż Bóg tak zechciał! Widziałem występne niewiasty, jak w najciemniejszych godzinach nocnych wraz z innymi, lecz z tej samej ulepionymi gliny, posługiwały się czarnymi kotami, by czynić różne dziwy, czego nie mogły się wyprzeć. Jeżdżą okrakiem na niektórych zwierzętach i przemierzają dzięki nocnym ciemnościom ogromne przestrzenie, wlokąc za sobą niewolników, przeobrażonych w pożądliwe inkuby... I pokazuje się im sam diabeł, a przynajmniej one mocno w to wierzą, w postaci koguta lub innego czarnego zwierzęcia, z którym igrają nie pytaj nawet jak. I wiem jako rzecz pewną, że stosując tego rodzaju nekromancje, nie tak dawno w samym Awinionie sporządzono filtry i maści, by podnieść rękę na naszego pana papieża, zatruwając mu pożywienie. Papież zdołał się obronić i dostrzec jad tylko dlatego, że posiada cudowne klejnoty w kształcie języka węża, wzmocnione zachwycającymi szmaragdami i rubinami, które z mocy Boskiej służą wykrywaniu trucizny w pożywieniu! Jedenaście owych cennych języków podarował mu król Francji, dzięki niebu, i tylko w ten sposób pan nasz papież zdołał uniknąć śmierci! Co prawda, nieprzyjaciele papiescy uczynili nawet więcej i wszyscy wiedzą, co odkryto w związku z heretykiem Bernardem Rozkosznym, który został zatrzymany dziesięć lat temu; znaleziono u niego w domu księgi o czarnej magii, opatrzone właśnie na stronicach najbardziej zbrodniczych notatkami, i były tam wszystkie wskazówki, jak sporządzić figurki z wosku, by szkodzić swoim wrogom. I wierzaj, w tym domu również znaleziono figurki, które przedstawiały, z pewnością wykonany nadzwyczajnie biegle, wizerunek samego papieża, z czerwonymi kółeczkami na tych częściach ciała, bez których żyć nie można; a wszyscy wiedzą, że takie figurki zawiesza się na sznurku przed lustrem, a następnie uderza w owe życiowe kółeczka igłami i... Och, lecz czemuż zatrzymuję się przy tych obrzydłych niegodziwościach? Sam papież mówił o nich i opisał je, potępiając, właśnie zeszłego roku w swojej konstytucji *Super illius specula!* I mam nadzieję, że macie jej kopię w swojej bogatej bibliotece, by medytować nad nią, jak być powinno...

– Mamy, mamy – gorąco zapewnił zakłopotany opat.

– No dobrze – zakończył Bernard. – Teraz rzecz wydaje się jasna. Uwiedziony mnich, czarownica i jakiś obrządek, do którego, na szczęście, nie doszło. W jakim celu? Tego się dowiemy i by to osiągnąć, wyrzeknę się kilku godzin snu. Jego magnificencja zechce oddać mi miejsce jakie, gdzie da się przetrzymać tego człeka...

– W podziemiach pod kuźnią mamy cele – oznajmił opat – z których na szczęście korzystamy nader rzadko i które od lat są puste...

– Na szczęście lub na nieszczęście – zauważył Bernard. I rozkazał łucznikom, by wskazali mu drogę i zaprowadzili pojmanych do dwóch różnych cel; i by przywiązali porządnie mężczyznę do jakiego pierścienia osadzonego w murze, tak by on, Bernard, mógł wkrótce zejść i wypytać owego, patrząc mu uważnie w twarz. Co zaś się tyczy dziewczyny – orzekł – nie ma wątpliwości, kim jest, i nie ma co wypytywać ją tej nocy. Znajdą się inne dowody, zanim spali się ją jako czarownicę. A jeśli czarownicą w istocie jest, nie będzie łatwo skłonić ją do mówienia. Lecz może mnich skruszy się jeszcze (i patrzył na drżącego Salwatora, jakby chciał dać do zrozumienia, że otwiera mu ostatnią furtę) i opowie prawdę, wyjawiając – dodał – swoich wspólników.

Odprowadzono pojmanych, jedno milczące i przygnębione, drugie we łzach, kopiące i wyjące niby zwierzę prowadzone na ubój. Ale ani Bernard, ani łucznicy, ani ja sam nie pojmowaliśmy, co mówiła w swoim języku wieśniaczym. Choć więc mówiła, była jak niema. Są słowa, które dają moc, i inne, które sprawiają jeszcze większe opuszczenie, a takie są właśnie słowa pospolitego języka prostaczków, albowiem Pan nie dał im biegłości w wysławianiu się w powszechnym języku wiedzy i władzy.

Raz jeszcze próbowałem rzucić się za nią i raz jeszcze Wilhelm, z pociemniałą twarzą, mnie powstrzymał.

– Stój spokojnie, głupcze – rzekł. – Dziewczyna jest zgubiona i pójdzie na stos.

Kiedy przybity i ogarnięty zawieruchą sprzecznych myśli obserwowałem całą scenę, wpatrując się w dziewczę, poczułem, że ktoś dotyka mego ramienia. Nie wiem czemu, lecz nim jeszcze się obróciłem, poznałem dotknięcie Hubertyna.

– Patrzysz na czarownicę, prawda? – zapytał. I wiedziałem, że nie ma pojęcia o mojej przygodzie, mówi więc tak dlatego tylko, że uderzyła go intensywność mojego spojrzenia, był bowiem straszliwie przenikliwy w sprawach ludzkich.

– Nie... – zaprzeczyłem – nie patrzę... To jest może patrzę, ale to nie czarownica... Nie wiemy, może jest niewinna...

– Patrzysz na nią, gdyż jest piękna. Naprawdę jest piękna? – zapytał z dziwnym zapałem, ujmując mnie za ramię. – Jeśli patrzysz na nią, gdyż jest piękna, i jesteś tym wzburzony (lecz wiem, żeś wzburzony, albowiem grzech, o który ją podejrzewamy, czyni ją jeszcze powabniejszą), jeśli patrzysz na nią i doznajesz żądzy, przez to samo jest czarownicą. Miej baczenie, synu mój... Uroda ciała to jeno skóra. Gdyby ludzie widzieli to, co tkwi pod skórą, jak to jest w przypadku rysia z Beocji, zadrżeliby na widok niewiasty. Cały ten powab polega na śluzie i krwi, humorach i żółciach. Jeśli pomyśleć o tym, co kryje się w nozdrzach, w gardle i w brzuchu, ujrzy się brudy jeno. A skoro brzydzimy się dotknąć śluzu lub łajna palcem, jakże możemy pragnąć wziąć w ramiona ów wór, który łajno zawiera?

Chwyciły mnie mdłości. Nie chciałem słuchać dłużej tych słów. Z pomocą przyszedł mój mistrz, który wszystko słyszał. Zbliżył się nagle do Hubertyna, chwycił go za ramię i odciągnął ode mnie.

– Dosyć już, Hubertynie – rzekł. – Ta dziewczyna wkrótce będzie na mękach, później na stosie. Stanie się dokładnie, jak mówisz, śluzem, krwią, humorami i żółcią. Lecz to nasi bliźni dobędą spod skóry to, co z woli Pana było chronione i zdobione ową skórą. I z punktu widzenia pierwszej materii nie jesteś w niczym lepszy od niej. Daj pokój chłopcu.

Hubertyn zmieszał się.

– Może zgrzeszyłem – szepnął. – Na pewno zgrzeszyłem. Cóż innego mógł uczynić grzesznik?

Wszyscy teraz wracali, omawiając wydarzenie. Wilhelm porozmawiał chwilę z Michałem i z innymi minorytami, którzy pytali go o spostrzeżenia.

– Bernard ma teraz w dłoni argument, aczkolwiek niejednoznaczny. Po opactwie krążą nekromanci, którzy czynią te same rzeczy, jakie czyniono przeciw papieżowi w Awinionie. Nie jest to z pewnością dowód i w pierwszej instancji nie może być użyty dla zakłócenia jutrzejszego spotkania. Tej nocy postara się wydobyć z nieszczęśnika jakieś dalsze wskazówki, z których, jestem pewien, nie uczyni użytku jutro rano. Zachowa je sobie na zapas, posłużą mu później, by zakłócić tok dyskusji, jeśli potoczy się w kierunku dla niego niepożądanym.

– Czy może skłonić tamtego do powiedzenia czegoś przeciw nam? – zapytał Michał z Ceseny.

Wilhelm nie był pewny.

– Miejmy nadzieję, że nie – rzekł.

Zdałem sobie sprawę, że jeśli Salwator powie Bernardowi to, co powiedział nam o przeszłości swojej i klucznika, i jeśli wskaże na jakiś związek ich obu z Hubertynem, choćby nie wiem jak przelotny, położenie stanie się nader kłopotliwe.

– Tak czy inaczej, czekajmy na dalsze wypadki – powiedział pogodnym głosem Wilhelm. – Z drugiej strony, Michale, wszystko zostało postanowione z góry. Lecz ty chcesz spróbować.

– Chcę – odparł Michał – i Pan mi dopomoże. Oby święty Franciszek wstawił się za nami wszystkimi.

– Amen – odrzekli pozostali.

– Lecz to nie jest powiedziane – zabrzmiał gorszący komentarz Wilhelma. – Święty Franciszek może jest gdzieś tam, gdzie oczekuje się na sąd, nie oglądając Pana twarzą w twarz.

– Niech przeklęty będzie heretyk Jan! – usłyszałem, jak zrzędził messer Hieronim, kiedy wszyscy wracali, by położyć się spać. – Jeśli teraz odbierze nam nawet wsparcie świętych, gdzież skończymy, biedni grzesznicy?

Dzień
piąty

Dzień piąty

Pryma

Kiedy to ma miejsce braterska dysputa nad ubóstwem Jezusa

Piątego dnia wstałem, z sercem wzburzonym tysiącem trwóg po nocnej scenie, gdy dzwoniono już na prymę, a Wilhelm potrząsnął mną mocno, mówiąc, że wkrótce zbiorą się obie legacje. Wyjrzałem na zewnątrz przez okno celi i nie zobaczyłem nic. Mgła z poprzedniego dnia stała się mlecznobiałym całunem, który okrył szczelnie całą równię.

Ledwie wyszedłem, ujrzałem opactwo takim, jakim dotychczas nie widziałem; tylko niektóre największe budowle, kościół, Gmach, sala kapitulna, rysowały się także z daleka, choć niewyraźnie, jako cienie pośród cieni, reszta zaś zabudowań była widoczna dopiero z odległości paru kroków. Zdawało się, że kształty rzeczy i zwierząt dobywają się znienacka z nicości; ludzie jakby wyłaniali się z mgły, najpierw szarzy niby zjawy, a dopiero później można ich było rozpoznać, choć z trudem.

Urodziłem się w krainie północnej, więc nie był mi obcy ten żywioł, który w innym momencie przypomniałby mi z pewną słodyczą tamtą równinę i zamek, miejsce mojego urodzenia. Ale tego ranka stan powietrza wydał mi się boleśnie pokrewny stanowi duszy mojej i wrażenie smutku, z którym się zbudziłem, rosło, w miarę jak zbliżałem się do sali kapitulnej.

Na kilka kroków przed budynkiem zobaczyłem Bernarda Gui, który odprawiał właśnie kogoś, kogo w pierwszej chwili nie rozpoznałem. Kiedy później ów przeszedł obok mnie, spostrzegłem, że był to Malachiasz. Rozglądał się dokoła jak ktoś, kto nie chce być dostrzeżony, gdyż popełnił występek; lecz powiedziałem już, że wyraz jego twarzy z natury samej był właściwy dla człeka, który ukrywa albo próbuje ukryć coś tajemnego, czego nie sposób wyznać.

Nie poznał mnie i poszedł w swoją stronę. Pchany ciekawością, ruszyłem za Bernardem i ujrzałem, że przebiega wzrokiem karty, które być może wręczył mu Malachiasz. Na progu kapituły wezwał skinieniem dowódcę łuczników, który trzymał się w pobliżu, i szepnął mu kilka słów. Potem wszedł do środka. Ja za nim.

Po raz pierwszy postawiłem stopę w tym miejscu, które gdy patrzyło się z zewnątrz, miało skromne wymiary i było niewyszukane w formie; spostrzegłem, że zostało odbudowane niedawno, na szczątkach pierwotnego kościoła opackiego, być może częściowo zniszczonego przez pożar. Przybywając z zewnątrz, przechodziło się pod nowoświeckim portalem, ostrołukiem bez dekoracji, z rozetą powyżej. Ale wewnątrz wchodziło się do przedsionka zbudowanego na resztkach starego narteksu. Naprzeciwko wyłaniał się inny portal, z łukiem według sposobu starodawnego, z tympanonem w kształcie półksiężyca, cudownie rzeźbionym. Musiał to być portal starego kościoła.

Rzeźby na tympanonie były równie piękne jak rzeźby na obecnym kościele, lecz mniej niepokojące. Również tutaj nad całym tympanonem panował Chrystus w majestacie; ale obok Niego w rozmaitych pozach i z rozmaitymi przedmiotami w dłoniach stało dwunastu apostołów, którzy otrzymali od Niego posłannictwo, by rozeszli się po świecie i głosili ludziom Ewangelię. Nad głową Chrystusa, na łuku podzielonym na dwanaście kwater i pod stopami Jego, w nieprzerwanej procesji postaci, były przedstawione ludy świata, które miały usłyszeć Dobrą Nowinę. Poznałem po strojach Żydów, Kapadocjan, Arabów, Indian, Frygijczyków, Bizantyjczyków, Ormian, Scytów, Rzymian. Ale między nimi, na trzydziestu medalionach rozmieszczonych nad łukiem dwunastu kwater, widać było też mieszkańców nieznanych światów, o których mówili nam dopiero co Fizjolog oraz niepewne świadectwa podróżników. Wiele spośród tych istot widziałem pierwszy raz, inne rozpoznałem; na przykład grubian z sześcioma palcami u rąk, fauny, które rodzą się z robaków żyjących między korą a miąższem drzew, syreny z łuskowatymi ogonami, uwodzące marynarzy, Etiopczyków z ciałami całkiem czarnymi, którzy chronią się przed żarem słońca, drążąc podziemne jamy, onocentaury, które są ludźmi do pępka, osły zaś poniżej, cyklopi z jednym okiem wielkości skuda. Był tam też scylla z głową i piersiami dziewczyny, brzuchem wilka i ogonem delfina, włochaci ludzie z Indii, którzy żyją w bagnach i nad rzeką Epigmarydą, psiogłowi, którzy nie mogą wyrzec słowa, by nie przerwać i nie zaszczekać, jednonodzy, którzy biegają szybciutko na swojej jednej nodze, a kiedy chcą schronić się przed słońcem, kładą się i wystawiają wielką stopę niby parasol, Astomi z Grecji pozbawieni ust, którzy oddychają przez nos i żyją tylko powietrzem, brodate kobiety z Armenii, pigmeje, epistygowie przez innych nazywani również blemij, którzy rodzą się bez głów, usta mają na brzuchu, a oczy na ramionach, potworne kobiety znad Morza Czerwonego, wysokie na dwanaście stóp, z włosami opadającymi do pięt, ogonem wołu u dołu pleców i z kopytami wielbłądów, i owi z podeszwami stóp obróconymi wspak, tak że jeśli ktoś idzie za nimi, patrząc na ich ślady, zawsze dociera tam, skąd przyszli, nie zaś tam, dokąd poszli, i jeszcze ludzie z trzema głowami, owi z oczyma lśniącymi niby kaganki i potwory z wyspy Kirke, z ciałami ludzkimi i karkami najrozmaitszych zwierząt...

Te i inne dziwy były wyrzeźbione na tym portalu. Ale żaden z nich nie budził lęku, gdyż nie oznaczały zła tego świata ani udręki piekieł, lecz były świadkami tego, że Dobra Nowina dotarła do całej znanej ziemi i miała się rozciągnąć na nieznaną, dla której portal był radosną obietnicą zgody, osiągniętej jedności w słowie Chrystusa, wspaniałej *oikoumene*.

Dobra wróżba – powiedziałem sobie – dla spotkania, co odbędzie się za tym progiem, gdzie ludzie, którzy stali się sobie wrogami z powodu przeciwstawnej interpretacji Ewangelii, spotkają się dzisiaj, by uśmierzyć być może swary. I powiedziałem sobie, że jestem słabym grzesznikiem, który trapi się osobistymi sprawami, gdy tymczasem mają nastąpić wydarzenia tak wielkiej wagi dla historii chrześcijaństwa. Porównałem małość moich strapień z majestatyczną obietnicą pokoju i pogody ducha, potwierdzoną w kamieniu tympanonu. Prosiłem Boga, by wybaczył mi słabość, i w lepszym nastroju przekroczyłem próg.

Jak tylko wszedłem, zobaczyłem w komplecie członków obu legacji, zasiadających naprzeciw siebie na rozstawionych w półkole ławach, przy czym dwie grupy były oddzielone stołem, przy którym siedzieli opat i kardynał Bertrand.

Wilhelm, za którym szedłem, by sporządzać notatki, usadził mnie po stronie minorytów, gdzie byli Michał ze swoimi i inni franciszkanie z dworu w Awinionie; albowiem spotkanie nie miało wyglądać na pojedynek między Italczykami i Francuzami, lecz na dysputę między zwolennikami reguły franciszkańskiej i jej krytykami, dysputę, w której wszystkich łączy zdrowa i katolicka wierność dla dworu papieskiego.

Z Michałem z Ceseny byli brat Arnold z Akwitanii, brat Hugo z Newcastle i brat Wilhelm z Alnwick, którzy uczestniczyli w kapitule w Perugii, a następnie biskup Kaffy, Berengar Talloni, Bonagratia z Bergamo i inni minoryci z dworu awiniońskiego. Po stronie przeciwnej zasiadali Wawrzyniec Decoalcone, bakałarz z Awinionu, biskup z Padwy i Jan z Anneaux, doktor teologii w Paryżu. Obok Bernarda Gui, milczącego i zaabsorbowanego, był dominikanin Jan z Baune, którego w Italii zwano Giovanni Dalbena. Ten – powiedział mi Wilhelm – był przed laty inkwizytorem w Narbonie, gdzie postawił przed trybunałem licznych begardów i bigotów; ale ponieważ uznał za kacerskie właśnie zdanie dotyczące ubóstwa Chrystusa, podniósł się przeciw niemu Berengar Talloni, lektor w zakonie tego miasta, odwołując się do papieża. Wtenczas Jan był jeszcze niepewny w tej materii i wezwał obu na dwór, by dyskutowali, i nie doszło do żadnej konkluzji. Tak że wkrótce potem franciszkanie zajęli stanowisko, o którym już mówiłem, podczas kapituły w Perugii. Wreszcie ze strony awiniończyków byli jeszcze inni, a wśród nich biskup Alborei.

Posiedzenie otworzył Abbon, który uznał za stosowne podsumować ostatnie wydarzenia. Przypomniał, że w Roku Pańskim 1322 kapituła generalna braci mniejszych, zebrawszy się w Perugii pod przewodem Michała z Ceseny, ustaliła po dojrzałej i pilnej deliberacji, że Chrystus, by dać przykład życia doskonałego, i apostołowie, by dostosować się do Jego nauki, nie mieli nigdy wspólnie żadnej rzeczy ani z tytułu własności, ani z tytułu władania i że prawda ta jest materią wiary zdrowej i katolickiej, jaką dobywamy z rozmaitych ustępów ksiąg kanonicznych. Przez to jest zasługą i rzeczą świętą wyrzeczenie się własności wszelkiej, i tej reguły świętości trzymali się pierwsi założyciele Kościoła wojującego. Do tej prawdy dostosował się w roku 1312 sobór w Vienne, a i sam papież Jan w roku 1317, w konstytucji dotyczącej stanu braci mniejszych, która rozpoczyna się *Quorundam exigit*, skomentował postanowienia tego soboru jako święcie ułożone, przenikliwe, trwałe i dojrzałe. A zatem kapituła perugijska, uznając, iż to, co przez zdrową naukę Stolica Apostolska zawsze potwierdzała, winno się mieć za potwierdzone i w żaden sposób nie powinno się od tego odchodzić, postawiła tylko na nowo swą pieczęć na tych postanowieniach soborowych, a to parafą mistrzów świętej teologii, jak brat Wilhelm z Anglii, brat Henryk z Alemanii, brat Arnold z Akwitanii, prowincjałowie i kapłani; a także parafą brata Mikołaja, ministra na Francję, brata Wilhelma Bloka, bakałarza, kapelana generalnego, i czterech ministrów prowincjonalnych: brata Tomasza z Bolonii, brata Piotra z prowincji świętego Franciszka, brata Fernanda z Castello i brata Szymona z Tournai. Jednak – dodał Abbon – papież w następnym roku wydał dekretał *Ad conditorem canonum*, przeciw któremu odwołał się brat Bonagratia z Bergamo, uznając go za sprzeczny z dobrem swojego zakonu. Wtenczas papież zdjął dekretał z drzwi katedry w Awinionie, gdzie był zawieszony, i poprawił go w wielu punktach. Lecz w rzeczywistości uczynił go jeszcze sroższym, a potwierdza to fakt, że natychmiastową konsekwencją było zatrzymanie brata Bonagratii przez rok w więzieniu. Nie można mieć wątpliwości co do surowości papieskiej, albowiem tego samego roku wydał znaną teraz dobrze bullę *Cum inter nonnullos*, gdzie ostatecznie potępiono twierdzenia kapituły w Perugii.

W tym miejscu zabrał głos, przerywając dwornie Abbonowi, kardynał Bertrand i oznajmił, że należy przypomnieć, jak pragnąc wprowadzić zamęt do sprawy i zagniewać papieża, wtrącił się w roku 1324 Ludwik Bawarski, a to deklaracją z Sachsenhausen, w której przyjmuje się bez żadnych dobrych racji twierdzenia z Perugii (i trudno pojąć – zauważył Bertrand z przebiegłym uśmiechem – czemuż to cesarz pochwalał z takim zapałem ubóstwo, którego sam w istocie nie praktykował), stając przeciw messer papieżowi, nazywając go *inimicus pacis** i obmawiając, że chce wzniecić zgorszenie i niezgodę, traktując go wreszcie jako heretyka, a nawet herezjarchę.

– Nie całkiem tak – spróbował załagodzić Abbon.

– W swej istocie tak – rzekł oschle Bertrand. I dodał, że właśnie by sprzeciwić się niestosownemu wystąpieniu cesarza, messer papież był zmuszony wydać dekretał *Quia quorundam* i że wreszcie napomniał surowo Michała z Ceseny, aby ten stawił się przed jego obliczem. Michał słał listy z wymówkami, donosząc, że jest chory, w co nikt nie powątpiewał, wysyłając natomiast brata Jana z Fidanzy i brata Modesta Custodia z Perugii. Ale tak się złożyło – oznajmił kardynał – że gwelfowie z Perugii donieśli papieżowi, iż brat Michał nie tylko nie jest chory, ale utrzymuje kontakty z Ludwikiem Bawarskim. W każdym razie co było, to było, teraz brat Michał wygląda pięknie i pogodnie, jest więc oczekiwany w Awinionie. Lepiej jednakowoż – stwierdził kardynał – rozważyć najprzód, jak to się czyni teraz, w obecności roztropnych ludzi z obu stron, co brat Michał powie papieżowi, zważywszy na to, że celem wszystkich było zawsze nie jątrzyć, lecz po bratersku położyć kres niesnaskom, jakie nie powinny mieć miejsca między miłującym ojcem i jego pobożnymi synami i jakie rozpaliły się jeno wskutek wtrącania się ludzi świeckich, cesarzy i ich namiestników, którzy nie mają nic wspólnego z problemami świętej matki Kościoła.

Wtrącił się wtedy Abbon i oznajmił, że choć jest człowiekiem Kościoła i opatem zakonu, któremu Kościół tyle zawdzięcza (szmer

---

* Wrogiem pokoju (łac.).

szacunku i uznania przebiegł po obu stronach półkola), nie uważa jednak, że cesarz powinien pozostać obcy takim kwestiom, z wielu przyczyn, które później brat Wilhelm z Baskerville wyjaśni. Ale – mówił dalej Abbon – jest jednak rzeczą słuszną, że pierwsza część debaty odbywa się między posłami papieskimi a przedstawicielami tych synów świętego Franciszka, którzy przez sam fakt, iż wystąpili na tym spotkaniu, pokazali się oddanymi synami papieskimi. Tak więc zaprasza brata Michała albo kogoś od niego, by rzekł, co zamierza utrzymywać w Awinionie.

Michał powiedział, że ku jego wielkiej radości i wzruszeniu jest dzisiejszego ranka pośród nich Hubertyn z Casale, którego sam papież w roku 1322 prosił o gruntowne omówienie kwestii ubóstwa. I właśnie Hubertyn będzie mógł streścić z przenikliwością, wiedzą i żarliwą wiarą, którą wszyscy u niego uznają, główne punkty tego, co stało się już nieodwołalnie poglądem zakonu franciszkańskiego.

Wstał Hubertyn i ledwie zaczął mówić, pojąłem, czemu tyle zapału wzbudzał i jako predykant, i jako dworak. Namiętny w geście, przekonywający w głosie, urzekający w uśmiechu, jasny i konsekwentny w rozumowaniu, przykuwał uwagę słuchaczy przez cały czas, kiedy przemawiał. Zaczął od wielce uczonego rozważenia racji, które wspierały twierdzenia z Perugii. Oznajmił, że przede wszystkim trzeba uznać, iż Chrystus i apostołowie Jego byli dwoistego stanu, gdyż byli prałatami Kościoła Nowego Testamentu, a tym samym z tytułu władzy rozdawania i rozdzielania posiadali rzeczy, by dawać je biednym i kapłanom Kościoła, jak to jest napisane w IV rozdziale Dziejów Apostolskich, i co do tego nikt nie wysuwa obiekcji. Ale z drugiej strony na Chrystusa i apostołów winno się patrzeć jako na prywatne osoby, będące fundamentem wszelakiej religijnej doskonałości, i tych, którzy w sposób doskonały gardzili światem. I w związku z tym przychodzą na myśl dwa sposoby posiadania, jeden cywilny i doczesny, określony przez prawa cesarskie w słowach *in bonis nostris*, albowiem naszymi zwane są te dobra, których bronimy i o które, gdy zostaną nam odebrane, mamy prawo się upominać. Dlatego jedną rzeczą jest cywilnie i docześnie bronić swego dobra przed tym, który chce nam je odebrać, i odwoływać się do sądu cesarskiego (lecz powiedzieć, że Chrystus i apostołowie mieli coś w ten sposób, jest stwierdzeniem heretyckim, albowiem, jak rzecze Mateusz w V rozdziale, temu, kto chce się z tobą w sądzie spierać i wziąć suknię twoją, odstąp i płaszcz, i nie inaczej mówi Łukasz w VI rozdziale, którymi to słowami Chrystus odsuwa od siebie wszelkie panowanie i władanie, to samo nakazując swoim apostołom, a mamy poza tym u Mateusza rozdział XXIX, gdzie Piotr mówi Panu, że porzucili wszystko, by pójść za nim); ale na inny sposób można jednak mieć rzeczy doczesne, kiedy chodzi o dobro wspólnej braterskiej miłości, i w ten sposób Chrystus i Jego uczniowie mieli dobra z przyczyny naturalnej, która to przyczyna przez niektórych zwana jest *ius poli*, to jest przyczyna nieba, by podtrzymać naturę, a ta i bez uładzenia człowieczego jest w zgodzie z racją; gdy tymczasem *ius fori* jest siłą zależną od ludzkich uwarunkowań. Zanim doszło do pierwszego podzielenia, rzeczy względem władania były jako owe rzeczy, które teraz są wśród niczyich i podlegają temu, kto je zajął; były w pewnym sensie wspólne wszystkim ludziom; dopiero po grzechu nasi ojcowie zaczęli dzielić między sobą władanie rzeczami, i wtedy to zaczęło się władanie doczesne, takie jakie znamy dzisiaj. Lecz Chrystus i apostołowie mieli rzeczy na pierwszy sposób, i tak właśnie mieli szaty i chleb, i ryby, i jak rzecze Paweł w Pierwszym do Tymoteusza, mamy pożywienie i czym okryć się i jesteśmy zadowoleni. Tak więc Chrystus i jego wyznawcy mieli owe rzeczy nie w posiadaniu, ale w użytkowaniu, i całkowite ubóstwo było bez skazy. Co zostało już uznane przez papieża Mikołaja II w dekretale *Exit qui seminat*.

Ale podniósł się ze strony przeciwnej Jan z Anneaux i rzekł, że stanowisko Hubertyna wydaje się sprzeczne z prawym rozumem i właściwą interpretacją Pisma. Albowiem przy dobrach zniszczalnych w użyciu, jak chleb i ryby, nie można mówić o zwykłym prawie użytkowania ani nie można faktycznie ich użytkować, lecz tylko zużywać; wszystko to, co wierni mieli wspólne w pierwotnym Kościele, jak można wywnioskować z Dziejów Apostolskich, 2 i 3, mieli na zasadzie tego samego typu władania co przed nawróceniem; apostołowie po zstąpieniu Ducha Świętego mieli posiadłości w Judei; ślub życia bez własności nie rozciąga się na to, czego człowiek niezbędnie potrzebuje, by żyć, a kiedy Piotr rzekł, że porzucił wszystko, nie zamierzał rzec, że wyrzekł się własności; Adam miał władzę i prawo własności nad rzeczami; sługa, który bierze pieniądze swego pana, nie dokonuje z pewnością użytku ni zużycia; słowa z *Eocit qui seminat*, na które minoryci zawsze się powołują i które ustanawiają, że bracia mniejsi mają na użytek jedynie wszystko, czym się posługują, nie władając tym ani nie mając tego na własność, winny odnosić się do dóbr, które nie wyczerpują się wraz z użytkiem, i rzeczywiście, jeśliby *Exit* rozumiało dobra zniszczalne, utrzymywałoby rzecz niemożliwą; faktycznego użytku nie da się odróżnić od władania prawnego; wszelkie prawo ludzkie, na którego podstawie posiada się dobra materialne, zawarte jest w prawach królów; Chrystus jako człek śmiertelny od momentu swojego poczęcia był posiadaczem wszystkich dóbr ziemskich, jako Bóg zaś miał od ojca powszechne władanie nad wszystkim; był posiadaczem wszystkich dóbr ziemskich, jako Bóg zaś wiernych, a jeśli był biedny, to nie dlatego, że nie miał nic na własność, ale dlatego, że nie ciągnął z tego zysku, jako że zwykłe władanie prawne rzeczami, oddzielone od ciągnięcia korzyści, nie czyni bogatym tego, kto włada, a wreszcie, gdyby nawet Exit powiedziało coś odmiennego, papież rzymski, w tym, co odnosi się do wiary i do kwestii moralnych, może odwoływać postanowienia swoich poprzedników, a nawet wypowiadać stwierdzenia przeciwne.

W tym momencie zerwał się na równe nogi brat Hieronim, biskup Kaffy a broda drżała mu z gniewu, choć słowa miały robić wrażenie pojednawczych. I zaczął argumentację, która mnie wydała się nieco niejasna.

– To, co chcę rzec Ojcu Świętemu, a powiem to ja sam, przedkładam mu już teraz do poprawienia, albowiem wierzę naprawdę, że Jan jest namiestnikiem Chrystusa, i przez to wyznanie wzięli mnie Saraceni. A zacznę od przytoczenia faktu podanego przez wielkiego doktora w sprawie dysputy, jaka powstała pewnego razu pośród mnichów o tym, kto był ojcem Melchizedecha. I wtedy opat Copes, spytany o to, stuknął się w głowę i rzekł: „Biada ci, Copes, uganiasz się bowiem tylko za tymi rzeczami, za którymi Bóg nie każe ci się uganiać, a jesteś niedbały w tych, które ci nakazuje". Oto, jak jasno widać z mojego przykładu, jest oczywiste, że Chrystus i Najświętsza Panna, i apostołowie nie mieli nic ani osobno, ani wspólnie, i mniej oczywiste byłoby uznać, że Jezus był człowiekiem i Bogiem jednocześnie, a przecież wydaje mi się jasne, że kto zaprzeczy pierwszej oczywistości, winien następnie zaprzeczyć drugiej!

Rzekł to triumfalnie i ujrzałem, jak Wilhelm wznosi wzrok do nieba. Podejrzewam, że uznał sylogizm Hieronima za ułomny, i nie mogłem odmówić mu racji, ale bardziej jeszcze ułomne wydały mi się nader gniewne zarzuty Jana Dalbeny, który rzekł, że kto twierdzi coś o ubóstwie Chrystusa, twierdzi coś, co widzi się (albo nie widzi) okiem, gdy tymczasem w określanie Jego człowieczeństwa i boskości wchodzi wiara, przez co dwa te zdania nie mogą być ze sobą zestawione. W swej wypowiedzi Hieronim był subtelniejszy od przeciwnika.

– Och, nie, drogi bracie – rzekł. – Prawdą wydaje mi się właśnie rzecz przeciwna, albowiem wszystkie Ewangelie głoszą, że Chrystus był człowiekiem, jadł i pił, a poprzez swoje oczywiste cuda był również Bogiem, i to właśnie rzuca się w oczy!

– Również czarownicy i wieszczkowie czynili cuda – rzekł Dalbena, wielce z siebie kontent.

– Tak – odparł Hieronim – ale przez działanie sztuki magicznej. A ty chcesz porównać cuda Chrystusa ze sztuką magiczną? – Zgromadzeni zaszemrali z oburzeniem, że wcale nie chcą. – A wreszcie – ciągnął Hieronim, który czuł się już bliski zwycięstwa – czyż messer kardynał z Poggetto chciałby uznać za heretycką wiarę w ubóstwo Chrystusa, chociaż na tym twierdzeniu wspiera się reguła zakonu takiego jak zakon franciszkański, takiego, że nie masz królestwa, dokąd jego synowie nie udaliby się, głosząc kazania i przelewając krew, od Maroka po Indie?

– Święta duszo Piotra Hiszpana – mruknął Wilhelm – miej pieczę nad nami.

– Braciszku najmilszy sercu! – ryknął wówczas Dalbena, występując krok do przodu. – Mów o krwi swoich braci, ale nie zapominaj, że tę daninę płacili również zakonnicy innych reguł...

– Z całym szacunkiem dla pana kardynała! – wrzasnął na to Hieronim. – Żaden dominikanin nie poniósł śmierci pośród niewiernych, podczas gdy w moich tylko czasach dziewięciu minorytów zostało umęczonych!

Wtenczas wstał poczerwieniały na twarzy dominikanin, biskup Alborei.

– Zatem ja mogę udowodnić, że pierwej niż minoryci byli w Tartarii, papież Innocenty wysłał tam trzech dominikanów!

– Ach, tak? – zaśmiał się szyderczo Hieronim. – Otóż ja wiem, że od osiemdziesięciu lat minoryci są w Tartarii i mają czterdzieści kościołów w całym kraju, gdy tymczasem dominikanie mają tylko pięć placówek na wybrzeżu i jest ich tam wszystkiego piętnastu braci! I to rozstrzyga kwestię!

– Nie rozstrzyga żadnej kwestii! – wykrzyknął Alborea. – Albowiem ci minoryci, którzy płodzą bigotów jak suki szczenięta, wszystko przypisują sobie, chełpią się męczennikami, a potem mają piękne kościoły, wspaniałe paramenty, kupują i sprzedają jak wszyscy inni zakonnicy!

– Nie, mój panie, nie – przerwał Hieronim. – Oni nie kupują i nie sprzedają sami, ale za pośrednictwem prokuratorów Stolicy Apostolskiej, i prokuratorzy posiadają, minoryci zaś mają jedynie na użytek!

– Doprawdy? – zadrwił Alborea. – A ileż to razy sprzedawałeś bez prokuratorów? Znam historię pewnych posiadłości, które...

– Jeśli tak uczyniłem, zbłądziłem – przerwał skwapliwie Hieronim. – Lecz nie rozciągaj na zakon tego, co mogło być tylko moją słabością!

– Ależ, czcigodni bracia – zabrał wówczas głos Abbon – naszym problemem nie jest to, czy minoryci są ubodzy, lecz czy był ubogi Pan Nasz...

– Otóż to – dał się słyszeć raz jeszcze Hieronim. – Mam w tej kwestii argument, który przecina niby miecz...

– Święty Franciszku, miej pieczę nad swoimi synami... – rzekł nieufnie Wilhelm.

– Argument zaś – ciągnął Hieronim – jest taki, że chrześcijanie wschodni i grecy, znacznie lepiej niż my obznajomicni z naukami świętych ojców, uznają za potwierdzone ubóstwo Chrystusa. A jeśli ci heretycy i schizmatycy trwają tak jawnie przy prawdzie tak przejrzystej, czyż chcemy być bardziej od nich heretykami i schizmatykami i zaprzeczyć jej? Ci ze Wschodu, gdyby usłyszeli, jak ktoś z naszych głosi kazanie przeciw tej prawdzie, ukamienowaliby go!

– Co też mi powiadasz! – Alborea zaśmiał się szyderczo. – A czemuż to nie ukamienują dominikanów, którzy właśnie przeciw temu głoszą kazania?

– Dominikanów? Ależ nigdy ich tam nie widziałem!

Alborea zrobił się fioletowy na twarzy, zauważył, że ten tu brat Hieronim był w Grecji może piętnaście lat, gdy tymczasem on był tam od dzieciństwa. Hieronim odparł, że on, dominikanin Alborea, może był nawet w Grecji, ale by spędzać życie wśród przyjemności w pięknych pałacach biskupich, on zaś, franciszkanin, był tam nie piętnaście lat, ale dwadzieścia dwa i głosił kazanie w obliczu cesarza w Konstantynopolu. Wtenczas Alborea, któremu zabrakło argumentów, spróbował pokonać przestrzeń, jaka oddzielała go od minorytów, wyjawiając na głos i słowami, których nie śmiem przytoczyć, swoją stanowczą wolę wyrwania brody biskupowi Kaffy, którego męskość podał w wątpliwość i którego właśnie, w zgodzie z logiką odwetu, chciał ukarać, używając owej brody jako bicza.

Inni minoryci podbiegli, by wznieść zaporę przed swoim konfratrem, awiniończycy zaś uznali za pożyteczne udzielić wsparcia dominikaninowi i wynikła z tego (o Panie, ulituj się nad najlepszymi spośród twoich synów!) sprzeczka, którą opat i kardynał daremnie starali się uśmierzyć. W ogólnym tumulcie minoryci i dominikanie powiedzieli sobie nawzajem rzeczy nader poważne, jakby każdy z nich był chrześcijaninem walczącym z Saracenami. Jedynymi, którzy pozostali na swoich miejscach, byli z jednej strony Wilhelm, a z drugiej Bernard Gui. Wilhelm zdawał się zasmucony, a Bernard uradowany, jeśli rozradowaniem można nazwać blady uśmiech, który wykrzywiał wargi inkwizytora.

346

– Czyż nie ma lepszych argumentów, by dowieść ubóstwa Chrystusa albo mu zaprzeczyć? – zapytałem mojego mistrza, kiedy Alborea wyżywał się na brodzie biskupa Kaffy.

– Ależ możesz twierdzić obie te rzeczy, mój poczciwy Adso – rzekł Wilhelm – i nigdy nie zdołasz, opierając się na Ewangelii, rozstrzygnąć, czy Chrystus uważał za swoją własność, i do jakiego stopnia, suknię, którą nosił i którą wyrzucał, kiedy się zniszczyła. A jeśli wolisz, nauka Tomasza z Akwinu o własności jest śmielsza od tej, którą głosimy my, minoryci. Powiadamy: nie mamy nic i wszystkiego jeno używamy. On zaś powiedział: uznajcie się za właścicieli, bylebyście, kiedy komuś brak tego, co macie, odstąpili mu w użytkowanie, i to z obowiązku, nie zaś z miłości bliźniego. Lecz problem polega nie na tym, czy Chrystus był ubogi, lecz czy ubogi powinien być Kościół. A „ubogi" nie znaczy tu: mieć jakiś pałac albo go nie mieć, lecz zachować przywilej ustanowienia praw w zakresie doczesnym czy też wyrzec się tego przywileju.

– Dlatego więc – rzekłem – cesarzowi tak bardzo zależy na tym, co minoryci mówią o ubóstwie.

– W istocie. Minoryci grają na korzyść cesarza, a przeciw papieżowi. Ale dla Marsyliusza i dla mnie owa gra jest podwójna; chcemy, by gra cesarza była naszą grą i służyła naszym wyobrażeniom o tym, jak trzeba rządzić ludźmi.

– I to właśnie powiesz, kiedy przyjdzie twoja kolej zabrać głos?

– Jeśli to powiem, spełnię moją misję, która polega na ujawnieniu poglądu teologów cesarskich. Ale jeśli to powiem, chybię mojej misji, gdyż powinienem ułatwić drugie spotkanie w Awinionie, a mniemam, że Jan się nie zgodzi, bym tam się udał i to wszystko powiedział.

– A więc?

– A więc jestem między dwoma sprzecznymi siłami, jak osioł, co nie wie, z którego żłobu ma jeść. I czasy jeszcze nie dojrzały. Marsyliusz roi o przeobrażeniach, których w tej chwili nie sposób przeprowadzić, a Ludwik wcale nie jest lepszy od swoich poprzedników, chociaż pozostaje jedynym przedmurzem przeciw nędznikowi, jakim jest Jan. Być może będę musiał przemówić, chyba że ci tutaj pozabijają się nawzajem. W każdym razie pisz, Adso, by został chociaż ślad po tym, co się dzisiaj dzieje.

– A Michał?

– Boję się, że traci czas. Kardynał wie, że papież nie szuka mediacji, Bernard Gui wie, że musi doprowadzić do porażki spotkania; Michał zaś wie, że tak czy inaczej ruszy do Awinionu, gdyż nie chce, by zakon zerwał wszelkie stosunki z papieżem. I wystawi życie na niebezpieczeństwo.

Gdy tak rozprawialiśmy – a doprawdy nie wiem, jak mogliśmy słyszeć jeden drugiego – sprzeczka sięgała szczytu. Na znak dany przez Bernarda Gui wtrącili się łucznicy, by naprawdę nie doszło do starcia dwóch grup. Ale ci, niby oblegający i oblegani po obu stronach muru twierdzy, ciskali w siebie zaprzeczeniami i zniewagami, które tutaj przytoczę na chybił trafił, nie wiedząc już, komu przypisać ich ojcostwo, i zastrzegając się, że oczywiście zdania, nie były wypowiadane kolejno, jak działoby się to podczas sporu na mojej ziemi, ale na sposób śródziemnomorski, jedno siadało okrakiem na drugim niby fale rozszalałego morza.

– Ewangelia powiada, że Chrystus miał sakiewkę!

– Zamilcz z tą twoją sakiewką, którą malujecie nawet na krzyżach! Co powiesz o fakcie, że Pan Nasz, kiedy był w Jerozolimie, wracał co wieczór do Betanii?

– Jeśli Pan Nasz zechciał spać w Betanii, kimże jesteś ty, by wsadzać nos w jego postanowienie?

– Nie, stary capie, Pan Nasz wracał do Betanii, gdyż nie miał pieniędzy, żeby zapłacić za gospodę w Jerozolimie!

– Bonagratia, to ty jesteś capem! A cóż jadł Pan Nasz w Jerozolimie?

– A ty powiesz, że koń, który dostaje owies od swego pana, by nie zdechł, ma owies na własność?

– Popatrz tylko, porównujesz Chrystusa do konia...

– Nie, to ty porównujesz Chrystusa do przekupnego prałata z twojego dworu, ty kupo łajna!

– Tak? A ile to razy Stolica Święta musiała brać na swoją głowę procesy, by bronić waszych dóbr?

– Dóbr Kościoła, nie zaś naszych! My mieliśmy je tylko w użyciu!

– W pożyczce, żeby je zjeść, by zbudować piękne kościoły z posągami ze złota, obłudnicy, naczynia nieprawości, groby pobielane, gniazda występku! Wiecie dobrze, że miłość bliźniego, nie zaś ubóstwo, jest zasadą życia doskonałego!

– To powiedział ten wasz żarłok Tomasz!

– Bacz, bezbożniku! Ten, którego zwiesz żarłokiem, jest świętym Kościoła rzymskiego!

– Święty moich sandałów, kanonizowany przez Jana na złość franciszkanom! Wasz papież nie może czynić świętych, bo jest heretykiem! Jest nawet herezjarchą!

– Znamy już te piękne słowa! I deklarację tego pajaca z Bawarii wydaną w Sachsenhausen, a przygotowaną przez waszego Hubertyna!

– Bacz na swoje słowa, wieprzu, synu wszetecznicy Babilonu i jeszcze innych dziewek ulicznych! Wiesz, że tego roku Hubertyna nie było u boku cesarza, lecz był właśnie w Awinionie, na służbie u kardynała Orsiniego, papież zaś wysłał go z misją do Aragonu!

– Wiem, wiem, że ślub ubóstwa składał przy stole kardynała, jak czyni to i teraz w najbogatszym opactwie na półwyspie! Hubertynie, skoro nie ty, któż podszepnął Ludwikowi użycie twoich pism?

– Czyż ja jestem tego winien, że Ludwik przeczytał moje pisma? Z pewnością nie mógł czytać twoich, boś niepiśmienny!

– Ja niepiśmienny? Czy był piśmienny wasz Franciszek, który rozmawiał z gęsiami?

– Zbluźniłeś!

– To ty bluźnisz, braciszku od lekkiego życia!

– Nigdy nie miałem lekkiego życia i wiesz o tym!!!

– Ależ miałeś, i to razem ze swoimi braciszkami, kiedyś wsuwał się do łożnicy Klary z Montefalco!

– Oby Bóg raził cię gromem! Ja byłem w owym czasie inkwizytorem, Klara zaś zmarła już w zapachu świętości.

– Z Klary dobywał się zapach świętości, ale ty wdychałeś inny, kiedy śpiewałeś jutrznię mniszkom!

– Dalej, dalej, mów, gniew Boży dosięgnie cię, jak dosięgnie twego pana, który udzielił gościny dwóm heretykom, jak ten Ostrogot Eckhart i ten angielski nekromanta, którego nazywacie Branucerton!

– Czcigodni bracia, czcigodni bracia! – wykrzykiwali kardynał Bertrand i opat.

Dzień piąty

Tercja

*Kiedy to Seweryn mówi Wilhelmowi o dziwnej księdze, Wilhelm
zaś legatom o dziwnym pomyśle rządów doczesnych*

Sprzeczka trwała jeszcze w najlepsze, kiedy jeden z nowicjuszy
czuwających przy drzwiach wszedł, krocząc przez to zamieszanie
niby ktoś, kto idzie przez pole zbite gradem, i zbliżył się, by szepnąć
Wilhelmowi z Baskerville, że Seweryn pragnie pilnie z nim pomówić. Wyszliśmy do narteksu, gdzie tłoczyli się zaciekawieni mnisi,
którzy poprzez krzyk i hałasy starali się wyłowić coś z tego, co działo się w środku. Zobaczyliśmy w pierwszym rzędzie Aimara z Alessandrii, który przywitał nas swym zwykłym szyderczym grymasem
współczucia dla głupoty wszechświata.

– Z pewnością, odkąd pojawiły się zakony żebracze, chrześcijaństwo stało się cnotliwsze – oznajmił.

Wilhelm odepchnął go nie bez złości i poszedł w stronę Seweryna, który czekał na nas w kącie. Był zatrwożony, chciał rozmawiać
z nami na osobności, ale w tym zamęcie nie można było znaleźć spo-
kojnego miejsca. Moglibyśmy wyjść na otwartą przestrzeń, ale na
progu sali kapitulnej pojawił się Michał z Ceseny, który nakłaniał
Wilhelma do powrotu, albowiem – powiadał – sprzeczka zamarła
i trzeba kontynuować serię wystąpień.

Wilhelm, wahający się między dwoma żłobami, zachęcił Seweryna do mówienia, a herborysta robił, co mógł, by nie słyszeli go
obecni.

– Berengar z pewnością był w szpitalu, zanim udał się do łaźni –
oznajmił.

– Skąd wiesz? – Paru mnichów zbliżyło się, bo byli zaciekawieni
naszą pogawędką. Seweryn przemawiał głosem jeszcze cichszym,
rozglądając się dokoła.

– Powiedziałeś mi, że ten człowiek... winien coś ze sobą mieć...
No i znalazłem coś w mojej pracowni, wetkniętą między inne księgi... księgę nie moją, dziwną...

– Winna to być ta – rzekł Wilhelm z triumfem. – Przynieś mi ją
zaraz.

– Nie mogę – odparł Seweryn – wyjaśnię ci potem, odkryłem...
sądzę, że odkryłem coś interesującego... Musisz przyjść ty, muszę
pokazać ci książkę... ostrożnie...

Nie ciągnął dalej. Spostrzegliśmy, że bezgłośny jak zwykle Jorge wyrósł ni z tego, ni z owego obok nas. Trzymał ręce przed sobą, jakby, nienawykły do poruszania się tutaj, chciał zbadać, dokąd idzie. Osoba normalna nie mogłaby usłyszeć szeptów Seweryna, ale od dawna wiedzieliśmy, że Jorge, podobnie jak wszyscy ślepcy, ma słuch szczególnie ostry. Wydawało się jednak, że starzec nic nie usłyszał. Ruszył nawet w kierunku przeciwnym do naszego, dotknął któregoś z mnichów i o coś go spytał. Ten wziął go delikatnie pod ramię i wyprowadził. W tym momencie ukazał się Michał, zaczął wzywać Wilhelma i mój mistrz podjął postanowienie.

– Proszę cię – rzekł do Seweryna – wracaj zaraz, skądeś przyszedł. Zamknij się i czekaj na mnie. Ty zaś – zwrócił się do mnie – idź za Jorge. Nawet gdyby coś usłyszał, nie sądzę, żeby ruszył do szpitala. W każdym razie zobacz, dokąd idzie.

Miał właśnie wejść do sali i spostrzegł Aimara (dostrzegłem go i ja), który torował sobie drogę wśród ciżby obecnych, by ruszyć za wychodzącym Jorge. W tym momencie Wilhelm popełnił nieostrożność, gdyż tym razem na głos, na cały narteks, rzekł do Seweryna, który był już na zewnętrznym progu:

– Przypominam ci. Nie powierzaj nikomu... tych kart... wracaj, skądeś przyszedł!

Ja, który gotowałem się ruszyć za Jorge, zobaczyłem w tej chwili opartego o węgar zewnętrznych drzwi klucznika, który usłyszał słowa Wilhelma i z twarzą skurczoną strachem spojrzał kolejno na mojego mistrza i na herborystę. Dostrzegł Seweryna, który wychodził, i podążył za nim. Stałem na progu i bałem się stracić z oczu Jorge, który już niknął we mgle; ale także tamci dwaj, idąc w przeciwnym kierunku, zagłębiali się właśnie w oparach. Obliczyłem szybko, co winienem czynić. Rozkazano mi iść za ślepcem, ponieważ bano się, by nie poszedł do szpitala. Ruszył jednak wraz ze swoim towarzyszem w innym kierunku, kroczył przez dziedziniec prosto w stronę kościoła albo Gmachu. Natomiast klucznik z pewnością szedł za herborystą i Wilhelm był zatroskany tym, co może wydarzyć się w pracowni. Dlatego poszedłem za tymi dwoma, zastanawiając się jeszcze i nad tym, dokąd udał się Aimar, chyba że wyszedł z przyczyn zupełnie odmiennych od naszych.

Trzymając się w rozsądnej odległości, nie traciłem z oczu klucznika, który zwolnił właśnie kroku, gdyż zdał sobie sprawę, że idę za nim. Nie mógł pojąć, czy cieniem, który depcze mu po piętach, jestem ja, jak i ja nie mogłem wiedzieć, czy cieniem, któremu depczę po piętach, jest on, ale podobnie jak ja nie miałem żadnych wątpliwości co do niego, tak i on nie miał wątpliwości co do mnie. Zmuszając go do baczenia, przeszkodziłem mu iść zbyt blisko za Sewerynem. Tak więc, kiedy drzwi szpitala ukazały się we mgle, były już zamknięte. Seweryn wszedł, dzięki Bogu, do środka. Klucznik odwrócił się, by raz jeszcze spojrzeć na mnie, który stałem teraz nieruchomo niby drzewo w ogrodzie, po czym podjął chyba decyzję, bo ruszył w stronę kuchni. Wydało mi się, że spełniłem swoją misję. Seweryn jest człekiem rozsądnym, będzie pilnował się sam, nikomu nie otworzy. Nic tu już było po mnie, a osobliwie, że nie mogłem zmóc ciekawości, by ujrzeć, co też dzieje się w sali kapitulnej. Dlatego postanowiłem zawrócić i złożyć sprawozdanie. Być może uczyniłem źle, winienem postać jeszcze na straży, a uniknęlibyśmy tylu dalszych przygód. Ale wiem to teraz, wtedy zaś nie wiedziałem.

Kiedy wracałem, prawie wpadłem na Bencjusza, który uśmiechał się porozumiewawczo.

– Seweryn znalazł coś, co zostawił Berengar, czyż nie tak?

– Cóż możesz o tym wiedzieć? – rzuciłem niegrzecznie, traktując go jak rówieśnika, w części z gniewu, a w części i powodu jego pacholęcej twarzy, teraz wykrzywionej prawie dziecięcą złośliwością.

– Nie jestem głupcem – odparł Bencjusz. – Seweryn biegnie, by powiedzieć coś Wilhelmowi, ty baczysz, by nikt za nim nie poszedł...

– A ty za bardzo pilnujesz nas i Seweryna – rzekłem zezłoszczony.

– Ja? A pewnie, że pilnuję. Zresztą od wczoraj nie tracę z oczu ani łaźni, ani szpitala. Gdybym jeno mógł, już bym tam wszedł. Dałbym głowę, byleby tylko się dowiedzieć, co Berengar znalazł w bibliotece.

– Zbyt wiele rzeczy chcesz wiedzieć, nie mając po temu prawa!

– Jestem scholarem i mam prawo wiedzieć; przybyłem tu z końca świata, by poznać bibliotekę, a biblioteka pozostaje zamknięta, jakby były w niej rzeczy złe, a ja...

– Daj mi przejść – rzekłem szorstko.

– Dam ci przejść, i tak mi powiedziałeś, co chciałem wiedzieć.

– Ja?

– Mówi się także milcząc.

– Radzę ci nie wchodzić do szpitala – powiedziałem mu.

– Nie wejdę, nie wejdę, bądź spokojny. Ale nikt mi nie zabroni patrzeć z zewnątrz.

Nie słuchałem go dłużej i wszedłem. Ten ciekawski nie stanowił, jak mi się wydawało, wielkiego niebezpieczeństwa. Usiadłem obok

Wilhelma i krótko streściłem mu wydarzenia. Skinął z aprobatą, potem dał znak, bym milczał. Zamęt zmniejszył się. Legaci obu stron wymieniali teraz pocałunek pokoju. Alborea wychwalał wiarę minorytów, Hieronim wynosił pod niebiosa miłosierdzie predykantów, wszyscy wyśpiewywali hymny, wyrażające nadzieję na Kościół, który nie byłby już szarpany walkami wewnętrznymi. Ten sławił czyjąś śmiałość, ów umiar, wszyscy powoływali się na sprawiedliwość i wzywali do zachowania ostrożności. Nigdy nie widziałem tylu ludzi tak szczerze oddanych sprawie triumfu cnót teologicznych i kardynalnych.

Ale już Bertrand z Poggetto zapraszał Wilhelma do wyłożenia tez teologów cesarskich. Wilhelm podniósł się niechętnie; po pierwsze, pojmował, że spotkanie niczemu nie służy, po drugie, chciał czym prędzej stąd wyjść, a tajemnicza księga bardziej leżała mu teraz na sercu niż losy spotkania. Ale było rzeczą jasną, że nie może się uchylić od spełnienia obowiązku.

Zaczął więc przemowę od licznych „echów" i „ochów", może częstszych niż zwykle i niż należało, jakby chciał dać do zrozumienia, że nie ma żadnej pewności w sprawach, o których zamierza mówić, i zapewnił w egzorcie, że doskonale pojmuje punkt widzenia wszystkich zabierających głos przed nim i że z drugiej strony to, co inni nazywają doktryną teologów cesarskich, jest tylko garścią rozproszonych uwag, bez żadnych roszczeń do tego, by mienić się prawdami wiary.

Powiedział potem, że zważywszy na ogromną dobroć, jaką Bóg przejawił, stwarzając lud swoich dzieci i kochając je wszystkie bez różnicy już od tych stronic Genezis, gdzie nie było jeszcze mowy o kapłanach i królach, zważywszy także na to, że Pan dał Adamowi i jego potomkom władzę nad sprawami tej ziemi, byleby okazywali posłuszeństwo prawom Boskim, można podejrzewać, że temuż Panu nie była obca myśl, iż w sprawach ziemskich lud jest prawodawcą i pierwszą przyczyną skuteczną prawa. Przez lud – rzekł – byłoby dobrze pojmować ogół obywateli, lecz ponieważ między obywateli trzeba zaliczyć także dzieci, głupców, złoczyńców i niewiasty, być może dałoby się dojść w sposób rozumny do definicji ludu jako lepszej części obywateli, aczkolwiek on sam, Wilhelm, nie uznaje w tym momencie za dogodne wypowiadać się co do tego, kto w istocie do jakiej części należałby.

Odchrząknął, przeprosił obecnych, podsuwając myśl, że z pewnością tego dnia powietrze jest nader wilgotne, i wyraził przypuszczenie, że sposobem wypowiadania woli przez lud mogłoby być powszechne zgromadzenie wyborcze. Rzekł, iż wydaje mu się rzeczą rozumną, by takie zgromadzenie mogło objaśniać, odmieniać lub zawieszać prawo, jeśli bowiem ustanawia prawa ktoś jeden, może uczynić to źle przez niewiedzę albo złość, i dodał, że nie trzeba przypominać obecnym, ile takich przypadków było w ostatnich czasach. Spostrzegłem, że obecni, dosyć zakłopotani jego poprzednimi słowami, musieli przytaknąć tym ostatnim, gdyż oczywiście każdy miał na myśli inną osobę, którą uznawał za nader szkodliwą.

– Zatem – ciągnął Wilhelm – skoro zdarza się, że jeden ustanawia złe prawa, może lepiej uczyni to wielu? Naturalnie – podkreślił – mowa jest o prawach ziemskich, dotyczących dobrego ładu spraw obywateli. Bóg powiedział Adamowi, by nie jadł z drzewa wiadomości dobrego i złego, i to było prawo Boskie; ale potem upoważnił go... cóż mówię... zachęcił, by nadał nazwy rzeczom, i w tym zostawił swobodę swemu ziemskiemu poddanemu. W istocie, choć wielu w naszych czasach powiada, że *nomina sunt consequentia rerum**, księga Genezis jest zupełnie w tej sprawie jasna; Bóg przyprowadził do człowieka wszystkie zwierzęta, by dowiedzieć się, jak ów je nazwie, i jakkolwiek człowiek nazwał istotę żyjącą, takie a nie inne miało być jej imię. I aczkolwiek pierwszy człowiek był dość roztropny, by w swoim edeńskim języku nazwać wszelką rzecz i wszelkie zwierzę według jego natury, nie zmienia to faktu, że miał suwerenną władzę wynajdywania takich imion, które w zgodzie z jego rozeznaniem najlepiej do owej natury pasowały. Albowiem jest wiadome, że rozmaite są imiona, jakich ludzie używają, by wskazać pojęcia, jednakie zaś dla wszystkich są jeno pojęcia, owe znaki rzeczy. Słowo *nomen* bierze się zatem niechybnie od *nomos*, czyli prawo, gdyż właśnie *nomina* zostały przez ludzi dane *ad placitum*, to jest przez swobodną i zbiorową umowę.

Obecni nie śmieli podważyć tego uczonego wywodu. Przez co – wnioskował Wilhelm – widzimy dobrze, że ustanawianie praw w rzeczach tej ziemi, a zatem w sprawach miast i królestw, nie ma nic wspólnego z przechowywaniem słowa Bożego i zarządzaniem nim, to bowiem jest niewątpliwym przywilejem hierarchii kościelnej. Nieszczęśni są więc niewierni – rzekł Wilhelm – nie mają bowiem podobnego autorytetu, który dawałby im wykładnię słowa Bożego (i wszyscy współczuli niewiernym). Czy przecież możemy z tej przyczyny powiedzieć, że niewierni nie zdążają do ustanawiania praw i zarządzania swoimi sprawami za pośrednictwem rządów królów,

---

* Nazwy są wynikiem istnienia rzeczy (łac.).

cesarzy lub sułtanów i kalifów, jak kto woli? I czyż można zaprzeczyć temu, że liczni cesarze rzymscy sprawowali swoją władzę świecką z mądrością? Pomyślmy choćby o Trajanie. A któż dał poganom i niewiernym tę naturalną zdolność do ustanawiania praw i życia we wspólnocie politycznej? Może ich kłamliwe bóstwa, które wszak koniecznie nie istnieją (albo niekoniecznie istnieją, jakkolwiek zechce się rozumieć negację tego zdania modalnego)? Z pewnością nie. Mogła być im dana tylko od Boga zastępów, Boga Izraela, Ojca Pana Naszego Jezusa Chrystusa... Oto cudowny dowód Boskiej dobroci, która przyznała prawo osądzania w sprawach politycznych tym również, którzy nie znają autorytetu rzymskiego papieża i nie wyznają tych samych, co lud chrześcijański, świętych, słodkich i straszliwych tajemnic! Czyż może być piękniejszy dowód tego, że władza ziemska i świecka jurysdykcja nie mają nic wspólnego z Kościołem i z prawem Jezusa Chrystusa, lecz zostały postanowione od Boga poza wszelkim potwierdzeniem kościelnym i pierwej nawet, niźli powstała nasza święta religia?

Znowu odkaszlnął, ale tym razem nie tylko on. Wielu obecnych kręciło się na swoich stołkach i odchrząkiwało. Widziałem, jak kardynał przesunął językiem po wargach i uczynił pełen niepokoju, ale uprzejmy gest, by Wilhelm ciągnął. A mój mistrz przystąpił do ujmowania w słowa tego, co dla wszystkich, dla tych nawet, którzy jego przekonań nie dzielili, było może niezbyt przyjemną konkluzją niepodważalnego wykładu. Rzekł więc Wilhelm, że jego dedukcje wspierają się, jak sądzi, na przykładzie samego Chrystusa, który nie przyszedł na ten świat, by rozkazywać, lecz by poddać się okolicznościom, jakie w świecie zastał, by apostołowie sprawowali rządy i mieli władzę, a zatem wydaje się rzeczą mądrą, by i następców apostołów uwolnić od brzemienia władzy światowej i konieczności stosowania przymusu. Gdyby papież, biskupi i księża nie byli poddani władzy doczesnej i przymusowi księcia, naruszony byłby autorytet księcia, a też i ład, który, jak zostało udowodnione poprzednio, jest ustanowiony przez Boga. Trzeba bez wątpienia rozważyć przypadki nader subtelne – rzekł Wilhelm – jak na przykład heretyków, co do ich herezji bowiem Kościół jeno, powiernik prawdy, może się wypowiedzieć, aczkolwiek jeno ramię świeckie może podjąć działanie. Kiedy Kościół wytropi heretyków, winien z pewnością wskazać ich księciu, który musi przecież wiedzieć o stanie swoich obywateli. Lecz cóż ma uczynić książę z heretykiem? Skazać go w imię tej Boskiej prawdy, której powiernikiem nie jest? Książę może i powinien skazać heretyka, jeśli jego działanie szkodzi współżyciu wszystkich, jeśli więc heretyk potwierdza swoją herezję, zabijając tych, którzy jego herezji nie podzielają, i szkodząc im. Ale i w tym miejscu zatrzymuje się władza księcia, gdyż nikt na tej ziemi nie może być mękami zmuszony do tego, by szedł za przepisami Ewangelii, inaczej cóż by się stało z ową wolną wolą, według której użytkowania każdy będzie osądzony na tamtym świecie? Kościół może i musi ostrzec heretyka, że wychodzi on poza wspólnotę wiernych, lecz nie może osądzać go na ziemi i zmuszać wbrew jego woli. Gdyby Chrystus chciał, żeby jego kapłani otrzymali władzę przymuszania, ustanowiłby dokładne przepisy, jak uczynił to Mojżesz w Starym Prawie. Nie ustanowił jednak. A może ktoś chce podsunąć myśl, że chciał to uczynić, lecz zabrakło mu czasu lub możliwości powiedzenia tego w ciągu trzech lat nauczania? Ale właśnie nie chciał, gdyby bowiem inną była jego wola, wówczas papież mógłby narzucać swoją wolę królowi i chrześcijaństwo nie byłoby już prawem wolności, ale nieznośnym niewolnictwem.

– To wszystko – dodał Wilhelm z rozradowanym licem – nie jest ograniczeniem władzy najwyższego kapłana, tylko nawet wyniesieniem jego posłannictwa, gdyż sługa sług Bożych jest na tej ziemi, by służyć, nie zaś by służono jemu. I wreszcie byłoby rzeczą co najmniej dziwaczną, gdyby papież miał jurysdykcję nad sprawami cesarstwa, a nad innymi królestwami tej ziemi – nie. Jak wiadomo, to, co papież mówi o sprawach Boskich, odnosi się zarówno do poddanych króla Francji, jak i do poddanych króla Anglii, ale winno też odnosić się do poddanych wielkiego chana i sułtana niewiernych, którzy niewiernymi zostali nazwani, nie dochowują bowiem wierności tej pięknej prawdzie. Jeśliby papież wziął na siebie władzę doczesną – jako papież – tylko w sprawach cesarstwa, może wywołać podejrzenia, że utożsamiając jurysdykcję doczesną z jurysdykcją duchową, przez to samo nie tylko nie będzie miał jurysdykcji duchowej nad Saracenami albo Tatarami, ale nawet nad Francuzami i Anglikami, co byłoby zbrodniczym bluźnierstwem. Oto powód – kończył mój mistrz – dla którego zdało się słusznym podpowiedzieć, że Kościół Awinionu uczyniłby krzywdę całej ludzkości, gdyby utrzymywał, iż należy doń zatwierdzanie lub zawieszanie tego, który wybrany został na cesarza Rzymian. Papież ma względem cesarstwa prawa nie większe niż względem innych królestw, a skoro nie podlegają zatwierdzeniu przez papieża ani król Francji, ani sułtan, nie widać dobrej racji, dla której winien podlegać cesarz Niemców i Italczyków. Takie podległości nie biorą się z prawa Boskiego, gdyż Pismo nic o tym nie mówi. Nie jest usankcjonowane przez prawo ludzi, a to na mocy podanych wyżej dowodów. Jeśli zaś chodzi o związki z dysputą na temat ubóstwa – rzekł w końcu Wilhelm – moje skromne opinie, w kształcie grzecznych sugestii opracowane przeze mnie i kilku innych, jak Marsyliusz z Padwy i Jan z Jandun, prowadzą do następujących wniosków: jeśli franciszkanie pragną zostać ubodzy, cesarz nie może ani nie powinien przeciwstawiać się pragnieniu tak cnotliwemu. Z pewnością, gdyby hipoteza ubóstwa Chrystusa została udowodniona, nie tylko pomogłoby to minorytom, ale wzmocniłoby ideę, że Jezus nie chciał dla siebie żadnej jurysdykcji ziemskiej. Ale słyszałem dzisiaj rano, jak osoby nader mądre utrzymywały, że nie da się dowieść, iż Jezus był ubogi. Wydaje mi się więc stosowniejszym odwrócenie twierdzenia. Ponieważ nikt nie twierdził i twierdzić nie mógł, że Jezus domagał się dla siebie i swoich wyznawców jakiejkolwiek jurysdykcji świeckiej, ten brak zainteresowania Jezusa sprawami doczesnymi wydaje się wystarczającą wskazówką, by zachęcić do wydania sądu – nie grzesząc przy tym – iż Jezus bardziej upodobał sobie ubóstwo.

Wilhelm mówił głosem prawie pokornym, swoje przekonania wypowiedział tonem tak wątpiącym, że nikt z obecnych nie mógł wstać, żeby je obalić. Nie znaczy to, że wszyscy przekonali się do tego, co mówił. Nie tylko awiniończycy kręcili się teraz z zagniewanymi twarzami i szeptali między sobą komentarze, ale zdawało się, że i opat odniósł nieprzychylne wrażenie, jakby nie uważał, by taki właśnie był jego wymarzony wzór stosunków między zakonem a cesarstwem. Co się zaś tyczy minorytów, Michał z Ceseny był zakłopotany, Hieronim przerażony, Hubertyn zamyślony.

Milczenie przerwał kardynał Poggetto, ciągle uśmiechnięty i swobodny, który życzliwie zapytał Wilhelma, czy ten udałby się do Awinionu, by rzec te same rzeczy messer papieżowi. Wilhelm poprosił o zdanie kardynała, a ten odparł, że messer papież wysłuchiwał wielu poglądów wątpliwych w swoim życiu i był człowiekiem miłującym swoje dzieci, ale że z pewnością te twierdzenia nader by go zafrasowały.

Zabrał głos Bernard Gui, który dotychczas nie otwierał ust.

– Cieszyłbym się, gdyby brat Wilhelm, tak zręczny i wymowny w przedstawianiu swoich myśli, pojawił się, by poddać je pod osąd papieża...

– Przekonałeś mnie, panie Bernardzie – odparł Wilhelm. – Nie przybędę. – A następnie, zwracając się do kardynała przepraszającym tonem: – Wiesz, panie, to zapalenie, które padło mi na piersi, zniechęca mnie do podjęcia tak dalekiej podróży o tej porze roku...

– Czemuś więc przemawiał tak długo? – zapytał kardynał.

– By dać świadectwo prawdzie – odparł z pokorą Wilhelm. – Prawda nas wyzwoli.

– O nie! – wybuchnął w tym miejscu Jan Dalbena. – Tutaj nie chodzi o prawdę, która nas wyzwoli, ale o nadmierną wolność, która chce stać się prawdziwą!

– To także jest możliwe – zgodził się ze słodyczą Wilhelm.

Błysk przeczucia powiedział mi, że zaraz wybuchnie burza serc i języków znacznie wścieklejsza niźli pierwej. Ale nie zdarzyło się nic. Kiedy jeszcze Dalbena mówił, wszedł kapitan łuczników i szepnął coś na ucho Bernardowi. Ten zaś zerwał się na równe nogi i ręką poprosił o posłuchanie.

– Bracia – rzekł – ta pouczająca dysputa będzie mogła być podjęta później, ale w tej chwili wydarzenie wielkiej powagi zmusza nas, za pozwoleniem opata, do zawieszenia prac. Może spełniłem, nie chcąc tego, pragnienie samego opata, który spodziewał się odkryć winnego wielu zbrodni z ostatnich dni. Ten człek jest teraz w moim ręku. Lecz niestety raz jeszcze ujęty został zbyt późno... Coś się tam wydarzyło... – wskazał niewyraźnym gestem na zewnątrz.

Przemierzył szybkim krokiem salę i wyszedł, za nim pospieszyło wielu, Wilhelm zaś wśród pierwszych i ja wraz z nim.

Mój mistrz spojrzał na mnie i powiedział:

– Boję się, że coś się stało Sewerynowi.

Dzień piąty

Seksta

*Kiedy to znajduje się Seweryna zamordowanego, nie
znajduje się natomiast księgi, którą znalazł on*

Szybkim krokiem i w trwodze przemierzyliśmy równię. Kapitan
łuczników prowadził nas w stronę szpitala, a kiedy tam doszliśmy,
zobaczyliśmy, jak w gęstej szarości krzątają się cienie; byli tam mnisi i famulusi, którzy nadbiegli, byli łucznicy, którzy stali przy drzwiach
i zagradzali dostęp.

– Tych zbrojnych wysłałem ja, by szukali człeka, który mógłby
rzucić światło na wiele tajemnic – oznajmił Bernard.

– Brat herborysta? – zapytał zdumiony opat.

– Nie, zaraz obaczysz – odparł Bernard, torując sobie drogę do
środka.

Weszliśmy do pracowni Seweryna, a tam przedstawił się naszym
oczom nader smutny obraz. Nieszczęśliwy herborysta leżał trupem
w kałuży krwi, z głową rozłupaną. Wydawało się, że przez wszystkie
półki dokoła przeszedł huragan; ampuły, flaszki, księgi, dokumenty
walały się wszędzie w wielkim nieładzie i zniszczeniu. Obok ciała
leżał globus niebieski przynajmniej dwakroć większy od głowy człowieka; z kunsztownie rzeźbionego metalu, ze złotym krzyżem na
górze i osadzony na krótkim ozdobnym trójnogu. Kiedy tu przycho-
dziłem, zawsze widziałem go na stole na lewo od wejścia.

Na drugim końcu pokoju dwaj łucznicy trzymali mocno klucznika, który wyrywał się, zapewniając o swojej niewinności, a zdwoił
jeszcze wrzaski, kiedy ujrzał, że wchodzi opat.

– Panie! – krzyczał. – Pozory są przeciw mnie! Wszedłem, kiedy
Seweryn już nie żył, i znaleźli mnie, kiedym przyglądał się, oniemia-
ły, tej okropności!

Dowódca łuczników podszedł do Bernarda i za jego przyzwole-
niem złożył mu w obecności wszystkich meldunek.

Łucznicy otrzymali rozkaz znalezienia i zatrzymania klucznika,
więc od ponad dwóch godzin szukali go po opactwie. Chodzi niechybnie – pomyślałem – o polecenie wydane przez Bernarda, zanim
wszedł do kapituły, a żołnierze, obcy tutaj, prowadzili swoje poszukiwania w niewłaściwych miejscach, nie zdając sobie sprawy z tego,
że klucznik, nie wiedząc jeszcze o swoim przeznaczeniu, był wraz
z innymi w narteksie; a zresztą utrudniła im łowy mgła. W każdym

razie ze słów kapitana można było się domyślić, że Remigiusz, po tym jak ja go opuściłem, szedł w stronę kuchni, a wtedy ktoś go zobaczył i wezwał łuczników; którzy dotarli do Gmachu, kiedy znowu się stamtąd oddalił, i to tuż przed ich przybyciem, gdyż w kuchni był Jorge, który twierdził, iż przed chwilą z nim rozmawiał. Łucznicy przejrzeli wówczas ogrody i tam spotkali wyłaniającego się z mgły niby zjawa starego Alinarda, który prawie zbłądził. Właśnie Alinard powiedział, że widział klucznika nieco wcześniej, jak ów wchodził do szpitala. Łucznicy poszli tam i zastali drzwi otwarte. Kiedy weszli, ujrzeli Seweryna bez duszy i klucznika, który jak oszalały wywracał półki, zwalając wszystko na ziemię, jakby czegoś szukał. Łatwo było pojąć, co się stało – kończył kapitan. Remigiusz wszedł, rzucił się na herborystę, zabił go i szukał właśnie rzeczy, dla której zabił.

Łucznik podniósł z ziemi sferę niebieską i podał ją Bernardowi. Wyszukana architektura kręgów z miedzi i srebra, utrzymywana przez mocniejsze belkowanie pierścieni z brązu, osadzona trzpieniem na trójnogu, opadła z taką siłą na czaszkę ofiary, że przy uderzeniu wiele delikatniejszych kręgów połamało się lub zgniotło z jednej strony. A o tym, że była to owa strona, która zetknęła się z czaszką Seweryna, świadczyły ślady krwi i nawet gruzełki włosów oraz plugawe strzępy materii mózgowej.

Wilhelm pochylił się nad Sewerynem, by stwierdzić jego śmierć... Oczy biedaka, przesłonięte krwią, która trysnęła z głowy, były wytrzeszczone, i zadałem sobie pytanie, czy da się w zastygłej źrenicy odczytać – a opowiadano, iż takie przypadki bywały – obraz mordercy, ostatni ślad tego, co widziała ofiara. Zobaczyłem, że Wilhelm ogląda dłonie trupa, by sprawdzić, czy ma czarne plamy na palcach, aczkolwiek w tym wypadku przyczyna śmierci była oczywista; ale Seweryn miał na rękach te same skórzane rękawice, w których, jak widziałem, często dotykał niebezpiecznych ziół, jaszczurek, nieznanych owadów. Bernard Gui zwrócił się do klucznika.

– Remigiuszu z Varagine, bo tak brzmi twoje imię, nieprawdaż? Kazałem szukać cię łucznikom na podstawie innych oskarżeń i by potwierdzić inne podejrzenia. Teraz widzę, żem działał właściwie, aczkolwiek, wyrzucam sobie, zbyt powoli. Panie – rzekł do opata – uznaję się za prawie winnego tej ostatniej zbrodni, gdyż od samego rana, odkąd wysłuchałem zeznań innego nędznika, aresztowanego tej nocy, wiedziałem, że trzeba oddać w ręce sprawiedliwości tego człeka. Ale, widziałeś także ty, rankiem zaprzątnięty byłem innymi obowiązkami, moi ludzie zaś robili, co mogli...

Kiedy tak przemawiał głośno, by słyszeli go wszyscy obecni (a pokój w tym czasie zapełnił się ciżbą ludzi, którzy napływali ze wszystkich stron, przyglądali się rozrzuconym i zniszczonym rzeczom, wskazywali sobie palcami zwłoki i komentowali półgłosem wielką zbrodnię), dostrzegłem w małym tłumie Malachiasza, przyglądającego się z posępną twarzą scenie. Dostrzegł go też klucznik, którego właśnie wywlekano na zewnątrz. Wyrwał się łucznikom i rzucił na konfratra, chwytając go za suknię i przemawiając doń krótko i rozpaczliwie, z twarzą przy twarzy, aż go odciągnęli. Ale, wleczony już brutalnie, obrócił się jeszcze do Malachiasza, krzycząc:

– Przysięgnij, to i ja przysięgnę!

Malachiasz nie odpowiedział od razu, jakby szukał stosownych słów. Potem, kiedy wleczono już klucznika przez próg, rzekł mu:

– Niczego nie uczynię przeciw tobie.

Wilhelm i ja spojrzeliśmy po sobie, zastanawiając się, co oznacza ta scena. Także Bernard obserwował ją, ale nie wydawał się zakłopotany, nawet uśmiechnął się do Malachiasza, jakby aprobując jego słowa i przypieczętowując z nim posępne wspólnictwo. Potem oznajmił, że zaraz po posiłku zbierze się w kapitule trybunał, by wszcząć publiczne dochodzenie. I wyszedł, rozkazując zaprowadzić klucznika do kuźni i nie pozwolić mu rozmawiać z Salwatorem.

W tym momencie usłyszałem, jak zza naszych pleców zwraca się do nas Bencjusz.

– Wszedłem zaraz po was – oznajmił szeptem – kiedy pokój był na pół pusty i Malachiasza jeszcze tu nie było.

– Wszedł później – odparł Wilhelm.

– Nie – zapewnił Bencjusz. – Stałem koło drzwi, widziałem, kto wchodzi. Mówię ci, Malachiasz był już w środku... przedtem.

– Przed czym?

– Zanim wszedł klucznik. Nie mogę tego przysiąc, ale wydaje mi się, że wyszedł zza tej zasłony, kiedy już było nas tu dużo. – I wskazał na obszerną zasłonę odgradzającą łoże, na którym Seweryn zwykle kładł tego, kto był dopiero co poddany zabiegom medycznym, by odpoczął.

– Chcesz powiedzieć, że to on zabił Seweryna i że schował się tam, kiedy wszedł klucznik? – zapytał Wilhelm.

– Albo że zza zasłony patrzył na to, co się tu stało. Czyż w przeciwnym wypadku klucznik błagałby, żeby mu nie szkodził, obiecując w zamian nie szkodzić jemu?

– To możliwe – rzekł Wilhelm. – W każdym razie była tu księga, która powinna pozostać, bo i klucznik, i Malachiasz wyszli z pustymi rękami.

Wilhelm wiedział z mojego sprawozdania, że Bencjusz był wszystkiego świadom, i w tym momencie potrzebował pomocy. Podszedł do opata, który przyglądał się ze smutkiem zwłokom Seweryna, i poprosił, by ów nakazał wyjść wszystkim, gdyż chce lepiej obejrzeć to miejsce. Opat przystał na to i wyszedł sam, nie mieszkając posłać Wilhelmowi spojrzenia pełnego powątpiewania, jakby wyrzucał mu, że ciągle pojawia się za późno. Malachiasz chciał zostać, wysuwając rozmaite uzasadnienia, wszystkie niejasne; Wilhelm zwrócił mu uwagę, że nie jest to biblioteka i że w tym miejscu nie może powoływać się na swoje prawa. Był uprzejmy, ale nieugięty, i zemścił się za to, że Malachiasz nie pozwolił mu obejrzeć stołu Wenancjusza.

Kiedy zostaliśmy we trzech, Wilhelm uwolnił jeden ze stołów od skorup i kart, które na nim leżały, i powiedział, bym podawał mu kolejno księgi ze zbioru Seweryna. Był to zbiór niewielki w porównaniu z labiryntem, ale i tak chodziło o dziesiątki woluminów rozmaitych rozmiarów, przedtem stojących w pięknym porządku na półkach, teraz zaś leżących w nieładzie na ziemi, pośród najróżniejszych innych przedmiotów, i poprzerzucanych już niecierpliwymi dłońmi klucznika; niektóre były nawet rozprute, jakby ów nie księgi szukał, lecz czegoś, co tkwiło między kartami którejś z ksiąg. Wiele podartych na strzępy, wyrwanych z opraw. Pozbieranie ich, szybkie sprawdzenie, jakiej są natury, i odłożenie na stos piętrzący się na stole nie było przedsięwzięciem byle jakim, a spieszyliśmy się, gdyż opat udzielił nam krótkiego jeno czasu, jako że następnie muszą tu wejść mnisi, by zająć się zmasakrowanym ciałem Seweryna i przygotować je do pogrzebania. A trzeba było wszak dokonać oględzin wszędzie, szukać pod stołami, za półkami i szafami, czy coś nie uszło uwagi przy pierwszym przeglądaniu. Wilhelm nie chciał, by Bencjusz mi pomagał, i zezwolił mu tylko stać przy drzwiach na straży. Mimo rozkazów opata liczni napierali się, by wejść, famulusi przerażeni wiadomością, mnisi opłakujący konfratra, nowicjusze ze śnieżnobiałymi prześcieradłami i misami pełnymi wody, mieli bowiem umyć i owinąć zwłoki...

Nie można więc było marudzić. Chwytałem księgi i podawałem Wilhelmowi, który oglądał je i odkładał na stół. Potem zdaliśmy sobie sprawę, że idzie nam zbyt wolno, i obaj wzięliśmy się do dzieła, to jest ja brałem księgę, składałem, jeśli była rozpruta, czytałem tytuł, odkładałem. A w wielu przypadkach chodziło o pojedyncze karty.

– *De plantis libri tres*, przekleństwo, to nie ta – mówił Wilhelm i rzucał księgę na stół.

– *Thesaurus herbarum* – mówiłem ja. A Wilhelm:

– Zostaw, szukamy księgi greckiej!

– Tej? – pytałem, pokazując mu dzieło o kartach pokrytych pismem niezrozumiałym. A Wilhelm:

– Nie, to arabska, głupcze! Miał rację Bacon, mówiąc, że pierwszym obowiązkiem uczonego jest uczyć się języków!

– Ale arabskiego nie znasz nawet ty! – odparłem zezłoszczony.

Na co Wilhelm odpowiedział:

– Ale przynajmniej wiem, kiedy jest to arabski!

A ja rumieniłem się, gdyż słyszałem, jak Bencjusz śmieje się za moimi plecami.

Ksiąg było wiele, a jeszcze więcej notatek, zwojów z rysunkami sklepienia niebieskiego, katalogów dziwnych roślin, manuskryptów na oddzielnych kartach, zapewne zapisanych przez nieboszczyka. Pracowaliśmy długo, zbadaliśmy każdy zakątek pracowni, Wilhelm nawet, okazując tym nader zimną krew, obrócił zwłoki, by zobaczyć, czy nie ma czegoś pod nimi, i przeszukał suknię. Nic.

– Nie do pojęcia – rzekł Wilhelm. – Seweryn zamknął się tu z księgą. Klucznik jej nie miał...

– Czy nie ukrył jej pod suknią? – spytałem.

– Nie, księga, którą widziałem tamtego ranka pod stołem Wenancjusza, była duża, spostrzeglibyśmy ją.

– Jak była oprawiona? – spytałem jeszcze.

– Nie wiem. Leżała otwarta i widziałem ją tylko przez niewiele sekund, ledwie mogłem dojrzeć, że była po grecku, lecz niczego innego nie pomnę. Idźmy dalej: klucznik jej nie wziął, Malachiasz chyba też nie.

– Absolutnie nie – potwierdził Bencjusz. – Kiedy łucznik złapał go za pierś, widać było, że nie może jej mieć pod szkaplerzem.

– Dobrze. To jest... źle. Skoro księgi nie ma w tym pokoju, oczywiste, że ktoś inny, nie Malachiasz i nie klucznik, wszedł tu wcześniej.

– To znaczy trzecia osoba, ta, która zabiła Seweryna?

– Za dużo ludzi – odparł Wilhelm.

– Z drugiej strony – powiedziałem – kto mógł wiedzieć, że księga jest tutaj?

– Na przykład Jorge, jeśli nas usłyszał.

– Tak – powiedziałem – ale Jorge nie dałby rady zabić człowieka silnego jak Seweryn, i to w tak gwałtowny sposób.

– Z pewnością nie. Poza tym widziałeś, jak kierował się w stronę Gmachu, łucznicy zaś dopadli go w kuchni, chwilę przed znalezieniem klucznika. Nie miałby więc czasu, by przybyć tutaj, a później wrócić do kuchni. Zważ, że chociaż porusza się swobodnie, musi jednak iść wzdłuż murów i nie zdołałby przebyć ogrodu, i to biegiem... – Pozwól mi ruszyć głową – powiedziałem, bo ambicja kazała mi podjąć rywalizację z moim mistrzem. – Nie mógł więc to być Jorge. Alinard krążył w pobliżu, ale on też ledwie trzyma się na nogach i nie dałby rady Sewerynowi. Klucznik tu był, ale czas między jego wyjściem z kuchni a przybyciem łuczników zdaje się tak krótki, że chyba nie zdążyłby skłonić Seweryna do otwarcia drzwi, zetrzeć się z nim, zabić go, a potem narobić takiego bigosu. Malachiasz mógł wyprzedzić wszystkich: Jorge słyszy, jak rozmawiacie w narteksie, i idzie do skryptorium, by zawiadomić Malachiasza, że księga z biblioteki jest u Seweryna. Malachiasz przybywa, przekonuje Seweryna, że ten winien mu otworzyć, zabija go, Bóg jeden wie czemu. Lecz jeśli szukał księgi, pewnie rozpoznałby ją, nie robiąc takiego bałaganu, bo on przecież jest bibliotekarzem! Któż więc zostaje?

– Bencjusz – rzekł Wilhelm.

Bencjusz zaprzeczył, energicznie potrząsając głową.

– Nie, bracie Wilhelmie, wiesz, że pali mnie ciekawość. Lecz gdybym tu wszedł i mógłbym wyjść z księgą, nie dotrzymywałbym wam teraz towarzystwa, lecz zaszyłbym się gdzieś, by obejrzeć mój skarb...

– Dowód prawie przekonywający. – Wilhelm się uśmiechnął. – Ale nawet ty nie wiesz, jak wygląda księga. Mogłeś zabić, a teraz chcesz ją rozpoznać.

Bencjusz zaczerwienił się gwałtownie.

– Nie jestem mordercą – zaprotestował.

– Nikt nie jest, dopóki nie popełni pierwszej zbrodni – oznajmił filozoficznie Wilhelm. – W każdym razie księgi nie ma i to wystarczy za dowód, że nie zostawiłeś jej tutaj. Wydaje mi się rzeczą rozsądną, że gdybyś wziął ją wcześniej, wyślizgnąłbyś się stąd w czasie zamieszania.

Odwrócił się, by popatrzeć na zwłoki. Robił wrażenie, jakby dopiero teraz zdał sobie sprawę ze śmierci przyjaciela.

– Biedny Sewerynie – rzekł – podejrzewałem także ciebie i twoje trucizny. Ty zaś czekałeś zasadzki z trucizną, gdyż inaczej nie wzułbyś tych rękawic. Lękałeś się niebezpieczeństwa z ziemi, a dosięgnęło cię ze sklepienia niebieskiego... – Wziął do ręki globus i przyjrzał mu się uważnie. – Kto wie, czemu użyli właśnie tego oręża...

– Było pod ręką...

– Może i tak. Były inne jeszcze rzeczy, naczynia, narzędzia ogrodnicze... To piękny przykład sztuki obrabiania metalu i wiedzy astronomicznej. Został zniszczony i... Święte nieba! – wykrzyknął.

– Co się stało?

– I została rażona trzecia część słońca i trzecia część księżyca, i trzecia część gwiazd... – wyrecytował.

Znałem aż za dobrze tekst Jana apostoła.

– Czwarta trąba! – wykrzyknąłem.

– W istocie. Pierwsza grad, potem krew, potem woda, teraz zaś gwiazdy... Jeśli tak, wszystko trzeba przemyśleć na nowo, gdyż morderca nie uderza przypadkowo, ale według planu... Czy jednak można wyobrazić sobie umysł tak niegodziwy, by zabijał jedynie, jeśli może to uczynić w zgodzie z danymi księgi Apokalipsy?

– Co stanie się przy piątej trąbie? – zapytałem przerażony. Spróbowałem przypomnieć sobie: – I ujrzałem gwiazdę, która z nieba spadła na ziemię, i dano jej klucz od studni Czeluści... Czyżby miał kto utopić się w studni?

– Piąta trąba obiecuje wiele innych rzeczy – rzekł Wilhelm. – Uniesie się dym ze studni jak dym z wielkiego pieca, potem wyjdzie stamtąd szarańcza na ziemię i dana jej będzie moc, jaką mają ziemskie skorpiony. I szarańcza owa będzie podobna z wyglądu do koni, a na głowach ich będą jakby wieńce podobne do złota, a zęby będą miały jakby zęby lwów... Nasz człowiek będzie rozporządzał rozmaitymi środkami, jeśli zechce uczynić rzeczywistością słowa księgi... Lecz porzućmy te rojenia. Postarajmy się raczej przypomnieć sobie, co powiedział Seweryn, kiedy doniósł nam, że znalazł księgę...

– Powiedziałeś mu, żeby ją przyniósł, on odrzekł, że nie może...

– W istocie, potem zaś nam przerwano. Dlaczego nie mógł? Księgę da się przenosić. I czemu włożył rękawice? Czyżby w oprawę księgi było coś, co ma związek z trucizną, która zabiła Berengara i Wenancjusza? Tajemnicza pułapka, zatrute ostrze...

– Wąż! – rzekłem.

– Czemu nie wieloryb? Nie, dalej roimy. Trucizna, jak widzieliśmy, musiała dostawać się przez usta. Poza tym Seweryn nie powiedział, że nie może przenieść księgi. Rzekł jeno, że woli pokazać mi ją tutaj. I wzuł rękawice... Przez to wiemy, że tę księgę dotyka się w rękawicach. I odnosi się to także do ciebie, Bencjuszu, jeśli spełni się twoja nadzieja i znajdziesz ją. A skoro jesteś taki usłużny, mógłbyś mi pomóc. Idź do skryptorium i bacz na Malachiasza. Nie spuszczaj go z oka.

– Uczynię to – rzekł Bencjusz i wyszedł rozradowany, jak się zdaje, swoją misją.

Nie mogliśmy wstrzymywać dłużej innych mnichów i pokój zapełnił się ludźmi. Minęła pora obiadu, więc Bernard pewnie gromadził już swój dwór w sali kapitulnej.

– Nic tu po nas – rzekł Wilhelm. Przyszła mi do głowy pewna myśl.

– Czy morderca nie mógł cisnąć księgi przez okno, by potem pójść po nią na tyły szpitala?

Wilhelm przyjrzał się z powątpiewaniem wielkim oknom pracowni, które wyglądały na szczelnie zamknięte.

– Sprawdźmy – rzekł.

Wyszliśmy i obejrzeliśmy od tyłu budowlę, która prawie przylegała do muru, zostawiając jednak wąskie przejście. Wilhelm poruszał się ostrożnie, ponieważ na tej przestrzeni śnieg z poprzednich dni zachował się nienaruszony. Nasze nogi odciskały na zamarzniętej, lecz łamliwej skorupie widoczne znaki, gdyby więc ktoś przeszedł tędy przed nami, śnieg by nam to wyjawił. Nie zobaczyliśmy nic.

Opuściliśmy szpital i porzuciliśmy moją nędzną hipotezę, a kiedy szliśmy przez ogród, zapytałem Wilhelma, czy naprawdę ufa Bencjuszowi.

– Nie do końca – rzekł Wilhelm. – Ale w każdym razie nie powiedzieliśmy mu nic, czego by i tak nie wiedział, osiągnęliśmy zaś to, że zaczął się lękać księgi. Wreszcie, powierzając mu baczenie na Malachiasza, zyskujemy to, że i Malachiasz będzie go miał na oku, Malachiasz, który najwidoczniej szuka księgi na własną rękę.

– A czego chciał klucznik?

– Rychło się dowiemy. Z pewnością czegoś chciał, i to chciał szybko, by uniknąć niebezpieczeństwa, które go przerażało. To coś jest pewnie znane Malachiaszowi, inaczej bowiem nie da się wyjaśnić rozpaczliwego wezwania, z jakim Remigiusz się doń zwrócił...

– Tak czy owak, księga zniknęła...

– Jest to rzecz zgoła niepodobna do prawdy – rzekł Wilhelm, kiedy docieraliśmy już do sali kapitulnej. – Jeśli była, a Seweryn wszak powiedział, że była, to albo została wyniesiona, albo jeszcze tam jest.

– A ponieważ jej nie ma, ktoś musiał ją wynieść – wyciągnąłem wniosek.

– Nie wiadomo, czy nie należałoby przeprowadzić rozumowania, wychodząc od innej przesłanki mniejszej. Ponieważ wszystko wskazuje na to, że nikt nie mógł jej wynieść...

– ...więc powinna tam jeszcze być. Ale jej nie ma.

– Chwileczkę. Powiadamy, że nie ma, ponieważ jej nie znaleźliśmy. Ale może nie znaleźliśmy dlatego, że nie widzieliśmy jej tam, gdzie była.

– Ale patrzyliśmy wszędzie!

– Patrzyliśmy, ale nie widzieliśmy. Albo widzieliśmy, ale nie rozpoznaliśmy... Adso, jak Seweryn opisał nam tę księgę, jakich słów użył?

– Powiedział, że znalazł księgę, która nie była jego, po grecku...

– Nie! Teraz przypominam sobie. Powiedział: dziwną księgę. Seweryn był człowiekiem uczonym, a dla uczonego księga po grecku nie jest dziwna, gdyż rozpoznałby przynajmniej alfabet. I uczony nie określiłby również jako dziwną księgi arabskiej, nawet jeśli arabskiego nie zna... – przerwał. – I cóż mogła robić księga arabska w pracowni Seweryna?

– Lecz czemu miałby ocenić jako dziwną księgę arabską?

– Z tym właśnie kłopot. Jeśli określił ją jako dziwną, to dlatego, że wyglądała niezwyczajnie, przynajmniej dla niego, który był herborystą, nie zaś bibliotekarzem... A zdarza się w bibliotekach, że kilka manuskryptów starodawnych wszywa się razem, łącząc w jednym tomie teksty odmienne ciekawe, jeden po grecku, drugi po aramejsku...

– ...a trzeci po arabsku! – krzyknąłem, rażony olśnieniem.

Wilhelm wyciągnął mnie gwałtownie z narteksu, zmuszając do biegu w stronę szpitala.

– Teutoński bałwanie, głąbie kapuściany, nieuku, patrzyłeś tylko na pierwsze strony, nie zaś na resztę!

– Ależ, mistrzu – dyszałem – to ty patrzyłeś na stronice, które ci pokazywałem, i rzekłeś, że to arabski, a nie greka!

– To prawda, Adso, to prawda, to ja jestem bałwanem, biegnij, szybko!

Dotarliśmy do pracowni i z trudem przepchnęliśmy się do środka, bo nowicjusze wynosili właśnie zwłoki. Inni ciekawscy kręcili się po izbie. Wilhelm rzucił się do stołu, podnosił woluminy, szukając owego wieszczego, zwalał je kolejno na ziemię pod zatrwożonymi spojrzeniami obecnych, potem otwierał wszystkie dwakroć. Niestety, manuskryptu arabskiego już nie było. Niewyraźnie przypomniałem sobie jego starą oprawę, niezbyt mocną, dosyć zniszczoną, z cienkimi opaskami metalowymi.

– Kto tu wchodził po moim wyjściu? – zapytał Wilhelm jednego z mnichów.

Ten wzruszył ramionami, było jasne, że wchodził każdy i nikt.

Staraliśmy się rozważyć, jakie są możliwości. Malachiasz? Było to podobne do prawdy. Wiedział, czego chce, może baczył na nas i ujrzał, jak wychodzimy z pustymi rękami, więc niechybnie wrócił. Bencjusz? Przypomniałem sobie, że kiedy doszło do utarczki słownej przy tekście arabskim, roześmiał się. Wtedy sądziłem, że śmieje się z mojego nieuctwa, ale pewnie śmiał się z naiwności Wilhelma, bo on wiedział dobrze, jak czasem wygląda stary manuskrypt; może pomyślał to, czego my nie pomyśleliśmy od razu, a co powinniśmy byli pomyśleć, to jest, że Seweryn nie zna arabskiego i jest zatem rzeczą dziwną, iż przechowuje wśród swoich ksiąg taką, której nie mógł przeczytać. A może był jeszcze ktoś trzeci?

Wilhelm czuł się głęboko upokorzony. Starałem się go pocieszyć; od trzech dni szuka tekstu greckiego – mówiłem – to zatem naturalne, iż w toku oględzin odsuwał na bok wszystkie księgi, które nie były po grecku. A on odpowiadał, że jest z pewnością rzeczą ludzką błądzić, są jednak tacy, którzy błądzą więcej niż inni, i owych zwie się głupcami, on zaś do nich należy, i rozważał, czy warto było uczyć się w Paryżu i Oksfordzie, skoro nie potrafi się później pomyśleć, iż manuskrypty oprawia się również po kilka, o czym wiedzą nawet nowicjusze, oprócz takich głupich jak ja, taka zaś para głupców jak my dwaj miałaby powodzenie na jarmarkach, i to właśnie winniśmy czynić, miast rozwikływać tajemnice, a osobliwie, kiedy mamy do czynienia z ludźmi znacznie od nas bystrzejszymi.

– Lecz na nic zdadzą się łzy – zakończył. – Jeśli wziął ją Malachiasz, odłożył już do biblioteki. I odnajdziemy wolumin jedynie, gdy będziemy umieli wejść do *finis Africae*. Jeśli wziął ją Bencjusz, pomyślał, że prędzej czy później zrodzi się w mojej głowie podejrzenie, które w istocie podjąłem, i wrócę do pracowni, w przeciwnym wypadku nie działałby tak pospiesznie. A zatem ukryłby ją, a jedynym miejscem, w którym z pewnością by jej nie schował, jest to, od którego zaczęlibyśmy poszukiwania, czyli jego cela. Wracajmy więc do sali kapitulnej i obaczmy, czy podczas przesłuchania klucznik powie coś użytecznego. Albowiem ostatecznie nie wiem jeszcze jasno, jaki jest plan Bernarda, który przecież szukał tego człeka jeszcze przed śmiercią Seweryna i z innych powodów.

Wróciliśmy do sali kapitulnej. Dobrze uczynilibyśmy, gdybyśmy najpierw udali się do celi Bencjusza, ponieważ, jak dowiedzieliśmy się później, nasz młody przyjaciel nie miał w istocie w tak wielkim poważaniu Wilhelma i nie pomyślał, że ów tak szybko wróci do pracowni; z tej przyczyny, sądząc, że nie będzie się go w tamtej stronie szukać, poszedł ukryć księgę właśnie w swojej celi.

Ale o tym opowiem później. Przedtem wydarzyły się bowiem rzeczy tak dramatyczne i zatrważające, że zapomnieliśmy o tajemniczej księdze. A jeśli nawet nie zapomnieliśmy, pochłonęły nas inne pilne trudy, związane z misją, którą Wilhelm był nadal obarczony.

Dzień piąty

Nona

Kiedy to wymierza się sprawiedliwość i dręczy nas kłopotliwe
uczucie, że nikt nie ma racji

W sali kapitulnej Bernard Gui usadowił się pośrodku za wielkim stołem z orzecha. Siedzący obok niego dominikanin pełnił obowiązki pisarza sądowego, a dwaj prałaci z legacji papieskiej usadowili się po obu jego bokach jako sędziowie. Klucznik stał przed stołem, między dwoma łucznikami.

Opat obrócił się do Wilhelma i szepnął:

– Nie wiem, czy procedura jest prawomocna. Sobór laterański z roku tysiąc dwieście piętnastego usankcjonował w swoim kanonie trzydziestym siódmym, że nikogo nie można pozwać do stawienia się przed sędziami, którzy urzędują w odległości większej niż dwa dni marszu od miejsca zamieszkania wezwanego. Tutaj sytuacja jest być może inna, sędzia przybywa z daleka, ale...

– Inkwizytor nie podlega żadnej jurysdykcji regularnej – odparł Wilhelm – i nie musi trzymać się norm prawa powszechnego. Cieszy się specjalnym przywilejem i nie ma nawet obowiązku wysłuchiwać obrońców.

Spojrzałem na klucznika. Remigiusz został doprowadzony do pożałowania godnego stanu. Rozglądał się dokoła niby wystraszone zwierzę, jakby rozpoznawał gesty i poczynania przerażającej liturgii. Teraz wiem, że bał się z dwóch powodów: po pierwsze, gdyż został schwytany według wszelkich pozorów na gorącym uczynku, po drugie, gdyż od poprzedniego dnia, kiedy Bernard rozpoczął swoje dochodzenie, zbierając plotki i insynuacje, bał się, że wyjdą na światło dnia błędy jego młodości; a jeszcze większy niepokój poczuł, kiedy zobaczył, że ujęli Salwatora.

Jeśli nieszczęśliwy Remigiusz był wydany na pastwę lęków, Bernard Gui znał sposoby pozwalające przeobrazić lęk ofiar w panikę. Nie mówił nic; kiedy wszyscy oczekiwali, że rozpocznie przesłuchanie, on trzymał dłonie na kartach, które miał przed sobą, udając, że je porządkuje z roztargnieniem. W istocie spojrzenie kierował na oskarżonego i w tym spojrzeniu obłudna pobłażliwość (jakby chciał rzec: „Nie lękaj się, jesteś w rękach zgromadzenia braterskiego, które chce jeno twego dobra") mieszała się z lodowatą ironią (jakby chciał rzec: „Jeszcze nie wiesz, co dla ciebie dobre, a ja rychle ci to powiem") i bezlitosną surowością (jakby chciał rzec: „Ale w każdym razie jestem tutaj twoim jedynym sędzią i należysz do mnie"). Wszystkie te rzeczy klucznik już wiedział, ale milczenie i odwlekanie miały mu to przypomnieć, pozwolić tego zasmakować, aby – miast zapomnieć – tym większy miał powód do upokorzenia, aby jego niepokój przeobraził się w rozpacz i aby on sam stał się rzeczą należącą do sędziego, miękkim woskiem w jego rękach.

Wreszcie Bernard przerwał milczenie. Wypowiedział kilka rytualnych formuł, oznajmił sędziom, że przystępuje do przesłuchania obwinionego o dwa przestępstwa jednako szkaradne, z czego pierwsze było dla wszystkich oczywiste, lecz mniej godne pogardy niż drugie, albowiem obwiniony został przyłapany na popełnianiu zabójstwa, kiedy był już poszukiwany za zbrodnię herezji.

Zamilkł. Klucznik ukrył twarz w dłoniach, którymi poruszał z trudem, gdyż były zakute w łańcuchy. Bernard zaczął przesłuchanie.

– Kim jesteś? – zapytał.

– Remigiuszem z Varagine. Urodziłem się pięćdziesiąt dwa lata temu i jako dziecko jeszcze wstąpiłem do minorytów w Varagine.

– A jak to się stało, że oto jesteś dzisiaj w Zgromadzeniu Świętego Benedykta?

– Lata temu, kiedy papież wydał bullę *Sancta Romana*, bałem się zarazić herezją braciaszków... choć nigdy nie zgodziłem się z ich twierdzeniami... i pomyślałem, że korzystniej dla mojej grzesznej duszy będzie porzucić otoczenie brzemienne pokusami, i zyskałem pozwolenie na przeniesienie się między mnichów tego opactwa, gdzie od ponad ośmiu lat służę jako klucznik.

– Unikałeś pokusy herezji – zadrwił Bernard – czyli unikałeś dochodzeń prowadzonych przez tych, którzy byli postawieni, by wykryć herezję i wyrwać z korzeniami chwast, a dobrzy mnisi kluniaccy myśleli, że dokonują aktu miłosierdzia, przyjmując takich jak ty. Ale nie wystarczy zmienić suknię, by uchronić duszę od niegodziwości kacerskiego znieprawienia, i dlatego mamy tu dzisiaj wybadać, co się dzieje w zakamarkach twojej nieskruszonej duszy i co robiłeś, nim pojawiłeś się w tym świętym miejscu.

– Dusza moja jest niewinna i nie wiem, co masz na myśli, kiedy mówisz o heretyckim znieprawieniu – rzekł ostrożnie klucznik.

– Czy widzicie?! – wykrzyknął Bernard, zwracając się do pozostałych sędziów. – Oni wszyscy tacy! Kiedy który z nich jest zatrzymany, staje przed trybunałem tak, jakby nie dręczyły mu sumienia żadne wyrzuty. A nie wiedzą, że to najpewniejszy znak ich winy, albowiem sprawiedliwy podczas procesu jest niespokojny! Zapytajcie go, czy wie, z jakiej przyczyny kazałem go zatrzymać. Czy wiesz, Remigiuszu?

– Panie – odpowiedział klucznik – byłbym szczęśliwy, gdybym mógł dowiedzieć się tego z twoich ust.

Byłem zaskoczony, gdyż zdało mi się, że klucznik odpowiada na rytualne pytania słowami równie rytualnymi, jakby znał dobrze reguły śledztwa i jego pułapki i od dawna był przyuczony, jak się zachować w podobnej okoliczności.

– Oto – wykrzyknął wówczas Bernard – typowa odpowiedź nieskruszonego heretyka! Chadzają wilczymi ścieżkami i niełatwo przyłapać ich na słabości, gdyż wspólnota przyznaje im prawo do kłamania, by uniknęli należnej kary. Uciekają się do odpowiedzi wykrętnych, próbując wciągnąć w zasadzkę inkwizytora, który i tak cierpieć musi bliskość ludzi tak godnych pogardy. A zatem, bracie Remigiuszu, nigdy nie miałeś do czynienia z tak zwanymi braciaszkami lub braćmi ubogiego życia, lub z begardami?

– Przeżywałem koleje losu minorytów podczas długiej dysputy o ubóstwie, ale nigdy nie należałem do sekty begardów.

– Czy widzicie? – rzekł Bernard. – Zaprzecza, iżby był begardem, albowiem begardzi, choć uczestniczą w tej samej herezji co braciaszkowie, uważają tych za uschłą gałąź zakonu franciszkańskiego, a siebie mają za czystszych od nich i doskonalszych. Lecz wiele zachowań jednych jest wspólnych drugim. Czy możesz zaprzeczyć, Remigiuszu, że widziano cię w kościele, jak kuliłeś się z twarzą zwróconą do muru albo leżałeś krzyżem, a głowę miałeś przykrytą kapturem, miast klęczeć ze złożonymi rękami jak inni ludzie?

– Również w Zgromadzeniu Świętego Benedykta leży się krzyżem na ziemi w stosownych momentach...

– Nie pytałem, coś robił w momentach stosownych, tylko w niestosownych! Nie zaprzeczasz więc, że przyjmowałeś jedną i drugą pozycję, obie typowe dla begardów! Lecz nie jesteś begardem, rzekłeś... Powiedz mi więc: w co wierzysz?

– Panie, wierzę we wszystko to, w co wierzy dobry chrześcijanin...

– Cóż za święta odpowiedź! A w cóż to wierzy dobry chrześcijanin?

– W to, czego naucza Kościół święty.

– A jaki Kościół święty? Ten, który uważają za święty owi wierzący uznający się za doskonałych, pseudoapostołowie, heretyccy braciaszkowie, czy też Kościół, który tamci porównują do wszetecznicy Babilonu, a w który my wszyscy mocno wierzymy?

– Panie – rzekł zagubiony klucznik – powiedz mi ty, który jest według ciebie prawdziwy Kościół...

– Ja wierzę, że jest to Kościół rzymski, jeden, święty i apostolski, rządzony przez papieża i jego biskupów.

– W taki i ja wierzę – rzekł klucznik.

– Podziwu godna przebiegłość! Podziwu godna bystrość wysłowienia! – krzyknął inkwizytor. – Czy słyszeliście: oto zamierza rzec, że on wierzy, że ja wierzę w ten Kościół, i uniknąć w ten sposób obowiązku powiedzenia, w co wierzy on sam! Ale dobrze znamy te wybiegi kuny! Do rzeczy. Czy wierzysz, że sakramenty ustanowił Pan Nasz, że aby dokonać właściwej skruchy, trzeba wyspowiadać się przed sługami Boga, że Kościół rzymski ma władzę rozwiązywać i zawiązywać na tej ziemi to, co będzie zawiązane albo rozwiązane w niebie?

– Czy nie powinienem w to wierzyć?

– Nie pytam, w co powinieneś wierzyć, pytam, w co wierzysz!

– Wierzę w to wszystko, w co ty, panie, i inni dobrzy doktorowie rozkażecie mi wierzyć – rzekł przerażony klucznik.

– Aha! Ale czyż owi dobrzy doktorowie, o których to wspomniałeś, nie są czasem tymi, którzy kierują twoją sektą? I co miałeś na myśli, mówiąc „dobrzy doktorowie"? Czy nie na tych przewrotnych kłamców, którzy uważają się za jedynych następców apostołów, powołujesz się, by uznać artykuły swojej wiary? Podsuwasz mi może, że jeśli ja bym wierzył w to, co wierzą oni, wtedy uwierzyłbyś mnie, czyli im jeno!

– Nie powiedziałem tego, panie – wybełkotał klucznik. – Ty sam wkładasz to w moje usta. Ja wierzę tobie, jeśli ty nauczasz mnie tego, co jest dobre.

– Co za zuchwałość! – wykrzyknął Bernard, waląc pięścią w stół. – Powtarzasz w pamięci, trwając w niemym uporze, ów formularz, którego naucza się w twojej sekcie. Powiadasz, że wierzyłbyś mi wtenczas tylko, kiedy bym głosił to, co twoja sekta uznaje za dobre. Tak właśnie odpowiadali zawsze pseudoapostołowie i tak odpowiadasz teraz ty, może nawet nie wiedząc o tym, albowiem pojawiają ci się na wargach zdania, które niegdyś zostały ci wpojone, byś zwodził inkwizytorów. I w ten sposób sam się oskarżasz tym, co mówisz, ja zaś wpadłbym w twoją pułapkę, gdybym nie miał długiego doświadczenia jako inkwizytor... Lecz weźmy prawdziwą kwestię, przewrotny człeku. Czy słyszałeś kiedy o Gerardzie Segalellim z Parmy?

– Słyszałem o nim – odparł klucznik, blednąc, jeśli można jeszcze było mówić o bladości tego odmienionego oblicza.

– Czy słyszałeś kiedy o bracie Dulcynie z Novary?

– Słyszałem.

– Czy widziałeś go kiedy na własne oczy, rozmawiałeś z nim?

Klucznik trwał przez chwilę w milczeniu, jakby rozważając, do jakiego stopnia dogodne dlań będzie wyznać część prawdy. Potem zdecydował się i powiedział cichutko:

– Widziałem go i rozmawiałem z nim.

– Głośniej! – krzyknął Bernard. – Byśmy w końcu mogli usłyszeć, jak z twoich ust pada słowo prawdy! Kiedy z nim rozmawiałeś?

– Panie – powiedział klucznik – byłem bratem w klasztorze novaryjskim, kiedy ludzie Dulcyna zgromadzili się w tamtych stronach i przechodzili także w pobliżu mojego klasztoru, a na początku nie wiedziano dobrze, kim są...

– Kłamiesz! Jak franciszkanin z Varagine mógł być w klasztorze novaryjskim? Nie byłeś w klasztorze, ale należałeś już do bandy braciaszków, którzy przebiegali te ziemie, żyjąc z jałmużny, i dołączyłeś do dulcynian!

– Jak możesz utrzymywać rzecz taką, panie? – rzekł z drżeniem klucznik.

– Powiem ci, jak mogę, a nawet muszę to powiedzieć – oznajmił Bernard i rozkazał, by sprowadzono Salwatora.

Na widok nieszczęśnika, który z pewnością całą noc poddawany był przesłuchaniu nie publicznemu zgoła i o ileż sroższemu, poczułem litość. Twarz Salwatora, jako się już rzekło, była zwykle odrażająca. Ale tego ranka zdawała się jeszcze podobniejsza do pyska zwierzęcia. Nie widać było śladów przemocy, ale sposób, w jaki posuwało się zakute w łańcuchy ciało, z członkami wywichniętymi, prawie niezdolne się poruszać, ciągnięte przez łuczników niby małpa przywiązana do sznura, nader jasno wskazywał, jak musiało przebiegać owo przerażające responsorium.

– Bernard wziął go na męki... – szepnąłem do Wilhelma.

– Nijak – odparł Wilhelm. – Inkwizytor nigdy nie bierze na męki. Troskę o ciało obwinionego powierza się zawsze ramieniu świeckiemu.

– Ależ to to samo! – powiedziałem.

– Wcale nie. Ani dla inkwizytora, który ma ręce czyste, ani dla poddanego inkwizycji, który gdy przychodzi inkwizytor, znajduje oto nagłe wsparcie, uśmierzenie swoich bólów i otwiera przed nim serce.

Spojrzałem na mojego mistrza.

– Żartujesz – rzekłem przestraszony.

– Wydaje ci się to rzeczą stosowną do żartów? – odpowiedział Wilhelm.

Bernard przesłuchiwał teraz Salwatora i pióro me nie podoła zadaniu zapisania posiekanych i, gdyby to było możliwe, jeszcze bardziej bablejskich słów, jakimi ten człowiek, już i tak niepełny, a teraz sprowadzony do rzędu babuina, odpowiadał, z trudem przez wszystkich rozumiany, wspomagany przez Bernarda, który podsuwał mu zapytania w ten sposób, by ten mógł odpowiadać na nie tylko „tak" albo „nie", niezdolny do żadnego kłamstwa. A co powiedział Salwator, czytelnik doskonale może sobie wyobrazić. Opowiedział, lub raczej przyznał, że opowiedział w nocy część tej historii, którą ja już odtworzyłem: jak wędrował jako braciaszek, pastuszek i pseudoapostoł i jak w czasach brata Dulcyna spotkał pośród dulcynian Remigiusza i wraz z nim uciekł po bitwie na górze Rebello, by po wielu dalszych przygodach pojawić się w konwencie w Casale. Dodał tylko, że herezjarcha Dulcyn, kiedy zbliżała się godzina klęski i pojmania, powierzył Remigiuszowi kilka listów, które ten miał dostarczyć, Salwator nie wie, gdzie i komu. Remigiusz zawsze nosił te listy przy sobie, nie śmiać ich doręczyć, a po przybyciu do opactwa, bojąc się trzymać je nadal przy sobie, lecz nie chcąc zniszczyć, powierzył bibliotekarzowi, tak, właśnie Malachiaszowi, by ów ukrył je gdzieś w zakątkach Gmachu.

Kiedy Salwator mówił, klucznik patrzył nań z nienawiścią i w pewnym momencie nie powstrzymał krzyku:

– Ty wężu, sprośna małpo, byłem ci ojcem, przyjacielem, tarczą, a tak oto mi odpłacasz!

Salwator spojrzał na swego opiekuna, który teraz sam tak bardzo potrzebował opieki, i odpowiedział z trudem:

– Panie Remigiuszu, było tak, iżem tobie należał. I byłeś dla mnie nader miłym. Lecz ty znasz pałace Borgella, wiesz, co więzienie. *Qui non habet caballum vadat cum pede**...

– Szalony! – krzyknął jeszcze Remigiusz. – Masz nadzieję uratować się? Nie wiesz, że ty też umrzesz jako heretyk? Powiedz, żeś gadał na mękach, powiedz, żeś wszystko zmyślił!

– Co ja wiem, panie, jakie nazwy są wszystkich tych ferezji... Patareni, gazzalici, leoniści, arnoldyści, obrzeżańcy. Nie jestem *homo literatus, peccavi sine malitia**, pan Bernard zaś wspaniały *el sa, et* nadzieję mam na pobłażliwość *sua in nomine patre et filio et spiritis sanctis*...

---

* Kto nie ma konia, niechaj idzie na piechotę (łac.).
* Człowiekiem uczonym, grzeszyłem bez złych zamiarów (łac.).

– Będziemy pobłażliwi, na ile pozwoli nam nasz urząd – rzekł inkwizytor – i z ojcowską dobrotliwością rozważymy dobrą wolę, jakąś okazał, otwierając przed nami swoją duszę. Idź, idź, wracaj rozmyślać w swojej celi i ufaj miłosierdziu Pana. Teraz musimy omówić kwestię o wiele ważniejszą. Tak więc, Remigiuszu, miałeś przy sobie listy Dulcyna i powierzyłeś je bratu swemu, który ma pieczę nad biblioteką...

– To nieprawda, nieprawda! – krzyknął klucznik, jakby ta obrona mogła mieć jeszcze jaki skutek. I właśnie Bernard mu przerwał:

– Lecz nie twoje potwierdzenie nam potrzebne, jeno Malachiasza z Hildesheimu.

Kazał wezwać bibliotekarza, nie było go bowiem pośród obecnych. Wiedziałem, że jest w skryptorium albo w szpitalu, albo koło szpitala, rozglądając się za Bencjuszem i księgą. Poszli go szukać, a kiedy ukazał się, zakłopotany i unikający spojrzeń, Wilhelm powiedział z niezadowoleniem: „I teraz Bencjusz będzie mógł robić, co mu się spodoba”. Lecz mylił się, gdyż ujrzałem, jak twarz Bencjusza wyłania się ponad ramionami innych mnichów, którzy tłoczyli się do drzwi sali, by przysłuchiwać się rozprawie. Pokazałem go Wilhelmowi. Pomyśleliśmy, że zaciekawienie tym wydarzeniem jest jeszcze silniejsze od zaciekawienia książką. Potem dowiedzieliśmy się, że w tym momencie dobił już swego haniebnego targu.

Malachiasz ukazał się więc przed sędziami, nie krzyżując swego spojrzenia ze spojrzeniem klucznika.

– Malachiaszu – rzekł Bernard – dziś rano, po wyznaniu złożonym w nocy przez Salwatora, zapytałem cię, czy otrzymałeś od tu obecnego obwinionego listy...

– Malachiaszu! – zawył klucznik. – Dopiero co przysiągłeś, że nie uczynisz nic przeciw mnie!

Malachiasz odwrócił się nieco w stronę zatrzymanego, do którego stał plecami, i rzekł głosem cichutkim, tak że prawie go nie usłyszałem:

– Nie złamałem przysięgi. Jeśli coś przeciw tobie mogłem uczynić, już uczyniłem. Listy powierzone zostały panu Bernardowi tego ranka, nim zabiłeś Seweryna...

– Ale wiesz, musisz wiedzieć, że to nie ja zabiłem Seweryna! Wiesz, bo tam byłeś!

– Ja? – zapytał Malachiasz. – Ja wszedłem tam, kiedy ciebie już złapano.

– A gdyby i tak było – przerwał Bernard – czego szukałeś u Seweryna, Remigiuszu?

Klucznik obrócił się, by spojrzeć zagubionym wzrokiem na Wilhelma, potem na Malachiasza, potem zaś na Bernarda.

– Ależ ja... ja słyszałem dziś rano, jak brat Wilhelm, tu obecny, mówił Sewerynowi, by ten miał pieczę nad pewnymi kartami – a od wczorajszej nocy, po pojmaniu Salwatora, bałem się, że będzie mowa o listach...

– Jednakowoż wiesz coś o listach! – wykrzyknął triumfalnie Bernard.

Klucznik znalazł się w pułapce. Był rozdarty między dwie konieczności: oczyszczenia się z zarzutu herezji i oddalenia podejrzeń o zabójstwo. Postanowił zapewne stawić czoło drugiemu z oskarżeń, instynktownie, gdyż teraz już działał bez żadnych reguł, porzuciwszy wszelką ostrożność.

– Opowiem o listach później... usprawiedliwię... powiem, jak wszedłem w ich posiadanie... Ale pozwólcie, bym wyjaśnił, co zdarzyło się dzisiejszego ranka. Pomyślałem, że o tych listach będzie się mówiło, kiedy zobaczyłem, że Salwator wpadł w ręce pana Bernarda, i wyznaję, iż ich wspomnienie dręczy moje serce... Kiedy więc usłyszałem, że Wilhelm i Seweryn mówią o jakichś kartach... sam nie wiem, ogarnięty strachem, pomyślałem, że Malachiasz pozbył się listów i dał Sewerynowi... chciałem je zniszczyć, więc poszedłem do niego... drzwi były otwarte, a Seweryn leżał już martwy, zacząłem szperać w jego rzeczach, szukając listów... bałem się jeno...

Wilhelm szepnął mi do ucha:

– Biedny głupiec, przestraszony jednym niebezpieczeństwem rzucił się głową naprzód w drugie...

– Przyjmijmy, że mówisz prawie... powtarzam: prawie prawdę – przerwał Bernard. – Pomyślałeś, że Seweryn ma listy, i szukałeś ich u niego. A czemu pomyślałeś, że je ma? I czemu zabiłeś przedtem jeszcze innych współbraci? Może myślałeś, że te dawne listy krążą w rękach licznych? Może w tym opactwie jest obyczaj polowania na relikwie spalonych heretyków?

Zobaczyłem, że opat zadrżał. Nie było nic szkaradniejszego od oskarżenia o zbieranie relikwii po heretykach i Bernard bardzo zręcznie splątał zbrodnie z herezją, a wszystko to z życiem opactwa. Moje rozważania przerwał klucznik, który krzyczał, że nie ma nic wspólnego z innymi zbrodniami. Bernard uspokoił go pobłażliwie: w tym momencie nie chodzi o tę kwestię, pyta się go o zbrodnię herezji i niechaj nie próbuje (tu jego głos stał się surowy) odwrócić uwagi od swoich dawnych kompanów, heretyków, mówiąc o Sewerynie i starając się rzucić podejrzenie na Malachiasza. Niechaj wraca do listów.

– Malachiaszu z Hildesheimu – rzekł obrócony w stronę świadka – nie stoisz tu jako oskarżony. Dziś rano odpowiedziałeś na moje pytania i spełniłeś moje żądanie, nie próbując niczego ukryć. Teraz powtórz, com usłyszał rano, a nie masz czego się lękać.

– Powtórzę, co powiedziałem rano – rzekł Malachiasz. – Wkrótce potem, jak przybyłem tutaj, Remigiusz zaczął zajmować się kuchnią i ze względu na pracę stykaliśmy się często... na mnie jako na bibliotekarzu spoczywa obowiązek zamknięcia na noc całego Gmachu, a więc także kuchni... Nie mam powodu ukrywać, że zawiązała się między nami braterska przyjaźń, i nie miałem powodów, by żywić wobec niego podejrzenia. I powiedział mi, że ma przy sobie pewne dokumenty tajnej natury, powierzone mu w zaufaniu, i że nie powinny wpaść w niepowołane ręce, a nie ma odwagi trzymać ich przy sobie. Ponieważ ja mam pieczę nad jedynym miejscem w klasztorze zakazanym dla wszystkich innych, prosił, bym przechował te karty z dala od ciekawych spojrzeń, ja zaś zgodziłem się, nie przypuszczając, że chodzi o dokumenty natury heretyckiej, i nawet nie przeczytałem ich, nim ukryłem – umieściłem je w najtrudniej dostępnym miejscu biblioteki i zaraz zapomniałem o tym fakcie aż do dzisiejszego ranka, kiedy pan inkwizytor o nich wspomniał, i wtedy po nie poszedłem i mu powierzyłem.

Głos zabrał zagniewany opat.

– Czemuś to nie rzekł mi o swoim pakcie z klucznikiem? Biblioteka nie jest przeznaczona na rzeczy będące własnością mnichów! Opat jasno dał do zrozumienia, że opactwo nie ma nic wspólnego z tą sprawą.

– Panie – powiedział zmieszany Malachiasz – wydało mi się to rzeczą małej wagi. Zgrzeszyłem nie przez niegodziwość.

– Z pewnością, z pewnością – rzekł Bernard tonem serdecznym.

– Wszyscy jesteśmy przekonani, że bibliotekarz działał w dobrej wierze, a szczerość, z jaką współpracował z tym oto trybunałem, jest tego dowodem. Proszę po bratersku waszą magnificencję, by nie miał mu za złe tej dawno popełnionej nieostrożności. My wierzymy Malachiaszowi. I prosimy tylko, by potwierdził pod przysięgą, że karty, które oto mu pokazuję, są tymi, które oddał mi dzisiejszego ranka, i tymi, które Remigiusz z Varagine powierzył mu przed laty, gdy przybył do opactwa. – Pokazał dwa pergaminy, które wydobył spośród kart rozłożonych na stole.

Malachiasz spojrzał na nie i rzekł głosem stanowczym:

– Przysięgam na Boga wszechmogącego, na Najświętszą Dziewicę i na wszystkich świętych, że tak było.

– To mi wystarczy – oznajmił Bernard. – Jesteś wolny, Malachiaszu z Hildesheimu.

Kiedy Malachiasz wychodził ze spuszczoną głową, dał się słyszeć głos dobiegający z grupy ciekawskich, tłoczących się w głębi sali: „Ty ukryłeś mu listy, a on pokazywał ci dupki nowicjuszy w kuchni!" Rozległo się parę śmiechów. Malachiasz wyszedł czym prędzej, rozpychając się na prawo i lewo, ja zaś przysiągłbym, że był to głos Aimara, lecz zdanie wykrzyknięte zostało falsetem. Opat, fioletowy na twarzy, wrzasnął, że ma być cisza, i zagroził wszystkim strasznymi karami, nakazując mnichom opuścić salę. Bernard uśmiechał się lubieżnie, kardynał Bertrand, stojący z boku sali, skłonił się do ucha Jana z Anneaux i rzekł mu coś, na co tamten zareagował, zakrywając sobie usta ręką i pochylając głowę, jakby miał odkaszlnąć.

Wilhelm powiedział mi:

– Klucznik był grzesznikiem nie tylko na swój rachunek, lecz też rajfurem. Ale to dla Bernarda nie ma znaczenia, chyba o tyle, że stawia w kłopotliwej sytuacji Abbona, cesarskiego mediatora...

Przerwał mu Bernard, który zwrócił się teraz właśnie do niego:

– Chciałbym dowiedzieć się od ciebie, bracie Wilhelmie, o jakich kartach rozmawiałeś dziś rano z Sewerynem, kiedy to klucznik was usłyszał i wyciągnął mylny wniosek.

Wilhelm wytrzymał jego spojrzenie.

– Właśnie wyciągnął mylny wniosek. Tematem rozmowy była rozprawa o wodowstręcie u psów, pióra Ajjuba al-Ruhawiego, wspaniała, jeśli chodzi o doktrynę, księga, której sława pewnie do ciebie dotarła, a która byłaby ci często nader użyteczna... Wściekliznę, powiada Ajjub, rozpoznaje się z dwudziestu pięciu oczywistych znaków...

Bernard, który należał do zakonu *domini canes*, nie uznał za dogodne wszczynać nowej batalii.

– Chodziło więc o rzeczy obce rozważanemu tu przypadkowi – rzekł skwapliwie. I ciągnął przesłuchanie: – Powróćmy do ciebie, bracie Remigiuszu, minoryto, znacznie niebezpieczniejszy od wściekłego psa. Gdyby brat Wilhelm większe baczenie dał w tych dniach na ślinę heretyków niźli na ślinę psów, być może odkryłby i on, jaki wąż zagnieździł się w opactwie. Powróćmy do tych listów. Wiemy teraz niechybnie, że były w twoich rękach, że ty troszczyłeś się, by je ukryć jak truciznę, i że w istocie zabiłeś... – gestem powstrzymał próbę zaprzeczenia – ...a o zabijaniu pomówimy później... że zabiłeś, mówiłem, bym ich nigdy nie dostał. Czy więc rozpoznajesz te karty jako rzecz twoją?

Klucznik nie odpowiedział, ale jego milczenie było wystarczająco wymowne. Bernard zatem podjął:

– I czymże są te karty? Chodzi o dwie stronice zapisane ręką herezjarchy Dulcyna na kilka dni przed jego pojmaniem, stronice, które powierzył swojemu uczniowi, by ten zaniósł je innym zwolennikom rozproszonym jeszcze po Italii. Mógłbym przeczytać wam wszystko, o czym się w nich mówi, i jak to Dulcyn, obawiając się bliskiego końca, powierzył – współbraciom, powiada – orędzie nadziei, jaką pokłada w demonie! Pociesza ich, donosząc, że choć daty, jakie w nich zapowiada, nie zgadzają się z tymi podanymi w poprzednich listach, gdzie na rok tysiąc trzysta piąty zapowiadał całkowite unicestwienie wszystkich kapłanów za sprawą cesarza Fryderyka, jednak chwila tego zniszczenia nie jest odległa. Raz jeszcze herezjarcha kłamał, ponieważ ponad dwadzieścia lat minęło od tego dnia i żadna z jego złowrogich przepowiedni się nie spełniła. Lecz nie nad śmiechu wartymi domniemaniami zawartymi w owych proroctwach winniśmy rozprawiać, lecz nad faktem, że Remigiusz był ich doręczycielem. Czy możesz jeszcze zaprzeczyć, bracie heretycki i nieskruszony, żeś obcował i żył pod jednym dachem z sektą pseudoapostołów?

W tym momencie klucznik nie mógł już zaprzeczać.

– Panie – rzekł – moja młodość pełna była najposępniejszych błędów. Kiedy dowiedziałem się o kazaniach Dulcyna, uwiedziony już błędami braci ubogiego żywota, uwierzyłem w jego słowa i dołączyłem do bandy. Tak, to prawda, byłem z nimi w krainie breszańskiej i bergamasceńskiej, byłem z nimi w Como i w Valsesii, wraz z nimi schroniłem się na Łysej Górze i w dolinie Rassa, a w końcu na górze Rebello. Lecz nie wziąłem udziału w żadnym występku, a kiedy oni czynili spustoszenia i gwałty, ja nosiłem jeszcze w sobie ducha łagodności, która przystoi synom świętego Franciszka, i właśnie na Rebello powiedziałem Dulcynowi, że nie chcę już uczestniczyć w ich walce, on zaś dał mi odejść, gdyż, jak rzekł, nie chciał mieć u swego boku bojaźliwych, i prosił tylko, bym dostarczył te listy do Bolonii...

– Komu? – spytał kardynał Bertrand.

– Paru jego stronnikom, których imiona przypominam sobie, jak mi się zdaje, i podaję ci, panie, tak jak zapamiętałem – pospieszył zapewnić Remigiusz. I wypowiedział parę imion, które kardynał Bertrand znał, co zresztą okazał po sobie, ponieważ uśmiechnął się z zadowoloną miną, czyniąc porozumiewawczy znak Bernardowi.

– Bardzo dobrze – rzekł Bernard i zanotował imiona. Potem zapytał Remigiusza: – I dlaczegóż teraz wymieniasz nam swoich przyjaciół?

– Nie są moimi przyjaciółmi, panie, czego najlepszym dowodem jest to, że nie doręczyłem nigdy listów. Uczyniłem nawet więcej, i mówię to teraz, choć przez wiele lat próbowałem o tym zapomnieć: chciałem opuścić tamto miejsce i ujść przed wojskiem biskupa Vercelli, które czekało na nas na równinie. Udało mi się nawiązać kontakt z niektórymi spośród jego żołnierzy i w zamian za pomoc w ucieczce wskazałem im dobre przejścia, by mogli wziąć szturmem umocnienia Dulcyna, przez co część powodzenia sił Kościoła wiąże się z moją współpracą...

– Nader interesujące. Poucza to nas, że nie tylko byłeś heretykiem, ale również niegodziwcem i zdrajcą. Co nie zmienia twojego położenia. Jak dziś, chcąc się uratować, próbowałeś oskarżyć Malachiasza, który przecież oddał ci przysługę, tak teraz, chcąc się uratować, oddałeś w ręce sprawiedliwości swoich towarzyszy w grzechu. Lecz zdradziłeś ich ciała, nigdy zaś ich nauk, i zachowałeś te listy jako relikwie, mając nadzieję, że pewnego dnia zdobędziesz się na odwagę i znajdziesz sposobność, by bez narażania się na niebezpieczeństwo oddać je i na nowo zyskać dobre przyjęcie u pseudoapostołów.

– Nie, panie, nie – mówił klucznik, zlany potem i z drżącymi dłońmi. – Nie, przysięgam...

– Przysięgasz! – rzekł Bernard. – Oto kolejny dowód twojej niecnoty! Chcesz przysiąc, gdyż wiesz, że ja wiem, iż heretycy waldensi gotowi są uciec się do wszelkiego wybiegu, a nawet pójść na śmierć, byleby nie przysięgać! A jeśli włada nimi strach, udają, że przysięgają, i bełkoczą fałszywe przysięgi! Ale ja wiem dobrze, że nie jesteś z sekty ubogich z Lyonu, przeklęty lisie, i chcesz przekonać mnie, że nie jesteś tym, kim nie jesteś, bym ja nie powiedział, że jesteś tym, kim jesteś! Więc przysięgniesz? Przysięgnij, by uzyskać rozgrzeszenie, ale pamiętaj, że jedna przysięga mi nie wystarczy! Mogę wymagać jednej, dwóch, trzech, stu, ilu zechcę. Wiem doskonale, że wy, pseudoapostołowie, udzielacie dyspensy temu, kto przysięga fałszywie, by nie zdradzić sekty. Tak więc każda przysięga będzie nowym dowodem twojej winy!

– Co więc mam robić? – zawył klucznik, padając na kolana.

– Nie padaj krzyżem niczym begard! Nic nie masz robić. Teraz ja tylko wiem, co powinno się uczynić – powiedział Bernard ze straszliwym uśmiechem. – Ty winieneś tylko wyznać. A będziesz skazany i potępiony, jeśli wyznasz; będziesz też skazany i potępiony, jeśli nie wyznasz, bo ukarany zostaniesz za krzywoprzysięstwo! Więc wyznaj, żeby przynajmniej skrócić to bolesne przesłuchanie, które jest udręką dla naszych sumień, jak też naszego pobłażania i współczucia!

– Co mam wyznać?

– Dwa porządki grzechów. Żeś był w sekcie Dulcyna, żeś dzielił jej heretyckie twierdzenia, obyczaje i zniewagi czynione godności biskupów i radców miejskich i żeś bez żadnej skruchy nadal dzielił ich kłamstwa i złudy również po tym, jak herezjarcha poniósł śmierć, a sekta została rozproszona, choć nie do końca pobita i zniweczona. I żeś, znieprawiony do głębi duszy swojej praktykami, których nauczyłeś się w nieczystej sekcie, winny występków przeciw Bogu i ludziom, popełnionych w tym opactwie z racji, których jeszcze nie znam, ale których nawet nie trzeba do końca wyjaśniać, kiedy już dowiedzie się olśniewająco (jak to czynimy), iż herezja tych, co głosili lub głoszą ubóstwo wbrew nauczaniu pana papieża i jego bulli, musi prowadzić do dzieł zbrodniczych. Tego winni dowiedzieć się wierni i to mi wystarczy. Wyznawaj.

W tym momencie było jasne, czego Bernard chce. Ani trochę niezainteresowany tym, by dowiedzieć się, kto zabił innych mnichów, pragnął jedynie pokazać, że Remigiusz w pewien sposób podzielał idee, które popierali teologowie cesarza. A po udowodnieniu koneksji między tymi ideami, które były również ideami kapituły w Perugii oraz ideami braciaszków i dulcynian, wskazać, że jeden tylko człowiek w opactwie uczestniczył we wszystkich tych herezjach i był sprawcą wielu zbrodni; w ten sposób zadałby cios doprawdy śmiertelny swoim przeciwnikom. Popatrzyłem na Wilhelma i pojąłem, że on też pojął, ale nie mógł nic poradzić, nawet jeśli to przewidział. Spojrzałem na opata i zobaczyłem, że pociemniał na twarzy; z opóźnieniem zdał sobie sprawę z tego, że także on wciągnięty został do pułapki i że nawet jego autorytet mediatora przepadnie, skoro ukaże się jako władca miejsca, w którym wyznaczyły sobie spotkanie wszystkie hańby wieku. Co zaś się tyczy klucznika, ten nie wiedział już, z jakiej zbrodni mógłby jeszcze się oczyścić. Ale może w tym momencie nie był zdolny do żadnego rachunku, bo krzyk, który dobył się z jego krtani, był krzykiem duszy, a w nim i wraz z nim wyzbywał się ciężaru wiele lat trwających i skrywanych wyrzutów sumienia. Albo też po życiu pełnym niepewności, uniesień i rozczarowań, aktów tchórzostwa i zdrad, stojąc w obliczu nieuniknionej zguby, postanowił wyznać wiarę swojej młodości, nie dbając już o to, czy była słuszna, czy błędna, ale jakby chcąc pokazać samemu sobie, że do jakiejś wiary był przecież zdolny.

– Tak, to prawda! – wykrzyknął. – Byłem z Dulcynem i dzieliłem jego zbrodnie, swawole. Może był szalony, mylił miłość do Jezusa Chrystusa Pana Naszego z potrzebą wolności i z nienawiścią do biskupów, to prawda, grzeszyłem, ale przysięgam, jestem niewinny w tym, co dotyczy wydarzeń w opactwie!

– Tak więc coś uzyskaliśmy – rzekł Bernard. – Przyznajesz zatem, że praktykowałeś herezję Dulcyna, czarownicy Małgorzaty i innych takich jak oni? Przyznajesz, że byłeś wśród nich, kiedy w pobliżu Trivero powiesili wielu wiernych Chrystusowi, w tym niewinne dziesięcioletnie dziecko? I kiedy powiesili innych mężczyzn w obecności żon i rodziców, gdyż ci nie chcieli się poddać woli tych psów? I że zaślepieni furią i pychą utrzymujecie, że nikt nie może być zbawiony, jeśli nie należy do waszej wspólnoty? Mów!

– Tak, tak, wierzyłem w owe rzeczy i czyniłem je!

– I byłeś przy tym, jak pochwycili kilku wiernych biskupom i niektórych pozostawili, by zmarli z głodu w lochu, a pewnej brzemiennej niewieście obcięli ramię i dłoń, pozwalając jej potem urodzić dziecko, które zaraz umarło bez chrztu? I byłeś z nimi, kiedy zrównali z ziemią i wydali na pastwę ognia wsie Mosso, Trivero, Cossila i Flecchia oraz wiele innych miejscowości w okolicy Crepacorio i wiele domów w Mortiliano i Quorino oraz podpalili kościół w Trivero, brukając najpierw święte wizerunki, wyrywając kamienne płyty z ołtarzy, łamiąc ramię posągowi Najświętszej Panny, pustosząc naczynia święte i księgi, niszcząc dzwonnice, rozbijając spiż dzwonów, przywłaszczając sobie wszystkie naczynia bractwa i wszystkie dobra kapłana?

– Tak, tak, byłem tam i nikt już nie wiedział, co się dzieje. Chcieliśmy uprzedzić moment kary, byliśmy przednią strażą cesarza zesłanego przez niebo i świętego papieża, musieliśmy przyspieszyć chwilę zstąpienia anioła z Filadelfii i wtedy wszyscy mieli zyskać łaskę Ducha Świętego, a Kościół miał być odnowiony, by po zniszczeniu wszystkich przewrotnych panowali jedynie doskonali!

Klucznik robił wrażenie nawiedzonego i jednocześnie oświeconego, zdawało się, że w tej chwili tama milczenia i udawania runęła, że jego przeszłość wraca nie tylko w słowach, lecz i w obrazach, i że odczuwa wzruszenia, które porywały go kiedyś.

– Tak więc – nalegał Bernard – wyznajesz, że czciliście jako męczennika Gerarda Segalellego, że odmówiliście wszelkiego autorytetu Kościołowi rzymskiemu, że twierdziliście, iż ani papież, ani żadna władza nie może przypisać wam sposobu życia odmiennego od waszego, że nikt nie ma prawa was ekskomunikować, że od czasu świętego Sylwestra wszyscy prałaci Kościoła byli sprzeniewiercami i zwodzicielami, poza Piotrem z Morrone, że ludzie świeccy nie muszą płacić dziesięciny księżom, którzy nie praktykują stanu absolutnej doskonałości i ubóstwa, jakie praktykowali pierwsi apostołowie, że z tej przyczyny dziesięciny powinny być płacone wam tylko, jedynym apostołom i ubogim Chrystusa, że dla modlitw do Boga poświęcony kościół nie więcej wart od obory, że przebiegaliście wsie i uwodziliście ludzi, krzycząc: *Penitenziagite!*, że śpiewaliście *Salve Regina*, by perfidnie zwabić tłumy, i udawaliście pokutników, prowadząc życie doskonałe na oczach ludzi, a potem dopuszczaliście się wszelkiej swawoli i wszelkiej lubieżności, nie wierzyliście bowiem w sakrament małżeństwa ani w żaden, a uznając się za czystszych od innych ludzi, mogliście pozwolić sobie na wszelki brud i wszelkie znieważenie ciał waszych i ciał innych? Mów!

– Tak, tak, wyznaję prawdziwą wiarę, w którą wierzyłem wtenczas całą duszą, wyznaję, że porzuciliśmy nasze suknie na znak odrzucenia dóbr, że wyrzekliśmy się wszystkich naszych rzeczy, choć wy, psie pomioty, nie wyrzekniecie się ich nigdy, że od tamtej chwili nie przyjmowaliśmy już pieniędzy od nikogo ani nie nosiliśmy ich przy sobie i żyliśmy z jałmużny, i niczego nie zostawialiśmy sobie na jutro, a kiedy nas podejmowano i zastawiano dla nas stół, jedliśmy i odchodziliśmy, pozostawiając na stole wszystkie resztki.

– I paliliście, i grabiliście, by zawładnąć rzeczami poczciwych chrześcijan?

– I paliliśmy, i grabiliśmy, bo wynieśliśmy ubóstwo do powszechnego przykazania i mieliśmy prawo zawładnąć bezprawnymi bogactwami innych, i chcieliśmy razić w samo serce ów wątek chciwości, który snuł się od parafii do parafii, ale nigdy nie grabiliśmy, by mieć, ani nie zabijaliśmy, by grabić, zabijaliśmy, by karać, by oczyścić nieczystych przez krew; może zawładnęła nami nadmierna żądza sprawiedliwości, grzeszy się również z nadmiaru miłości do Boga, przez nazbyt wielkie bogactwo doskonałości, my zaś byliśmy prawdziwą kongregacją duchową zesłaną przez Pana i przygotowaną na chwałę ostatnich czasów. Szukaliśmy naszej nagrody w raju, uprzedzając czasy waszego zniszczenia. My tylko byliśmy apostołami Chrystusa, wszyscy inni zdradzili, a Gerard Segalelli był rośliną Boską, *planta Dei pullulans in radice fidei**, nasza reguła wzięła się prosto od Boga, nie od was, potępionych psów, kłamliwych kaznodziejów, którzy rozsiewacie wokół woń siarki, nie zaś kadzidła, złe psy, zgniłe ścier-

---

* Rośliną Boga, wyrastającą z korzenia wiary (łac.).

wa, kruki, słudzy nierządnicy z Awinionu, przeznaczeni na potępienie! Wtedy wierzyłem, i także nasze ciała były odkupione, i byliśmy mieczem Pana, trzeba było więc zabijać niewinnych, by szybciej móc zabić was wszystkich. Chcieliśmy świata lepszego, pokoju i dworności, i szczęścia dla wszystkich, chcieliśmy zabić wojnę, którą wy niesiecie razem z waszą chciwością, czemu wyrzucacie więc nam, że dla ustanowienia sprawiedliwości i szczęścia musieliśmy przelać odrobinę krwi... gdyż... gdyż... trochę jednak przelać należało, trzeba było czynić szybko, i warto było, by zaczerwieniła się cała woda Carnasco owego dnia w Stavello, była też krew nasza, nie szczędziliśmy siebie, krew nasza i krew wasza, mnóstwo, mnóstwo krwi, szybko, jak najszybciej, czasy proroctwa Dulcyna były tuż, należało przyspieszyć bieg wydarzeń...

Drżał cały, przesuwał dłońmi po habicie, jakby chciał otrzeć z nich krew, o której mówił.

– Żarłok na nowo stał się czysty – rzekł mi Wilhelm.

– Ale czy to jest czystość? – spytałem ze zgrozą.

– Pewnie jest i inna – odparł Wilhelm. – Lecz jakakolwiek by była, zawsze budzi we mnie lęk.

– Co przeraża cię najbardziej w czystości? – spytałem.

– Pośpiech – odparł Wilhelm.

– Starczy, starczy – mówił teraz Bernard. – Prosiliśmy cię o wyznanie, a nie o wzywanie do rzezi. No dobrze, nie tylko byłeś heretykiem, ale jesteś nim nadal. Nie tylko byłeś mordercą, ale nadal zabijasz. Powiedz więc, jak zabiłeś twych braci w opactwie i dlaczego?

Klucznik przestał drżeć, rozejrzał się dokoła, jakby się budził.

– Nie – zaprzeczył – ze zbrodniami w opactwie nie mam nic wspólnego. Wyznałem wszystko, co uczyniłem, nie każcie mi wyznawać tego, czego nie uczyniłem...

– Cóż takiego zostaje, czego nie mogłeś był uczynić? Teraz powiadasz, żeś niewinny? Cóż za aniołek, cóż za wzór łagodności! Słyszeliście go, miał w swoim czasie ręce unurzane we krwi, a teraz jest niewinny! Może pomyliliśmy się, może Remigiusz z Varagine jest wzorem cnoty, wiernym synem Kościoła, nieprzyjacielem nieprzyjaciół Chrystusa, może zawsze szanował ład, który czujna dłoń Kościoła tak znojnie narzucała wsiom i miastom, pokój handlu, sklepy rzemieślników, skarby kościołów. On jest niewinny, niczego nie uczynił, padnij w me ramiona, braciszku Remigiuszu, bym mógł cię pocieszyć po oskarżeniach, jakie niegodziwcy podnosili przeciw tobie!

– I kiedy Remigiusz patrzył na niego zagubionym wzrokiem, jakby nagle uwierzył w ostateczne rozgrzeszenie, Bernardowi zastygły rysy i zwrócił się rozkazującym tonem do kapitana łuczników. – Czuję wstręt do środków, których Kościół nigdy nie pochwalał, gdy stosowało je ramię świeckie. Lecz jest prawo, które włada i kieruje nawet moimi osobistymi uczuciami. Spytaj opata o takie miejsce, gdzie można przygotować narzędzia do zadawania mąk. Lecz nie przystępuj do dzieła od razu. Niech przez trzy dni pozostanie w celi z łańcuchami na rękach i nogach. Potem okaże mu się narzędzia. Tylko. Czwartego zaś dnia weźmie się go na męki. Sprawiedliwość nie jest rychliwa, jak sądzili pseudoapostołowie, a sprawiedliwość Boska może czekać wieki. Postępujcie powoli i stopniowo. A nade wszystko pamiętajcie o tym, o czym powtarza się wielekroć: trzeba unikać okaleczeń i groźby śmierci. Jednym z dobrodziejstw, jakie ten sposób postępowania daje bezbożnikowi, jest właśnie to, że smakuje on śmierć i czeka na nią, lecz ona nie przychodzi, dopóki wyznanie nie będzie pełne, dobrowolne i oczyszczające.

Łucznicy pochylili się, by unieść klucznika, ale ten zaparł się nogami o ziemię i stawiał opór, dając znak, że chce mówić. Kiedy mu na to zezwolono, przemówił, ale słowa z trudem dobywały mu się z ust, i mowa jego była jak bełkot pijaka i było w niej coś sprośnego. Dopiero w miarę jak mówił, odzyskiwał ten rodzaj dzikiej energii, która ożywiała jego zeznanie sprzed chwili.

– Nie, panie. Nie męki. Jestem człek niegodziwy. Zdradziłem wtedy, przez jedenaście lat spędzonych w tym klasztorze zapierałem się mojej dawnej wiary, ściągając dziesięcinę od winogradników i wieśniaków, dokonując przeglądu obór i chlewów, by kwitły dla wzbogacenia opata, współpracowałem chętnie przy zarządzaniu tą pracownią Antychrysta. I było mi dobrze, zapomniałem o dniach buntu, pławiłem się w rozkoszach podniebienia i w innych też. Jestem niegodziwcem. Sprzedałem dzisiaj moich dawnych towarzyszy z Bolonii, sprzedałem wtedy Dulcyna. I jako niegodziwiec, przebrawszy się, byłem świadkiem pojmania Dulcyna i Małgorzaty, kiedy wiedli ich w Wielką Sobotę do zamku Bugella. Krążyłem wokół Vercelli przez trzy miesiące, aż dotarł list od papieża Klemensa z rozkazem, by ich skazać. I widziałem Małgorzatę ćwiartowaną na oczach Dulcyna, i krzyczała, zmasakrowane, biedne ciało, którego pewnej nocy dotykałem także i ja... A kiedy jej poszarpane ciało płonęło, przystąpili do Dulcyna, wyrwali mu nos i jądra rozpalonymi cęgami, i nie jest prawdą to, co powiedzieli później, że nawet nie wydał jęku. Dulcyn był wysoki i silny, miał wielką diabelską brodę i rude włosy, które opadały mu w lokach na ramiona, był piękny i mocny, a kiedy prowadził nas ubrany w kapelusz z szerokim rondem i z piórem i miał miecz przypię-

ty na długiej sukni, przerażał mężczyzn i niewiasty krzyczały z rozkoszy... Ale kiedy go torturowano, on także krzyczał z bólu, jak niewiasta, jak cielę, tracił krew, kiedy wlekli go od rogu do rogu i okale-
czali po trochu, by pokazać, jak długo może żyć wysłannik diabła,
a on chciał umrzeć, błagał, by go dobili, ale umarł za późno, kiedy
znalazł się na stosie i był tylko kupą krwawiącego mięsa. Szedłem za
nim i radowałem się, że uniknąłem tej próby, byłem dumny z mojej
przebiegłości, a ten łajdak Salwator był ze mną i mówił: „Jak dobrze
uczyniliśmy, bracie Remigiuszu, żeśmy znaleźli się jak ludzie do-
świadczeni, nie ma nic gorszego niż męki!" Tego dnia wyparłbym
się tysiąca religii. I przez lata całe, przez tyle lat powiadam sobie,
jaki byłem podły i jak radowałem się swoją podłością, a przecież
zawsze miałem nadzieję, że pokażę sam sobie, iż nie jestem taki niegodziwy. Dzisiaj ty dałeś mi tę siłę, panie Bernardzie, byłeś dla mnie
tym, czym pogańscy cesarze byli dla najtchórzliwszych z męczenników. Dałeś mi odwagę wyznania tego, w co wierzyłem całą duszą,
choć czyniłem to wbrew ciału. Lecz nie narzucaj mi za wiele odwagi,
więcej, niż może znieść ta moja doczesna powłoka. Wszystko, tylko
nie męki. Powiem, co zechcesz, lepiej od razu stos, człowiek dusi
się, nim spłonie. Przechodzić męki jak Dulcyn – nie. Chcesz mieć
trupa i dlatego mam wziąć na siebie winę za inne trupy. Trupem i tak
rychło będę. Daję ci więc, czego żądasz. Zabiłem Adelmusa z Otrantu z nienawiści do jego młodości i za jego zuchwałe igraszki z potworami podobnymi do mnie, starego, grubego, małego, nieuka. Zabiłem Wenancjusza z Salvemec, gdyż był zbyt uczony i czytał księgi,
których ja nie rozumiałem. Zabiłem Berengara z Arundel z nienawiści do jego biblioteki, ja, który przerabiałem teologię, okładając ki-
jem zbyt tłustych plebanów. Zabiłem Seweryna z Sant'Emmerano...
czemu? Bo zbierał zioła, a ja byłem na górze Rebello, gdzie jedliśmy
zielsko, nie zastanawiając się nad jego przymiotami. Prawdę mówiąc,
mogłem zabić też innych, z naszym opatem włącznie; wraz z papieżem i cesarzem był zawsze po stronie moich wrogów i zawsze go
nienawidziłem, nawet kiedy dawał mi jeść – bo i ja dawałem mu jeść.
Czy to wystarczy? Ach, nie, chcesz jeszcze wiedzieć, jak zabiłem
wszystkich tych ludzi... Ależ zabiłem ich... powiedzmy... wzywając
moce piekielne, z pomocą tysiącznych zastępów, te zaś dostały się
pod moje rozkazy dzięki sztuce, której nauczył mnie Salwator. Żeby
kogoś zabić, nie trzeba uderzać, czyni to za człeka diabeł, jeśli tylko
potrafisz rozkazywać diabłu.

Patrzył na obecnych z miną porozumiewawczą, śmiejąc się. Lecz
był to teraz śmiech szaleńca, chociaż, jak zwrócił mi później uwagę

Wilhelm, ten szaleniec miał dość bystrości, by pociągnąć w przepaść Salwatora, by wziąć odwet za to, że ten go zdradził.

– A jak mogłeś rozkazywać diabłu? – ciągnął Bernard, który przyjął to bredzenie jako prawomocne wyznanie.

– Wiesz nawet ty, że nie można obcować tyle lat z ludźmi opętanymi przez demona, nie stając się takim jak oni. Wiesz o tym i ty, rzeźniku apostołów! Bierze się czarnego kota... czyż nie tak?... który nie ma ani jednego włoska białego (wiesz o tym), i krępuje mu się wszystkie cztery łapy, potem niesie o północy na rozstaje, gdzie krzyczy się głośno: „O wielki Lucyferze, władco piekła, biorę cię i wkładam w ciało mojego wroga tak, jak uwięziłem tego kota, a jeśli doprowadzisz mojego wroga do śmierci, następnego dnia o północy w tym samym miejscu złożę ci tego kota w ofierze, a ty uczynisz, co każę, przez moc czarów dokonywanych według tajemnej księgi świętego Cypriana, w imię wszystkich wodzów największych zastępów piekła, Adrameleka, Alastora i Azazela, do których modlę się teraz tak samo, jak do wszystkich ich braci..." – Wargi mu drżały, oczy zdawały się wychodzić z orbit i zaczął odmawiać modły albo zdawało się, że to czyni, lecz wznosił swoje błagania do wszystkich baronów piekielnych zastępów... – *Abigor, pecca pro nobis... Amon, miserere nobis... Samael, libera nos a bono... Belial eleyson... Focalor, in corruptionem meam intende... Haborym, damnamus dominum... Zaebos, anum meum aperies... Leonardus, asperge me spermate tuo et inquinabor...* *

– Dość, dość! – zawyli obecni, czyniąc znak krzyża. Potem zaś: – O Panie, wybacz nam wszystkim!

Klucznik teraz milczał. Po wypowiedzeniu imion wszystkich tych diabłów padł na twarz, tocząc białawą ślinę z wykrzywionych ust i zza zgrzytających zębów. Ręce, choć poranione łańcuchami, otwierały się i zamykały pośród drgawek, stopy kopały co chwila, lecz nieregularnie, powietrze. Dostrzegając, że drżę z odrazy, Wilhelm położył mi dłoń na głowie, prawie chwycił mnie za kark i ścisnął, przywracając spokój.

– Ucz się – powiedział – że na mękach albo pod groźbą mąk człowiek mówi nie tylko to, co uczynił, ale również to, co chciałby uczynić, nawet jeśli o tym nie wiedział. Remigiusz całą duszą pragnie teraz śmierci.

---

* Abigorze, grzesz za nas... Amonie, zmiłuj się nad nami... Samaelu, wybaw nas od dobra... Belialu, zmiłuj się... Fokalorze, wejrzyj na moje zepsucie... Haborymie, potępiamy pana... Zaebosie, otwórz mój tyłek... Leonardusie, opryskaj mnie swym nasieniem i będę nieczysty... (łac.).

Łucznicy wyprowadzili klucznika, nadal miotającego się w drgawkach. Bernard zebrał swoje karty. Potem przyjrzał się obecnym, znieruchomiałym i zarazem w mocy wielkiego wzburzenia.

– Przesłuchanie skończone. Obwiniony przyznał się, zostanie zawiedziony do Awinionu, gdzie odbędzie się proces ostateczny ze skrupulatnym przestrzeganiem prawdy i sprawiedliwości, i dopiero po tym stosownym procesie będzie spalony. Ten człek, Abbonie, nie należy już do ciebie, nie należy do mnie, który byłem jedynie pokornym narzędziem prawdy. Narzędzie sprawiedliwości jest gdzie indziej, pasterze wykonali swój obowiązek, teraz do psów należy oddzielenie zarażonej owcy od stada i oczyszczenie jej w ogniu. Nędzny epizod z tym występnym człowiekiem jest zamknięty. Teraz opactwo żyje w pokoju. Ale świat... – i w tym miejscu podniósł głos i zwrócił się do grupy legatów – świat nie znalazł jeszcze pokoju, świat jest udręczony przez herezję, która ma prawo wstępu nawet do komnat cesarskich pałaców! Niechaj moi bracia zapamiętają: *cingulum diaboli** wiąże przewrotnych zwolenników Dulcyna z czcigodnymi mistrzami z kapituły w Perugii. Nie zapominajmy o tym, że w oczach Boga brednie tego nędznika, którego dopiero co powierzyliśmy sprawiedliwości, nie różnią się od bredni mistrzów; którzy biesiadują przy stole ekskomunikowanego Niemca z Bawarii. Źródło zbrodni heretyckich tryska z wielu kazań, nawet tych czczonych, a dotychczas cieszących się bezkarnością. To straszna męka i pokorna kalwaria dla tego, który wezwany został przez Boga, jak moja grzeszna osoba, by wypatrzyć węża herezji, gdziekolwiek się zagnieździ. Ale dokonując tego świętego dzieła, człek uczy się, że heretykiem jest nie tylko ten, kto otwarcie praktykuje herezję. Stronników herezji można rozpoznać na podstawie pięciu wskazań dowodowych. Po pierwsze, to ci, którzy odwiedzają heretyków w ukryciu, gdy owi są trzymani w więzieniu; po drugie, ci, którzy opłakują ich schwytanie i byli w swym życiu ich bliskimi przyjaciółmi (trudno bowiem, by o działaniach heretyka nie wiedział ten, kto długo go odwiedza); po trzecie, ci, którzy utrzymują, że heretycy zostali skazani niesprawiedliwie, nawet gdy dowiedziono im winy; po czwarte, ci, którzy krzywo i z naganą patrzą na tych, co ścigają heretyków i z powodzeniem głoszą przeciw nim kazania; poznać da się to po oczach, nosie, po wyrazie twarzy, choć starają się go ukryć, okazując, iż nienawidzą tych, którzy wywołują w nich gorycz, kochają zaś tych, nad których niełaską ubolewają. Wreszcie piątym znakiem jest, że zbierają

---

* Powróz diabelski (łac.).

spopielone kości spalonych heretyków i czynią z nich przedmioty czci... Ale ja przywiązuję najwyższą wagę do szóstego znaku i uznaję za jawnych przyjaciół heretyków tych, w których księgach (nawet jeśli nie obrażają one otwarcie prawomyślności) heretycy znaleźli przesłanki do swoich przewrotnych argumentacji.

Powiedział to i popatrzył na Hubertyna. Cała legacja franciszkańska dobrze pojęła, co ma na myśli. Od tej chwili spotkanie było zniweczone; nikt już nie ośmieli się podjąć porannej dyskusji, wiedząc, że każde słowo słuchane będzie z myślą o ostatnich nieszczęsnych wydarzeniach. Jeśli Bernard został wysłany przez papieża, by przeszkodzić dogadaniu się dwóch grup, zdołał to uczynić.

Dzień piąty

Nieszpór

Kiedy to Hubertyn zmyka, Bencjusz zaczyna przestrzegać praw,
Wilhelm zaś wypowiada kilka refleksji nad rozmaitymi rodzajami
lubieżności napotkanymi tego dnia

Kiedy zgromadzeni rozchodzili się powoli z sali kapitulnej, Michał podszedł do Wilhelma, a do obu dołączył Hubertyn. Wszyscy razem wyszliśmy na zewnątrz, rozprawiając następnie w krużgankach, chronieni od mgły, która nie miała zamiaru się rozproszyć, lecz przeciwnie, ciemności uczyniły ją jeszcze gęstszą.

– Nie sądzę, by trzeba było omawiać to, co się wydarzyło – rzekł Wilhelm. – Bernard pobił nas. Nie pytajcie, czy ten głupiec dulcynian jest naprawdę winny wszystkich tych zbrodni. Z tego, co zrozumiałem, bez wątpienia nie. Faktem jest, że znaleźliśmy się w punkcie wyjściowym. Jan chce mieć cię samego w Awinionie, Michale, a to spotkanie nie dało nam gwarancji, o które naprawdę zabiegamy. Dało ci również obraz tego, jak każde twoje słowo może być wykręcone. Z czego płynie, jak mi się wydaje, wniosek, że nie powinieneś się tam udawać.

Michał potrząsnął głową.

– Właśnie pojadę. Nie chcę schizmy. Ty, Wilhelmie, mówiłeś dzisiaj jasno i powiedziałeś, co chciałeś. Otóż nie tego chcę ja i zdaję sobie sprawę, że obrady kapituły w Perugii zostały wykorzystane przez teologów cesarskich w sposób przez nas niezamierzony. Ja chcę, by zakon franciszkański został zaakceptowany przez papieża ze swoimi ideałami ubóstwa. A papież musi pojąć, że tylko jeśli zakon weźmie na siebie ideał ubóstwa, można będzie wchłonąć jego heretyckie odgałęzienia. Ani myślę o zgromadzeniu ludu i prawach ludzi. Muszę przeszkodzić temu, by zakon rozsypał się na mnogość braciaszków. Udam się do Awinionu i jeśli okaże się to konieczne, dokonam aktu podporządkowania się Janowi. Będę układał się we wszystkich sprawach poza zasadą ubóstwa.

Wtrącił się Hubertyn:

– Czy wiesz, że wystawiasz swe życie?

– I tak niechaj będzie – odparł Michał. – To lepiej niż wystawiać duszę.

Narażał poważnie życie i jeśli słuszność była po stronie Jana (w to nie wierzę po dziś dzień), zgubił również duszę. Jak teraz wszyscy wiedzą, Michał udał się do papieża w tygodniu, który nastąpił po opowiedzianych tutaj wydarzeniach. Stawiał mu czoło przez cztery miesiące, aż w kwietniu następnego roku Jan zwołał konsystorz, podczas którego mówił o nim jako o szalonym, zuchwałym, upartym, tyranie, poplecznik herezji, wężu wyhodowanym przez Kościół na własnym łonie. A mam powody, by sądzić, że wtenczas i według sposobu, w jaki widział sprawy, Jan miał rację, gdyż w ciągu tych czterech miesięcy Michał stał się przyjacielem przyjaciela mojego mistrza, innego Wilhelma, Ockhama, i dzielił jego idee – niezbyt odmienne, aczkolwiek jeszcze dalej idące niźli te, które mój mistrz dzielił z Marsyliuszem, a wyraził owego ranka. Życie dysydentów stało się w Awinionie niepewne i pod koniec maja Michał, Wilhelm z Ockham, Bonagratia z Bergamo, Franciszek z Ascoli i Henryk z Thalheimu uciekli, ścigani przez ludzi papieża, do Nicei, Tulonu, Marsylii i Aigues Mortes, gdzie dołączył do nich kardynał Piotr z Arrablay, który daremnie starał się nakłonić ich do powrotu, nie mogąc przezwyciężyć oporu, nienawiści do papieża, strachu. W czerwcu dotarli do Pizy, przyjęci triumfalnie przez ludzi cesarskich, i w ciągu następnych miesięcy Michał miał potępić publicznie Jana. Było już za późno. Gwiazda cesarza chyliła się do upadku, Jan knuł w Awinionie, by dać minorytom nowego przełożonego generalnego, i w końcu zwyciężył. Lepiej uczyniłby Michał, gdyby tego dnia nie powziął postanowienia, by udać się do papieża; mógłby czuwać nad oporem, jaki stawiali minoryci, nie straciłby tylu miesięcy, wydany na łaskę i niełaskę wroga, osłabiając swoją pozycję... Lecz może tak właśnie zrządziła Boska wszechmoc – i nie wiem już, kto z nich wszystkich miał słuszność, a po tylu latach nawet ogień namiętności przygasa, a wraz z nim to, co uznawałem za światło prawdy. Któż z nas potrafi jeszcze powiedzieć, czy rację miał Hektor czy Achilles, Agamemnon czy Priam, kiedy walczyli z powodu piękności niewiasty, która jest teraz prochem z prochów?

Ale gubię się w rozważaniach smutnych i odbiegających od tematu. Powinienem zaś opowiedzieć o zakończeniu smutnej rozmowy. Michał podjął postanowienie i nie było sposobu, by go od tego odwieść. Tyle że stanął inny problem i Wilhelm wysłowił go bez ogródek: nawet Hubertyn nie jest już bezpieczny. Słowa, z którymi zwrócił się doń Bernard, nienawiść, jaką żywi teraz do niego papież, fakt, że Michał reprezentował jeszcze potęgę, z którą trzeba się układać, gdy tymczasem Hubertyn pozostał sam sobie zwolennikiem...

– Jan chce mieć Michała na dworze, a Hubertyna w piekle. Jeśli znam dobrze Bernarda, do jutra i pod osłoną mgły Hubertyn straci żywot. A jeśli ktoś zapyta, kto go zabił, opactwo bowiem potrafi znieść kolejną zbrodnię, oznajmi się, iż były to diabły wezwane przez Remigiusza za pomocą tych czarnych kotów albo przez jakiegoś dulcyniana, który jeszcze ocalał i kręci się w tych murach...

Hubertyn zafrasował się.

– Co zatem? – spytał.

– Zatem – odparł Wilhelm – idź i pomów z opatem. Proś o wierzchowca, prowiant, list do jakiegoś odległego opactwa po drugiej stronie Alp. I skorzystaj z mgły i ciemności, by zniknąć natychmiast.

– Ale czy łucznicy nie strzegą już bram?

– Opactwo ma inne wyjścia i opat je zna. Wystarczy, by sługa zaczekał na ciebie z wierzchowcem gdzieś po drugiej stronie murów, a ty wymkniesz się jakimś przejściem i pozostanie ci przebyć tylko kawałek lasu. Musisz uczynić to szybko, zanim Bernard przestanie świętować swój triumf. Ja muszę zająć się czym innym: mam tu dwie misje, jedna się nie powiodła, niechaj więc uda się druga. Chcę dostać w ręce pewną księgę i pewnego człeka. Jeśli wszystko pójdzie dobrze, będziesz daleko, nim jeszcze zacznę się o ciebie trapić. A więc żegnaj. – Otworzył ramiona.

Wzruszony Hubertyn uścisnął go mocno.

– Żegnaj, Wilhelmie, jesteś Anglikiem szalonym i zuchwałym, ale masz wielkie serce. Czy obaczym się jeszcze?

– Obaczym – uspokoił go Wilhelm. – Bóg zechce.

Bóg jednak nie zechciał. Jak już powiedziałem, Hubertyn zmarł zabity w tajemniczy sposób dwa lata później. Ciężki i pełny przygód żywot miał ten waleczny i pełen żaru starzec. Może nie był świętym, ale mam nadzieję, że Bóg wynagrodził tę jego niezłomną pewność i że teraz nim jest. Im bardziej się starzeję, tym chętniej powierzam się woli Boga i tym mniej cenię umysł, który chce wiedzieć, i wolę, która chce czynić; a za jedyny składnik ratowania wiary uznaję cierpliwe oczekiwanie bez zadawania zbyt wielu pytań. Hubertyn z pewnością miał wielką wiarę w krew i mękę naszego ukrzyżowanego Pana.

Być może myślałem o tych sprawach także wtedy i stary mistyk dostrzegł to albo i odgadł, że kiedyś będę o nich myślał. Uśmiechnął się ze słodyczą i wziął mnie w ramiona bez żaru, z jakim czynił to czasem w poprzednich dniach. Uścisnął mnie, jak dziad ściska wnuka, i oddałem mu taki sam uścisk. Potem oddalił się wraz z Michałem, by szukać opata.

– A teraz? – spytałem Wilhelma.

– Teraz wrócimy do naszych zbrodni.

– Mistrzu – rzekłem – dzisiaj zdarzyło się wiele rzeczy ważnych dla chrześcijaństwa i twoja misja skończyła się źle. A jednak zdajesz się bardziej zaciekawiony rozwiązaniem tej tajemnicy niźli sporem między papieżem a cesarzem.

– Wariaci i dzieci zawsze mówią prawdę, Adso. Dlatego jako doradca cesarski mój przyjaciel, Marsyliusz, jest lepszy niż ja, ale inkwizytorem lepszym jestem ja. Lepszym nawet niż Bernard Gui, oby Bóg mi wybaczył. Gdyż Bernarda nie obchodzi wykrywanie winnych, tylko palenie obwinionych. Ja zaś znajduję, że najprzyjemniejszą rzeczą w zbrodni jest rozwikłanie pięknie splątanego kłębka. I jest tak dlatego też, że w momencie, kiedy jako filozof powątpiewam, by świat miał jakiś ład, pociechę niesie mi odkrycie jeśli nie ładu właśnie, to przynajmniej szeregu powiązań w drobnych cząstkach spraw świata. Wreszcie jest pewnie inny jeszcze powód, a to ten, że w owej sprawie, być może, w grę wchodzą rzeczy większe i ważniejsze niż zmagania między Janem a Ludwikiem...

– Ależ jest to historia kradzieży i odwetu rozgrywająca się wśród niezbyt cnotliwych mnichów! – wykrzyknąłem powątpiewająco.

– Wokół zakazanej księgi, Adso, wokół zakazanej księgi – odparł Wilhelm.

Mnisi szli teraz na wieczerzę. Posiłek dobiegł już połowy, kiedy usiadł obok nas Michał z Ceseny i zawiadomił, że Hubertyn wyruszył. Wilhelm wydał westchnienie ulgi.

Po wieczerzy uniknęliśmy opata, który rozmawiał z Bernardem, i wypatrzyliśmy Bencjusza, który pozdrowił nas, uśmiechając się półgębkiem, i próbował dotrzeć do drzwi. Wilhelm podszedł do niego i zmusił, by podążył za nami w kąt kuchni.

– Bencjuszu, gdzie jest księga? – zapytał Wilhelm.

– Jaka księga?

– Żaden z nas dwóch, Bencjuszu, nie jest głupcem. Mówię o księdze, której szukaliśmy dzisiaj u Seweryna, której ja nie rozpoznałem, ale którą ty rozpoznałeś za to doskonale i wróciłeś, by ją wziąć...

– Dlaczego pomyślałeś, że ją wziąłem?

– Tak myślę i tak samo myślisz ty. Gdzie jest?

– Nie mogę tego powiedzieć.

– Bencjuszu, jeśli nie powiesz, pomówię z opatem.

– Nie mogę tego powiedzieć właśnie z rozkazu opata – rzekł Bencjusz z cnotliwą miną. – Dzisiaj, po naszym wyjściu, zdarzyło się coś, o czym winieneś wiedzieć. Po śmierci Berengara brakowało pomocnika bibliotecznego. Dzisiejszego popołudnia Malachiasz zaproponował, bym objął to stanowisko. Pół godziny temu opat zgodził się i mam nadzieję, że od jutra rana będę wprowadzony w tajniki biblioteki. To prawda, wziąłem rano księgę i ukryłem ją w sienniku w mojej celi, nawet do niej nie zaglądając, gdyż wiedziałem, że Malachiasz ma na mnie baczenie. W pewnym momencie Malachiasz uczynił mi propozycję, o której ci powiedziałem. I wtedy zrobiłem to, co powinien zrobić pomocnik biblioteczny: powierzyłem mu księgę.

Nie mogłem już wytrzymać i wtrąciłem się gwałtownie.

– Ależ, Bencjuszu, wczoraj i przedwczoraj ty sam... mówiłeś, że pali cię ciekawość wiedzy, że nie chcesz, by biblioteka skrywała tajemnice, o których scholar powinien wiedzieć...

Bencjusz milczał, rumieniąc się, ale Wilhelm mnie powstrzymał.

– Adso, kilka godzin temu Bencjusz przeszedł na drugą stronę. Teraz on ma pieczę nad tymi tajemnicami, które chciał poznać, a kiedy będzie miał nad nimi pieczę, starczy mu czasu, żeby się o nich dowiedzieć.

– Lecz inni? – zapytałem. – Bencjusz mówił w imieniu wszystkich uczonych.

– Przedtem – rzekł Wilhelm.

I odciągnął mnie, pozostawiając Bencjusza na pastwę zmieszania.

– Bencjusz – powiedział mi później – jest ofiarą wielkiej lubieżności, która różni się od lubieżności Berengara lub klucznika. Jak wielu badaczy, ma lubieżność wiedzy. Dla niej samej. Ponieważ był odsunięty od jej części, chciał nią zawładnąć. I zawładnął. Malachiasz znał go na wylot, toteż użył najlepszego sposobu, by odzyskać książkę i zapieczętować mu usta. Zapytasz, po co władać takim nagromadzeniem wiedzy, skoro nie ma się zamiaru oddać jej do rozporządzenia innym. Ale właśnie dlatego mówiłem o lubieżności. Nie było lubieżnością pragnienie, jakiego doznawał Roger Bacon, który chciał użyć wiedzy, by uczynić szczęśliwszym lud Boży, a zatem nie szukał wiedzy dla niej samej. Pragnienie Bencjusza jest tylko ciekawością, której nie da się zaspokoić, pychą umysłu, a dla mnicha takim samym sposobem jak każdy inny, by przeobrazić i uśmierzyć żądzę swoich lędźwi, albo żarem, który czyni innego znowuż bojownikiem wiary bądź herezji. Jest nie tylko lubieżność ciała. Jest lubieżnością żądza Bernarda Gui, ta odmieniona lubieżność sprawiedliwości, która utożsamia się z lubieżnością władzy. Jest lubieżność bogactwa, jaką żywi nasz święty, a już nie rzymski papież. Lubieżnością świadczenia, przeobrażania, pokuty i śmierci była lubieżność, jakiej klucznik uległ w młodości. I jest lubieżność ksiąg, której doznaje Bencjusz. Jak wszystkie lubieżności, jak ta, której oddawał się Onan, wypuszczając swe nasienie na ziemię, jest lubieżnością jałową i nie ma nic wspólnego z miłością, chociażby cielesną...

– Wiem – szepnąłem mimo woli. Wilhelm udał, że nie usłyszał. Ale w dalszym ciągu naszej rozmowy rzekł:

– Prawdziwa miłość pragnie dobra przedmiotu miłości.

– Czyż Bencjusz nie chce dobra swoich ksiąg (teraz bowiem są także jego) i czyż nie chce, by jak najdłużej pozostały z dala od drapieżnych dłoni? – zapytałem.

– Dobrem dla księgi jest, by była czytana. Księga uczyniona jest ze znaków, które mówią o innych znakach, te zaś z kolei mówią o rzeczach. Bez oka, które je czyta, księga kryje znaki, które nie wytwarzają pojęć, a więc jest niema. Ta biblioteka utworzona została być może po to, by uratować księgi, które w niej są, ale teraz żyje, by je pogrzebać. Dlatego stała się zarzewiem bezbożności. Klucznik powiedział, że zdradził. Toż samo uczynił Bencjusz. Zdradził. Och, cóż za paskudny dzień, mój poczciwy Adso! Pełen krwi i zniszczenia. Dlatego mam na dzisiaj dosyć. Chodźmy i my na kompletę, a później spać.

Wychodząc z kuchni, natknęliśmy się na Aimara. Zapytał, czy prawdą jest to, co szeptano, że Malachiasz wysunął kandydaturę Bencjusza na stanowisko swojego pomocnika. Mogliśmy tylko potwierdzić.

– Ten Malachiasz wielu pięknych rzeczy dokonał w ciągu dzisiejszego dnia – rzekł Aimar ze zwykłym sobie uśmiechem pogardy i pobłażania. – Gdyby była jaka sprawiedliwość, tej nocy powinien wziąć go sobie diabeł.

Dzień piąty

Kompleta

Kiedy to wysłuchuje się kazania o nadejściu Antychrysta,
Adso zaś odkrywa moc imion własnych

Nieszpór odbył się pośród zamętu, jeszcze w czasie przesłuchania klucznika, a ciekawscy nowicjusze wymknęli się z ręki swojemu mistrzowi, by przez okna i szpary śledzić to, co działo się w sali kapitulnej. Teraz należało, by cała wspólnota modliła się za zacną duszę Seweryna. Spodziewano się, że opat przemówi do wszystkich, i zastanawiano, co powie. Jednak po rytualnej homilii świętego Grzegorza, responsorium i trzech przepisowych psalmach opat stanął przed pulpitem, ale po to tylko, by powiedzieć, że tego wieczoru będzie milczał. Zbyt wiele nieszczęść okryło żałobą opactwo – rzekł – by sam ojciec wspólnoty mógł przemawiać jako ten, który gani i napomina. Trzeba, żeby wszyscy, bez żadnego wyjątku, dokonali surowego rachunku sumienia. Ale ponieważ ktoś przemówić musi, proponuje, by przestroga padła z ust kogoś, kto, starszy od innych i bliski już śmierci, mniej niż oni wplątany jest w namiętności ziemskie, które przysporzyły tyle zła. Prawem wieku trzeba by oczekiwać, że głos zabierze Alinard z Grottaferraty, lecz wszyscy wiedzieli, jak wątłe jest zdrowie czcigodnego konfratra. Tuż po Alinardzie, w porządku ustanowionym przez nieubłagane przemijanie czasu, szedł Jorge. Jemu też opat oddał teraz głos.

Usłyszeliśmy pomruk z tej części stalli, gdzie zwykle siedział Aimar i inni Italczycy. Pomyślałem, że opat powierzył kazanie Jorge, nie porozumiawszy się z Alinardem. Mój mistrz zwrócił mi półgłosem uwagę, że postanowienie, by nie zabierać głosu, świadczyło o roztropności opata; cokolwiek bowiem by powiedział, byłoby to podejrzliwie rozważone przez Bernarda i innych obecnych tu awiniończyków. Stary Jorge ograniczy się natomiast do paru swoich mistycznych proroctw i awiniończycy nie przywiążą do tego wielkiej wagi.

– Ale nie ja – dorzucił Wilhelm – bo nie wierzę, by Jorge zgodził się mówić, może nawet prosił o takie pozwolenie, nie mając określonego celu.

Jorge podszedł do pulpitu, podtrzymywany przez któregoś z mnichów. Jego twarz była rozświetlona od trójnogu, który, i on tylko, oświetlał nawę. Światło płomienia ujawniało mrok kładący się na jego oczach, które zdawały się dwiema czarnymi dziurami.

– Najukochańsi braciszkowie – zaczął – i wszyscy jakże nam drodzy goście, jeśli zechcecie wysłuchać biednego starca... Czterech śmierci, które rzuciły posępny cień na nasze opactwo, by nie wspomnieć o grzechach, odległych i niedawnych, popełnionych przez najnędzniejszych spośród żyjących, nie jestem, jak wiecie, skłonny przypisywać srogości natury, co nieubłagana w swoich rytmach zarządza naszymi ziemskimi dniami od kołyski po grób. Wy wszyscy pomyślicie może, że choć ta smutna sprawa dotknęła was boleśnie, nie przyniesie uszczerbku waszym duszom, gdyż wszyscy, oprócz jednego, jesteście niewinni, kiedy zaś tego jednego spotka już kara, wam pozostanie z pewnością płakać nad brakiem tych, którzy odeszli, ale wy sami nie będziecie musieli zdjąć z siebie brzemienia oskarżeń przed trybunałem Boga. Tak myślicie. Szaleni! – krzyknął straszliwym głosem. – Szaleni i zuchwali jesteście! Ten, który zabił, zaniesie przed Boga brzemię swoich win, ale dlatego tylko, że zgodził się zostać wykonawcą dekretów Bożych. Jak trzeba było, by ktoś zdradził Jezusa, ażeby dopełniła się tajemnica odkupienia, a przecież Pan usankcjonował potępienie i hańbę dla tego, który Go zdradził, tak i ktoś w tych dniach zgrzeszył, niosąc śmierć i zniszczenie, lecz powiadam wam, że to zniszczenie było, jeśli nie chciane, to przynajmniej dozwolone przez Boga dla upokorzenia naszej pychy!

Zamilkł i przeniósł pusty wzrok na posępne zgromadzenie, jakby mógł oczyma podchwycić jego wzruszenia, gdy tymczasem to uchem łowił ciszę, która świadczyła o osłupieniu.

– W tej wspólnocie – ciągnął – pełza od dawna żmija dumy. Lecz jakiej dumy? Dumy z władzy klasztoru oddzielonego od świata? Z pewnością nie. Dumy z bogactwa? Bracia moi, zanim w całym znanym świecie rozbrzmiały długotrwałe spory na temat ubóstwa i posiadania, od czasów naszego założyciela my, nawet gdy mieliśmy wszystko, nie mieliśmy nic, albowiem jedynym naszym prawdziwym bogactwem jest przestrzeganie reguły, modlitwa i praca. Lecz cząstkę, a nawet istotę naszej pracy, pracy naszego zakonu, a osobliwie tego klasztoru, stanowi studiowanie i przechowywanie wiedzy. Przechowywanie, powiadam, nie zaś poszukiwanie, albowiem właściwość wiedzy, rzeczy Boskiej, stanowi to, że jest kompletna i określona od samego początku w doskonałości słowa, które samo do siebie przemawia. Przechowywanie, powiadam, nie zaś poszukiwanie, gdyż właściwość wiedzy, rzeczy ludzkiej, stanowi to, że została określona i skompletowana w ciągu biegu wieków, które trwały od nauk proroków po interpretacje ojców Kościoła. Nie ma tu postępu, nie ma przewrotu, lecz najwyżej stałe i wzniosłe rekapitulowanie. Historia ludzka zdąża, niepowstrzymanym pochodem od dzieła stworzenia poprzez odkupienie ku powrotowi triumfującego Chrystusa, który ukaże się w chwale, by sądzić żywych i umarłych, lecz wiedza Boska i ludzka nie idzie tym szlakiem; trwała, jak niezdobyta twierdza, pozwala nam, kiedy czynimy się pokorni i uważni na jej głos, śledzić, przepowiadać ten bieg, który wiedzy owej nie przyniesie uszczerbku. Jestem tym, który jest, mówi Bóg Żydów. Jestem drogą, prawdą i życiem, mówi Pan Nasz. Otóż wiedza nie jest niczym innym, jak zdziwionym komentarzem do tych dwóch prawd. Wszystko, co zostało powiedziane nadto, wyszło od proroków, ewangelistów, ojców i doktorów, którzy zdążali do tego, by uczynić te dwa zdania jaśniejszymi. A czasem przenikliwy komentarz pochodzi także od pogan, którzy owych zdań nie znali, ale ich słowa zostały przyjęte przez chrześcijańską tradycję. Poza tym nie ma nic do powiedzenia. Jest to jeno, co trzeba pomyśleć na nowo, objaśnić, przechować. Taki był i powinien być urząd naszego opactwa z jego wspaniałą biblioteką – nie inny. Powiada się, że pewien wschodni kalif podłożył pewnego dnia ogień pod bibliotekę miasta sławnego, pełnego chwały i pysznego, i że w czasie, gdy tysiące ksiąg płonęło, powiedział, iż mogą one i powinny zniknąć; albo bowiem powtarzają to, co już powiedział Koran, są zatem zbędne, albo zaprzeczają tej świętej księdze niewiernych, są zatem szkodliwe. Doktorowie Kościoła, a my wraz z nimi, nie rozumujemy w ten sposób. Wszystko, co służy za komentarz i objaśnienie Boskiego Pisma, winno zostać przechowane, albowiem powiększa chwałę owego Pisma; to zaś, co mu się sprzeciwia, nie powinno być zniszczone, gdyż jedynie jeśli będzie zachowane, ten, kto może i ma taki urząd, będzie mógł mu zaprzeczyć według woli Pana i w czasie przez Niego wyznaczonym. Stąd odpowiedzialność, jaka spoczywała na naszym zakonie w ciągu wieków, i brzemię, jakie dźwiga nasze opactwo dzisiaj; dumni jesteśmy wiedzą, którą głosimy, pokorni i roztropni w przechowywaniu słów wrogich prawdzie, nie pozwalając, byśmy się nimi zbrukali. Jakiż to, bracia moi, grzech pychy może kusić uczonego mnicha? Otóż taki, że mógłby on uznać, iż jego praca ma służyć nie chronieniu, lecz poszukiwaniu jakiejś wiadomości, która nie została jeszcze dana ludziom, jakby ostatnia nie zabrzmiała już w słowach ostatniego anioła, który przemawia w ostatniej księdze Pisma: „Ja świadczę każdemu, kto słucha słów proroctwa tej księgi: jeśliby ktoś do nich cokolwiek dołożył, Bóg mu dołoży plag zapisanych w tej księdze. A jeśliby ktoś odjął co ze słów księgi tego proroctwa, to Bóg odejmie jego dział w drzewie życia i w Mieście Świętym – które są opi-

sane w tej księdze"*. Owóż... czy nie zda się wam, bracia moi nieszczęśni, że te słowa nie co innego kryją, lecz to jeno, co zdarzyło się
w tych murach ostatnio, to zaś, co zdarzyło się w tych murach, wskazuje nie co innego, jeno nieszczęścia wieku, w którym przyszło nam
żyć, wieku, który w słowach i w dziełach, w miastach i w zamkach,
we wspaniałych uniwersytetach i kościołach katedralnych zmierza
uparcie do odkrywania nowych kodycyli do słów prawdy, wykrzywia-
jąc tym sposobem sens tej prawdy, bogatej już we wszystkie scholie
i spragnionej tylko nieugiętej obrony, nie zaś głupiego powiększania?
Ta jest pycha, która pełzała i pełza nadal w tych murach; i powiadam
temu, kto trudził się i trudzi, by złamać pieczęci ksiąg, co nie są dla
niego, że za tę to pychę Pan zechciał pokarać i zechce karać nadal,
jeśli nie zmniejszy się ona i nie ukorzy, albowiem z przyczyny naszej
słabości bez trudu, zawsze i stale Pan znajdzie narzędzia zemsty.

– Czy słyszałeś, Adso? – szepnął mistrz. – Stary wie więcej, niż
mówi. Maczał palce w tym czy nie, ale wie i ostrzega, że jeśli cieka-
wi mnisi będą w dalszym ciągu pogwałcać dostęp do biblioteki, opactwo nie odzyska pokoju.

Jorge po dłuższej przerwie podjął:

– Co jednak jest w końcu symbolem tej pychy, czyją figurą
i zwiastunami, czyimi wspólnikami i znakami są owi pyszałkowie?
Kto w istocie działał, i być może działa nadal, w tych murach, by
przestrzec nas? Skoro bowiem czasy są bliskie, męki będą wprawdzie nie do zniesienia, ale skończone w czasie, jako że wielki cykl
tego świata wkrótce się dopełni. O, zrozumieliście nader dobrze
i lękacie się wypowiedzieć jego imię, gdyż jest także imieniem waszym i boicie się go, lecz jeśli wy się boicie, ja nie, i to imię wypo-
wiem najgłośniej, by wasze trzewia skręciły się ze strachu, a zęby
szczękały, aż przetną język, by mróz, który powstanie w waszej krwi,
naciągnął ciemną zasłonę na wasze oczy... To bestia nieczysta, to
Antychryst!

Zrobił kolejną bardzo długą przerwę. Obecni zdawali się martwi.
Jedyną ruchomą rzeczą w całym kościele był płomień na trójnogu,
ale nawet cienie, które rzucał, jakby zastygły. Jedynym odgłosem
było chrapliwe dyszenie Jorge, który ocierał sobie pot z czoła. Potem
podjął:

– Chcecie może powiedzieć mi: nie, ten jeszcze nie przyszedł,
gdzież są znaki jego przybycia? Nieoświecony, kto tak mówi! Mamy
wszak przed oczyma dzień w dzień w wielkim amfiteatrze świata,

* Ap 22, 18-19.

a w zmniejszonym obrazie w opactwie, zapowiadające go klęski...

A powiedziano, że kiedy moment będzie bliski, powstanie na zachodzie obcy król, władca ogromnych dóbr przez oszustwo zyskanych, bezbożnik, zabójca ludzi, biegły w oszustwie, chciwy złota, zręczny w wybiegach, niegodziwiec, nieprzyjaciel wiernych i ich prześladowca, a w jego oczach nie będzie poszanowania dla srebra, lecz złoto jeno będzie w cenie. Wiem dobrze: wy, którzy mnie słuchacie, snujecie pospieszne rozważania, czy ten, o którym mówię, podobny jest do papieża, cesarza czy może króla Francji albo kogo innego, chcecie bowiem rzec: on jest moim nieprzyjacielem, ja zaś stoję po dobrej stronie! Ale nie jestem tak naiwny, by wskazać wam jednego człeka; kiedy bowiem przychodzi Antychryst, przychodzi we wszystkich i przez wszystkich, i każdy jest jego częścią. Będzie w bandach włóczęgów, którzy pustoszą miasta i krainy, będzie w niespodziewanych znakach na niebie, gdyż ukażą się nagle tęcze, rogi i ognie, a jednocześnie dadzą się słyszeć ryki i morze się zagotuje. Powiedziano, że ludzie i zwierzęta płodzić będą smoki, ale chciano powiedzieć, że w serca wejdzie nienawiść i niezgoda; nie rozglądajcie się dokoła, by dostrzec bestie z miniatur, którymi rozkoszujecie się na pergaminie! Powiedziane jest, że dopiero co zaślubione niewiasty wydadzą na świat dzieci potrafiące już doskonale mówić, które przyniosą zapowiedź, że czasy dojrzały, i zażądają, by je zabić. Lecz nie szukajcie w wioskach, w dolinie; zbyt mądre dzieci zabito w tych murach! I jak te z proroctw, miały wygląd ludzi już zgrzybiałych i wedle proroctwa były czworonożnymi dziećmi, zjawami i płodami, które winny prorokować w brzuchach matek, wypowiadając czarodziejskie zaklęcia. I czy wiecie, że wszystko zostało napisane? Napisano, że liczne będą niepokoje wśród stanów, ludów, w kościołach; że powstaną pasterze niegodziwi, przewrotni, oczerniający, chciwi, spragnieni rozkoszy, rozmiłowani w zysku, znajdujący upodobanie w pustych przemowach, chełpliwi, pyszni, żarłoczni, zuchwali, tonący w lubieżności, goniący za pustą sławą, nieprzyjaciele Ewangelii, gotowi wzgardzić ciasną bramą, wzgardzić prawdziwym słowem, i będą mieli w pogardzie wszelką ścieżkę zmiłowania, nie będą pokutować za swoje grzechy, i przez to rozpowszechnią wśród ludów niewiarę, nienawiść między braćmi, niegodziwość, zatwardziałość, zawiść, obojętność, złodziejstwo, pijaństwo, brak umiaru, lubieżność, rozkosze cielesne, rozpustę i wszystkie inne występki. Scześnie frasobliwość, pokora, umiłowanie pokoju, ubóstwo, współczucie, dar łez... Nuże, czyż nie rozpoznajecie siebie, wszyscy tu obecni, mnisi z opactwa i możni przybyli z daleka?

W przerwie, jaka nastąpiła, dał się słyszeć szelest. To kardynał Bertrand kręcił się na swoim stołku. W gruncie rzeczy – pomyślałem – Jorge postępuje jak wielki kaznodzieja i chłoszcząc swoich konfratrów, nie oszczędza gości. I dałbym sam nie wiem co, by wiedzieć, co dzieje się w tym momencie w głowie Bernarda albo w głowach tłustych awiniończyków.

– I właśnie to będzie moment – grzmiał Jorge – kiedy Antychryst dokona swojej bluźnierczej paruzji, małpa, która chce być Panem Naszym. W tych czasach (a właśnie są teraz) obalone zostaną wszystkie królestwa, zapanuje niedostatek, nędza i zbraknie środków do życia, a zimy będą niezwykle mroźne. Dzieci tych czasów (a właśnie są teraz) nie będą miały nikogo, kto by zarządzał ich dobrami i przechował w spiżarniach pożywienie, i zaznają cierpień na targu kupna i sprzedaży. Błogosławieni, którzy już nie będą żyli albo żyjąc, zdołają przeżyć! Przyjdzie wówczas syn zguby, przeciwnik, który pyszni się i nadyma, ukazując liczne cnoty, by wciągnąć w pułapkę całą ziemię i wziąć górę nad sprawiedliwymi. Syria legnie i będzie opłakiwać synów swoich. Cylicja podniesie głowę, póki nie ukaże się ten, który jest powołany, by ją osądzić. Córa Babilonu wstanie z tronu swojego splendoru, by wypić kielich goryczy. Kapadocja, Licja i Likaonia skłonią grzbiety, albowiem całe tłumy będą zniszczone w zepsuciu swych niegodziwości. Dobrzy barbarzyńców i wozy bojowe ukażą się wszędzie, by zająć całą ziemię. W Armenii, Poncie i Bitynii młodzieńcy zginą od miecza, dziewczątka trafią do więzień, synowie i córy dokonywać będą kazirodztwa, Pizydia, która wynosi się w swojej chwale, będzie powalona na ziemię, miecz przejdzie przez środek Francji, Judea odzieje się w żałobę i będzie przygotowywać się do zguby z powodu swojej nieczystości. Ze wszystkich stron pojawi się wówczas obrzydliwość i strapienie. Antychryst weźmie szturmem zachód i zniszczy drogi handlowe, będzie miał w dłoniach miecz i płonący ogień, a w szaleństwie gwałtu będzie palił płomieniem; jego siłą stanie się bluźnierstwo, oszustwo jego dłonią, prawica ruiną, lewica nosicielką mroków. Te rysy wyróżnią go: jego głowa będzie z rozpalonego ognia, oko prawe nabiegłe krwią, lewe zielone jak u kota, z dwiema źrenicami, a powieki będą białe, dolna warga olbrzymia, będzie miał słabe lędźwie, wielkie stopy, kciuk zmiażdżony i wydłużony!

– Wygląda na jego własny portret – zadrwił Wilhelm szeptem lekkim jak tchnienie. Było to zdanie bardzo bezbożne, ale byłem mu wdzięczny, bo włosy stawały mi na głowie. Z trudem powstrzymałem wybuch śmiechu, nadymając jagody i powoli wypuszczając powietrze przez złączone wargi. Odgłos ten w ciszy, jaka nastąpiła po ostatnich słowach starego, dał się słyszeć doskonale, ale na szczęście każdy pomyślał, że ktoś odkaszlnął albo zapłakał, albo zadrżał, a wszyscy mieli ku temu powód.

– Jest to chwila – mówił teraz Jorge – kiedy wszystko popada w samowolę, dzieci podnoszą rękę na rodziców, małżonka knuje przeciw mężowi, mąż wzywa żonę przed sąd, panowie są nieludzcy wobec sług, słudzy nie słuchają panów, nie masz poszanowania dla starszych, wyrostki domagają się rządów, praca wydaje się wszystkim zbędnym mozołem, zewsząd dobiegają pieśni pochwalne na cześć swawoli, występku, rozwiązłej swobody obyczajów. A po tym wszystkim gwałty, cudzołóstwa, krzywoprzysięstwa, grzechy przeciwko naturze występują wielką falą, i choroby, wieszczby, rzucanie uroków, i ukazują się na niebie latające ciała, pośród dobrych chrześcijan pojawiają się fałszywi prorocy, fałszywi apostołowie, znieprawiacze, oszuści, czarownicy, gwałciciele, skąpcy, krzywoprzysięzcy i fałszerze, pasterze zmieniają się w wilki, kapłani kłamią, mnisi pożądają rzeczy światowych, biedni nie nadbiegają na pomoc rządzącym, możni są bez miłosierdzia, sprawiedliwi czynią się świadkami niesprawiedliwości. Wszystkimi miastami poruszy trzęsienie ziemi, zaraza zapanuje we wszystkich krainach, zawieruchy podniosą ziemię, pola będą zarażone, morze wydzieli czarniawe humory, nowe nieznane cuda wystąpią na księżycu, gwiazdy porzucą swój zwykły bieg, inne – nieznane – przeorzą niebo, będzie śnieg w lecie i skwar w zimie. I nadejdą czasy końca i koniec czasów... Pierwszego dnia o godzinie trzeciej powstanie na firmamencie nieba wielki i potężny głos, purpurowa mgła nadciągnie od północy, za nią przyjdą grzmoty i błyskawice, na ziemię zaś spadnie ulewa krwi. Drugiego dnia ziemia zostanie wyrwana ze swoich posad i dym od wielkiego ognia przejdzie poprzez bramy niebios. Trzeciego dnia przepaści ziemi zahuczą w czterech krańcach kosmosu. Wierzchołki firmamentu otworzą się, powietrze wypełni się słupami dymu i zapanuje smród siarki aż do godziny dziesiątej. Czwartego dnia od samego rana przepaść stanie się płynna i wyda ryki, i zwalą się gmachy. Piątego dnia o godzinie szóstej padną moce światła i krąg słoneczny, a mrok zapanuje na ziemi aż do wieczora, i gwiazdy, i księżyc przestaną pełnić swój urząd. Szóstego dnia o godzinie czwartej firmament pęknie od wschodu do zachodu i aniołowie będą mogli patrzeć na ziemię przez szczelinę w niebiosach, a wszyscy ci, którzy będą na ziemi, ujrzą aniołów patrzących na ziemię. Wtedy wszyscy ludzie schronią się na górach, by uciec przed spojrzeniem sprawiedliwych aniołów; Siódmego dnia przyjdzie Chrystus w blasku swego Ojca. I nastąpi wtenczas sąd nad dobrymi i ich wstąpienie do wiecznej szczęśliwości ciał i dusz. Lecz nie o tym będziecie rozmyślać dzisiejszego wieczoru, pyszni braciszkowie! Nie grzesznikom przypadnie w udziale ujrzenie świtu dnia ósmego, kiedy wzniesie się głos słodki i tkliwy od wschodu, pośrodku nieba, i objawi się ten anioł, który ma władzę nad wszystkimi innymi świętymi aniołami, a wszyscy aniołowie będą szli wraz z nim, siedząc na wozie z mgły, pełni wesela, mknąc szybko przez powietrze, by wyzwolić wybranych, którzy wierzyli, i wszyscy razem będą się radować, gdyż dopełni się zniszczenie tego świata! Nie o tym powinniśmy przyjemnie i pysznie roić dzisiejszego wieczoru! Zastanowimy się raczej nad słowami, jakie Pan wypowie, by odpędzić od siebie tych, którzy nie zasłużyli na zbawienie... Idźcie precz ode mnie, przeklęci, w ogień wieczny, zgotowany wam przez diabła i jego kapłanów! Zasłużyliście na to, więc radujcie się! Oddalcie się ode mnie, zejdźcie w zewnętrzne mroki i w niegasnący ogień! Ja nadałem wam kształt, wy zaś poszliście za tamtym! Staliście się sługami innego pana, idźcie, pozostańcie z nim w mroku, z tym wężem nieznającym spoczynku, tam gdzie zgrzytanie zębów! Dałem wam uszy, byście dali posłuch Pismu, a wy słuchacie słów pogan! Ułożyłem wam usta, byście chwalili Boga, a wy używacie ich do wypowiadania fałszu poetów i zagadek komediantów. Dałem wam oczy, byście widzieli światło moich przykazań, a wy używacie ich, by wpatrywać się w ciemności! Jestem sędzią ludzkim, ale sprawiedliwym. Każdemu dam to, na co zasługuje. Chciałbym mieć dla was zmiłowanie, ale nie znajduję oliwy w waszych naczyniach. Skłonny byłbym ulitować się, ale wasze kaganki są zasnute dymem. Oddalcie się ode mnie... Tak przemówi Pan. A ci... i, być może, my, zejdziemy do miejsca wiecznych mąk. W imię Ojca i Syna, i Ducha Świętego.

– Amen! – odpowiedzieli wszyscy jednogłośnie.

Rządkiem, bez jednego szeptu, udali się mnisi do swoich legowisk. Nie pragnąc zgoła rozmowy, zniknęli i minoryci, i ludzie papieża, gdyż wzdychali do odosobnienia i odpoczynku. Było mi ciężko na sercu.

– Do łoża, Adso – powiedział Wilhelm, pnąc się po schodach austerii dla pielgrzymów. – Nie jest to wieczór odpowiedni, żeby błąkać się po opactwie. Bernardowi Gui może przyjść do głowy, że warto uprzedzić koniec świata, zaczynając od naszych powłok doczesnych. Jutro postaramy się być na jutrzni, albowiem zaraz potem odjedzie Michał i inni minoryci.

– Czy odjedzie także Bernard ze swoimi więźniami? – spytałem cichutkim głosem.

– Z pewnością nie ma tu nic więcej do roboty. Będzie chciał być w Awinionie przed Michałem, ale w ten sposób, by nadciągnięcie tego ostatniego zbiegło się z procesem klucznika, minoryty, heretyka i mordercy. Stos klucznika oświetli niby pochodnia przebłagalna pierwsze spotkanie Michała z papieżem.

– A co stanie się z Salwatorem... i dziewczyną?

– Salwator będzie towarzyszył klucznikowi, bo musi świadczyć w procesie. Być może w zamian za tę przysługę Bernard daruje mu życie. Albo pozwoli mu uciec, a potem każe zabić. A może da mu naprawdę odejść, ponieważ ktoś taki jak Salwator nie interesuje kogoś takiego jak Bernard. Kto wie, może skończy jako zbójca w jakim borze Langwedocji...

– A dzieweczka?

– Powiedziałem ci, pójdzie na stos. Ale spłonie wcześniej, po drodze, dla zbudowania jakiejś katarskiej wioski na wybrzeżu. Słyszałem, że Bernard ma się spotkać ze swoim kolegą, Jakubem Fournierem (zapamiętaj to imię, na razie pali albigensów, ale mierzy wyżej), a piękna czarownica na stosie zwiększy prestiż i sławę obu...

– Ale czy nic nie można uczynić, by ich uratować?! – wykrzyknąłem. – Czy nie może wtrącić się opat?

– Dla kogo? Dla klucznika, który się przyznał? Dla nędznika jak Salwator? Czy może masz na myśli dziewczynę?

– A jeśli tak? – ośmieliłem się. – W gruncie rzeczy z tej trójki ona tylko jest naprawdę niewinna, wiesz, że nie jest czarownicą...

– I sądzisz, że po tym, co się stało, opat zechce narazić na szwank tę odrobinę prestiżu, jaka mu została, dla czarownicy?

– Ale wziął na siebie odpowiedzialność za ucieczkę Hubertyna.

– Hubertyn był jego mnichem i o nic go nie oskarżono. A zresztą, co za głupstwa mi opowiadasz, Hubertyn jest osobą ważną. Bernard mógłby uderzyć go jedynie z tyłu.

– Więc klucznik miał rację, prostaczkowie płacą zawsze za wszystkich, nawet za tych, którzy, jak Hubertyn i Michał, słowami nawołującymi do pokuty pchnęli ich do buntu! – Byłem zrozpaczony i nie zważałem nawet na to, że dziewczyna nie była braciaszkiem uwiedzionym przez mistykę Hubertyna. Była jednak wieśniaczką i płaciła za historię, która jej nie dotyczyła.

– Tak to jest – odpowiedział ze smutkiem Wilhelm. – I jeśli naprawdę szukasz promyka sprawiedliwości, rzekę ci, że pewnego dnia wielkie psy, papież i cesarz, by zawrzeć pokój, zdepczą ciała mniejszych psów, które walczyły w ich służbie. A Michała i Hubertyna spotka los taki sam, jaki dziś spotkał twoją dzieweczkę.

Wiem teraz, że Wilhelm prorokował albo raczej budował sylogizmy na podstawie zasad filozofii naturalnej. Ale w tym momencie jego proroctwa i sylogizmy nic mnie nie pocieszyły. Jedyną rzeczą pewną było to, że dzieweczka zostanie spalona. I czułem się współodpowiedzialny, było to bowiem tak, jakby miała odpokutować na stosie także za grzech, który ja z nią popełniłem.

Wybuchnąłem bez wstydu łzami i uciekłem do swojej celi, gdzie przez całą noc gryzłem siennik i jęczałem bezsilnie, gdyż nie było mi nawet dane – jak czytałem w rycerskich romansach razem z moimi kolegami w Melku – lamentować, wzywając imienia ukochanej.

Nie znałem i nie poznałem nigdy imienia jedynej miłości ziemskiej mojego życia.

Dzień
szósty

Dzień szósty

Jutrznia

Kiedy to książęta sederunt, a Malachiasz wali się na ziemię

Zeszliśmy na jutrznię. Ta ostatnia część nocy, prawie pierwsza w nadchodzącym nowym dniu, była mglista. Kiedy szedłem przez dziedziniec klasztorny, wilgoć przenikała mnie do szpiku kości, stając się udręką po niespokojnym śnie. Chociaż w kościele było zimno, wydałem westchnienie ulgi, gdy uklękłem pod sklepieniami, chroniony od żywiołów, pocieszony ciepłem innych ciał i modlitwy.

Śpiewanie psalmów dopiero się zaczęło, kiedy Wilhelm wskazał mi puste miejsce w stallach przed nami, między Jorge a Pacyfikiem z Tivoli. Było to miejsce Malachiasza, który siadał zawsze u boku ślepca. Nie tylko my spostrzegliśmy, że nie ma Malachiasza. Z jednej strony zobaczyłem zatroskane spojrzenie opata, który z pewnością wiedział już, że te nieobecności są zwiastunami złych nowin. A z drugiej dostrzegłem szczególny niepokój, który targał starym Jorge. Jego oblicze, zwykle trudne do rozszyfrowania z powodu białych oczu pozbawionych światła, w trzech czwartych pokrywał cień, ale dłonie były nerwowe i niespokojne. Kilka razy pomacał miejsce obok siebie, sprawdzając, czy jest zajęte. Powtarzał ten gest w regularnych odstępach czasu, jakby miał nadzieję, że nieobecny ukaże się lada moment, lecz bał się, że nie zauważy, jak się ukazuje.

– Gdzie może być bibliotekarz? – szepnąłem do Wilhelma.

– Malachiasz – odparł – jest teraz jedynym, który miał w swoich dłoniach księgę. Jeśli nie on jest winny zbrodni, może nie znać niebezpieczeństw, jakie ona zawiera...

Nie było nic więcej do powiedzenia. Pozostawało czekać. I czekaliśmy, my, opat, który nadal patrzył na pustą stalle, Jorge, który nie przestawał badać ciemności dłońmi.

Kiedy nabożeństwo dobiegło końca, opat przypomniał mnichom i nowicjuszom, że trzeba przygotować się do wielkiej mszy na Boże Narodzenie i dlatego, jak zazwyczaj, wykorzysta się czas przed laudą, by wypróbować harmonię całej wspólnoty w wykonywaniu nie-

których pieśni przewidzianych na tę sposobność. Ten oddział nabożnych ludzi był w istocie zestrojony jak jedno ciało i jeden głos, w śpiewie poznawało się jedność, która wytworzyła się z biegiem minionych lat, jakby śpiewała jedna jeno dusza.
Opat prosił o zaintonowanie *Sederunt*.

Sederunt principes
et adversus me
loquebantur, iniqui.
Persecuti sunt me.
Adjuva me, Domine,
Deus meus salvum me
fac propter magnam misericordiam tuam*.

Zastanowiłem się, czy opat nie wybrał z rozmysłem tego graduału, chcąc, by odśpiewano go w nocy, kiedy pełnili jeszcze swoje funkcje wysłannicy książąt. Być może pragnął przypomnieć, jak to od wieków nasz zakon gotów był stawiać opór prześladowaniom ze strony możnych, a to dzięki swojemu szczególnemu związkowi z Panem, Bogiem zastępów. I rzeczywiście początek pieśni dał wrażenie wielkiej mocy.

Na pierwszej sylabie *se* zaczął się powolny i uroczysty chór dziesiątków głosów, których niskie brzmienie wypełniło ławy i wzbiło się nad nasze głowy, choć przecież zdawało się pochodzić ze środka ziemi. I nie ustało, kiedy bowiem inne głosy zaczęły tkać na tej głębokiej i ciągłej linii serię wokaliz i melizmatów, ono – telluryczne – nadal dominowało i nie ustawało przez cały czas, jaki potrzebny jest recytującemu, by dwanaście razy, głosem skandowanym i powolnym, powtórzyć *Ave Maria*. I jakby wyzwolone od wszelkiego lęku, przez ufność, jaką ta uparta sylaba, alegoria wiecznego trwania, dawała modlącym się, inne głosy (w większości głosy nowicjuszy) na tej kamiennej i mocnej podwalinie wznosiły iglice, kolumny, pinakle wiotkich i spiczastych neum. I kiedy moje serce odurzało się słody-

---

* Siedzieli książęta
i przeciwko mnie
zmawiali się, niegodziwcy.
Prześladowali mnie.
Pomóż mi, Panie,
Boże mój uratuj mnie
przez swoje wielkie miłosierdzie. (łac.).

czą, kiedy wibrował *climacus* i *porrectus*, *torculus* i *salicus*, głosy
owe zdawały się mówić mi, że dusza (modlących się i moja, który
słuchałem), nie mogąc znieść nadmiaru uczucia, poprzez głosy po-
grążała się w rozdarciu, by w porywie słodkich dźwięków wyrazić
radość, ból, chwałę, miłość. W tym czasie uparta wytrwałość głosów
chtonicznych nie słabła, jakby groźna obecność nieprzyjaciół, możnych, którzy prześladują lud Pana, pozostawała w zawieszeniu. Aż
ta neptuniczna wrzawa jednej jedynej nuty została przezwyciężona,
a przynajmniej przekonana i zniewolona rozradowanym alleluja,
wyśpiewanym przez tego, który się jej sprzeciwiał, i roztopiła się
w majestatycznej i doskonałej zgodności i w zmierzchającej neumie.
   Kiedy z trudem, niemal tępym, zostało wypowiedziane *sederunt*,
w powietrze wzbiło się *principes* – pośród wielkiego i seraficznego
spokoju. Nie zastanawiałem się już, kim byli możni, którzy przemawiali przeciw mnie (nam), zniknął, roztopiony, cień tej zjawy, sie-
dzącej i groźnej.
   I wydało mi się, że inne zjawy rozpłynęły się w tym momencie,
albowiem po tej chwili skupienia nad śpiewem spojrzałem na stalle
Malachiasza i zobaczyłem twarz bibliotekarza pośród twarzy innych
modlących się, jakby nigdy go nie brakowało. Zerknąłem na Wilhelma i obaczyłem cień ulgi w jego oczach, taki sam, jaki obaczyłem
z daleka i w oczach opata. Co się zaś tyczy Jorge, znowu wysunął
dłoń i napotykając ciało swojego sąsiada, zaraz ją cofnął. Ale nie
potrafiłem powiedzieć, jakie uczucia nim miotają.
   Teraz chór zaintonował z rozradowaniem *adjuva me* i wyraźna
głoska *a* wesoło pomknęła przez kościół; nawet *u* wydało się nie
mroczne jak w *sederunt*, ale pełne świętej siły. Mnisi i nowicjusze
śpiewali, jak chce tego reguła śpiewu, z ciałami wyprostowanymi,
szyją swobodną, obliczem zwróconym ku górze, z antyfonarzem prawie na wysokości ramion, można więc było czytać z niego tak, by
powietrze nie wydobywało się – wskutek opuszczenia głowy –
z mniejszą siłą z piersi. Ale pora była jeszcze nocna i chociaż rozbrzmiewały trąby rozradowania, opar snu opadał na wielu spośród
śpiewaków, którzy choć pochłonięci w tym czasie wydawaniem
z siebie przeciągłej nuty, ufni, że poniesie ich sama fala pieśni, czasami pochylali przecież głowy, kuszeni sennością. Wówczas czuwający, także i w tej okoliczności, badali twarze w świetle lampek, by
doprowadzić ich do stanu, kiedy czuwa ciało i dusza.

   Najpierw więc jeden z czuwających ujrzał, że Malachiasz chwie-
je się w dziwny sposób, kołysze się, jakby nagle zapadł w podszczy-

towe opary snu, którego zapewne zabrakło mu tej nocy. Podszedł doń z kagankiem i oświetlił mu twarz, co zwróciło moją uwagę. Bibliotekarz nie zareagował. Czuwający dotknął go, a ten runął ciężko do przodu. Mnich ledwie zdążył przytrzymać go przed upadkiem. Śpiew stał się wolniejszy, głosy zgasły, nastąpiła krótka chwila zamieszania. Wilhelm natychmiast zerwał się ze swojego miejsca i rzucił się tam, gdzie Pacyfik z Tivoli i czuwający rozciągali na ziemi Malachiasza, który był bez duszy.

Dotarliśmy tam prawie jednocześnie z opatem i w świetle kaganka zobaczyliśmy twarz nieszczęśliwca. Opisałem już wygląd Malachiasza, ale tej nocy i przy tym świetle był wizerunkiem śmierci. Nos wyciągnięty, oczy głęboko w oczodołach, skronie zapadnięte, uszy białe i ściągnięte, z płatkami wywróconymi na zewnątrz, skóra twarzy sztywna, napięta i sucha, kolor policzków żółtawy i okryty mrocznym cieniem. Oczy miał jeszcze otwarte i mozolny oddech dobywał się ze spękanych warg. Otworzył usta i – pochylając się przez ramię Wilhelma, pochylonego z kolei nad nim – zobaczyłem, jak za rzędem zębów porusza się poczerniały język. Wilhelm uniósł bibliotekarza, obejmując go za ramiona, otarł mu dłonią zasłonę potu, który wilżył czoło. Malachiasz poczuł dotyk, czyjąś obecność, patrzył prosto przed siebie, z pewnością nie widząc, z pewnością nie poznając, kto przed nim stoi. Uniósł drżącą dłoń, chwycił Wilhelma za pierś, przyciągając go tak, że ich twarze prawie się zetknęły; i głosem słabym i ochrypłym wypowiedział parę słów: – Rzekł mi to... naprawdę... miała moc tysiąca skorpionów...

– Kto ci to rzekł? – spytał Wilhelm. – Kto?

Malachiasz spróbował jeszcze coś powiedzieć. Potem wstrząsnęło nim wielkie drżenie i głowa opadła mu do tyłu. Twarz utraciła wszelkie zabarwienie, wszelki pozór życia. Umarł.

Wilhelm wstał. Dostrzegł obok siebie opata i nie powiedział ani słowa. Potem ujrzał za opatem Bernarda Gui.

– Panie Bernardzie – odezwał się Wilhelm – kto zabił tego tu, skoro złapałeś i pilnie strzegłeś morderców?

– Nie pytaj mnie o to – odparł Bernard. – Nigdy nie powiedziałem, że oddałem sprawiedliwości wszystkich niegodziwców, którzy krążą po tym opactwie. Chętnie bym to uczynił, gdybym mógł. – Spojrzał na Wilhelma. – Ale innych pozostawiam teraz surowości... albo nadmiernej pobłażliwości pana opata – rzekł do pobladłego i oniemiałego Abbona, po czym się oddalił.

W tym czasie usłyszeliśmy jakby kwilenie, jakby zgrzytliwe łkanie. Był to Jorge, pochylony na swoim klęczniku, podtrzymywany przez mnicha, który musiał opisać mu wydarzenie.

– To się nigdy nie skończy... – powiedział załamanym głosem. – O Panie, wybacz nam wszystkim.

Wilhelm pochylił się jeszcze na moment nad zwłokami. Ujął puls, obracając przy tym ku światłu dłonie zmarłego. Opuszki trzech palców prawej dłoni były ciemne.

Dzień szósty

Lauda

*Kiedy to wybrany zostaje nowy klucznik,
ale nowy bibliotekarz nie*

Byłaż więc już pora laudy? Może jeszcze za wcześnie, a może za późno? Od tego momentu straciłem poczucie czasu. Minęły może godziny, może mniej, w każdym razie ciało Malachiasza ułożono w kościele na katafalku, jednocześnie zaś konfratrzy zmarłego ustawiali się w wachlarz. Opat wydawał rozporządzenia dotyczące egzekwii. Usłyszałem, jak przywołuje do siebie Bencjusza i Mikołaja z Morimondo. W ciągu niecałego dnia – rzekł – opactwo zostało bez klucznika i bibliotekarza.

– Ty – powiedział do Mikołaja – przejmiesz obowiązki Remigiusza. Znasz pracę wielu tutaj w opactwie. Postaw kogoś w swoim zastępstwie do pilnowania kuźni, zadbaj o wszystko na dzisiaj w kuchni, w refektarzu. Jesteś zwolniony z nabożeństw. Idź. – Potem do Bencjusza: – Właśnie wczoraj wieczorem zostałeś mianowany pomocnikiem Malachiasza. Zadbaj o otwarcie skryptorium i bacz, by nikt sam nie wszedł do biblioteki.

Bencjusz zwrócił nieśmiało uwagę, że nie został jeszcze wprowadzony w tajemnice tego miejsca. Opat spojrzał nań z surowością.

– Nikt nie powiedział, że będziesz. Pilnuj, by praca nie ustała i była przeżywana jako modlitwa za zmarłych braci... i za tych, którzy jeszcze umrą. Każdy będzie pracował jedynie nad księgami, które zostały mu już powierzone, kto chce, może zaglądać do katalogu. Nic więcej. Jesteś zwolniony od nieszporu, ponieważ o tej porze zamkniesz wszystko.

– A jak wyjdę? – zapytał Bencjusz.

– No cóż, sam zamknę dolne drzwi po wieczerzy. Idź.

Wyszedł wraz z nimi, unikając Wilhelma, który chciał z nim pomówić. W chórze zostali w małej grupce Alinard, Pacyfik z Tivoli, Aimar z Alessandrii i Piotr z Sant'Albano. Aimar zaśmiał się szyderczo.

– Dziękujmy Panu – rzekł. – Groziło nam, że po śmierci Niemca dostaniemy bibliotekarza jeszcze bardziej barbarzyńskiego.

– Jak myślisz, kto będzie mianowany na jego miejsce? – zapytał Wilhelm.

Piotr z Sant'Albano uśmiechnął się zagadkowo.

– Po wszystkim, co wydarzyło się w tych dniach, problemu nie stanowi już bibliotekarz, lecz opat...

– Milcz – powiedział Pacyfik.

A Alinard, ciągle ze swoim zamyślonym spojrzeniem, rzekł:

– Uczynią kolejną niesprawiedliwość... jak w moich czasach. Trzeba ich powstrzymać.

– Kogo? – spytał Wilhelm.

Pacyfik wziął go poufnie pod ramię i odprowadził daleko od starca, w stronę drzwi.

– Alinard... sam wiesz, bardzo go kochamy, przedstawia sobą starodawną tradycję i lepsze dni opactwa... Ale czasem mówi, sam nie wiedząc co. Wszyscy jesteśmy zatroskani sprawą nowego bibliotekarza. Musi być godny, dojrzały, mądry... to i wszystko.

– Winien znać grekę? – spytał Wilhelm.

– I arabski, tak chce tradycja, tego wymaga jego urząd. Ale wielu jest pośród nas, którzy mają te dary. Ja z całą pokorą, Piotr, Aimar...

– Bencjusz zna grekę.

– Bencjusz jest zbyt młody. Nie wiem, czemu Malachiasz jego właśnie wybrał wczoraj na swojego pomocnika, ale...

– Czy Adelmus znał grekę?

– Chyba nie. Na pewno nie.

– Ale znał ją Wenancjusz. I Berengar. Dobrze, dziękuję ci.

Wyszliśmy, żeby udać się do kuchni i coś zjeść.

– Czemu chciałeś wiedzieć, kto zna grekę? – spytałem.

– Bo wszyscy ci, którzy umierają z czarnymi palcami, znają grekę. Nie byłoby więc błędem oczekiwać najbliższego trupa spośród tych właśnie. Ze mną włącznie. Ty jesteś bezpieczny.

– A co myślisz o ostatnich słowach Malachiasza?

– Sam słyszałeś. Skorpiony. Piąta trąba zapowiada wśród innych rzeczy nadejście szarańczy, która będzie nękać ludzi kolcem podobnym jak u skorpionów, wiesz. A Malachiasz rzekł nam, że ktoś mu to zapowiedział.

– Szósta trąba zapowiada konie z łbami lwów, a z paszcz ich wychodzi ogień, dym i siarka, dosiadane przez ludzi mających pancerze barwy ognia, hiacyntu i siarki.

– Zbyt wiele rzeczy. Ale najbliższa zbrodnia może zdarzyć się w pobliżu stajni. Trzeba będzie mieć ją na oku. I przygotujmy się do ostatniego dzwonu. Tak więc jeszcze dwie osoby. Kim są kandydaci najbardziej prawdopodobni? Jeśli celem jest *finis Africae* – ci, którzy ten sekret znają. A o ile wiem, może to być tylko opat. Chyba że nić przewodnia jest inna. Niedawno słyszałem, że knuje się w celu złożenia z urzędu opata, ale Alinard mówił w liczbie mnogiej...

– Trzeba uprzedzić opata – rzekłem.

– O czym? Że go zamordują? Nie mam przekonujących dowodów. Postępuję tak, jakby morderca rozumował jak ja. Lecz jeśli trzyma się innego zamysłu? A jeśli nade wszystko nie z jednym mordercą mamy do czynienia?

– Co chcesz przez to powiedzieć?

– Dokładnie mówiąc, nie wiem. Ale jak ci powiedziałem, trzeba wyobrazić sobie wszystkie możliwe łady i wszystkie niełady.

Dzień szósty

Pryma

Kiedy to Mikołaj opowiada wiele rzeczy podczas zwiedzania krypty ze skarbcem

Mikołaj z Morimondo, objąwszy powinności klucznika, wydawał rozporządzenia kuchcikom, ci zaś opowiadali mu o zwyczajach panujących w kuchni. Wilhelm chciał z nim pomówić, lecz on prosił, byśmy poczekali parę minut. Potem – oznajmił – musi zejść do skarbca, by nadzorować pracę przy polerowaniu relikwiarzy, bo to także był jego obowiązek, i tam będzie miał więcej czasu na rozmowę. Rzeczywiście, wkrótce poprosił nas, byśmy za nim ruszyli. Wszedł do kościoła, potem za główny ołtarz (gdy tymczasem mnisi ustawiali w nawie katafalk, by czuwać nad doczesnymi szczątkami Malachiasza) i poprowadził nas w dół po schodkach, aż znaleźliśmy się w sali o bardzo niskim sklepieniu, podtrzymywanym przez grube filary z nieobrobionego kamienia. Byliśmy w krypcie, gdzie przechowywano skarby opactwa, w miejscu, o które opat był bardzo zazdrosny i które otwierał tylko przy sposobnościach wyjątkowych i dla gości wielce szacownych.

Wszędzie dokoła stały relikwiarze rozmaitych rozmiarów; z ich wnętrza światło łuczyw (trzymanych przez dwóch zaufanych pomocników Mikołaja) dobywało błyski przedmiotów cudownej piękności. Złocone paramenty, diademy ze złota wysadzane klejnotami, szkatuły z rozmaitych metali ozdobione figurami, niellem, kością słoniową. Mikołaj wskazał nam ewangeliarz, w którego oprawie rzucały się w oczy śliczne płytki emalii, tworząc pstrokatą jedność uporządkowanych działek, oddzielonych złotymi filigranami i utwierdzonych, niby ćwiekami, cennymi kamieniami. Pokazał delikatną kapliczkę z dwiema kolumnami z lapis-lazuli i złota, tworzącymi ramy dla złożenia do grobu, wyobrażonego płaskorzeźbą w srebrze, powyżej zaś wznosił się złoty krzyż ozdobiony trzynastoma diamentami na podłożu z pstrego onyksu, gdy tymczasem maleńki fronton był sklepiony agatami i rubinami. Potem zobaczyłem chryzolitowy dyptyk podzielony na pięć części, z pięcioma scenami z życia Chrystusa, a pośrodku było mistyczne jagnię ułożone z komórek ze srebra złoconego i szkliwa, co stanowiło jedyny obraz wielobarwny na tle woskowej bieli.

Twarz, ruchy Mikołaja, kiedy pokazywał nam to wszystko, rozświetlała duma. Wilhelm pochwalił rzeczy, które obaczył, a potem zapytał Mikołaja, co za człek był z Malachiasza.

– Osobliwe pytanie – odparł Mikołaj. – Wszak ty też go znałeś.
– Tak, ale nie dość. Nigdy nie mogłem pojąć, jakie myśli skrywa... i... – zawahał się przed wypowiedzeniem sądu o dopiero co zmarłym – ...i czy miał jakie.

Mikołaj poślinił palec, przesunął nim po kryształowej powierzchni, której czystość nie była doskonała, i z lekka się uśmiechając, nie patrząc Wilhelmowi w oczy, odpowiedział:

– Widzę, że wcale nie potrzebujesz pytać... To prawda, wielu mówiło, że Malachiasz zdawał się nader pogrążony w myślach, był jednak człekiem zupełnie prostym. Zdaniem Alinarda był głupcem.

– Alinard żywi urazę z powodu jakiegoś dawnego wydarzenia, bo odmówiono mu wówczas godności bibliotekarza.

– Słyszałem o tym i ja, ale chodzi o stare dzieje, sprzed co najmniej pięćdziesięciu lat. Kiedy przybyłem tutaj, bibliotekarzem był Robert z Bobbio i starzy szeptali o niesprawiedliwości wobec Alinarda. Wtedy nie chciałem tego zgłębiać, gdyż wydawało mi się to brakiem szacunku dla starszych i dawaniem ucha plotkom. Robert miał pomocnika, który potem umarł, i na jego miejsce został mianowany Malachiasz, wówczas bardzo młody. Wielu powiadało, że nie ma żadnych zasług, że utrzymuje, iż zna grekę i arabski, a to wbrew prawdzie, był bowiem tylko zręczną małpą, która pięknie kaligrafowała, przepisując manuskrypty z tych języków, lecz nie pojmując, co przepisuje. Powiadało się, że bibliotekarz winien być bardziej uczony. Alinard, który wtenczas był jeszcze człekiem w pełni sił, mówił rzeczy gorzkie na temat tej nominacji. I napomykał, że Malachiasza wyniesiono na to stanowisko, by prowadził grę jego wroga, ale nie rozumiałem, o kim mówił. To wszystko. Zawsze powiadało się, że Malachiasz broniłby biblioteki niby pies łańcuchowy, lecz nie pojmując zbyt dobrze, co się w niej kryje. Z drugiej strony szeptano także przeciwko Berengarowi, kiedy Malachiasz wybrał go na pomocnika. Mówiono, że nie jest wcale bieglejszy od swego mistrza, że to tylko intrygant. Mówiło się też... Ale ty też pewnie zdążyłeś usłyszeć te pogłoski... że między nim a Malachiaszem jest dziwnego rodzaju związek... Stare dzieje, sam wiesz, że mówiono też o Berengarze i Adelmusie, a młodzi kopiści powiadali, iż Malachiasz cierpi w milczeniu straszliwą zazdrość... Poza tym szeptało się o związkach między Malachiaszem a Jorge, nie, nie w tym znaczeniu, jakie możesz mieć na myśli... nikt nigdy nie podawał w wątpliwość cnoty Jorge! Ale Malachiasz, jako bibliotekarz, musiał zgodnie z tradycją wziąć na swojego spowiednika opata, gdy tymczasem wszyscy inni spowiadali się u Jorge (albo u Alinarda, ale starzec jest teraz prawie szalony)... Mówiło się więc, że mimo to Malachiasz trochę zbyt często gawędzi z Jorge, jakby opat kierował jego duszą, ale Jorge zarządzał ciałem, gestami, pracą. Z drugiej strony sam wiesz, sam to pewnie widziałeś: jeśli ktoś chciał jakiej wskazówki co do starej i zapomnianej księgi, nie pytał o nią Malachiasza, tylko Jorge. Malachiasz miał w swojej pieczy katalog i wchodził do biblioteki, lecz Jorge wiedział, co oznacza każdy tytuł...

– Skąd Jorge wiedział tyle o bibliotece?

– Był najstarszy po Alinardzie i nie ruszał się stąd od dni młodości. Jorge musi mieć ponad osiemdziesiąt lat, a powiada się, że jest ślepy od co najmniej czterdziestu, a może dłużej...

– Jak stał się takim mędrcem, zanim jeszcze oślepł?

– Och, krążą o nim legendy. Zdaje się, że już w dzieciństwie został dotknięty łaską Boską, i tam, w Kastylii, czytał księgi Arabów i doktorów greckich jeszcze jako wyrostek. A później, nawet kiedy oślepł, i jeszcze teraz, spędza długie godziny w bibliotece, każe sobie odczytywać katalog, przynosić księgi i jakiś nowicjusz czyta mu na głos całymi godzinami. Pamięta wszystko, nie utracił pamięci jak Alinard. Czemu jednak pytasz o te sprawy?

– Teraz, kiedy Malachiasz i Berengar nie żyją, kto jeszcze jest w posiadaniu tajemnic biblioteki?

– Opat, i opat będzie teraz musiał przekazać je Bencjuszowi... jeśli zechce.

– Dlaczego jeśli zechce?

– Bo Bencjusz jest młody i został mianowany pomocnikiem, kiedy Malachiasz był jeszcze przy życiu, a być bibliotekarzem lub pomocnikiem bibliotekarza to dwie różne rzeczy. Tradycyjnie bibliotekarz jest później opatem...

– Ach, to tak... Dlatego stanowisko bibliotekarza jest takie upragnione. Więc Abbon był bibliotekarzem?

– Nie, Abbon nie. Jego nominacja nastąpiła przed moim przybyciem tutaj, będzie teraz ze trzydzieści lat. Przedtem opatem był Paweł z Rimini, człek osobliwy, o którym opowiadano dziwne historie; zdaje się, że pożerał wprost księgi, znał na pamięć wszystkie woluminy z biblioteki, ale cierpiał na dziwną ułomność, nie mógł pisać, nazywano go Abbas Agraphicus... Został opatem bardzo młodo, powiadało się, że miał poparcie Algirdasa z Cluny, Doctora Quadratusa... Ale to tylko stare gadki mnichów. Jednym słowem, Paweł został opatem, Robert z Bobbio zajął jego miejsce w bibliotece, ale zdrowie miał podkopane, spalała go choroba, wiedziano, że nie będzie mógł kierować losami opactwa, i kiedy Paweł z Rimini odszedł...

– Umarł?

– Nie, zniknął, nie wiem jak; pewnego dnia wyruszył w podróż i nie wrócił, może został zabity przez rabusiów gdzieś w drodze... Kiedy więc Paweł zniknął, Robert nie mógł zająć jego miejsca i zaczęły się mroczne knowania. Abbon, powiada się, był naturalnym synem pana z okolicy, wyrósł w opactwie Fossanova; mówi się, że pacholęciem będąc, asystował świętemu Tomaszowi, kiedy ten tam umarł, i czuwał nad przeniesieniem wielkiego ciała w dół po schodach wieży, bo nie udawało się znieść zwłok... to jego jedyny powód do chwały, szepczą złe języki... Faktem jest, że wybrano go na opata, chociaż bibliotekarzem nie był, i został wprowadzony przez kogoś, myślę, że Roberta, w tajemnice biblioteki.

– A czemu wybrano Roberta?

– Nie wiem. Zawsze starałem się nie wtykać zanadto nosa w te sprawy, nasze opactwa są miejscami świętymi, ale wokół godności opackiej snuje się czasem szkaradne knowania. Ja interesowałem się moimi szkłami i relikwiarzami, nie chciałem być wmieszany w te historie. Ale pojmujesz teraz, czemu opat nie chce wtajemniczyć Bencjusza; wskazałby tym sposobem jako swego następcę chłopaka nieroztropnego, prawie barbarzyńskiego gramatyka z najdalszej Północy; jakże ów mógłby coś wiedzieć o tym kraju, opactwie i jego stosunkach z miejscowymi panami...

– Ale również Malachiasz nie był Italczykiem, ani Berengar, zostali jednak wyznaczeni do biblioteki.

– To jest właśnie niejasne. Mnisi szeptali, że od pół wieku pod tym względem opactwo odeszło od swoich tradycji... Dlatego ponad pięćdziesiąt lat temu, a może jeszcze dawniej, Alinard wzdychał do godności bibliotekarza. Bibliotekarzem był zawsze Italczyk, nie brakowało wielkich umysłów na tych ziemiach. A zresztą widzisz... – I Mikołaj zawahał się, jakby nie chciał powiedzieć tego, co powie – ...widzisz, Malachiasz i Berengar nie żyją może właśnie dlatego, by nie zostali opatami.

Wzdrygnął się, zamachał ręką przed twarzą, jakby chciał odpędzić myśli niezbyt poczciwe, potem uczynił znak krzyża.

– Co też rzekę? Widzisz, w tym kraju od wielu lat dzieją się rzeczy zawstydzające, również w klasztorach, na dworze papieskim, w kościołach... Walka o władzę, oskarżenia o herezje, byle wyrwać komuś z rąk prebendę... Co za szkaradność, zaczynam tracić wiarę w rodzaj ludzki, widzę wszędzie spiski i pałacowe knowania. Tym musiało stać się i to opactwo, kłębowiskiem żmij, które wyłoniło się przez tajemną magię w miejscu będącym relikwiarzem świętych członków. Spójrz na przeszłość tego klasztoru!

Wskazał na wszystkie skarby dokoła i nie dbając o krzyże i inne drobne sprzęty, skierował nasze spojrzenia na relikwiarze, które były chwałą tego miejsca.

– Patrzcie – powiedział – oto ostrze włóczni, która przebiła bok Zbawiciela! Chodziło o złotą, opatrzoną kryształowym wieczkiem szkatułkę, w której na purpurowej poduszeczce spoczywał trójkątny kawałek żelaza, strawionego już przez rdzą, lecz doprowadzonego do żywego splendoru długim działaniem oliwy i wosku. Ale to jeszcze nic. W innej szkatule, tym razem ze srebra wysadzanego ametystem i mającej przezroczyste wieczko, zobaczyłem kawałek czcigodnego drewna ze świętego krzyża, dostarczony do opactwa przez samą królową Helenę, matkę cesarza Konstantyna, udała się bowiem w pielgrzymce do świętych miejsc, dobyła na powierzchnię ziemi wzgórze Golgoty i święty grób, a potem zbudowała tam katedrę.

Następnie Mikołaj pokazał nam inne rzeczy i nie o wszystkich umiałbym powiedzieć, a to z przyczyny ich ilości i rzadkości. Był tam, w relikwiarzu całkowicie wykonanym z akwamaryny, gwóźdź z krzyża. Był, w ampułce spoczywającej na podłożu z małych zwiędłych róż, kawałek korony cierniowej, a w innej szkatułce, tak samo na całunie zeschłych kwiatów, pożółkły strzęp obrusa do Ostatniej Wieczerzy. A dalej sakiewka świętego Mateusza, ze srebrnych ogniwek; i w walcu przewiązanym fioletową wstążką, wystrzępioną od upływu czasu i zapieczętowaną złotem, kość z ramienia świętej Anny. I ujrzałem, cud nad cudy, pod szklanym dzwonem i na czerwonej poduszeczce wyszytej perłami – cząstkę żłóbka z Betlejem i piędź purpurowej sukni świętego Jana Ewangelisty, dwa spośród łańcuchów, które ściskały w kostce nogi apostoła Piotra w Rzymie, czaszkę świętego Wojciecha, miecz świętego Stefana, piszczel świętej Małgorzaty, palec świętego Wita, żebro świętej Zofii, podbródek świętego Eobana, górną część łopatki świętego Chryzostoma, pierścionek zaręczynowy świętego Józefa, ząb Jana Chrzciciela, rózgę Mojżesza, rozdartą i zetlałą koronkę z sukni ślubnej Maryi Panny.

A dalej inne rzeczy, które nie były relikwiami, stanowiły jednak świadectwa cudów i cudownych istot z odległych ziem, przyniesione do opactwa przez mnichów, wyprawiających się do najdalszych krańców świata: bazyliszek i hydra wypchane słomą, róg jednorożca, jajo, które pewien pustelnik znalazł wewnątrz drugiego jaja, płatek manny, którą żywili się Żydzi na pustyni, ząb wieloryba, orzech kokosowy, kość ramieniowa jakiejś przedpotopowej bestii, kieł słonia, żebro delfina. I dalej inne jeszcze relikwie, których nie rozpoznałem, lecz od których, być może, cenniejsze były relikwiarze, niejedne (jeśli sądzić po robocie ich opraw z poczerniałego srebra) nadzwyczaj stare, nieskończona seria kawałków kości, tkanin, drewna, metalu, szkła. I fiolki z ciemnymi proszkami, a jedna z nich, jak się dowiedziałem, zawierała spalone szczątki miasta Sodomy, inna zaś wapno z murów Jerycha. A za każdą z tych rzeczy, choćby i za tę najskromniejszą, cesarz ofiarowałby niejedno lenno; nie tylko dawały ogromny prestiż, ale również były prawdziwym bogactwem dla opactwa, które je gościło.

Krążyłem oszołomiony, a Mikołaj przestał już objaśniać nam poszczególne przedmioty, które zresztą były opisane na karteczkach, i mogłem teraz szperać na chybił trafił po składzie nieocenionych cudowności, raz podziwiając rzeczy te w pełnym świetle, czasem zaś w półmroku, kiedy pomocnicy Mikołaja przenosili się ze swoimi łuczywami w inne miejsce krypty. Urzekały mnie te pożółkłe chrząstki, jednocześnie mistyczne i odpychające, przejrzyste i tajemnicze, te strzępy ubiorów z niepamiętnych czasów, odbarwione, wystrzępione, czasem zwinięte w fiolce niby wyblakły manuskrypt, te pokruszone materie, stapiające się w jedno z tkaniną, na której spoczywały święte szczątki życia, niegdyś zwierzęce (i rozumne), a teraz – uwięzione w maleńkich budowlach z kryształu i metalu, naśladujących śmiałość katedr z kamienia wraz z ich wieżami i filarami – również i one, jak mi się zdało, przeobrażone w substancję mineralną. Więc to tak pogrzebane oczekują na zmartwychwstanie ciała świętych? Z tych odłamków zostaną odtworzone te organizmy, które w błysku Boskiej wizji, odzyskując całą wrodzoną wrażliwość, postrzegałyby również, jak pisał Piperno, nawet *minimas differentias odorum**?

Wyrwał mnie z tych rozmyślań Wilhelm, dotykając mojego ramienia.

– Idę – powiedział. – Pójdę do skryptorium, muszę jeszcze do czegoś zajrzeć...

– Ale nie będzie można dostać ksiąg – rzekłem. – Bencjusz ma rozkaz...

– Chcę jedynie obejrzeć księgi, które czytałem owego dnia, i wszystkie są w skryptorium na stole Wenancjusza. Ty, jeśli chcesz, zostań tutaj. Ta krypta jest piękną epitomą do debaty o ubóstwie, przy której byłeś w tych dniach. I teraz wiesz, dlaczego twoi konfratrzy mordują jedni drugich, kiedy dążą do godności opackiej.

---

* Najmniejsze różnice zapachu (łac.).

– Ależ wierzysz w to, co podsunął ci Mikołaj? Zbrodnie mają związek z walką o inwestyturę?

– Już ci powiedziałem, że na razie nie chcę wysuwać na głos żadnych hipotez. Mikołaj powiedział wiele rzeczy. I niektóre mnie zaciekawiły. Ale teraz pójdę jeszcze innym tropem. Albo może tym samym, tyle że od drugiej strony. A ty nie zachwycaj się za bardzo tymi relikwiarzami. Wiele innych kawałków krzyża widziałem w różnych kościołach. Gdyby wszystkie były prawdziwe, Pan Nasz nie byłby umęczony na dwóch skrzyżowanych belkach, ale na całym lesie.

– Mistrzu! – wykrzyknąłem zgorszony.

– Tak to jest, Adso. A są skarbce jeszcze bogatsze. Dawno już temu w katedrze w Kolonii widziałem czaszkę dwunastoletniego Jana Chrzciciela.

– Naprawdę?! – wykrzyknąłem w podziwie. Potem ogarnęło mnie powątpiewanie. – Ależ Chrzciciel został zabity w wieku bardziej posuniętym!

– Tamta czaszka musi być w jakimś innym skarbcu – rzekł Wilhem z poważną twarzą.

Nigdy nie rozumiałem, kiedy żartuje. Na mojej ziemi, kiedy się żartuje, mówi się rzecz jaką, a potem wybucha wielce głośnym śmiechem, by wszyscy mogli uczestniczyć w żarcie. Wilhelm natomiast śmiał się tylko, kiedy mówił rzeczy poważne, a zachowywał powagę, kiedy można było przypuścić, że żartuje.

Dzień szósty

Tercja

Kiedy to Adso, słuchając Dies irae, *ma sen*
albo wizję – co kto woli

Wilhelm pożegnał Mikołaja i ruszył do skryptorium. Ja dosyć już naoglądałem się skarbca i postanowiłem pójść do kościoła, by pomodlić się za duszę Malachiasza. Nigdy nie lubiłem tego człeka, który budził we mnie strach, i nie ukrywam, że długo miałem go za winnego wszystkich zbrodni. Teraz dowiedziałem się, że może był biedaczyną, nękanym przez niezaspokojone namiętności, glinianym dzbanem pośród naczyń z żelaza, ponurym, gdyż zagubionym, milczącym i wymykającym się, świadomym, iż nie ma nic do powiedzenia. Odczuwałem wobec niego pewne wyrzuty sumienia i pomyślałem, że modlitwa za jego los nadprzyrodzony może uśmierzyć moje poczucie winy.

Kościół rozświetlała teraz jasność wątła i sina, władały nim szczątki nieszczęśnika, wypełniał monotonny szept mnichów, którzy odprawiali nabożeństwo za zmarłych.

W klasztorze w Melku wiele razy byłem świadkiem zgonu któregoś z braci. Nie mogę rzec, by była to sposobność radosna, ale jawiła mi się jednak jako pogodna, określona przez spokój i rozbudzone poczucie sprawiedliwości. Wszyscy czuwali kolejno w celi umierającego, pocieszając go dobrym słowem, i każdy w swym sercu myślał o tym, jak szczęśliwy jest ten człek stojący na progu śmierci, gdyż ma właśnie uwieńczyć swoje cnotliwe życie i wkrótce dołączy do chóru aniołów w weselu, które nigdy już nie ustanie. I cząstka owej pogody, aromat tej świętej zazdrości przenikały umierającego, który w pokoju rozstawał się z życiem. Jakże inne były zgony w tych ostatnich dniach! Widziałem wreszcie z bliska, jak umiera ofiara diabelskich skorpionów z *finis Africae*, i z pewnością tak właśnie umarli Wenancjusz i Berengar, szukając ukojenia w wodzie, z twarzami tak samo zapadniętymi jak twarz Malachiasza...

Usiadłem w głębi kościoła, skuliłem się w sobie, by pokonać chłód. Poczułem odrobinę ciepła, poruszyłem wargami, by dołączyć do chóru modlących się konfratrów. Powtarzałem wraz z nimi słowa, prawie nie zdając sobie sprawy z tego, co mówią moje wargi, i głowa mi się kiwała, a oczy same się zamykały. Potem chór zaintonował *Dies irae*... Monotonny śpiew podziałał na mnie odurzająco. Zasnąłem na dobre.

Albo być może nie zasnąłem, lecz popadłem ze znużenia w niespokojne odrętwienie, skulony, zwinięty jak stworzenie zamknięte jeszcze w brzuchu matki. Duszę mą ogarnęła mgła i znalazłem się jakby w rejonach, które nie były z tego świata, miałem wizję lub sen. Wąskimi schodami schodziłem do niskiej i ciasnej sieni, jakby do krypty ze skarbcem, ale, ciągle schodząc, dotarłem do krypty obszerniejszej, która okazała się kuchnią Gmachu. Była to z pewnością kuchnia, aczkolwiek wyposażona nie tylko w piece i rondle, lecz również w miechy i młoty, jakby wyznaczyli tu sobie spotkanie także kowale Mikołaja. Migotały czerwonym blaskiem duchówki, kotły i rondle, w których coś się gotowało, dobywał się dym, a na powierzchni płynów tworzyły się z trzaskiem wielkie pęcherze i pękały nagle z głuchym i nieustannym odgłosem. Kucharze wymachiwali wysoko trzymanymi rożnami, nowicjusze zaś, którzy zebrali się tu wszyscy, podskakiwali, by złapać kury i inne ptactwo nadziane na te rozpalone żelaza. A na boku kowale kuli z taką siłą, że aż powietrze drgało i chmury iskier wzbijały się z kowadeł, mieszając się z tymi, które dobywały się z dwóch pieców.

Nie wiedziałem, czy jestem w piekle, czy w raju pojmowanym tak, jak mógłby pojmować go Salwator, ociekającym sosami i rozedrganym salcesonami. Nie miałem czasu zastanowić się, gdzie jestem, albowiem zgraja człeczków, karłów z wielkimi głowami w kształcie kociołków, wbiegła, porwała mnie w swoim pędzie, by wepchnąć na próg refektarza i zmusić do wejścia.

Sala była odświętnie przybrana. Wielkie opony i chorągwie zwieszały się ze ścian, ale zdobiące je obrazy nie były tymi, które zazwyczaj zachęcają wiernych do pobożności albo głoszą chwałę królów. Zdawały się raczej czerpać natchnienie z marginaliów Adelmusa i wśród innych postaci odtwarzały najmniej przerażające i najbardziej błazeńskie: zające, które tańczyły wokół drzewa obfitości, rzeki pełne ryb, które z własnej woli rzucały się na patelnię trzymaną przez małpy przebrane za biskupów-kucharzy, potwory o tłustych brzuchach tańczące wokół dymiących rondli.

Pośrodku stołu siedział opat w odświętnych szatach, w wielkiej sukni z haftowanej purpury, a w ręku trzymał widelec niby berło. Obok niego Jorge pił z ogromnego dzbana wino, a klucznik, ubrany jak Bernard Gui, czytał cnotliwie z księgi w kształcie skorpiona żywoty świętych i ustępy z Ewangelii, lecz te opowieści mówiły o Jezusie, który żartował z apostołem, przypominając mu, że ów jest kamieniem i że na tym bezwstydnym kamieniu, co toczy się przez równinę, zbuduje swój Kościół, albo opowieść świętego Hieronima, który komentował Biblię, mówiąc, że Bóg chce obnażyć pośladki Jerozolimie. I przy każdym zdaniu klucznika Jorge śmiał się, walił pięścią w stół i krzyczał: „Ty będziesz następnym opatem, brzuchu Boży!" Tak właśnie mówił, oby Bóg mi wybaczył.

Na swawolne skinienie opata wkroczył zastęp dziewic. Był to promienny pochód bogato ubranych niewiast, wśród których dostrzegłem, a w każdym razie tak mi się wydało na pierwszy rzut oka, moją matkę, potem zdałem sobie sprawę z pomyłki, chodziło bowiem z pewnością o dziewczę groźne jak zbrojne zastępy. Tyle jeno, że miało na głowie diadem z białych pereł, dwa sznury, a inne dwa opadały po obu stronach twarzy, łącząc się z dwoma kolejnymi sznurami, które zwieszały się jej na pierś, i każda perła była obciążona diamentem wielkim jak śliwka. Poza tym z obu uszu spływały sznury pereł błękitnych i łączyły się w naszyjnik u dołu szyi, białej i prostej jak wieża Libanu. Płaszcz miała barwy szkarłatnej, a w dłoni trzymała złoty, zdobiony diamentami puchar, który – wiedziałem, choć nie wiem skąd – zawierał śmiercionośną maść skradzioną kiedyś Sewerynowi. Za tą niewiastą, piękną niby jutrzenka, szły inne postacie niewieście: jedna z nich w białym haftowanym płaszczu, nałożonym na ciemną suknię, ozdobioną podwójną złotą etolą przybraną polnymi kwiatami; druga w płaszczu z żółtego adamaszku, nałożonym na suknię bladoróżową, usianą zielonymi liśćmi, i z dwoma wielkimi kwadratami naszytymi na kształt brązowego labiryntu; a trzecia w płaszczu czerwonym, a sukni szmaragdowej, haftowanej w małe czerwone zwierzątka, i trzymała w rękach haftowaną białą etolę; płaszczom innych nie przyglądałem się, ponieważ starałem się pojąć, kim były te, które towarzyszyły dziewczęciu, jakże podobnemu teraz do Maryi Panny; i było tak, jakby każda z nich pokazywała trzymany w dłoni kartusz lub jakby ten kartusz dobywał się z ust, albowiem wiedziałem, że były to Rut, Sara, Zuzanna i inne niewiasty z Pisma Świętego.

W tym momencie opat krzyknął: „Wnijdźcie, dzieci wszetecznicy!", i wkroczył do refektarza inny, pięknie uładzony orszak świętych osób, które doskonale rozpoznałem, ubranych z prostotą, ale i świetnie; a w środku grupy był zasiadający na tronie Pan Nasz i zarazem Adam, okryty purpurowym płaszczem, i wielka, czerwona i biała od rubinów i pereł spinka trzymała płaszcz na ramionach; na głowie miał diadem podobny do diademu dziewczęcia, w ręku spory puchar pełen krwi wieprzków. Inne nader święte osobistości, o których powiem, a wszystkie znane mi doskonale, otaczały go kręgiem, i był też oddział łuczników króla Francji, ubranych na zielono bądź czerwono, ze szmaragdowymi tarczami opatrzonymi monogramem Chrystusa. Dowódca tej grupy ruszył, by złożyć hołd opatowi, podając mu puchar i mówiąc: „Wim, ać sia włość w istej graniej abrysie trzydźci roków beła w włodaniu Sancti Benedicti". Na co opat odparł: *Age primum et septimum de quatuor*, pozostali zaś zaintonowali: *In finibus Africae, amen*. Potem wszyscy *sederunt*.

Kiedy rozproszyły się oba przeciwne oddziały, padł rozkaz opata i Salomon zabrał się do nakrywania stołu, Jakub i Andrzej przynieśli wiązkę siana, Adam rozsiadł się pośrodku, Ewa położyła się na liściu, Kain wszedł, ciągnąc za sobą pług, Abel ze skopkiem, by wydoić Brunellusa, Noe triumfalnie przybył w arce, wiosłując, Abraham usiadł pod drzewem, Izaak położył się na złotym ołtarzu kościelnym, Mojżesz przycupnął na kamieniu, Daniel ukazał się na pogrzebowym podwyższeniu u ramienia Malachiasza, Tobiasz wyciągnął się na łożu, Józef rzucił na korzec zboża, Beniamin wyciągnął się na worku, a później jeszcze, ale w tym miejscu wizja stała się niewyraźna, Dawid trwał na pagórku, Jan na ziemi, faraon na piasku (naturalnie, powiedziałem sobie, ale dlaczego?), Łazarz na stole, Jezus na cembrowinie studni, Zacheusz na gałęzi drzewa, Mateusz na stołku, Rahab na pakułach, Rut na słomie, Tekla na parapecie okna (z zewnątrz pojawiła się blada twarz Adelmusa, który ostrzegał ją, że może runąć w przepaść), Zuzanna w ogrodzie, Judasz pośród grobowców, Piotr na katedrze, Jakub na sieci, Eliasz na siodle, Rachela na zawiniątku. A apostoł Paweł, odłożywszy miecz, słuchał zrzędzącego Ezawa, gdy tymczasem Hiob kwilił na kupie gnoju i przybiegli mu na pomoc Rebeka z suknią, Judyta z okryciem, Hagar z płótnem pogrzebowym, a kilku nowicjuszy niosło wielki dymiący kocioł, z którego wyskoczył Wenancjusz z Salvemec, cały czerwony, i zaczął rozdawać wieprzową kiszkę.

W refektarzu było coraz tłumniej i wszyscy jedli ile wlezie, Jonasz podał do stołu dynię, Izajasz warzywa, Ezechiel morwy, Zacheusz kwiaty sykomoru, Adam cytryny, Daniel łubin, faraon paprykę, Kain kardy, Ewa figi, Rachela jabłka, Ananiasz śliwki wielkie jak diamenty, Lia cebulę, Aaron oliwki, Józef jajko, Noe winogrona, Symeon pestki brzoskwiń, podczas gdy Jezus śpiewał *Dies irae* i wesoło skrapiał całe to pożywienie octem, wyciskając go z małej gąbki, którą zdjął z włóczni jednego z łuczników króla Francji.

– Synowie moi, owieczki moje wszystkie – powiedział w tym momencie pijany już opat – nie możecie wieczerzać tak, ubrani niby żebracy, chodźcie, chodźcie. – I uderzył w pierwszego i siódmego z czterech, którzy wyłaniali się bezkształtni jak zjawy z głębi zwierciadła, a zwierciadło rozpadło się na kawałki i rozsypały się na ziemi po salach labiryntu wielobarwne suknie inkrustowane kamieniami, wszystkie zbrukane i postrzępione. I Zacheusz wziął suknię białą, Abram pstrą, Lot siarkową, Jonasz błękitną, Tekla czerwonawą, Daniel cętkowaną, Jan tęczową, Adam futrzaną, Judasz w srebrniki, Raab szkarłatną, Ewa koloru drzewa wiadomości dobrego i złego, i ten brał wielobarwną, ów spartańską, inny purpurową, inny morską, inny barwy ognia, hiacyntu i siarki albo rdzawą i czarną, a Jezus pysznił się suknią gołębią i śmiejąc się, oskarżał Judasza, że ten nigdy nie potrafi żartować w świętej wesołości.

W tym momencie Jorge, zdjąwszy szkiełka *ad legendum*, rozpalił krzak gorejący, do którego Sara dorzucała drew, co zebrał je Jefte, Izaak wyładował, Józef porąbał. I kiedy Jakub odkrywał studnię, a Daniel siadał nad jeziorem, słudzy nieśli wodę, Noe wino, Hagar bukłak, Abram wiódł cielca, którego Raab przywiązał do palika, a Jezus podawał sznur i Eliasz wiązał zwierzęciu kopyta; potem Absalom powiesił je za włosy, Piotr podał miecz, Kain zabił, Herod spuścił krew, Sem wyrzucił trzewia i łajno, Jakub dodał oliwy, Molesadon soli, Antioch położył na ogniu, Rebeka upiekła, a Ewa spróbowała pierwsza i źle przełknęła, ale Adam powiedział, żeby o tym nie myślała, i walił w plecy Seweryna, który radził dodać wonnych ziół. Wtedy Jezus przełamał chleb i rozdzielił rybę, Jakub krzyczał, ponieważ Ezaw wyjadł mu całą soczewicę, Izaak pożerał koźlę z rusztu, Jonasz gotowanego wieloryba, a Jezus zachowywał post przez czterdzieści dni i czterdzieści nocy.

W tym czasie wszyscy wchodzili i wychodzili, wnosząc wyborną dziczyznę wszelkiego kształtu i maści, i Beniamin brał sobie zawsze część największą, Maria najsmakowitszą, Marta zaś skarżyła się, że zawsze musi myć wszystkie talerze. Potem podzielili cielca, który tymczasem ogromnie się powiększył, i Jan miał z niego łeb, Absalom kark, Aaron język, Samson szczękę, Piotr ucho, Holofernes też łeb, Lia zadek, Saul szyję, Jonasz brzuch, Tomasz żółć, Ewa żebro, Maria pierś, Elżbieta srom, Mojżesz ogon, Lot nogi, a Ezechiel kości. W tym czasie Jezus zjadał osła, święty Franciszek wilka, Abel owcę, Ewa murenę, Chrzciciel szarańczę, faraon ośmiornicę (naturalnie, powiedziałem sobie, ale właściwie dlaczego?), a Dawid zjadał kantarydę, rzucając się na dziewczę *nigra sed formosa**, gdy tymczasem Samson wbijał zęby w szynkę lwa, a Tekla uciekała, wrzeszcząc, bo gonił ją czarny i włochaty pająk.

---

* Czarne lecz kształtne (łac.).

Wszyscy byli teraz najwidoczniej podchmieleni i ten poślizgnął się na winie, ten wpadł do kotłów i sterczały mu stamtąd jeno dwie nogi skrzyżowane jak paliki. Jezus miał wszystkie palce czarne i podawał karty księgi, mówiąc: „Bierzcie i jedzcie, to są zagadki Symfozjusza, a wśród nich zagadka o rybie, która jest synem Boga i waszym zbawcą". I wszyscy pili, Jezus mirtynek, Jonasz rywułę, faraon sorrento (dlaczego?), Mojżesz petercyment, Izaak małmazyję, Aaron kanar, Zacheusz latykę, Tekla kocyfał, Jan klaret, Abel albana, Maria hipokras, Rachela floren.

Adam bulgotał, leżąc na wznak, i wino wypływało mu z żebra, Noe przeklinał przez sen Chama, Holofernes chrapał, niczego nie podejrzewając, Jonasz spał jak kamień, Piotr czuwał, aż kogut zapieje, a Jezus obudził się nagle, słysząc Bernarda Gui i Bertranda z Poggetto, którzy rozprawiali o spaleniu dzieweczki; i krzyknął: „Ojcze, jeśli to możliwe, oddal ode mnie ten kielich!" Ktoś niezręcznie nalewał do pucharów, ktoś dobrze pił, ktoś umierał, śmiejąc się, i ktoś śmiał się, umierając, ktoś taszczył flaszki i ktoś pił z nie swojego kielicha. Zuzanna krzyczała, że nie odda nigdy swojego pięknego białego ciała klucznikowi i Salwatorowi za nędzne serce wołu, Piłat krążył po refektarzu niby dusza na mękach, wołając o wodę do obmycia rąk, i brat Dulcyn, w kapeluszu z piórem, niósł mu ją, później rozchylał, chichocząc, suknie i ukazywał srom czerwony od krwi, gdy tymczasem Kain kpił z niego, obejmując piękną Małgorzatę z Trydentu; a Dulcyn wybuchał płaczem i szedł złożyć głowę na ramieniu Bernarda Gui, zwąc go anielskim papieżem, Hubertyn pocieszał go drzewem żywota, Michał z Ceseny sakiewką ze złotem, Marie namaszczały go wonnościami, Adam zaś przekonywał, że powinien zjeść dopiero co zerwane jabłko.

I wówczas otworzyły się sklepienia Gmachu i zstąpił z nieba Roger Bacon na latającej machinie, *homine regente* jeno. Potem Dawid zagrał na cytrze, Salome tańczyła w swoich siedmiu zasłonach i przy każdej opadającej zasłonie grała na jednej z siedmiu trąb i ukazywała jedną z siedmiu pieczęci, aż została jedynie *amicta sole*. Wszyscy mówili, że nigdy nie widzieli opactwa tak wesołego, i Berengar unosił każdemu suknię, mężczyznom i kobietom zarówno, całując w krocze. I zaczął się taniec, Jezus w stroju nauczyciela, Jan strażnika, Piotr gladiatora sieciarza, Nemrod myśliwego, Judasz donosiciela, Adam ogrodnika, Ewa tkaczki, Kain rozbójnika, Abel pasterza, Jakub kursora, Zachariasz kapłana, Dawid króla, Jubal harfisty, Jakub rybaka, Antioch kucharza, Rebeka nosiwody, Molesadon głupca, Marta sługi, Herod wściekłego błazna, Tobiasz medyka, Józef stolarza, Noe pijaka, Izaak wieśniaka, Hiob człeka smutnego, Daniel sędziego, Tamar nierządnicy, Maria pani domu, rozkazując sługom, by przynieśli więcej wina, bo jej niemądry syn nie chce przemienić wody. Wtedy to opat zaperzył się, ponieważ – powiedział – wyprawił taką piękną ucztę, a nikt mu nic nie dał; i wszyscy zaczęli na wyścigi składać mu dary i skarby, byka, owcę, lwa, wielbłąda, jelenia, cielca, mulicę, wóz słoneczny, podbródek świętego Eobana, ogon świętej Morimondy, *uterus** świętej Arundaliny, kark świętej Burgozyny wycyzelowany jak puchar, i kopię *Pentagonum Salomonis*. Ale opat zaczął krzyczeć, że w ten sposób starają się odwrócić jego uwagę, w rzeczywistości zaś pustoszą mu kryptę ze skarbu, a teraz wszyscy się tam znajdujemy, i że zabrano niezwykle cenną księgę, która mówiła o skorpionach i o siedmiu trąbach, i wezwał łuczników króla Francji, by przeszukali podejrzanych. I znaleziono ku wstydowi wszystkich chustę wielobarwną u Hagar, złotą pieczęć u Racheli, srebrne zwierciadło na łonie Tekli, syfon z napojem pod ręką Beniamina, jedwabną narzutę pod suknimi Judyty, włócznię w ręku Longina i żonę bliźniego w ramionach Abimelecha. Ale najgorsze nastąpiło, kiedy znaleziono czarnego koguta przy dziewczce, czarnej i pięknej niby kot tej samej barwy, i nazwano ją czarownicą i pseudoapostołem, i wszyscy rzucili się na nią, by ją ukarać. Chrzciciel ściął jej głowę, Abel poderżnął gardło, Adam wypędził, Nabuchodonozor ognistą ręką napisał jej na piersi znaki zodiakalne, Eliasz porwał do ognistego wozu, Noe zanurzył w wodzie, Lot zamienił w słup soli, Zuzanna oskarżyła o lubieżność, Józef zdradził z inną, Ananiasz wepchnął do pieca, Samson zakuł w łańcuchy, Paweł wychłostał, Piotr ukrzyżował głową w dół, Stefan ukamienował, Wawrzyniec spalił na ruszcie, Bartłomiej obłupił ze skóry, Judasz wydał, klucznik spalił, a Piotr wyparł się wszystkiego. Potem rzucili się na to ciało i ciskali w nie łajnem, puszczali wiatry na twarz, oddawali urynę na głowę, wymiotowali na łono, wyrywali włosy, bili po pośladkach rozżarzonymi łuczywami. Ciało dziewczęcia, niegdyś tak piękne i słodkie, teraz ulegało unicestwieniu, rozpadając się na kawałki, które trafiały do szkatułek i relikwiarzy z kryształu i złota, znajdujących się w krypcie. A właściwie to nie ciało dziewczęcia zapełniało kryptę, lecz fragmenty krypty, wirując, układały się w kształt ciała dziewczęcia, teraz rzeczy mineralnej, a później znowu się rozpraszały, święty pył kawałeczków nagromadzonych przez szaleńczą niegodziwość. Było teraz tak, jakby jedno jedyne ogromne ciało w ciągu tysiącleci rozpadło

---

* Łono (łac.).

się na części, a te ułożyły się, by wypełnić całą kryptę, bardziej jaśniejącą, ale nie różną od ossuarium zmarłych mnichów, i jakby forma substancjalna samego ludzkiego ciała, arcydzieło stworzenia, rozsypała się na kształty przypadkowe, mnogie i oddzielone, stając się w ten sposób obrazem własnego przeciwieństwa, kształtem już nie idealnym, ale ziemskim, z pyłu i cuchnących odłamków, zdolnych oznaczać jedynie śmierć i zniszczenie...

Nie widziałem już biesiadników ani darów, które złożyli; było tak, jakby wszyscy uczestnicy biesiady spoczywali w krypcie, zmumifikowani każdy we własnych szczątkach, każdy przejrzystą synekdochą samego siebie, Rachela jako kość, Daniel jako ząb, Samson jako szczęka, Jezus jako strzęp purpurowej sukni. Jakby na zakończenie biesiada przeobraziła się w rzeź dziewczęcia, ta zaś stała się rzezią powszechną, której wynik końcowy miałem przed oczyma: ciała (co rzekę? wszelkie ciało ziemskie i sublunarne tych współbiesiadników zgłodniałych i spragnionych) zmieniły się w jedyne ciało, martwe, rozszarpane i udręczone jak ciało Dulcyna po kaźni, przeobrażone w nieczysty i jaśniejący skarb, rozciągnięte całą swoją powierzchnią niby skóra zdarta ze zwierzęcia i rozwieszona, która jednak zachowała, skamieniałe wraz ze skórą, trzewia i wszystkie organy, a nawet rysy twarzy. Skóra wraz z każdą ze swoich zmarszczek, fałd, blizn, ze swoimi aksamitnymi powierzchniami, z lasem włosów, naskórkiem, z piersią i sromem, które stały się przepysznym adamaszkiem, i piersiami, paznokciami, zrogowaciałym naskórkiem pod piętą, włókienkami rzęs, wodnistą materią oczu, miąższem warg, delikatnym rdzeniem pacierzowym, architekturą kości, a wszystko sprowadzone do piaszczystej mączki, nie tracąc jednakowoż nic ze swojej postaci i wzajemnego położenia, nogi wyzbyte mięśni i wiotkie jak obuwie, ciało z nich zostało bowiem odłożone na bok niby ornat, wraz ze wszystkimi czerwonymi arabeskami żył, cyzelowanym stosem trzewi, intensywnym i śluzowatym rubinem serca, perłowym rzędem zębów, równych, ułożonych w naszyjnik, z językiem, tym różowym i błękitnym wisiorkiem, i palcami rozstawionymi niby świece, pieczęcią pępka, by spleść na nowo rozpleciony kobierzec brzucha... Ze wszystkich stron krypty śmiało się do mnie drwiąco, szeptało, zapraszało do śmierci to makrociało rozdzielone między szkatułki i relikwiarze, a jednak odtworzone w swojej rozległej i nieracjonalnej całości, i chodziło o to samo ciało, które podczas wieczerzy jadło i wykonywało sprośne susy i które teraz jawiło mi się jako zastygłe w nietykalności swojej ruiny głuchej i ślepej. I Hubertyn, chwytając mnie za ramię, aż jego paznokcie zagłębiły mi się w mię śnie, szeptał: „Widzisz, to ta sama rzecz, ta, co przedtem triumfowała w swoim szaleństwie i znajdowała upodobanie w zabawie, a teraz jest tutaj, ukarana i nagrodzona, wyzwolona od pokus namiętności, zesztywniała na wieczność, przeznaczona na ścięcie lodem, by zachowała się i oczyściła, wyzwolona od gnicia poprzez triumf gnicia, gdyż nic nie zdoła obrócić w pył tego, co jest już pyłem i substancją mineralną, *mors est quies viatoris, finis est omnis laboris...*"

Ale nagle wpadł do krypty Salwator, miotając płomienie niby diablę, i krzyknął: „Głupcze! Nie widzisz, że to Behemot, wielka, dzika bestia z Księgi Hioba! Czegóż to się boisz, paniczu mój? Tu masz syr w zasmażce!" I nagle krypta rozświetliła się czerwonawymi błyskami i znowu była kuchnią, lecz jeszcze bardziej niż kuchnią – wnętrzem wielkiego brzucha, śluzowatego i lepkiego, a pośrodku bestia czarna jak kruk z tysiącem dłoni, przykuta do wielkiego rusztu, wyciągała członki, by złapać wszystkich, którzy znaleźli się w pobliżu, i jak wieśniak, kiedy jest spragniony, wyciska grono winne, tak owa bestia ściskała, kogo złapała, aż miażdżyła ich wszystkich w swych łapach, temu nogi, temu głowę, czyniąc z nich następnie wielkie żarcie, czkając ogniem bardziej, zda się, cuchnącym niźli siarka. Ale, cóż za dziw, ta scena nie wzbudzała już we mnie przerażenia i spostrzegłem, że patrzę poufale na tego „dobrego diabła" (tak myślałem), który właściwie okazał się Salwatorem, oto bowiem o śmiertelnym ciele człowieczym, o jego cierpieniach i gniciu wiedziałem wszystko i niczego się już nie lękałem. Rzeczywiście, w tym świetle od płomieni, które teraz zdawało się miłe i biesiadne, ujrzałem wszystkich gości z wieczerzy, przywróconych do swoich postaci, śpiewających, że od nowa wszystko się zaczyna, a wśród nich była dzieweczka, cała i przepiękna, i mówiła mi: „Nic to, nic to, zobaczysz, że później wrócę jeszcze piękniejsza niż przedtem, niech minie tylko moment spłonięcia na stosie, a zobaczymy się tutaj!" I wskazała, oby Bóg mi wybaczył, swój srom, a ja wszedłem i znalazłem się w przepięknej jaskini, wyglądającej niby rozkoszna dolina ze złotego wieku, zroszona wodą i pełna owoców, drzew, na których rosły syry w zasmażce. I wszyscy ruszyli dziękować opatowi za piękny festyn, i okazywali mu serdeczność i dobry nastrój, popychając go, kopiąc, zrywając z niego suknie, przewracając na ziemię, uderzając członkami o jego członek, a on śmiał się i prosił, by go już nie łaskotać. I okrakiem, na koniach wyrzucających z nozdrzy chmury siarki, wtargnęli bracia ubogiego żywota, z wypełnionymi złotem sakiewkami przy pasach, by przerabiać wilki na jagnięta i jagnięta na wilki i koronować na cesarzy za zgodą zgromadzenia ludu, śpiewającego nie-

skończoną Bożą wszechmoc. *Ut cachinnis dissolvatur, torqueatur rictibus!** – krzyczał Jezus, wymachując koroną cierniową. Wszedł papież Jan, złorzecząc na cały ten bałagan ˙ mówiąc: „Tylko tak dalej, a nie wiem, czym to się skończy!" Ale wszyscy go wyśmiali i z opatem na czele wyszli ze świniami szukać w lesie trufli. Miałem pójść za nimi, kiedy zobaczyłem w kącie Wilhelma wychodzącego z labiryntu i trzymającego w ręku magnes, który wlókł go szybko ku północy. „Nie opuszczaj mnie, mistrzu! – krzyknąłem. – Ja też chcę zobaczyć, co jest w *finis Aricae!"*
„Widziałeś już!" – odpowiedział Wilhelm z oddali. I obudziłem się, kiedy w kościele rozległy się ostatnie słowa żałobnego śpiewu.

Lacrimosa dies illa
qua resurget ex favilla
iudicanto homo reus:
huic ergo parce deus!
Pie Jesu domine
*dona eis requiem**.*

Znak, że moja wizja trwała, błyskawiczna jak wszystkie wizje, tyle co jedno „amen", trochę krócej niż *Dies irae.*

----

* Niech się śmieją aż do rozpuku (łac.).
* Dzień to łez godzien,
  w którym powstaje z popiołu
  człowiek uznany za winnego:
  bądź dla niego litościwy, Boże!
  Błogosławiony Panie Jezu,
  daj mu odpoczywanie (łac.).

Dzień szósty

Po tercji

Kiedy to Wilhelm objaśnia Adsowi jego sen

Wyszedłem, odurzony, przez główny portal i znalazłem się w obliczu małego zbiegowiska. Byli tam franciszkanie, którzy wyruszali w drogę, i Wilhelm, który zszedł, by ich pożegnać. Dołączyłem do pożegnania, do braterskich uścisków. Potem spytałem Wilhelma, kiedy odjadą tamci z więźniami. Powiedział, że wyruszyli pół godziny temu, kiedy przebywaliśmy w skarbcu; może – pomyślałem – kiedy ja już śniłem.

Przez chwilę byłem zbity z tropu, potem wziąłem się w garść. Nie potrafiłbym znieść widoku trojga skazańców (mam na myśli biednego nędzarza klucznika, Salwatora... i z pewnością też dzieweczkę), wleczonych w dal na zawsze. A zresztą byłem jeszcze tak wzburzony snem, że nawet moje uczucia jakby ściął chłód.

Kiedy karawana minorytów kierowała się ku bramie, Wilhelm i ja staliśmy przed kościołem, obaj zasmuceni, choć z różnych powodów. Potem postanowiłem opowiedzieć sen mojemu mistrzowi. Aczkolwiek wizja była wielokształtna i nielogiczna, przypomniałem ją sobie z zadziwiającą jasnością obraz po obrazie, gest po geście, słowo po słowie. I tak też ją opowiedziałem, nie pomijając niczego, gdyż wiedziałem, że sny są często tajemniczymi posłaniami, w których osoby uczone mogą wyczytać jasne proroctwa.

Wilhelm wysłuchał mnie w milczeniu, a potem zapytał:

– Czy wiesz, co śniłeś?

– To, co ci powiedziałem – odparłem, zbity z pantałyku.

– Z pewnością to pojąłem. Czy wiesz jednak, że to, co mi opowiedziałeś, jest już w większości zapisane? Osoby i wydarzenia ostatnich dni umieściłeś w ramach, które znałeś już przedtem, gdyż wątek snu już gdzieś czytałeś albo ci go opowiadano, kiedy byłeś mały, w szkole, w klasztorze. To *Coena Cypriani*.

Przez chwilę nie wiedziałem, o co mu chodzi. Potem przypomniałem sobie. Prawda! Wyleciał mi z głowy tytuł, ale któryż dorosły mnich i któryż rozbrykany mniszek nie śmiał się z rozmaitych obrazów, prozą i rymowanych, tej historii, należącej do tradycji rytuału wielkanocnego i *ioca monachorum**? Choć jest zabroniona lub potę-

---

* Żartów mnichów (łac.).

piana przez surowszych spośród mistrzów, nie ma klasztoru, w którym mnisi nie szeptaliby jej sobie na ucho, rozmaicie ujętej i uporządkowanej, i niejedni pobożnie ją przepisywali, twierdząc, że pod ucieszną maską skrywa tajemne nauki moralne; inni zaś zachęcali do jej rozpowszechniania, gdyż – powiadali – poprzez zabawę młodzież może łatwiej nauczyć się na pamięć epizodów świętej historii. Wersję wierszem napisano dla papieża Jana VIII z dedykacją: *Ludere me libuit, ludentem, papa Johannes, accipe. Ridere, si placet, ipse potes**. I opowiadano, że sam Karol Łysy wystawił ją na scenie w kształcie ucieszonego misterium, w wersji rymowanej, by zabawić przy wieczerzy swych dostojników;

> *Ridens cadit Gaudericus*
> *Zacharias admiratur,*
> *supinus in lectulum*
> *docet Anastasius...**

I ileż razy miałem burę od mistrzów, kiedy wraz z kolegami recytowałem jej ustępy. Przypominam sobie pewnego starego mnicha z Melku, który powiadał, że człek tak cnotliwy jak Cyprian nie mógł napisać rzeczy tak nieprzystojnej, takiej bluźnierczej parodii Pisma, godnej raczej niewiernego i błazna niż świętego męczennika... Lata temu zapomniałem o tych dziecięcych zabawach. Jak to się stało, że tego dnia *Coena* tak wyraźnie pojawiła się w moim śnie? Zawsze myślałem, że sny są wieściami od Boga, a w najgorszym wypadku niedorzecznym bełkotaniem uśpionej pamięci o rzeczach, które przydarzyły się w ciągu dnia. Spostrzegłem teraz, że można śnić także o księgach, można więc śnić o snach.

– Chciałbym być Artemidorem, by objaśnić właściwie twój sen – rzekł Wilhelm. – Ale wydaje się, że również bez mądrości Artemidora łatwo można pojąć, co się wydarzyło. Przeżyłeś w tych dniach, mój biedny chłopcze, serię wydarzeń, które zdają się nie podlegać żadnej regule. I dzisiejszego ranka wyłoniło się w twoim uśpionym umyśle wspomnienie pewnego rodzaju komedii, w której, choć może

---

* Pragnę się bawić, bawiącego się przyjmij, papieżu Janie. Jeśli ci się spodoba, sam możesz to czynić (łac.).
* Śmiejąc się, upada Gauderyk,
Zachariach jest pełen zachwytu,
leżąc rozciągnięty na łożu
naucza Anastazjusz... (łac.).

z innymi zamiarami, świat stanął na głowie. Wmieszałeś w to niedawne wspomnienia, trwogi, lęki. Wyszedłeś od marginaliów Adelmusa, by przeżyć wielki karnawał, w którym wszystko zdaje się odbywać na opak, a jednak, podobnie jak w *Coena*, każdy robi to, co naprawdę robił w życiu. A na koniec zadałeś sobie we śnie pytanie, który świat jest błędny i co oznacza poruszać się z głową do dołu. Twój sen nie wiedział już, gdzie jest góra, a gdzie dół, gdzie śmierć, a gdzie życie. Twój sen zwątpił w nauki, które otrzymałeś.

– Nie ja – rzekłem cnotliwie – tylko mój sen. Ale w takim razie sny nie są Boskimi posłaniami, lecz diabelskim głędzeniem, i nie kryją żadnej prawdy!

– Nie wiem, Adso – odparł Wilhelm. – Tyle prawd mamy w rękach, że jeśli pewnego dnia pojawi się nadto ktoś, kto zechce wydobyć prawdę z naszych snów, wtenczas naprawdę bliskie będą czasy Antychrysta. A jednak im dłużej myślę o twoim śnie, tym bardziej mnie oświeca. Może ciebie nie, ale mnie owszem. Wybacz, że zabieram ci sny, by rozwinąć moje hipotezy, wiem, to rzecz niegodziwa, nie powinno się tego czynić... Ale zdaje mi się, że twoja uśpiona dusza pojęła więcej rzeczy, niż pojąłem ja w ciągu sześciu dni, i to na jawie...

– Naprawdę?

– Naprawdę. Albo może nie. Uważam, że twój sen daje oświecenie, gdyż zgadza się z jedną z moich hipotez. Ale udzieliłeś mi wielkiego wsparcia. Dziękuję.

– Lecz cóż w moim śnie tak cię zaciekawiło? Był bez sensu, jak wszystkie sny!

– Miał inny sens, jak wszystkie sny i wizje. Trzeba tylko odczytywać go alegorycznie albo anagogicznie...

– Jak Pismo?!

– Sen jest pismem i wiele pism jest tylko snami.

Dzień szósty

Seksta

Kiedy to odtwarza się historię bibliotekarzy i zyskuje
kilka dodatkowych wiadomości o tajemniczej księdze

Wilhelm chciał wrócić do skryptorium, z którego ledwie co wyszedł. Poprosił Bencjusza o pozwolenie zajrzenia do katalogu, po
czym przerzucił go szybko.

– Musi być gdzieś tutaj – mówił. – Widziałem ją godzinę temu...
– Zatrzymał się na jednej ze stronic. – Masz, czytaj ten tytuł.

Pod jednym odniesieniem (*finis Africae!*) była seria czterech tytułów, znak, że chodzi o tom zawierający więcej tekstów. Przeczytałem:

I. ar. de dictis cuiusdam stulti
II. syr. libellus alchemicus aegypt.
III. Expositio Magistri Alcofribae de cena beati Cypriani Carta-
ginensis Episcopi
IV. Liber acephalus de stupris virginum et meretricum amoribus

– O co chodzi? – spytałem.

– To nasza księga – szepnął mi Wilhelm. – Oto czemu twój sen
coś mi podsunął. Teraz jestem pewny, że o nią chodzi. I rzeczywiście... – Przerzucał szybko stronice bezpośrednio poprzedzające ową
i po niej następujące. – Oto księgi, o których myślałem, wszystkie
razem. Lecz nie to chciałem sprawdzić. Posłuchaj. Czy masz swoją
tabliczkę? Dobrze, musimy dokonać obliczenia i staraj się sobie przypomnieć, co powiedział nam Alinard tamtego dnia, bądź to, co słyszeliśmy rano od Mikołaja. Mikołaj rzekł, że przybył tutaj mniej więcej
trzydzieści lat temu i Abbon był już mianowany opatem. Przedtem
był opatem Paweł z Rimini. Czy tak? Dajmy na to, że zdarzyło się to
około roku tysiąc dwieście dziewięćdziesiątego, rok mniej, rok więcej nie ma znaczenia. Potem Mikołaj rzekł, że kiedy przybył, Robert
z Bobbio był już bibliotekarzem. Czym nie zbłądził? Umarł potem
i stanowisko oddano Malachiaszowi, powiedzmy na początku naszego wieku. Pisz. Jest jednakowoż okres poprzedzający przybycie Mikołaja, kiedy bibliotekarzem jest Paweł z Rimini. Od kiedy nim był?
Tego nam nie wyjawiono, moglibyśmy przejrzeć rejestry opactwa,
ale mniemam, że są u opata, a w tym momencie wolałbym go o tę
rzecz nie prosić. Postawmy hipotezę, że Paweł był wybrany na bi-

bliotekarza sześćdziesiąt lat emu, pisz. Czemu Alinard boleje nad tym, że około pięćdziesięciu lat temu jemu powinno przypaść stanowisko bibliotekarza, a zostało oddane innemu? Czy miał na myśli Pawła z Rimini?

— Albo Roberta z Bobbio — rzekłem.

— Może być. Ale teraz spójrz na katalog. Wiesz, że tytuły opisywane są, powiedział nam o tym Malachiasz pierwszego dnia, w porządku napływania. A kto wpisuje je do rejestru? Bibliotekarz. Tak więc podług zmiany pisma na tych stronicach będziemy mogli ustalić następstwo bibliotekarzy, przejrzymy teraz katalog od tyłu, ostatnia kaligrafia to pismo Malachiasza, najwyraźniej gotyk, sam widzisz. Wypełnia niewiele stronic. Opactwo nie nabyło zbyt wielu ksiąg w ciągu ostatnich trzydziestu lat. Potem zaczyna się szereg stronic zapisanych pismem drżącym, łatwo rozpoznać znaki Roberta z Bobbio, chorego wszak. Również tutaj jest niewiele stronic, Robert pewnie niedługo pełnił swoje obowiązki. A oto co mamy teraz: całe stronice innej kaligrafii, prostej i pewnej, cała seria nabytków (a wśród nich grupa ksiąg, które przeglądałem niedawno), doprawdy imponująca. Ileż musiał pracować Paweł z Rimini! Zbyt dużo, jeśli zważysz na to, że, jak rzekł Mikołaj, Paweł został opatem w młodziutkim wieku. Przyjmijmy jednak, że ten żarłoczny czytelnik wzbogacił w ciągu niewielu lat opactwo o tyle ksiąg... Czyż nie powiedziano nam, że nazywano go Abbas Agraphicus z powodu tej dziwnej ułomności lub choroby, która nie pozwalała mu pisać? Kto więc pisał tutaj? Powiedziałbym, że jego pomocnik biblioteczny. Ale jeśliby ów pomocnik biblioteczny został później mianowany bibliotekarzem, pisałby nadal i zrozumielibyśmy, czemu tyle stronic zapisanych jest tą samą kaligrafią. Mielibyśmy więc między Pawłem a Robertem innego bibliotekarza, wybranego jakieś pięćdziesiąt lat temu, owego tajemniczego rywala Alinarda, który spodziewał się, z racji starszeństwa, nastąpić po Pawle. Potem tamten znika i w jakiś sposób, wbrew oczekiwaniom Alinarda i innych, na jego miejsce wybiera się Malachiasza.

— Ale skąd masz pewność, że to wyliczenie jest dobre? Nawet przyjmując, że ta kaligrafia wyszła spod ręki bibliotekarza bez imienia, czemu nie miałyby być dziełem Pawła stronice jeszcze wcześniejsze?

— Ponieważ śród tych nabytków są rejestrowane wszystkie bulle i decretalia, które są wszak opatrzone dokładną datą. Mam na myśli to, że jeśli znajdziesz tu, jak przecież znajdujesz, *Firma cautela* Bonifacego VII z roku tysiąc dwieście dziewięćdziesiątego szóstego, wiesz, że ten tekst nie wpłynął przed tym właśnie rokiem, i możesz się domyślać, że wpłynął niedługo po tej dacie. W ten sposób mamy jakby kamienie milowe rozstawione w toku lat i dzięki nim, jeśli przyjmę, że Paweł z Rimini został bibliotekarzem w roku tysiąc dwieście sześćdziesiątym piątym, a opatem w siedemdziesiątym piątym, i widzę następnie, iż jego kaligrafia lub kaligrafia kogoś innego, kto nie był Robertem z Bobbio, rozciąga się od roku tysiąc dwieście sześćdziesiątego piątego do osiemdziesiątego piątego, odkrywam różnicę dziesięciu lat.

Mój mistrz był naprawdę nader przenikliwy.

– Ale jakie wnioski wyciągasz z tego odkrycia? – spytałem wtenczas.

– Żadnych – odrzekł. – Jedynie przesłanki.

Potem podniósł się i poszedł pomówić z Bencjuszem. Ten trwał dzielnie na swoim miejscu, lecz z niezbyt pewną miną. Siedział nadal przy swoim starym stole i nie palił się zgoła do objęcia stołu Malachiasza przy katalogu. Wilhelm zagadał doń dosyć chłodno. Nie zapomnieliśmy nieprzyjemnej sceny z poprzedniego wieczoru.

– Panie bibliotekarzu, chociaż stałeś się tak możny, mam nadzieję, że zechcesz powiedzieć mi jedną rzecz. Czy owego ranka, kiedy Adelmus i inni dyskutowali nad przemyślnymi zagadkami, a Berengar po raz pierwszy wspomniał o *finis Africae*, ktoś wymienił *Coena Cypriani*?

– Tak – odparł Bencjusz. – Czyż nie powiedziałem ci tego? Zanim zaczęło się rozprawiać o zagadkach Symfoniusza, właśnie Wenancjusz napomknął o *Coena* i Malachiasz rozgniewał się, mówiąc, że jest to dzieło haniebne, i przypominając, że opat wszystkim zakazał jego czytania...

– Ach, opat? – rzekł Wilhelm. – Nader ciekawe. Dziękuję ci, Bencjuszu.

– Poczekaj – rzekł Bencjusz – chcę z tobą pomówić.

Dał znak, byśmy wyszli z nim ze skryptorium na prowadzące do kuchni schody, gdzie inni nas nie usłyszą. Wargi mu drżały.

– Boję się, Wilhelmie – oznajmił. – Zabili także Malachiasza. Teraz ja wiem za dużo. A nadto zazdrości mi grupa Italczyków... Nie chcą już bibliotekarza cudzoziemca... Myślę, że inni zostali usunięci właśnie z tego powodu... Nigdy nie mówiłem ci o nienawiści Alinarda do Malachiasza, o jego urazach...

– Kim jest ten, który zajął przed laty jego miejsce?

– Tego nie wiem, zawsze gada o tym niejasno, a zresztą to stara historia. Pewnie wszyscy już nie żyją. Ale grupa Italczyków wokół

Alinarda gada często... gadała często o Malachiaszu jako o pajacu podstawionym tutaj za kogoś innego za zgodą opata... Ja, nie zdając sobie z tego sprawy... wtrąciłem się do sprzecznej gry dwóch frakcji... Pojąłem to dopiero rano... Italia jest ziemią spisków, trują tu papieży, przedstawmy sobie w tym wszystkim biedne pacholę jak ja... Wczoraj nie rozumiałem tego, myślałem, że wszystko ma związek z księgą, ale teraz nie jestem już tego pewny, był to bowiem jeno pretekst; sam widziałeś, księgę odnaleziono, lecz Malachiasz i tak umarł... Muszę... chcę... chciałbym uciec. Co mi radzisz?

– Zachować spokój. Teraz prosisz o dobrą radę, czyż nie tak? Ale wczoraj wieczorem miałeś minę, jakbyś był panem całego świata. Głupcze, gdybyś pomógł mi wczoraj, przeszkodzilibyśmy tej ostatniej zbrodni. To ty dałeś Malachiaszowi księgę, która sprowadziła nań śmierć. Lecz powiedz mi przynajmniej jedno. Miałeś tę księgę w rękach, dotykałeś jej, ale czy czytałeś? I czemu zatem żyjesz?

– Nie wiem. Przysięgam, że nie dotykałem jej, albo raczej dotknąłem, by wziąć z pracowni, nie otwierając przecież, ukryłem ją pod suknią i poszedłem do celi, by wsunąć pod siennik. Wiedziałem, że Malachiasz daje na mnie baczenie, i natychmiast wróciłem do skryptorium. A później, kiedy Malachiasz zaproponował mi, bym został jego pomocnikiem, zaprowadziłem go do mojej celi i oddałem księgę. To wszystko.

– Nie mów, żeś nawet jej nie otworzył.

– Tak, otworzyłem przed ukryciem, by upewnić się, czy to naprawdę ta, której szukałeś. Zaczynała się manuskryptem arabskim, potem, jak mi się zdaje, był syryjski, potem tekst łaciński i wreszcie grecki...

Przypomniałem sobie skrót, który widzieliśmy w katalogu. Dwa pierwsze tytuły były wskazane jako *ar.* i *syr.* To ta księga! Lecz Wilhelm ciągnął:

– Tak więc dotknąłeś jej i nie umarłeś. A więc nie umiera się od dotykania. A co możesz powiedzieć o tekście greckim? Rzuciłeś na niego okiem?

– Odrobinę, tyle by zobaczyć, że jest bez tytułu; zaczynał się tak, jakby brakowało części...

– *Liber acephalus...* – mruknął Wilhelm.

– ...spróbowałem czytać pierwszą stronę, ale, prawdę mówiąc, znam grekę bardzo źle, potrzeba by mi było więcej czasu. Wreszcie zaciekawiła mnie inna osobliwość, właśnie w związku z kartami po grecku. Nie przerzuciłem ich, bo nie zdołałem. Karty były... jak by to powiedzieć... nasiąknięte wilgocią, z trudem odlepiały się od siebie.

A to ponieważ pergamin był dziwny... miększy od innych pergaminów; to zaś, w jaki sposób pierwsza stronica była strawiona i fałdowała się prawie, wydawało się... jednym słowem, dziwne.

– Dziwne; tegoż wyrażenia użył Seweryn – rzekł Wilhelm.

– Pergamin jakby nie był pergaminem... Zdawał się tkaniną, ale cienką... – ciągnął Bencjusz.

– *Charta lintea* albo *pergamenum de pano** – rzekł Wilhelm. – Nigdy takiego nie widziałeś?

– Słyszałem o nim, ale chyba nie widziałem. Mówi się, że jest bardzo drogi i kruchy. Dlatego używa się go mało. Wyrabiają go Arabowie, czy tak?

– Byli pierwsi. Ale wyrabiają go także tutaj, w Italii, w Fabriano. I jeszcze... Ależ z pewnością, jasne, to pewne! – Wilhelmowi zaiskrzyły się oczy. – To piękne i interesujące odkrycie, brawo, Bencjuszu, dziękuję ci! Tak, wyobrażam sobie, że w tej bibliotece *charta lintea* jest rzadkością, gdyż nie przychodziły tu manuskrypty z ostatnich czasów. A zresztą wielu lęka się, że nie przetrwa wieków jak pergamin, i być może słusznie. Można mniemać, że tutaj chcą czegoś, co byłoby trwalsze od spiżu... Pergamin *de pano* zatem! Żegnaj. I bądź spokojny. Tobie nie grozi niebezpieczeństwo.

– Naprawdę, Wilhelmie, ręczysz za to?

– Ręczę. Jeśli będziesz się trzymał swojego miejsca. Już za dużo szkód narobiłeś.

Oddaliliśmy się ze skryptorium, pozostawiając Bencjusza jeśli nie w dobrym nastroju zgoła, to przynajmniej spokojniejszego.

– Głupiec! – rzekł Wilhelm przez zęby, kiedy wychodziliśmy. – Mogliśmy już rozwikłać wszystko, gdyby nie stanął nam na drodze...

Opata zastaliśmy w refektarzu. Wilhelm podszedł i poprosił o rozmowę. Abbon nie mógł się uchylić i wyznaczył nam spotkanie rychło w swoim domu.

---

* Karta z lnu lub pergamin z płótna (łac.).

Dzień szósty

Nona

*Kiedy to opat nie chce wysłuchać Wilhelma, mówi o języku
klejnotów i przejawia pragnienie, by zaprzestano śledztwa
w sprawie smutnych wydarzeń*

Mieszkanie opata było nad salą kapitulną i z okna komnaty obszernej i okazałej, w której nas przyjął, widziało się w ten dzień pogodny i wietrzny, ponad dachem opackiego kościoła, kształt Gmachu.

Opat, stojąc przed oknem, właśnie ten widok podziwiał i wskazał go uroczystym gestem.

– Cudowna twierdza – rzekł – która skrywa w swoich proporcjach ową złotą regułę rządzącą budową arki. Wzniesiona na trzech poziomach, ponieważ trzy to cyfra Trójcy i trzech było aniołów, którzy odwiedzili Abrama, tyleż dni Jonasz spędził w brzuchu wielkiej ryby, trzy również Jezus i Łazarz spędzili w grobowcu; tyle razy Chrystus prosił Ojca, by oddalił od niego kielich goryczy, tyleż spędził w odosobnieniu z apostołami na modlitwie. Trzy razy zaparł się Go Piotr i trzykroć objawił się swoim po zmartwychwstaniu. Trzy są cnoty teologiczne, trzy święte języki, trzy części duszy, trzy rodzaje stworzeń myślących, aniołowie, ludzie i demony, trzy rodzaje dźwięku, *vox, flatus, pulsus**, trzy epoki dziejów ludzkich, przed Prawem, w czasie Prawa i po Prawie.

– Cudowne zestrojenie mistycznych zgodności – przyznał Wilhelm.

– Ale również kształt kwadratowy – ciągnął opat – bogaty jest w pouczenia duchowe. Cztery są punkty kardynalne, pory roku, żywioły, to jest ciepło, zimno, wilgoć i suchość, dalej narodziny, wzrastanie, dojrzałość i starość, dalej niebieskie, ziemskie, powietrzne i wodne gatunki zwierząt, konstytutywne barwy tęczy i liczba lat, jakiej trzeba, by nastąpił rok przestępny.

– O, z pewnością – rzekł Wilhelm – trzy zaś i cztery daje siedem, liczbę wyjątkowo mistyczną, a trzy pomnożone przez cztery daje dwanaście, jak liczba apostołów, dwanaście przez dwanaście daje sto czterdzieści cztery, to jest liczbę wybranych. – I po tej ostatniej demonstracji mistycznej wiedzy o naduranicznym świecie liczb opat

---

* Głos, oddech, puls (łac.).

442

nie miał nic więcej do dodania. Wskutek tego Wilhelm zyskał sposobność nawiązania do tematu.

– Winniśmy pomówić o ostatnich wydarzeniach, nad którymi długo rozmyślałem – oznajmił.

Opat odwrócił się plecami do okna, a twarzą do Wilhelma, ale z miną surową.

– Może zbyt długo. Wyznaję, bracie Wilhelmie, że czegoś więcej po tobie oczekiwałem. Odkąd przybyłeś tutaj, minęło prawie sześć dni, czterech mnichów straciło życie, nie licząc Adelmusa, dwaj zostali zatrzymani przez inkwizycję; z pewnością było to sprawiedliwe, lecz moglibyśmy uniknąć tego wstydu, gdyby inkwizytor nie musiał zająć się poprzednimi zbrodniami; a wreszcie spotkanie, w którym byłem mediatorem, przyniosło smutne wyniki, i to właśnie z powodu wszystkich tych zbrodni... Zgodzisz się, że mogłem oczekiwać innego rozwiązania, gdym prosił cię, byś prowadził śledztwo w sprawie śmierci Adelmusa...

Wilhelm milczał zakłopotany. Opat miał rację, to pewna. Na początku tej opowieści rzekłem, że mój mistrz lubił wprawiać innych w podziw rychliwością swoich dedukcji, i było rzeczą zrozumiałą, że jego duma została zraniona, kiedy oskarżało się go, choćby i niesprawiedliwie, o powolność.

– To prawda – zgodził się. – Nie spełniłem twoich oczekiwań, ojcze wielebny, leoz objaśnię dlaczego. Te przestępstwa nie wzięły się z waśni lub z jakiegoś pragnienia odwetu pośród mnichów, ale wiążą się z faktami, które z kolei mają źródło w dawnej historii opactwa...

Opat spojrzał nań z niepokojem.

– Co masz na myśli? Pojmuję także ja, że kluczem nie jest nieszczęsna historia Remigiusza, która jeno skrzyżowała się z tamtą. Ale owa, owa historia, którą ja znam, choć nie mogę o niej mówić... miałem nadzieję, że wyjaśni się i że powiesz mi o niej ty...

– Ojcze wielebny, masz na myśli rzecz jaką, o której dowiedziałeś się pod tajemnicą spowiedzi... – Opat odwrócił głowę, a Wilhelm ciągnął: – Jeśli jego magnificencja chcesz wiedzieć, czy ja wiem, nie wiedząc tego od jego magnificencji, azaliż były niestosowne stosunki między Berengarem a Adelmusem i między Berengarem a Malachiaszem, to wiedzą o tym w opactwie wszyscy...

Opat zaczerwienił się gwałtownie.

– Nie mniemam, iżby było pożyteczne mówić o podobnych sprawach w przytomności tego nowicjusza. I nie mniemam, byś po wyjeździe legacji potrzebował go dłużej jako pisarza. Wyjdź, chłopcze – powiedział tonem rozkazującym.

Wyszedłem upokorzony. Ale ciekawość kazała mi zaczaić się za drzwiami, które pozostawiłem niedomknięte, by śledzić dalszy ciąg dialogu.

Wilhelm podjął:

– Tak zatem te nieprzystojne związki, jeśli nawet do nich doszło, niewiele miały wspólnego z owymi bolesnymi wydarzeniami. Klucz jest inny i myślałem, żeś domyślał się jaki. Wszystko obracało się wokół kradzieży i posiadania pewnej księgi, która ukryta była w *finis Africae* i która wróciła teraz na miejsce za przyczyną Malachiasza, choć, jakeś widział, nie przerwało to serii zbrodni.

Zapadło długie milczenie, potem opat podjął głosem urywanym i niepewnym, jak ktoś zaskoczony nieoczekiwanymi wieściami.

– Nie jest możliwe... Ty... Jak ty dowiedziałeś się o *finis Africae*? Pogwałciłeś mój zakaz i wszedłeś do biblioteki.

Wilhelm powinien był wyznać prawdę i opat zagniewałby się ponad wszelką miarę. Najwidoczniej jednak nie chciał skłamać. Postanowił na pytanie odpowiedzieć pytaniem.

– Czy nie powiedziałeś mi, magnificencjo, podczas naszego pierwszego spotkania, że człek taki jak ja, który tak dobrze opisał Brunellusa, choć nigdy go nie widział, nie będzie miał trudności z rozumowaniem o miejscach dlań niedostępnych?

– Więc to tak – rzekł opat. – Ale czemu myślisz to, co myślisz?

– Długo by o tym gadać. Ale serii zbrodni dokonano po to, by przeszkodzić wielu w odkryciu czegoś, co miało pozostać zakryte. Teraz wszyscy, którzy wiedzieli coś o tajemnicach biblioteki, z prawa albo i bezprawnie, nie żyją. Pozostaje jedna tylko osoba – ty.

– Chcesz rzec... chcesz rzec mi... – Opat mówił jak ktoś, komu nabrzmiały żyły na szyi.

– Zrozum mnie dobrze – ciągnął Wilhelm, który pewnie to właśnie próbował rzec. – Twierdzę, że jest ktoś, kto wie i nie chce, by dowiedzieli się inni. Ty jesteś ostatnim z tych, co wiedzieli, możesz być więc najbliższą ofiarą. Chyba że powiesz mi, co wiesz o tej księdze zakazanej, a nade wszystko, kto w opactwie mógłby wiedzieć to, co wiesz ty, a może więcej, o bibliotece.

– Chłodno tu – rzekł opat. – Wyjdźmy.

Oddaliłem się czym prędzej od drzwi i czekałem na nich u szczytu schodów prowadzących w dół. Opat zobaczył mnie i uśmiechnął się.

– Ileż niepokojących rzeczy musiał usłyszeć ten mniszek w ostatnich dniach! No, chłopcze, nie przejmuj się zanadto. Zda mi się, że umyśliliśmy tu sobie więcej wątków, niźli jest naprawdę...

Uniósł dłoń i pozwolił, by światło dnia padło na wspaniały pierścień, który nosił na palcu serdecznym na znak swojej władzy. Pierścień zalśnił całym blaskiem kamieni.

– Poznajesz go? – spytał. – To symbol mojej władzy, ale też brzemienia, które dźwigam. Nie jest ozdobą, lecz wspaniałym streszczeniem Boskiego słowa, którego jestem powiernikiem. – Dotknął palcem kamienia, albo raczej triumfu rozmaitych kamieni, które złożyły się na to cudowne dzieło sztuki ludzkiej i natury. – Oto ametyst – oznajmił – który jest zwierciadłem pokory i przypomina nam prostotę i słodycz świętego Mateusza; oto chalcedon, uczy miłości bliźniego, to symbol pobożności Józefa i świętego Jakuba Większego; oto jaspis, który wyraża wiarę, łączony ze świętym Piotrem; sardonyks, znak męczeństwa, przypomina nam świętego Bartłomieja; oto szafir, nadzieja i kontemplacja, kamień świętego Andrzeja i świętego Pawła; beryl, zdrowa doktryna, nauka i pobłażliwość, cnoty właściwe świętemu Tomaszowi... Jakże wspaniały jest język klejnotów – ciągnął pochłonięty swoją mistyczną wizją – który szlifierze kamieni, znani nam z tradycji, przełożyli z *Racjonału* Aarona i z opisu niebiańskiego Jeruzalem w księdze apostoła. Z drugiej strony mury Syjonu były wysadzone tymi samymi klejnotami, które zdobiły pektorał brata Mojżeszowego, poza karbunkułem, agatem i onyksem; cytowane w Exodusie, zostały zastąpione w Apokalipsie przez chalcedon, sardonyks, chryzopraz i hiacynt.

Wilhelm chciał otworzyć usta, ale opat uciszył go, unosząc rękę, i ciągnął swój wykład:

– Przypominam sobie księgę z litaniami, w której każdy kamień był opisany i dopasowany ku czci Dziewicy. Mówiło się tam o jej pierścieniu zaręczynowym jako o symbolicznym poemacie jaśniejącym wyższymi prawdami, przejawionymi w lapidarnym języku zdobiących go kamieni. Jaspis to wiara, chalcedon miłość bliźniego, szmaragd czystość, sardonyks pokój życia dziewiczego, rubin serce krwawiące na Kalwarii, dalej chryzolit, którego wielokształtny błysk przypomina rozmaitość cudów Maryi, hiacynt miłość bliźniego, ametyst, ze swoją mieszaniną czerwieni i błękitu, miłość do Boga... Ale na obrzeżu były jeszcze inne substancje, nie mniej wymowne, jak kryształ, który odtwarza czystość duszy i ciała, liguryt, który przypomina bursztyn, symbol umiaru, i kamień magnetyczny, który przyciąga żelazo, tak jak Dziewica smyczkiem swojej dobroci porusza strunami skruszonych serc. Wszystkie substancje, jak widzicie, zdobią, choćby w najmniejszej i najpokorniejszej mierze, również mój klejnot.

Poruszał pierścieniem i oślepiał mi oczy błyskami, jakby chciał mnie odurzyć.

– Cudowny język, nieprawdaż? Według innych ojców kamienie oznaczają coś jeszcze innego. Papież Innocenty III uważał, że rubin głosi spokój i cierpliwość, a granat miłość bliźniego. Według świętego Brunona akwamaryna skupia w sobie naukę teologiczną w cnocie jej najczystszych blasków. Turkus oznacza radość, sardonyks przypomina serafinów, topaz cherubinów, jaspis trony, chryzolit władania, szafir cnoty, onyks moce, beryl godność książęcą, rubin archaniołów, a szmaragd anioły. Język klejnotów jest wielokształtny, każdy wyraża więcej prawdy podług sposobu odczytywania, jaki się wybierze, podług kontekstu, w jakim się pojawia. I kto decyduje, jaki ma być poziom objaśnienia i jaki kontekst jest właściwy? Ty wiesz to, chłopcze, nauczono cię: autorytet, komentator spośród wszystkich najpewniejszy i największym otoczony prestiżem, a więc świętością. Inaczej jakże interpretować wielokształtne znaki, które świat podsuwa pod nasze oczy grzeszników, jak nie wpaść w wieloznaczności, w które wciąga nas diabeł? Bacz, osobliwe, jaki język klejnotów budzi wstręt diabła, co poświadcza święta Hildegarda. Nieczysta bestia widzi w nim posłanie, które rozświetla się przez sens lub różny poziom wiedzy, on zaś chciałby ów sens obalić, gdyż on, nieprzyjaciel, dostrzega w splendorze kamieni echo cudowności, jakimi władał przed upadkiem, i pojmuje, że te błyski są wytworami dręczącego ognia. – Podsunął mi pierścień do pocałowania, ja zaś klęknąłem. Pogłaskał mnie po głowie. – A więc ty, chłopcze, zapomnij o sprawach, bez wątpienia błędnych, jakie słyszałeś w tych dniach. Wstąpiłeś do zakonu największego i najszlachetniejszego ze wszystkich, a tego zakonu ja jestem opatem, znajdujesz się więc pod moją jurysdykcją. Wysłuchaj zatem mojego rozkazu: zapomnij, i niechaj twoje wargi będą na zawsze zapieczętowane. Przysięgnij.

Wzruszony, doprowadzony do uległości, byłbym z pewnością przysiągł. I ty, mój drogi czytelniku, nie mógłbyś czytać teraz tej wiernej kroniki. Ale w tym momencie wtrącił się Wilhelm i być może nie po to, by przeszkodzić mi w przysiędze, ale odruchowo, pragnąc przerwać opatowi, przerwać to zauroczenie, które ten z pewnością wytworzył.

– Co ma z tym wspólnego chłopiec? Zadałem ci pytanie, ostrzegłem przed niebezpieczeństwem, prosiłem, byś powiedział mi imię... Czy chcesz, bym ja też klęknął i przysiągł, że zapomnę o tym, czego dowiedziałem się albo co podejrzewam?

– Och, ty... – rzekł zasmucony opat. – Nie oczekuję po bracie żebrzącym, by pojął piękno naszych tradycji albo by uszanował oglądność, sekrety, tajemnice miłości bliźniego... tak, miłości bliźniego, i poczucie honoru, i ślub milczenia, na którym wznosi się nasza wielkość... Mówiłeś mi o historii dziwnej, o historii nie do wiary. Zakazana księga, przez którą zabija kolejno ktoś, kto wie to, co ja jeno winienem wiedzieć... Bajki, wnioski pozbawione sensu. Rozpowiadaj o tym, i tak nikt ci nie uwierzy. A jeśliby jakiś element twojej urojonej rekonstrukcji był prawdziwy... cóż, teraz wszystko wraca pod mój nadzór i moją odpowiedzialność. Będę nadzorował, mam na to środki, mam władzę. Od początku źlem uczynił, żem poprosił cudzoziemca, choćby i mądrego, choćby i godnego zaufania, by badał sprawy, które leżą w mojej jeno kompetencji. Lecz ty pojąłeś, sam mi powiedziałeś, że ja uznałem na początku, iż chodzi o pogwałcenie ślubu czystości, i chciałem (a było to nieostrożne), by ktoś inny powiedział mi to, co usłyszałem na spowiedzi. No i powiedziałeś. Jestem ci nader wdzięczny za to, coś uczynił lub próbował uczynić. Doszło do spotkania legacji, twoja misja tutaj dobiegła końca. Spodziewam się, że w niepokoju czekają cię na dworze cesarskim, nikt nie wyrzeka się na długo człeka takiego jak ty. Zezwalam ci opuścić opactwo. Może dzisiaj już za późno, nie chcę, byście podróżowali po zachodzie słońca, drogi są niepewne. Wyruszysz jutro wcześnie rano. Och, nie dziękuj mi, radością dla mnie było gościć cię, brata pośród braci, i uczcić naszą gościnnością. Możesz odejść wraz ze swoim nowicjuszem, by przygotować się do podróży. Pozdrowię was jeszcze jutro o świcie. Dziękuję z całego serca. Naturalnie nie trzeba już, byś ciągnął swoje śledztwo. Mnisi dość już mieli niepokojów. Jesteście wolni.

Było to więcej niż pozwolenie na odjazd, było to wygnanie. Wilhelm skłonił się i zeszliśmy po schodach.

– Co to znaczy? – zapytałem. Nic już nie pojmowałem.

– Spróbuj sformułować hipotezę. Winieneś już się nauczyć, jak to się robi.

– Jeśli tak, nauczyłem się, że należy sformułować co najmniej dwie, jedną zaprzeczającą drugiej i obie niegodne wiary. Dobrze, więc... – Przełknąłem ślinę; wysuwanie hipotez wprawiało mnie w zakłopotanie. – Pierwsza hipoteza: opat wiedział już wszystko i myślał, że ty niczego nie odkryłeś. Najpierw, kiedy zginął Adelmus, obarczył cię śledztwem, ale stopniowo pojął, że historia jest znacznie bardziej złożona, dotyczy w jakiś sposób także jego, i nie chciał, byś obnażył ten wątek. Druga hipoteza: opat nigdy niczego nie podejrzewał (co właściwie miałby podejrzewać, nie wiem, bo nie wiem, o czym teraz myślisz). Ale w każdym razie nadal sądził, że wszystko spowodowane było przez waśń między... między mnichami sodomitami... Teraz z pewnością otworzyłeś mu oczy, pojął nagle coś strasznego, pomyślał o jakimś imieniu, ma dokładne wyobrażenie o sprawcy zbrodni. Ale w tym momencie chce rozwikłać kwestię sam i oddalić cię, by uratować cześć opactwa.

– Dobra robota. Zaczynasz poprawnie myśleć. Ale widzisz już, że w obydwu przypadkach nasz opat troszczy się o reputację swojego klasztoru. Czy jest mordercą, czy ofiarą, nie chce, by wydostały się poza te góry wieści zniesławiające świętą wspólnotę. Morduj mnichów, ale nie tykaj czci opactwa. Och, na... – Wilhelm zaczął wpadać w gniew. – Cóż za feudalny bękart z tego pawia, który zyskał sławę jako grabarz Akwinaty z tego nadętego bukłaka, który istnieje tylko dlatego, że nosi pierścień wielki jak dno kielicha! Co za pyszna rasa, jakimiż pyszałkami jesteście wy wszyscy, kluniacy, gorzej niż książęta, jesteście bardziej baronami niż baronowie!

– Mistrzu... – ośmieliłem się powiedzieć tonem wyrzutu, bo poczułem się dotknięty.

– Milcz, ty, który jesteś z tej samej gliny. Nie jesteście prostaczkami ani synami prostaczków. Jeśli trafi się jakiś wieśniak, może go i przyjmiecie, ale sam widziałem wczoraj, nie zawahacie się go oddać ramieniu świeckiemu. Lecz któregoś z waszych – nie, bo takiego trzeba osłaniać. Abbon potrafiłby rozpoznać nędznika i zasztyletować go w krypcie skarbca, a resztki rozdzielić po relikwiarzach, byleby tylko cześć opactwa została uratowana... Franciszkanin, minoryta plebejusz, który odkrywa, jak zrobaczywiały jest ten święty dom? O nie, na to Abbon nie może sobie pozwolić za żadną cenę. Dziękuję, bracie Wilhelmie, cesarz cię potrzebuje, widziałeś, jaki mam piękny pierścień, żegnaj. Ale teraz chodzi już nie tylko o to, co między mną a Abbonem, lecz między mną a całą tą sprawą, i nie opuszczę tych murów, póki się nie dowiem. Chce, bym wyruszył jutro? Dobrze, on jest tu panem, lecz przed rankiem muszę wiedzieć. Muszę.

– Musisz? Kto ci to teraz nakazuje?

– Nikt nie nakazuje mi, bym wiedział, Adso. Muszę, i to wszystko, nawet za cenę, że zrozumiem źle.

Byłem jeszcze zmieszany i upokorzony słowami Wilhelma skierowanymi przeciw mojemu zakonowi i jego opatom. Spróbowałem usprawiedliwić częściowo Abbona, formułując trzecią hipotezę, a w tej sztuce stałem się, jak mi się zdawało, nader biegły.

– Nie rozważyłeś trzeciej możliwości, mistrzu – rzekłem. – Zauważyliśmy w ostatnich dniach, a dzisiaj rano, po wyznaniach Mikołaja i plotkach, które podchwyciliśmy w kościele, ukazało się nam to jasno, że jest tu grupa mnichów italskich, niechętnie znoszących kolejnych obcych bibliotekarzy, oskarżających opata, że nie szanuje tradycji i, o ile pojąłem, kryjących się za starym Alinardem, wypychających go do przodu niby sztandar, by domagać się innego sposobu rządzenia opactwem. Te sprawy zrozumiałem dobrze, gdyż nawet nowicjusz słyszał w swoim klasztorze mnóstwo dysput, napomknień i spisków takiej właśnie natury. Może więc opat boi się, że twoje rewelacje mogą dać oręż jego nieprzyjaciołom, i chce rozwikłać całą tę kwestię z wielką ostrożnością...

– To możliwe. Ale pozostaje nadętym bukłakiem i doprowadzi do tego, że go zabiją.

– Ale co myślisz o moich domysłach?

– Powiem ci później.

Byliśmy w krużgankach. Wiatr dął coraz wścieklej, światło traciło blask, choć ledwie co minęła nona. Dzień chylił się do zmierzchu i pozostało nam bardzo niewiele czasu. Podczas nieszporu opat z pewnością ostrzeże mnichów, że Wilhelm nie ma już żadnego prawa stawiać pytań i wchodzić, gdzie zechce.

– Późno – rzekł Wilhelm – a kiedy ma się mało czasu, nie należy tracić spokoju. Musimy działać tak, jakbyśmy mieli przed sobą wieczność. Stoimy wobec problemu, jak dostać się do *finis Africae*, gdyż tam musi się znajdować ostateczna odpowiedź. Potem trzeba uratować jedną osobę, nie postanowiłem jeszcze którą. Wreszcie należy spodziewać się czegoś od strony obór, które ty będziesz miał na oku... Bacz na każdy ruch...

Rzeczywiście przestrzeń między Gmachem a dziedzińcem osobliwie się ożywiła. Chwilę wcześniej jakiś nowicjusz, który wyszedł z mieszkania opata, pobiegł do Gmachu.

Teraz wychodził z niego Mikołaj, który kierował się do dornitorium. W jednym zakątku poranna grupa, Pacyfik, Aimar i Piotr, rozprawiała żywo z Alinardem, jakby chcąc go o czymś przekonać.

Potem wydało się, że coś postanowili. Aimar podtrzymał Alinarda, jeszcze niechętnego, i ruszył wraz z nim w stronę rezydencji opata. Właśnie wchodzili, kiedy wyszedł z dormitorium Mikołaj, który prowadził w tym samym kierunku Jorge. Widząc, że tamci dwaj wchodzą, szepnął mu coś do ucha, starzec potrząsnął jednak głową ruszyli dalej w stronę kapituły.

– Opat przywraca porządek... – mruknął Wilhelm sceptycznie.

Z Gmachu wyszli inni mnisi, choć powinni pozostawać wszak w skryptorium, a zaraz za nimi Bencjusz, który szedł tam naprzeciw, coraz bardziej zafrasowany.

– W skryptorium wrzenie – powiedział. – Nikt nie pracuje, wszyscy gadają jeno wzburzeni... Co się dzieje?

– To, że wszystkie osoby, które do dzisiejszego ranka wydawały się najbardziej podejrzane, nie żyją. Do wczoraj wszyscy zwracali spojrzenia na Berengara, głupiego, wiarołomnego i lubieżnego, potem na klucznika, podejrzanego heretyka, wreszcie na Malachiasza, któremu tak zazdroszczono... Teraz nie wiedzą już, na kogo patrzeć, i czują pilną potrzebę znalezienia nieprzyjaciela albo kozła ofiarnego, każdy podejrzewa kogoś innego, niektórzy boją się, jak ty, pozostali postanowili postraszyć konfratrów. Wszyscy jesteście zbyt wzburzeni. Adso, od czasu do czasu rzuć okiem na obory. Ja idę odpocząć.

Powinienem był się zdumieć; odpoczywać, kiedy ma się do rozporządzenia niewiele tylko godzin, nie wydawało się postanowieniem zbyt mądrym. Ale znałem już mojego mistrza. Im bardziej jego ciało było odprężone, tym bardziej kipiał jego umysł.

Dzień szósty

Od nieszporu do komplety

Kiedy to opowiada się pokrótce o długich godzinach zagubienia

Trudno mi opowiedzieć o tym, co zdarzyło się w godzinach, które nastąpiły między nieszporem a kompletą. Wilhelma nie było. Błąkałem się wokół obór, nie dostrzegając jednak niczego niezwykłego. Stajenni zaganiali niespokojne z powodu wiatru zwierzęta, ale poza tym wszędzie panowała cisza. Wszedłem do kościoła. Wszyscy byli już na swoich miejscach w stallach i opat dostrzegł brak Jorge. Skinieniem nakazał powstrzymać rozpoczęcie oficjum. Wezwał Bencjusza, by ten poszedł szukać starca. Bencjusza jednak też nie było. Ktoś zauważył, że pewnie poszedł zamknąć skryptorium. Opat odparł sucho, że było ustalone, iż Bencjusz nie będzie niczego zamykał, ponieważ nie zna reguł.

Wstał ze swego miejsca Aimar z Alessandrii.

– Jeśli pozwolisz, ojcze mój, pójdę go wezwać...

– Nikt cię o nic nie prosił – odparł opat szorstko i Aimar wrócił na swoje miejsce, rzuciwszy nieokreślone spojrzenie w stronę Pacyfika z Tivoli. Opat wezwał Mikołaja, lecz i jego nie było. Przypomniano, że czuwa nad przygotowaniami do wieczerzy, i opat zrobił gest zdradzający rozczarowanie, jakby był niezadowolony z tego, iż okazuje wszystkim, że jest w stanie podniecenia.

– Chcę mieć tu Jorge! – wykrzyknął. – Szukajcie go! Idź ty – rozkazał mistrzowi nowicjuszy.

Ktoś zwrócił mu uwagę, że brakuje również Alinarda.

– Wiem – odparł opat. – Słabuje.

Byłem w pobliżu Piotra z Sant'Albano i usłyszałem, jak mówi do swojego sąsiada, Guncjusza z Noli, w pospolitym języku środkowej Italii, który w części zrozumiałem:

– Nie wątpię. Dzisiaj po wyjściu z rozmowy biedny starzec był wstrząśnięty. Abbon zachowuje się jak wszetecznica z Awinionu!

Nowicjusze byli zagubieni, dzięki swojej dziecięcej wrażliwości postrzegali przecież napięcie panujące w chórze, jak dostrzegłem je i ja. Minęło parę długich chwil milczenia i zakłopotania. Opat polecił odmówić kilka psalmów i wskazał na chybił trafił trzy, które nie były przepisane przez regułę na nieszpór. Wszyscy popatrzyli jedni po drugich, i potem zaczęli modlić się cichym głosem. Wrócił mistrz nowicjuszy, a za nim Bencjusz, który ze spuszczoną głową podszedł do swojego miejsca. Jorge nie było w skryptorium ani w celi. Opat rozkazał zacząć oficjum.

Po zakończeniu, kiedy wszyscy zeszli na wieczerzę, udałem się, by wezwać Wilhelma. Leżał na swoim legowisku w ubraniu, nieruchomy. Rzekł, że nie myślał, iż jest tak późno. Opowiedziałem krótko, co się stało. Potrząsnął głową.

W drzwiach refektarza zobaczyliśmy Mikołaja, który niewiele godzin temu odprowadzał Jorge. Wilhelm zapytał, czy starzec zaraz poszedł do opata. Mikołaj odparł, że musiał długo czekać pod drzwiami, ponieważ w sali byli Alinard i Aimar z Alessandrii. Potem Jorge wszedł, pozostał w środku przez czas jakiś, on zaś, Mikołaj, czekał. Następnie Jorge wyszedł i kazał odprowadzić się do kościoła, na godzinę przed nieszporem jeszcze pustego.

Opat spostrzegł, że rozmawiamy z klucznikiem.

– Bracie Wilhelmie – napomniał – czy prowadzisz nadal śledztwo? – Skinął nań, by usiadł jak zwykle przy jego stole. Benedyktyńska gościnność jest święta.

Wieczerza przebiegła w jeszcze większym milczeniu niż zwykle i w większym smutku. Opat jadł niechętnie, nękany ponurymi myślami. Na koniec powiedział mnichom, żeby pospieszyli na kompletę.

Alinard i Jorge byli nadal nieobecni. Mnisi wskazywali sobie puste miejsce ślepca, wymieniając szeptem uwagi. Na zakończenie obrządku opat wezwał wszystkich, by odmówili specjalną modlitwę za ratunek dla Jorge z Burgos. Nie było jasne, czy mówi o ratunku dla ciała, czy o zbawieniu wiecznym. Wszyscy pojęli, że nowe nieszczęście wstrząśnie wspólnotą. Potem opat nakazał, by każdy pospieszył z większą niż zwykle pilnością do swojego posłania. Nakazał też, by nikt, i położył nacisk na słowo „nikt", by nikt nie kręcił się poza dormitorium. Przestraszeni nowicjusze wyszli pierwsi, z kapturami spuszczonymi na oblicza, pochylonymi głowami, nie wymieniając między sobą ani słów, ani kuksańców, ani uśmieszków, ani nie podstawiając sobie złośliwie i skrycie nogi, jak przywykli zaczepiać jeden drugiego (albowiem nowicjusz, choć mniszek, pozostaje dzieckiem i niewiele znaczą napomnienia mistrza, który nie jest w stanie zapobiec temu, by często nie zachowywali się niby dzieci, jak chce tego ich tkliwy wiek).

Kiedy wyszli dorośli, wmieszałem się jak gdyby nigdy nic w grupę, która rysowała się teraz w moich oczach jako grupa „Italczyków". Pacyfik mruczał do Aimara:

– Sądzisz, że rzeczywiście Abbon nie wie, gdzie jest Jorge?

A Aimar odparł:
— Może nawet wiedzieć i wiedzieć też, że stamtąd, gdzie jest, już nie wróci. Może stary chciał za wiele, a Abbon nie chciał już jego.

Kiedy wraz z Wilhelmem udawaliśmy, że kierujemy się ku austerii dla pielgrzymów, dostrzegliśmy opata, który wchodził do Gmachu przez otwarte jeszcze drzwi refektarza. Wilhelm poradził, byśmy chwilę poczekali, a potem kiedy równia była już pusta, kazał mi iść za sobą. Szybko przebyliśmy pustą przestrzeń i weszliśmy do kościoła.

Dzień szósty

Po komplecie

*Kiedy to prawie przez przypadek Wilhelm odkrywa
sekret pozwalający dostać się do* finis Africae

Zaczailiśmy się niby dwaj zbójcy w pobliżu wejścia, za jednym
z filarów, bo stamtąd widać było kaplicę z czaszkami.

– Abbon poszedł zamknąć Gmach – rzekł Wilhelm. – Kiedy za-
ryglnie drzwi od wewnątrz, będzie musiał wyjść przez ossuarium.

– I co z tego?

– Zobaczymy, co zrobi.

Nie zdołaliśmy się dowiedzieć, co zrobi. Po godzinie nadal nie
wychodził.

– Poszedł do *finis Africae* – powiedziałem.

– Być może – odrzekł Wilhelm.

Byłem już wyćwiczony w wysuwaniu licznych hipotez, więc dodałem, że może wyszedł przez refektarz i ruszył szukać Jorge.
A Wilhelm: tak też może być. Może Jorge już nie żyje – domyślałem
się nadal. Może jest w Gmachu i zabija opata. Może obaj są gdzie
indziej i ktoś czyha na nich w zasadzce. Czego chcą „Italczycy"?
I dlaczego Bencjusz był taki przerażony? Może to tylko maska, którą
oblókł twarz, żeby nas zwieść? Dlaczego nie wychodził podczas nieszporu ze skryptorium, skoro nie wiedział, ani jak zamknąć, ani jak
wyjść? Chciał podjąć próbę zwiedzenia labiryntu?

– Wszystko być może – powiedział Wilhelm. – Ale jedna tylko
rzecz stanie się, stała albo staje. A wreszcie miłosierdzie Boskie wzbo-
gaca nas o jaśniejącą pewność.

– Jaką? – spytałem pełen nadziei.

– Że brat Wilhelm z Baskerville, który ma teraz uczucie, że pojął
wszystko, nie wie, jak wejść do *finis Africae*. Do obór, Adso, do obór.

– A jeśli znajdzie nas tam opat?

– Udamy, że jesteśmy dwoma duchami.

Nie wydało mi się to rozwiązaniem zdatnym do wykorzystania,
ale milczałem. Wilhelm stawał się nerwowy. Opuściliśmy kościół
przez portal północny i przeszliśmy przez cmentarz, a wiatr świstał
mocno i prosiłem Boga, byśmy nie spotkali dwóch duchów, gdyż tej
nocy opactwo nie mogło narzekać na niedostatek dusz pokutujących.
Dotarliśmy do obór i usłyszeliśmy konie, coraz niespokojniejsze
z powodu zaciekłości żywiołów. Główne wrota budynku miały na

wysokości piersi człowieka szeroką metalową kratę, przez którą można było zajrzeć do środka. Wypatrzyliśmy w mroku zarysy koni, rozpoznałem Brunellusa, ponieważ był pierwszy od lewej. Trzeci z kolei koń z jego prawego boku, czując naszą obecność, uniósł głowę i zarżał. Uśmiechnąłem się.

– *Tertius equi* – powiedziałem.

– Co? – zapytał Wilhelm.

– Nic, przypomniałem sobie o biednym Salwatorze. Chciał czynić kto wie jakie czary z tym koniem i w swojej łacinie określał go jako *tertius equi*. A to byłaby litera *u*.

– *U?* – zapytał Wilhelm, który słuchał moich bredni, nie zwracając na nie wielkiej uwagi.

– Tak, gdyż *tertius equi* oznaczałoby nie trzeciego konia, tylko trzecią z konia, a trzecią literą słowa *equus* jest *u*. Ale to głupoty...

Wilhelm spojrzał na mnie i wydało mi się w mroku, że widzę jego wzburzoną twarz.

– Niechaj Bóg cię błogosławi, Adso! Ależ z pewnością, *suppositio materialis**, trzeba wziąć wypowiedź *de dicto**, nie zaś *de re**... Jaki ze mnie głupiec! – Walnął się z całej siły w czoło otwartą dłonią, tak że rozległ się trzask i pomyślałem, iż uczynił sobie krzywdę.

– Chłopcze mój, po raz drugi w dniu dzisiejszym przez usta twoje przemawia mądrość, najprzód we śnie, a teraz na jawie! Biegnij do swojej celi po światło, nawet oba, po te, co je ukryliśmy. Niech nikt cię nie obaczy. I przyjdź zaraz do kościoła! Nie zadawaj pytań, idź!

Poszedłem, nie zadając pytań. Kaganki były pod moim siennikiem, pełne oliwy, gdyż zadbałem, by je napełnić. Miałem krzesiwo w habicie. Z dwoma cennymi przyborami na piersi pobiegłem do kościoła.

Wilhelm był pod trójnogiem i odczytywał pergamin z notatkami Wenancjusza.

– Adso – powiedział – *primum et septimum de quatuor* nie oznacza „pierwszy i siódmy z czterech", lecz z cztery, ze słowa „cztery", *quatuor*!

Jeszcze nie pojmowałem, ale po chwili mnie olśniło.

– *Super thronos viginti quatuor*! Napis! Werset! Słowa, które są wyryte nad zwierciadłem!

---

* Mimo sugestii dotyczącej materii (łac.).
* Jako słowo (łac.).
* Jako rzecz (łac.).

– Idziemy! – powiedział Wilhelm. – Może zdołamy jeszcze uratować czyjeś życie!

– Ale czyje? – spytałem, kiedy on krzątał się koło czaszek i otwierał przejście do ossuarium.

– Kogoś, kto na to nie zasługuje – rzekł. I już szliśmy podziemną galerią, z zapalonymi kagankami, w stronę drzwi od kuchni.

Powiedziałem raz, że w tym miejscu trzeba było pchnąć drewniane drzwi i że trafiało się do kuchni, za kominkiem, tuż koło krętych schodów prowadzących do skryptorium. I właśnie kiedy pchaliśmy drzwi, usłyszeliśmy po naszej lewej stronie głuche odgłosy w murze. Dochodziły od ściany, która sąsiadowała z drzwiami i na której kończył się szereg wnęk z czaszkami i kośćmi. W miejscu ostatniej wnęki był odcinek pełnego muru z wielkich, kwadratowych odłamów kamienia, z osadzoną pośrodku starą płytą, na której wyryto zatarte już monogramy. Uderzenia dobywały się, jak się zdawało, spoza płyty albo znad płyty, częściowo za ścianą, częściowo prawie nad naszymi głowami.

Gdyby tego rodzaju wydarzenie zaszło pierwszej nocy, zaraz pomyślałbym o zmarłych mnichach, lecz teraz najgorszego gotów byłem spodziewać się po mnichach żywych.

– Kto to może być? – spytałem Wilhelma.

Wilhelm otworzył drzwi i wsunął się za kominek. Uderzenia dały się słyszeć również wzdłuż ściany, która przylegała do krętych schodów, jakby ktoś był uwięziony w murze lub raczej w znacznej (doprawdy) grubości ściany, przypuszczalnie między wewnętrznym murem kuchni a zewnętrznym baszty południowej.

– Ktoś jest tu zamknięty – rzekł Wilhelm. – Zawsze zastanawiałem się, czy w tym Gmachu, tak bogatym w przejścia, nie ma innego dostępu do *finis Africae*. Oczywiście jest; w ossuarium, zanim wejdzie się do kuchni, otwiera się połać ściany i można wejść po schodach równoległych do tych, ale ukrytych w ścianie, trafiając od razu do zamurowanego pokoju.

– Ale kto jest tam w tej chwili?

– Druga osoba. Jedna jest w *finis Africae*, druga chciała do niej dołączyć, ale ta na górze niechybnie zablokowała mechanizm, który rządzi obomia wejściami. Tak więc odwiedzający znalazł się w pułapce. I musi bardzo się miotać, wyobrażam sobie bowiem, że do tej kiszki nie dochodzi zbyt wiele powietrza.

– I kto to jest? Ratujmy go!

– Kim jest, obaczymy rychło. Co zaś do ratowania, można to będzie uczynić, jedynie odblokowując mechanizm na górze, ponieważ nie znamy jego sekretu od tej strony. Chodźmy więc czym prędzej.

Tak i uczyniliśmy, wspięliśmy się do skryptorium, a stamtąd do labiryntu, i wkrótce dotarliśmy do baszty południowej. Musiałem jednak dwukrotnie wstrzymać bieg, bo wiatr, który tego wieczoru dostawał się przez szczeliny, tworzył prądy powietrza, te zaś wdzierały się do kanałów i przemykały z jękiem przez pokoje, poruszając kartami rozrzuconymi po stołach, musiałem więc chronić płomień dłonią.

Szybko znaleźliśmy się w pokoju ze zwierciadłem, teraz przygotowani już na zniekształcające igraszki, jakie nas tam czekały. Podnieśliśmy kaganki i oświetliliśmy wersety nad gzymsem, *super thronos viginti quatuor*... Sekret był już wyjaśniony: słowo *quatuor* ma siedem liter, należało nacisnąć na *q* i na *r*. W podnieceniu zamierzałem uczynić to sam; szybko postawiłem kaganek na stole pośrodku pokoju, lecz zrobiłem to tak nerwowo, że płomień zaczął lizać oprawę księgi, która tam leżała.

– Uważaj, głupcze! – wykrzyknął Wilhelm i dmuchnięciem ugasił płomień. – Chcesz puścić z dymem bibliotekę?

Przeprosiłem i miałem zamiar na nowo zapalić światło.

– Nieważne – rzekł Wilhelm – moje wystarczy. Weź no i poświeć, bo napis jest zbyt wysoko i nie sięgnąłbyś. Pospieszmy się.

– A jeśli w środku jest ktoś uzbrojony? – zapytałem, kiedy Wilhelm prawie po omacku szukał zgubnych liter, wspinając się, choć był wysoki, na czubki palców, by sięgnąć do apokaliptycznego wersetu.

– Świeć, do diabła, i nie lękaj się, Bóg jest z nami – odparł niezbyt logicznie. Jego palce dotykały *q* z *quatuor* i ja, który stałem kilka kroków z tyłu, lepiej od niego widziałem, co robi. Powiedziałem już, że litery wersetów zdawały się wyciosane lub wyryte w murze; najwidoczniej te w słowie *quatuor* były zrobione z metalu przy użyciu formy, za nimi zaś osadzony był i wmurowany cudowny mechanizm. Albowiem kiedy litera *q* została pchnięta, dał się słyszeć jakby suchy trzask i to samo stało się, kiedy Wilhelm nacisnął na *r*. Cały gzyms zwierciadła jakby podskoczył i szklana powierzchnia przesunęła się do tyłu. Zwierciadło było drzwiami osadzonymi na zawiasach po stronie lewej. Wilhelm wsunął dłoń w otwór, który powstał między brzegiem prawym a ścianą, i pociągnął drzwi do siebie. Skrzypiąc, otworzyły się ku nam. Wilhelm wcisnął się w nie, a ja za nim, ze światłem podniesionym wysoko nad głową.

Dwie godziny po komplecie na zakończenie szóstego dnia, w samym sercu nocy, po której przyjdzie dzień siódmy, weszliśmy do *finis Africae*.

Dzień
siódmy

Dzień siódmy

Noc

Kiedy to, gdybyśmy zechcieli streścić cudowne rzeczy,
o których się tu mówi, tytuł byłby długi jak cały rozdział,
a to jest sprzeczne ze zwyczajami

Znaleźliśmy się na progu pokoju podobnego kształtem do innych trzech ślepych sal siedmiokątnych: panował mocny zapach zamkniętego pomieszczenia i ksiąg nasączonych wilgocią. Światło, które trzymałem wysoko, padło najpierw na sklepienie, a kiedy opuściłem ramię na prawo i lewo, płomień musnął niewyraźną jasnością odległe półki wzdłuż ścian. Wreszcie zobaczyliśmy pośrodku stół zasłany kartami, a za stołem siedzącą postać, która zdawała się oczekiwać nas nieruchomo w mroku, jeśli była jeszcze żywa. Zanim światło ukazało jej oblicze, Wilhelm przemówił:

– Szczęśliwej nocy, czcigodny Jorge. Oczekiwałeś nas!

Kiedy podeszliśmy kilka kroków, kaganek rozjaśnił twarz starca, który patrzył na nas tak, jakby widział.

– Ty jesteś Wilhelmem z Baskerville? – spytał. – Oczekiwałem cię już od popołudnia, kiedy przyszedłem przed nieszporem, by się tu zamknąć. Wiedziałem, że przyjdziesz.

– A opat? – odrzekł Wilhelm. – To on miota się tam, na sekretnych schodach?

Jorge zawahał się przez moment.

– Jeszcze żyje? – spytał. – Myślałem, że zabrakło mu już powietrza.

– Zanim zaczniemy mówić – powiedział Wilhelm – chcę go uratować. Możesz otworzyć od tej strony.

– Nie – odparł Jorge ze znużeniem – już nie mogę. Mechanizm otwiera się od dołu, naciskając na płytę, tutaj zaś uruchamia się dźwignię, która otwiera drzwi w głębi, za tą szafą. – Wskazał na szafę za swoimi plecami. – Obok niej ujrzałbyś koło z balansami, które obraca mechanizm na dole. Ale kiedy usłyszałem, że koło zgrzyta, znak, że Abbon wchodzi od dołu, targnąłem za sznur podtrzymujący ciężarki i ten się zerwał. Teraz przejście jest zamknięte z obu stron i nie zdołasz powiązać nici mechanizmu. Opat nie żyje.

– Dlaczego go zabiłeś?

– Dzisiaj, kiedy po mnie przysłał, powiedział, że dzięki tobie odkrył wszystko. Nie wiedział jeszcze, co staram się chronić, nie pojął nigdy dokładnie, jakie skarby kryje biblioteka i jakim celom ona służy. Prosił, bym objaśnił mu to, czego nie wiedział. Chciał, żeby *finis Africae* został otwarty. Grupa Italczyków zażądała położenia kresu temu, co nazywają tajemnicą chronioną przeze mnie i moich poprzedników. Dręczy ich zachłanność na rzeczy nowe...

– A ty musiałeś mu obiecać, że przyjdziesz tutaj i położysz kres swemu życiu, tak jak położyłeś kres życiu innych, by w ten sposób ocalała cześć opactwa i by nikt się o niczym nie dowiedział. Wyjaśniłeś mu, którędy ma tu przyjść, ażeby sprawdzić, kiedy będzie już po wszystkim. Czekałeś jednak, żeby go zabić. Nie pomyślałeś, że może wejść przez zwierciadło?

– Nie, Abbon jest niskiego wzrostu, bez pomocy nie zdołałby dosięgnąć wersetu. Wskazałem mu to przejście, które już tylko ja znam. Sam korzystałem z niego przez wiele lat, gdyż było po ciemku łatwiejsze. Wystarczyło pójść do kaplicy, a potem, pośród kości zmarłych, do końca.

– Tak więc kazałeś mu przyjść, wiedząc dobrze, iż go zabijesz...

– Nie mogłem już zaufać nawet jemu. Był przerażony. Stał się sławny, ponieważ w Fossanovie udało mu się spuścić w dół ciało po krętych schodach. Teraz jest martwy, bo nie zdołał wspiąć się na swoje schody.

– Posługiwałeś się nim przez czterdzieści lat. Kiedy spostrzegłeś, że ślepniesz i nie będziesz już mógł mieć baczenia na bibliotekę, zacząłeś działać roztropnie. Doprowadziłeś do wyboru na opata człowieka, któremu mogłeś zawierzyć, i kazałeś mianować bibliotekarzem najpierw Roberta z Bobbio, bo potrafiłeś wyuczyć go tak, jak ci się podobało, następnie Malachiasza, bo ten potrzebował twojej pomocy i nie zrobił kroku, jeśli nie zasięgnął rady u ciebie. Przez czterdzieści lat byłeś panem tego opactwa. To właśnie pojęła grupa Italczyków i to też powtarzał Alinard, lecz nikt nie dawał mu posłuchu, gdyż uważano, że na starość pokręciło mu się w głowie, czy tak? Jednak czekałeś jeszcze na mnie i nie mogłeś zablokować wejścia przez zwierciadło, gdyż mechanizm jest wmurowany. Po co czekałeś na mnie, skoro miałeś pewność, że przyjdę? – Wilhelm zadał to pytanie, ale z tonu głosu można było się domyślić, że odgadł już odpowiedź i domagał się jej jako nagrody za swoją zręczność.

– Od pierwszego dnia wiedziałem, że pojmiesz. Po twoim głosie, po sposobie, w jaki doprowadziłeś mnie do rozprawiania o rzeczach, o których nie miano rozprawiać. Byłeś więcej wart od innych, doszedłbyś do tego tak czy owak. Wiesz, że wystarczy pomyśleć i odtworzyć w swoim umyśle myśli innych. A poza tym słyszałem, że zadawałeś pytania innym mnichom, wyłącznie właściwe. Lecz nigdy nie pytałeś o bibliotekę, jakbyś znał już wszystkie jej tajemnice. Jednej nocy poszedłem zastukać do twojej celi, ale ciebie nie było. Ani chybi byłeś tutaj. Z kuchni zniknęły dwa kaganki, słyszałem, jak mówił to ktoś ze służby. A wreszcie, kiedy Seweryn przyszedł, by powiedzieć ci o pewnej księdze, onegdaj w narteksie, upewniłem się, że jesteś na moim tropie!

– Ale zdołałeś odebrać mi księgę. Poszedłeś do Malachiasza, który do tego momentu nic zgoła nie pojmował. Miotanego zazdrością głupca dręczyła myśl, że Adelmus odebrał mu wielbionego Berengara, który upodobał sobie młodsze ciało. Nie rozumiał, co wspólnego ma z tą historią Wenancjusz, a ty jeszcze bardziej zamąciłeś mu w głowie. Powiedziałeś, że Berengar miał związek z Sewerynem i że w nagrodę dał mu księgę z *finis Africae*. Nie wiem dokładnie, co mu rzekłeś. Malachiasz, oszalały z zazdrości, ruszył do Seweryna i zabił go. Nie zdążył odnaleźć księgi, którą mu opisałeś, bo przyszedł klucznik. Czy tak to było?

– Mniej więcej.

– Lecz nie chciałeś, by Malachiasz umarł. Pewnie nigdy nie widział ksiąg z *finis Africae*, ślepo zawierzył tobie, przestrzegał twoich zakazów. Ograniczał się do ustawiania wieczorem kadzideł od Seweryna, by odstraszyć ewentualnych ciekawskich. Dlatego właśnie tego dnia Seweryn wpuścił Malachiasza do szpitala; była to codzienna wizyta, by wziąć świeże zioła, które tamten przygotowywał z rozkazu opata. Czy zgadłem?

– Zgadłeś. Nie chciałem, by Malachiasz umarł. Powiedziałem mu, by odszukał księgę za wszelką cenę i odłożył tutaj, nie otwierając. Ostrzegłem, że ma moc tysiąca skorpionów. Ale szaleniec po raz pierwszy zapragnął działać na własną rękę. Nie chciałem, by umarł, był wiernym wykonawcą. Ale nie powtarzaj tego, co wiesz, bo i tak wiem, że to wiesz. Nie chcę karmić twojej dumy, sam już o to zadbasz. Słyszałem dziś rano w skryptorium, jak wypytywałeś Bencjusza o *Coena Cypriani*. Byłeś blisko prawdy. Nie wiem, jak odkryłeś sekret zwierciadła, ale kiedy dowiedziałem się od opata, że napomknąłeś o *finis Africae*, byłem pewien, że rychło się spotkamy. Dlatego czekałem na ciebie. A teraz czego chcesz?

– Chcę zobaczyć – odrzekł Wilhelm – ostatni manuskrypt z oprawionego woluminu, który zawiera tekst arabski, syryjski i interpretację albo transkrypcję *Coena Cypriani*. Chcę zobaczyć tę kopię grecką, sporządzoną zapewne przez Araba albo Hiszpana, którą znalazłeś kiedyś, będąc pomocnikiem Pawła z Rimini; wymogłeś, że wysłano cię do twojego kraju, byś zebrał najpiękniejsze manuskrypty Apokalipsy Leona z Kastylii, i ta zdobycz uczyniła cię sławnym i szanowanym tutaj w opactwie, dzięki niej otrzymałeś stanowisko bibliotekarza, chociaż należało się Alinardowi o dziesięć lat od ciebie starszemu. Chcę zobaczyć tę grecką kopię napisaną na karcie z płótna, która wtedy była wielką rzadkością i wytwarzano ją właśnie w Silos, koło Burgos, twojej ojczyzny. Chcę zobaczyć księgę, którą przyniosłeś po przeczytaniu tutaj, gdyż nie chciałeś, by inni ją czytali, i którą ukryłeś, chroniąc ją w przemyślny sposób, lecz nie zniszczyłeś, albowiem człek taki jak ty nie niszczy ksiąg, ma jeno nad nimi pieczę i dba, by nikt ich nie tknął. Chcę zobaczyć drugą księgę *Poetyki* Arystotelesa, tę, którą wszyscy uważają za zagubioną albo nigdy nienapisaną, a której ty przechowujesz, być może, jedyną kopię.

– Jakimż wspaniałym bibliotekarzem byłbyś, Wilhelmie – rzekł Jorge tonem jednocześnie podziwu i żalu. – Wiesz więc dokładnie wszystko. Chodź, sądzę, że po twojej stronie stołu jest stołek. Usiądź, oto twoja nagroda.

Wilhelm usiadł i postawił kaganek, który mu podałem, oświetlając dół twarzy Jorge. Starzec wziął jeden z woluminów, które leżały przed nim. Rozpoznałem oprawę, była to ta, którą widziałem w szpitalu, uznając wtenczas, że chodzi o manuskrypt arabski.

– Czytaj więc, Wilhelmie, przerzucaj karty – rzekł Jorge. – Zwyciężyłeś.

Wilhelm popatrzył na wolumin, ale go nie dotknął. Dobył z habitu parę rękawiczek, nie tych swoich, z obciętymi końcami palców, ale tych, które miał na dłoniach Seweryn, kiedyśmy znaleźli go martwego. Otworzył powoli zniszczone i kruche okładki. Ja też podszedłem i pochyliłem się nad jego ramieniem. Jorge, dzięki swojemu ostremu słuchowi, usłyszał odgłosy moich poruszeń.

– Ty też tu jesteś, chłopcze? Pokażę ją także tobie... Lecz potem.

Wilhelm przebiegł szybko pierwsze stronice.

– Według katalogu jest tu arabski manuskrypt o przypowieściach jakiegoś głupca – powiedział. – O czym on mówi?

– Och, to niemądre legendy niewiernych. Utrzymuje się w nich, że głupcy mają przenikliwe powiedzenia, które zadziwiają nawet ich kapłanów i wprawiają w uniesienie kalifów...

– Potem jest manuskrypt syryjski, lecz według katalogu chodzi o przekład egipskiej libelli poświęconej alchemii. W jaki sposób znalazł się w tym woluminie?

– Jest to dzieło egipskie z trzeciego wieku naszej ery. Ma związek z następnym dziełem, lecz jest mniej niebezpieczne. Nikt nie dałby posłuchu przechwałkom afrykańskiego alchemika. Stworzenie świata przypisuje Boskiemu śmiechowi... – Uniósł twarz i wyrecytował dzięki swojej zadziwiającej pamięci czytelnika, który już od czterdziestu lat powtarza sam sobie rzeczy przeczytane w czasie, gdy korzystał jeszcze z dobrodziejstw wzroku: – Ledwie Bóg roześmiał się, zrodziło się siedmiu bogów, którzy rządzili światem. Ledwie wybuchnął śmiechem, pojawiło się światło, przy drugim śmiechu ukazała się woda, a siódmego dnia, kiedy się śmiał – dusza... Szaleństwa. Także tekst następny, pióra jednego z niezliczonych głupców, którzy zaczęli dodawać glosy do *Coena*... Lecz nie to cię wszak ciekawiło.

Rzeczywiście, Wilhelm szybko przerzucił stronice i dotarł do tekstu greckiego. Zobaczyłem od razu, że karty były z materii odmiennej i większej; pierwsza prawie wyrwana, część marginesu wystrzępiona, usiana bladymi plamami, jakie zazwyczaj upływ czasu i wilgoć odciskają i w innych księgach. Wilhelm przeczytał pierwsze linijki, najpierw po grecku, następnie przekładając na łacinę i ciągnąc już w tym języku, tak że nawet ja mogłem się dowiedzieć, jaki jest początek zgubnej księgi.

„W pierwszej księdze rozprawialiśmy o tragedii i jak to ona, skłaniając do litości i strachu, wytwarza oczyszczenie tych uczuć. Jak obiecaliśmy, będziemy teraz rozprawiać o komedii (lecz też o satyrze i sztuce mimicznej) i jak dając przyjemność z tego co śmieszne, daje oczyszczenie od tej namiętności. Jak wielkiego uznania owa namiętność jest godna, powiedzieliśmy już w księdze o duszy, albowiem – jako jedyny pośród wszystkich zwierząt – człowiek jest zdolny do śmiechu. Określimy więc, jakiego rodzaju działania naśladuje komedia, a potem zbadamy, na jakie sposoby komedia pobudza do śmiechu, a są nimi fakty i wysławianie się. Pokażemy, jak śmieszność faktów rodzi się z przyrównania lepszego do gorszego i na odwrót, z zaskakiwania wybiegiem, z niemożliwości i z pogwałcenia praw natury, z błahego i nielogicznego, z poniżenia osób, z użycia pantomim błazeńskich i pospolitych, z dysharmonii, z wybrania rzeczy mniej godnych. Pokażemy potem, jak śmieszność wypowiedzi rodzi się z wieloznaczności między słowami podobnymi dla rzeczy odmiennych i odmiennymi dla rzeczy podobnych, gadatliwości i powtarzania, z gry słów, ze zdrobnień, z błędów w wymowie i barbaryzmów...”

Wilhelm tłumaczył z trudem, wyszukując właściwe słowa, czasem się zatrzymując. Tłumacząc, uśmiechał się, jakby rozpoznawał rzeczy, które spodziewał się znaleźć. Przeczytał na głos pierwszą stronicę, potem przerwał, jakby nie ciekawiło go, co dalej, i jął przerzucać w pośpiechu następne karty, ale po kilku napotkał opór, ponieważ u góry bocznego marginesu, wzdłuż cięcia, były zlepione ze sobą, jak to zdarza się, kiedy – wilgotniejąc i ulegając uszkodzeniom – materia papierowa tworzy jakby lepką masę. Jorge usłyszał, że szelest przewracanych kart ustał, i zachęcił Wilhelma:

– Dalej, czytaj, przewracaj karty. Jest twoja, zasłużyłeś na nią.

Wilhelm roześmiał się z miną rozbawioną.

– Więc nie jest prawdą, że uważasz mnie za nader bystrego, Jorge! Nie widzisz tego, ale oblekłem dłonie w rękawiczki. Mając palce tak uwięzione, nie mogę rozkleić kart. Powinienem był zabrać się do tego gołymi rękami, zwilżać palce językiem, jak zdarzało mi się to czynić dziś rano, kiedy czytałem w skryptorium i kiedy to nagle i ta tajemnica stała się dla mnie jasna, i powinienem przewracać tak karty, aż trucizna dostanie mi się do ust we właściwej dawce. Mówię o truciźnie, którą kiedyś, dawno temu, ukradłeś z pracowni Seweryna, może już wtedy zatroskany, usłyszałeś bowiem, jak ktoś w skryptorium przejawia zaciekawienie albo *finis Africae*, albo zaginioną księgą Arystotelesa, albo jednym i drugim. Myślę, że przechowywałeś ampułkę długo, z postanowieniem, że uczynisz z niej użytek, kiedy dostrzeżesz zagrożenie. I dostrzegłeś je przed kilkoma dniami, gdy z jednej strony Wenancjusz zbyt się zbliżył do tematu księgi, Berengar zaś, przez lekkomyślność, przez żądzę pustej chwały, by zaimponować Adelmusowi, okazał się mniej dbały o tajemnicę, niż się spodziewałeś. Wtedy przyszedłeś tu i przygotowałeś pułapkę. W sam czas, ponieważ kilka nocy później Wenancjusz dotarł tutaj, zabrał księgę, przerzucił pożądliwie, z prawie fizyczną żarłocznością. Rychło poczuł się źle i pobiegł szukać pomocy w kuchni. Tam też umarł. Czy mylę się?

– Nie, ciągnij.

– Reszta jest prosta. Berengar znalazł ciało Wenancjusza w kuchni, zląkł się, że wyniknie z tego śledztwo, gdyż w gruncie rzeczy to, że Wenancjusz trafił nocą do Gmachu, wynikło stąd, iż on, Berengar, wyjawił przedtem wszystko Adelmusowi. Nie wiedział, co zrobić, wziął ciało na ramiona i wrzucił do kadzi z krwią, mniemając, że wszyscy pomyślą, iż Wenancjusz się utopił.

– A skąd ty wiesz, że tak to było?

– Wiesz także ty, widziałem, jakeś się zachował, kiedy znaleziono u Berengara płótno zbrukane krwią. Tym płótnem ów lekkomyślny wytarł sobie ręce po wrzuceniu Wenancjusza do krwi. Ale ponieważ Berengar przepadł, musiał przepaść z księgą, która teraz zaciekawiła także jego. Ty zaś oczekiwałeś, że znajdą go gdzieś nie zakrwawionego, lecz otrutego. Reszta jest jasna. Seweryn znalazł księgę, albowiem Berengar najpierw poszedł do szpitala, by tam ją przeczytać, bezpieczny od niedyskretnych spojrzeń. Malachiasz zabił Seweryna nakłoniony przez ciebie i sam umarł, kiedy wrócił utaj, żeby dowiedzieć się, cóż jest takiego zakazanego w przedmiocie, który uczynił go mordercą. Oto mamy wyjaśnienie wszystkich trupów... Jakiż głupiec...

– Kto?

– Ja. Z powodu jednego zdania Alinarda wmówiłem sobie, że rytm zabójstw idzie według rytmu siedmiu trąb Apokalipsy. Grad dla Adelmusa, a było to samobójstwo. Krew dla Wenancjusza, a był to dziwaczny pomysł Berengara; woda dla Berengara, a było to wydarzenie przypadkowe; trzecia część nieba dla Seweryna, a Malachiasz uderzył go sferą niebieską, gdyż była to jedyna rzecz, jaka znalazła się pod ręką. Wreszcie skorpiony dla Malachiasza... Czemuś rzekł mu, że księga ma moc tysiąca skorpionów?

– Z twojej przyczyny. Alinard przekazał mi swoją myśl, potem usłyszałem od kogoś, że ty też uznałeś ją za przekonywającą... Więc powiedziałem sobie, że tymi zgonami rządzi plan Boży, za który ja nie jestem odpowiedzialny. I zapowiedziałem Malachiaszowi, że jeśli będzie ciekawy, scześnie według tego samego planu Bożego, jak się i zdarzyło...

– Więc to tak... Sporządziłem sobie fałszywy schemat, by objaśniać posunięcia winowajcy, winowajca zaś się do niego dostosował. I właśnie ten fałszywy schemat naprowadził mnie na twój ślad. W naszych czasach wszyscy mają obsesję księgi Jana, lecz ty wydałeś mi się tym, który najwięcej nad nią medytuje, i to nie tyle z powodu swoich spekulacji dotyczących Antychrysta, ale dlatego, że pochodzisz z kraju, gdzie powstały najwspanialsze Apokalipsy. Pewnego dnia ktoś mi powiedział, że najpiękniejsze kodeksy tej księgi, jakie są w bibliotece, sprowadziłeś ty. Potem któregoś dnia Alinard majaczył o jakimś swoim tajemniczym wrogu, który pojechał po księgi do Silos (zaciekawił mnie fakt, że, jak powiedział, ten ktoś przed czasem wkroczył do królestwa ciemności; w tamtej chwili można było mniemać, że miał na myśli śmierć w młodym wieku, lecz napomknął o twojej ślepocie). Silos jest blisko Burgos, a dzisiaj rano znalazłem w katalogu serię ksiąg tyczących hiszpańskich Apokalips, nabytych w okresie, kiedy ty nastąpiłeś albo miałeś nastąpić po Pawle z Rimini. A wśród tych nabytków była i ta księga. Lecz nie mogłem być pewny mojej rekonstrukcji, dopóki nie dowiedziałem się, że skradziona księga miała karty z płótna. Wtenczas przypomniałem sobie o Silos i byłem pewny. Naturalnie, w miarę jak nabierało kształtu wyobrażenie o tej księdze i jej jadowitej mocy, rozpadało się wyobrażenie apokaliptycznego schematu, aczkolwiek nie byłem w stanie pojąć, w jaki sposób i księga, i seria trąb prowadziły do ciebie, i tym lepiej pojmowałem dzieje księgi, że idąc za apokaliptycznym następstwem, musiałem pomyśleć i o twoich rozmowach na temat śmiechu. Tak że dzisiejszego wieczoru, kiedy nie wierzyłem już w schemat apokaliptyczny, nalegałem na to, by mieć baczenie na obory, gdzie oczekiwał mnie głos szóstej trąby, i tam właśnie, przez czysty przypadek, Adso dostarczył mi klucza pozwalającego wejść do *finis Africae*.

– Nie rozumiem – rzekł Jorge. – Pysznisz się tym, że idąc za swoim rozumem, dotarłeś do mnie, a przecież dowodzisz, że dotarłeś, idąc za racją błędną. Co chcesz mi przez to powiedzieć?

– Tobie nic. Jestem zbity z pantałyku, to wszystko. Ale nieważne. Znalazłem się tutaj.

– Pan zagrzmiał na siedmiu trąbach. Ty zaś, choć tkwiąc w błędzie, usłyszałeś przecież niewyraźne echo tego dźwięku.

– Powiedziałeś to już we wczorajszym wieczornym kazaniu. Starasz się sam siebie przekonać, że cała ta historia potoczyła się według planu Bożego, by sam przed sobą ukryć fakt, że jesteś mordercą.

– Ja nie zabiłem nikogo. Każdy padł według swojego przeznaczenia i z przyczyny swoich grzechów. Ja byłem tylko narzędziem.

– Wczoraj powiedziałeś, że nawet Judasz był tylko narzędziem. A przecież został potępiony.

– Godzę się na to, że grozi mi potępienie. Pan mnie rozgrzeszy, gdyż wie, że działałem dla jego chwały. Moim obowiązkiem było chronienie biblioteki.

– Dopiero co byłeś gotów zabić także mnie i nawet tego chłopca...

– Jesteś bystrzejszy, ale nie lepszy od innych.

– A co się zdarzy teraz, teraz, kiedy odkryłem pułapkę?

– Zobaczymy – odparł Jorge. – Nie chcę koniecznie twojej śmierci. Może zdołam cię przekonać. Ale powiedz wpierw, jak odgadłeś, że chodzi o drugą księgę Arystotelesa.

– Nie wystarczyłyby mi z pewnością twoje anatemy przeciw śmiechowi ani ta odrobina tego, co wiedziałem o dyspucie, jaką miałeś z innymi. Pomogły mi notatki zostawione przez Wenancjusza. W pierwszej chwili nie pojmowałem, o czym mówią. Ale były tam napomknienia o bezwstydnym kamieniu, który toczy się przez równinę, o konikach polnych, które będą śpiewać pod ziemią, o czcigodnych drzewach figowych. Czytałem już coś podobnego; sprawdziłem w ostatnich dniach. Są to przykłady, które Arystoteles przytacza w pierwszej księdze *Poetyki* i w *Retoryce*. Potem przypomniałem sobie, że Izydor z Sewilli definiuje komedię jako coś, co opowiada *stupra virginum et amores meretricum** ... Stopniowo zarysowała mi się w umyśle ta druga księga, taka jaką powinna być. Mógłbym ci ją opowiedzieć prawie całą, nie czytając stronic, które miały przekazać mi jad. Komedia rodzi się w *komai*, czyli w wioskach rolników, jako swobodny obrządek po posiłku lub święcie. Nie opowiada o ludziach sławnych i potężnych, ale o istotach niecnych i śmiesznych, przecież nie występnych, i nie kończy się śmiercią bohaterów. Osiąga skutek śmieszności, pokazując słabości i przywary ludzi pospolitych. Tutaj Arystoteles uważa skłonność do śmiechu za siłę dobrą, która może też mieć walor poznawczy, jeśli poprzez przemyślne zagadki i nieoczekiwane metafory, choć mówiąc o rzeczach odmiennych od tego, czym są, jakby kłamała, w rzeczywistości zmusza nas do uważniejszego patrzenia i każe powiedzieć: więc to było naprawdę tak, a ja o tym nie wiedziałem. Prawda osiągnięta przez pokazanie ludzi i świata jako gorszych od tego, czym są lub za co ich uważany, gorszych w każdym razie, niż pokazały ich poematy heroiczne, tragedie, żywoty świętych. Czy tak?

– Mniej więcej. Odtworzyłeś to, czytając inne księgi?

– Nad wieloma z nich pracował Wenancjusz. Mniemam, że od dawna poszukiwał tej księgi. Musiał przeczytać w katalogu wskazówki, które przeczytałem też ja, i przekonać się, że tej właśnie szuka. Ale nie wiedział, jak dostać się do *finis Africae*. Kiedy usłyszał, że Berengar mówi o tym Adelmusowi, rzucił się jak pies za zającem.

– Tak było, zaraz to zobaczyłem. Pojąłem, że nadszedł moment, kiedy muszę bronić biblioteki zębami...

– I nałożyłeś maść. Musiałeś dokonać tego z trudem... nie widząc.

– Teraz moje dłonie widzą więcej niż twoje oczy. Sewerynowi zabrałem także pędzelek. I ja też użyłem rękawiczek. Była to piękna myśl, prawda? Niełatwo ci przyszło do niej dojść.

– Tak. Myślałem o mechanizmie bardziej złożonym, o zatrutym zębie lub czymś podobnym. Muszę powiedzieć, że twoje rozwiąza-

---

* O gwałtach dziewic i miłostkach nierządnic (łac.).

nie było wzorowe: ofiara zatruwała się sama, i to tym bardziej, im bardziej wciągała się w lekturę...

Poczułem nagle dreszcz, zdałem sobie bowiem sprawę, że w tym momencie ci dwaj, którzy zwarli się ze sobą w śmiertelnej walce, podziwiali się wzajemnie, jakby każdy z nich działał po to tylko, by uzyskać poklask drugiego. Przez mój umysł przemknęła myśl, że biegłość okazana przez Berengara, by uwieść Adelmusa, oraz proste i naturalne gesty, którymi dzieweczka wzbudziła moją namiętność, były niczym wobec przemyślności i szaleńczej zręczności w zdobywaniu innego człowieka, wobec uwodzicielskiej siły, jaka w tym momencie pyszniła się na moich oczach i jaka działała przez siedem dni, albowiem każdy z rozmówców wyznaczał, by tak rzec, tajemne spotkania drugiemu i każdy wzdychał dyskretnie do aprobaty tego drugiego, podziwianego i znienawidzonego.

– Ale teraz powiedz mi – mówił właśnie Wilhelm – dlaczego? Dlaczego chciałeś chronić tę księgę bardziej niż tyle innych? Kryłeś też, choć nie za cenę zbrodni, rozprawy z nekromancji, stronice, na których bluźni się, być może, przeciw imieniu Boga, ale z przyczyny tych oto stronic gubiłeś swoich braci i gubiłeś sam siebie. Jest tyle innych ksiąg, które mówią o komedii, tyle innych jeszcze, które zawierają pochwałę śmiechu. Dlaczego ta właśnie przepajała cię takim przerażeniem?

– Bo jest księgą Filozofa. Każda z ksiąg tego człeka zniszczyła cząstkę mądrości, którą chrześcijaństwo nagromadziło w ciągu wieków. Ojcowie powiedzieli to, co należało wiedzieć o mocy słowa, i wystarczyło, że Boecjusz skomentował Filozofa, by Boska tajemnica Słowa przeobraziła się w ludzką parodię kategorii i sylogizmu. Księga Genezis mówi to, co trzeba wiedzieć o układzie kosmosu, a wystarczyło odkrycie ksiąg fizycznych Filozofa, by wszechświat pomyślano na nowo, w terminach materii tępej i lepkiej, i by Arab Awerroes prawie przekonał wszystkich o wieczności świata. Wiemy wszystko o imionach Bożych, a pogrzebany przez Abbona dominikanin – uwiedziony przez Filozofa – wyraził je na nowo, krocząc pełnymi pychy ścieżkami rozumu przyrodzonego. Tak i kosmos, który według Areopagity objawiał się temu, kto umiał patrzeć do góry na świetlistą kaskadę wzorcowej przyczyny pierwszej, stał się złożem ziemskich wskazówek, od których pniemy się, by nazwać abstrakcyjną przyczynę skuteczną. Wpierw patrzyliśmy w niebo, czasem jeno racząc zerknąć gniewnie na szlam materii, teraz patrzymy na ziemię i wierzymy w niebo podług świadectwa ziemi. Każde słowo Filozofa, na którego przysięgają teraz nawet święci i papieże, obracało do góry nogami obraz świata. Ale nie doszedł do wywrócenia obrazu Boga. Gdyby ta księga stała się... gdyby była materią swobodnej interpretacji, przekroczylibyśmy ostatnią już granicę.

– Ale co cię przeraziło w tym wykładzie o śmiechu? Nie usuniesz śmiechu, usuwając tę księgę.

– Z pewnością nie. Śmiech to słabość, zepsucie, jałowość naszego ciała. Jest rozrywką dla wieśniaka, swawolą dla opilca, nawet Kościół w mądrości swojej wyznaczył momenty święta, karnawału, jarmarku, tę całodzienną polucję, która uwalnia od ciężaru humorów i pociąga ku innym pragnieniom i innym ambicjom... Lecz śmiech pozostaje rzeczą nikczemną, obroną dla prostaczków, zdesakralizowaną tajemnicą dla gminu. Mówi o tym również apostoł. Miast płonąć, ożeń się. Miast buntować się przeciw ładowi, którego chciał Bóg, lepiej już śmiejcie się i rozkoszujcie waszymi nieczystymi parodiami ładu na koniec posiłku, kiedy opróżnicie dzbany i flaszki. Wybierzcie króla szalonych, zagubcie się w liturgii osła i wieprza, bawcie się w przedstawianie waszych Saturnalii głową do dołu... Ale tu, tu... – Jorge stukał teraz palcem w stół obok księgi, którą Wilhelm miał przed sobą – tutaj wywraca się funkcję śmiechu, podnosi się go do rangi sztuki, otwierają się przed nim bramy świata uczonych, czynią go swoim przedmiotem filozofia i przewrotna teologia... Sam widziałeś wczoraj, jak prostaczkowie mogą pojmować i wprowadzać w czyn najbardziej mętne herezje, zapoznając i prawa Boga, i prawa natury. Ale Kościół może znieść herezję prostaczków, którzy sami siebie gubią, niszczeni przez niewiedzę. Nieuczone szaleństwo Dulcyna i jemu podobnych nigdy nie spowoduje załamania Bożego ładu. Będą głosić przemoc i od przemocy sczezną, nie pozostawią po sobie śladu, skończą się tak, jak kończy się karnawał, i nie ma znaczenia, że podczas święta pojawiła się na ziemi na krótki czas epifania świata na opak. Wystarczy, by gest nie przeobraził się w zamysł, by ten język pospólstwa nie znalazł łaciny, która go wyrazi. Śmiech wyzwala chłopa od strachu przed diabłem, ponieważ w święto szaleńców również diabeł wydaje się szaleńcem, a więc można go kontrolować. Ale ta księga mogłaby nauczyć, że wyzwalanie się od strachu przed diabłem jest mądrością. Kiedy wieśniak się śmieje, a wino bulgocze mu w gardle, czuje się panem, albowiem odwrócił do góry nogami relacje panowania; lecz ta księga mogłaby nauczyć uczonych przemyślnych, i od tego momentu dostojnych, wybiegów, przez które można uprawomocnić owo wywrócenie do góry nogami. Wtedy przeobraziłoby się w operację umysłu to, co w bezrozumnym geście wieśniaka pozostaje jeszcze, i na szczęście, operacją brzucha.

To, że śmiech jest właściwy człowiekowi, stanowi znak wiążących nas, grzeszników, ograniczeń. Ale z tej księgi niektóre zepsute umysły, jak twój, dobyłyby najskrajniejszy sylogizm, że śmiech jest celem człowieka! Śmiech odrywa wieśniaka na jakiś czas od strachu. Lecz prawo narzuca się poprzez strach, którego prawdziwym imieniem jest trwoga przed Bogiem. A z tej księgi mogłaby wystrzelić lucyferska iskra, która objęłaby cały świat kolejnym pożarem; i śmiech wskazywano by jako sztukę nową, nieznaną nawet Prometeuszowi, jako sztukę, która unicestwia strach. Dla śmiejącego się wieśniaka nie ma przez chwilę znaczenia, czy umrze; ale potem, kiedy przyjdzie kres swawoli, liturgia znów narzuci mu według planu Bożego strach przed śmiercią. I z tej księgi mogłaby się narodzić nowa i niszczycielska dążność do zniszczenia śmierci przez wyzwolenie od strachu. A wtedy my, stworzenia grzeszne, bylibyśmy bez lęku, może najmędrszego i najtkliwszego z darów Boskich. Przez wieki całe doktorowie i ojcowie rozsiewali wonne esencje świętej wiedzy, by odkupić, przez myśl o tym, co wzniosłe, nędzę i pokusę tego, co niskie. A ta księga, usprawiedliwiając jako cudowne lekarstwo komedię, satyrę i sztukę mimiczną, które dawałyby oczyszczenie od namiętności przez przedstawianie ułomności, słabości, występku, skłoniłaby fałszywych uczonych do podjęcia próby odkupienia (w wyniku diabelskiego odwrócenia) wzniosłego przez akceptację niskiego. Z tej księgi wzięłaby się myśl, że człowiek może chcieć na ziemi (jak sugerował twój Bacon w związku z magią naturalną) krainy obfitości. Ale tego właśnie nie powinniśmy i nie możemy mieć. Spójrz na mniszków, którzy bez wstydu oddają się błazeńskiej parodii *Coena Cypriani*. Cóż za diabelskie przeobrażenie Pisma Świętego! A przecież, czyniąc to, wiedzą, iż źle czynią. Ale w dniu, kiedy słowo Filozofa usprawiedliwiłoby marginalne igraszki rozpętanej wyobraźni, o, wtedy naprawdę to, co pozostaje na marginesie, skoczyłoby do środka i sczezłby wszelki ślad po środku. Lud Boży przeobraziłby się w zgromadzenie potworów wyrosłych z przepaści ziemi nieznanej i wtenczas pogranicze ziemi znanej stałoby się sercem chrześcijańskiego cesarstwa. Arymaspowie na tronie Piotrowym, blemij w klasztorach, karły o wielkich brzuchach i ogromnych głowach na straży biblioteki! Słudzy dyktowaliby prawa, my (ale w takim razie ty też) stalibyśmy się posłuszni nieobecności wszelkiego prawa. Powiada jeden filozof grecki (którego twój Arystoteles przytacza tutaj, wspólniczy i nieczysty *auctoritas*), że winno się zburzyć powagę przeciwników śmiechem, śmiech przeciwnika zaś powagą. Roztropność naszych ojców dokonała wyboru; jeśli śmiech jest rozkoszą plebsu, niechaj swawola owego plebsu zazna wędzidła, niechaj będzie upokorzona i niechaj spotka się z surową groźbą. A plebs nie ma oręża, by wysubtelnić swój śmiech tak, żeby stał się narzędziem przeciw powadze pasterzy, którzy winni prowadzić go do żywota wiecznego i wyrwać spod uwodzicielskiej siły brzuchów, sromów, jedzenia i głuchych żądz. Lecz jeśliby ktoś pewnego dnia, potrząsając słowami Filozofa, a więc przemawiając jako filozof, doprowadził sztukę śmiechu do stanu subtelnego oręża, jeśliby retorykę przekonywania zastąpiło się retoryką ośmieszania, jeśliby topikę cierpliwego i zbawiennego budowania obrazów odkupienia zastąpiło się topiką niecierpliwego niszczenia i przewracania wszystkich obrazów najbardziej świętych i godnych czci – o, tego dnia także ty i twoja wiedza, Wilhelmie, znajdziecie się do góry nogami!

– Dlaczego? Walczyłbym, przeciwstawiając moją przenikliwość przenikliwości innego. Byłby to świat lepszy od tego świata, w którym ogień i rozpalone żelazo Bernarda Gui upokarzają ogień i rozpalone żelazo Dulcyna.

– Sam teraz wplątałeś się w sieci, jakie mota demon. Walczyłbyś po drugiej stronie pola Armageddonu, gdzie nastąpi ostatnie starcie. Ale w tym dniu Kościół musi wiedzieć, jak raz jeszcze narzucić regułę konfliktu. Nie budzi naszego strachu bluźnierstwo, gdyż nawet w przeklinaniu Boga rozpoznajemy daleki obraz gniewu Jehowy, który przeklina zbuntowane anioły. Nie budzi naszego lęku przemoc tego, który zabija pasterzy w imię jakiejś urojonej odnowy, gdyż jest to ta sama przemoc, co przemoc książąt, którzy dążyli do zniszczenia Ludu Izraela. Nie przeraża nas surowość donatysty, samobójcze szaleństwo *circumcelliones*, rozpusta bogomiła, pyszna czystość albigensa, pragnienie krwi biczownika, upojenie złem u brata wolnego ducha; znamy ich wszystkich i znamy korzenie ich grzechów, które są korzeniami naszej świętości. Nie budzą naszego lęku, a przede wszystkim wiemy, jak ich zniszczyć, więcej, jak pozwolić, by zniszczyli się sami, wynosząc zuchwale do szczytu wolę śmierci, rodzącą się w otchłaniach ich nadiru. A nawet ich obecność jest nam cenna, wpisuje się w plan Boga, gdyż ich grzech pobudza naszą cnotę, ich bluźnierstwo zachęca nas do śpiewania chwały, ich niwecząca ład pokusa rządzi naszym upodobaniem do ofiary, ich bezbożność sprawia, że rozbłyska nasza pobożność, tak jak książę ciemności, wraz ze swoim buntem i swoją rozpaczą, był niezbędny, by lepiej zajaśniała chwała Boga, początku i końca wszelkiej nadziei. Lecz jeśliby pewnego dnia – i już nie jako plebejski wyjątek, ale jako ascezą uczonego, powierzona niezniszczalnemu świadectwu pisma – sztuka ośmieszania stała się możliwa do przyjęcia i jawiła jako szlachetna, wolna i już nie czysto mechaniczna, jeśliby pewnego dnia ktoś mógł powiedzieć (i zostać wysłuchanym): śmieję się z Wcielenia... wówczas nie mielibyśmy oręża, by powstrzymać to bluźnierstwo, gdyż skupiłoby wokół siebie ciemne siły materii cielesnej, te, które potwierdzają się w pierdzeniu i czkawce, a czkawka i pierdzenie rościłyby sobie prawo, jakie ma duch jeno, tchnąć, kędy zechcą!

– Likurg kazał wznieść śmiechowi posąg.

– Przeczytałeś to w libelli Klorycjusza, który próbuje rozgrzeszyć mimów z oskarżenia o bezbożność i mówi, jak to jeden chory został uzdrowiony przez medyka, co pomógł mu się śmiać. Dlaczego trzeba było go uzdrowić, jeśli Bóg ustanowił, że jego pobyt ziemski dobiegł kresu?

– Nie wierzę, by wyleczył go z choroby. Nauczył go śmiać się z choroby.

– Choroby się nie egzorcyzmuje. Niszczy się ją.

– Wraz z ciałem chorego.

– Jeśli to konieczne.

– Jesteś diabłem – powiedział wtedy Wilhelm.

Jorge zdawał się nie rozumieć. Gdyby nie był ślepcem, powiedziałbym, że wpatrywał się w swego rozmówcę spojrzeniem osłupiałym.

– Ja? – spytał.

– Tak, okłamali cię. Diabeł nie jest zasadą materii, diabeł to zuchwałość ducha, to wiara bez uśmiechu, to prawda, której nigdy nie ogarnia zwątpienie. Diabeł jest ponury, ponieważ wie, dokąd idzie, i idąc, zdąża zawsze tam, skąd przyszedł. Ty jesteś diabłem i jak diabeł żyjesz w ciemności. Jeśli chciałeś mnie przekonać, nie zdołałeś. Nienawidzę cię, Jorge, i gdybym mógł, poprowadziłbym cię przez równię nagiego, z kurzymi piórami wetkniętymi w zadek i twarzą wymalowaną jak u kuglarza i błazna, by cały klasztor śmiał się z ciebie i nie czuł już strachu. Chętnie namaściłbym cię miodem, a potem oblepił w pierzu, by wodzić na smyczy po jarmarkach i mówić wszystkim: „Ten głosił wam prawdę i mówił wam, że prawda ma smak śmierci, a wyście nie wierzyli jego słowu, lecz jego smutnemu obliczu". A teraz ja wam mówię, że wśród nieskończonej rozmaitości rzeczy możliwych Bóg pozwala nam również wyobrażać sobie świat, w którym mniemany głosiciel prawdy nie jest niczym innym, tylko głupkowatym kosem, co powtarza jeno dawno wyuczone słowa.

– Ty jesteś gorszy od diabła, minoryto – rzekł wówczas Jorge. – Jesteś trefnisiem jak święty, który was powił. Jesteś jak twój Franciszek, który *de toto corpore fecerat linguam**, który wygłaszając kazania, dawał widowisko jak linoskoczkowie, który zawstydzał skąpca, wpychając mu do ręki złotą monetę, który upokarzał dewocję sióstr, odmawiając *Miserere* zamiast kazania, który żebrał po francusku i naśladował kawałkiem drewna ruchy, jakie robi grajek na skrzypkach, który przebierał się za włóczęgę, by zawstydzić żarłocznych braci, który nago rzucał się na śnieg, gadał ze zwierzętami i zielskiem, przeobrażał nawet tajemnicę Narodzin w wiejskie widowisko, wzywał anioła z Betlejem, naśladując beczenie owcy... Była to dobra szkoła... Czy nie był minorytą brat Diotisalvi z Florencji?

– Tak. – Wilhelm się uśmiechnął. – Ten, który poszedł do klasztoru predykantów i powiedział, że nie przyjmie pożywienia, póki nie dadzą mu kawałka sukni brata Jana, a kiedy dostał, podtarł owym strzępem zadek, a potem rzucił na kupę gnoju i obracając nim tam za pomocą tyczki, krzyczał: „Nieszczęście, pomóżcie, braciszkowie, bo zgubiłem w latrynie relikwię świętego!"

– Zdaje mi się, że ta historia cię bawi. Może chciałbyś opowiedzieć mi też tę o innym minorycie, bracie Pawle Millemosche, który pewnego dnia upadł jak długi na lód, mieszkańcy jego miasta zaś szydzili z niego i jeden zapytał, czy nie chciałby mieć pod sobą czegoś lepszego, a on odpowiedział: „Owszem, twoją żonę..." Tak wy szukacie prawdy.

– Tak Franciszek uczył ludzi, by patrzyli na rzeczy od drugiej strony.

– Ale też nauczyliśmy was karności. Widziałeś ich wczoraj, tych swoich konfratrów. Weszli w nasze szeregi, nie przemawiają już jak prostaczkowie. Prostaczkowie nie powinni mówić. Ta księga usprawiedliwiłaby myśl, że język prostaczków niesie jakąś prawdę. Temu trzeba przeszkodzić i to też uczyniłem. Mówisz, że jestem diabłem; to nieprawda. Byłem ręką Boga.

– Ręka Boga tworzy, nie skrywa.

– Są granice, których nie wolno przekraczać. Bóg chciał, by na niektórych kartach było napisane: *hic sunt leones*.

– Bóg stworzył także potwory. Także ciebie. I chce, żeby mówić o wszystkim.

Jorge wyciągnął drżące dłonie i przysunął do siebie księgę. Trzymał ją otwartą, ale do góry nogami, tak że Wilhelm nadal patrzył na nią od dobrej strony.

– Czemu więc – rzekł ślepiec – pozwolił, by ten tekst zaginął w toku wieków, by ocalała jedna tylko kopia, by kopia tamtej kopii,

---

* Z całego ciała uczynił język (łac.).

ukończona któż wie gdzie, została pogrzebana w rękach niewiernego, który nie znał greki, a potem leżała porzucona w zamknięciu starego zbioru, gdzie ja, nie ty, zostałem wezwany przez Opatrzność, by
ją odnaleźć, zabrać ze sobą i ukryć przez następne lata? Ja wiem,
wiem, jakbym widział to zapisane diamentowymi literami, jakbym
widział moimi oczyma, które widzą, czego ty nie widzisz; wiem, że
taka była wola Pana i według niej działałem. W imię Ojca i Syna,
i Ducha Świętego.

Dzień siódmy

Noc

Kiedy to dochodzi do pożogi i z powodu nadmiaru
cnoty górę biorą siły piekła

Starzec zamilkł. Trzymał obie dłonie otwarte na księdze, prawie gładząc jej stronice, jakby rozprostowywał karty, by lepiej mógł czytać, albo jakby chciał jej bronić przed czyjąś zachłannością.

– To wszystko nie służyło jednak niczemu – oznajmił Wilhelm. – Teraz koniec, znalazłem cię, znalazłem księgę, a tamci zginęli daremnie.

– Nie daremnie – odparł Jorge. – Może jeno zbyt liczni. A gdyby kiedykolwiek potrzebny był ci dowód, że ta księga jest przeklęta, oto i on. Lecz nie mogli zginąć daremnie. I aby nie zginęli daremnie, potrzeba jeszcze jednej śmierci.

Powiedział to i począł swoimi wychudłymi i przezroczystymi dłońmi wydzierać bez pośpiechu, kawałkami i strzępami, miękkie stronice manuskryptu, wpychać je sobie po trochu do ust i żuć powoli, jakby przełykał hostię i chciał uczynić ją ciałem z własnego ciała.

Wilhelm patrzył nań zafascynowany i miał minę, jakby nie zdawał sobie sprawy z tego, co się dzieje. Potem otrząsnął się i rzucił do przodu z okrzykiem: „Co robisz?!" Jorge uśmiechnął się, odsłaniając bezkrwiste dziąsła, a żółtawa ślina ściekała mu z bladych warg na białą i sztywną szczecinę podbródka.

– Czekałeś na głos siódmej trąby, czyż nie tak? Posłuchaj teraz, co mówi głos: zapieczętuj, co mówiło siedem gromów, i nie pisz tego, weź książkę i zjedz ją, i spowoduje zgorzknienie twego żołądka, lecz w ustach twoich będzie słodka jak miód. Widzisz? Pieczętuję teraz to, co nie powinno być powiedziane, w grobie, którym się staję.

Roześmiał się, roześmiał się on, Jorge. Po raz pierwszy usłyszałem, że się śmieje... Śmiał się gardłem, wargi nie składały się do radości i prawie zdało się, że płacze.

– Nie oczekiwałeś tego zakończenia, Wilhelmie, prawda? Oto starzec raz jeszcze zwycięża z łaski Pana, prawda? – I ponieważ Wilhelm próbował wyrwać mu książkę, Jorge, który domyślił się tego ruchu, gdyż poczuł wibrację powietrza, cofnął się, przyciskając wolumin do piersi lewicą, prawicą zaś nadal wyrywał karty i wpychał je sobie do ust.

Był po drugiej stronie stołu i Wilhelm, nie mogąc go dosięgnąć, spróbował szybko okrążyć przeszkodę. Ale suknia zaplątała mu się w stołek i przewrócił go, tak że Jorge zorientował się, skąd zamieszanie. Jeszcze raz roześmiał się, tym razem głośniej, i z szybkością, o którą nikt by go nie podejrzewał, wyciągnął prawą rękę i pomacał, szukając kaganka, prowadzony ciepłem dosięgnął płomienia i położył na nim dłoń, nie zważając na ból; płomień zgasł. Pokój pogrążył się w ciemności i po raz ostatni usłyszeliśmy śmiech Jorge, który krzyczał: „Znajdź mnie oto, gdyż teraz ja widzę lepiej!" Potem zamilkł i już go nie było słychać, gdyż przemieszczał się krokami cichymi, które zawsze sprawiały, że pojawiał się tak nieoczekiwanie, i tylko słyszeliśmy co jakiś czas w rozmaitych miejscach sali odgłos dartych kart.

– Adso! – krzyknął Wilhelm. – Stań przy drzwiach, nie pozwól, żeby wyszedł!

Ale powiedział to za późno, gdyż ja, który od jakiegoś czasu aż drżałem z pragnienia, by rzucić się na starca, ruszyłem do przodu, chcąc okrążyć stół po stronie przeciwnej niż mój mistrz. Zbyt późno zrozumiałem, że dałem Jorge możliwość dotarcia do drzwi, jako że starzec umiał poruszać się w mroku zadziwiająco pewnie. Rzeczywiście usłyszeliśmy odgłos dartych kart za naszymi plecami, dosyć już osłabiony, gdyż dobiegał z przyległego pokoju. I jednocześnie usłyszeliśmy inny odgłos, mozolne i stopniowe skrzypienie zawiasów.

– Zwierciadło! – wykrzyknął Wilhelm. – Zamyka się!

Biegnąc za tym dźwiękiem, obaj rzuciliśmy się w stronę wejścia, ja zawadziłem o jakiś stołek i zraniłem się w nogę, ale nie zważałem na to, albowiem w jednym błysku pojąłem, że jeśli Jorge nas zamknie, nigdy już stąd nie wyjdziemy; po ciemku nie znajdziemy sposobu, żeby otworzyć, nie wiedząc, czym i jak trzeba manewrować od tej strony.

Myślę, że Wilhelm poruszał się z taką samą rozpaczą jak ja, gdyż usłyszałem go tuż obok siebie, kiedy obaj dotarliśmy do progu i zaparliśmy się o tylną część lustra, które zamykało się w naszą stronę. Przybiegliśmy na czas, gdyż drzwi zatrzymały się i wkrótce potem ustąpiły, otwierając się na nowo. Najwidoczniej Jorge, widząc, że gra jest nierówna, oddalił się. Wyszliśmy z przeklętego pokoju, ale teraz nie wiedzieliśmy, dokąd starzec się skierował, a mrok panował nadal zupełny. Nagle przypomniałem sobie.

– Mistrzu, przecież ja mam krzesiwo!

– Na co zatem czekasz?! – krzyknął Wilhelm. – Szukaj kaganka i zaświeć go!

Rzuciłem się w mrok do tyłu, do *finis Africae*, i szukałem po omacku kaganka. Cudem Boskim znalazłem go od razu. Pogrzebałem w szkaplerzu, wydobyłem krzesiwko. Ręce mi drżały i dwa albo trzy razy próbowałem bezskutecznie, zanim wreszcie zapaliłem, gdy tymczasem Wilhelm nawoływał od drzwi: „Szybciej, szybciej!", i wreszcie zrobiło się jasno.

– Szybciej! – popędzał nadal Wilhelm. – Inaczej zje nam całego Arystotelesa!

– I umrze! – krzyknąłem zatrwożony i dołączyłem doń, by razem podjąć poszukiwania.

– Niech umiera, przeklęty! – krzyczał Wilhelm, wlepiając wzrok dokoła i biegając bezładnie to tu, to tam. – Tyle tego zjadł, że jego los jest już przypieczętowany. Ale ja chcę księgi!

Potem zatrzymał się i podjął z większym spokojem:

– Przystań no. W ten sposób nie znajdziemy go nigdy. Przez chwilę nie ruszajmy się i nic nie mówmy.

Zastygliśmy w milczeniu. I w ciszy usłyszeliśmy niezbyt daleko od nas odgłos ciała, które zderzyło się z szafą, i huk spadających ksiąg.

– Tam! – krzyknęliśmy jednocześnie.

Pobiegliśmy w kierunku odgłosów, ale rychło spostrzegliśmy, że musimy zwolnić. Rzeczywiście tego wieczoru, kiedy tylko znaleźliśmy się poza *finis Africae*, przemykały przez bibliotekę podmuchy powietrza, które świstały i jęczały w zależności od wiejącego na zewnątrz wiatru. Dodane do naszego pędu mogły zgasić światło, z takim trudem uzyskane. Skoro nie wolno nam było przyspieszyć, przydałoby się spowodować, by zwolnił Jorge. Lecz Wilhelmowi intuicja nakazała krzyknąć: „Dostaniemy cię, starcze, teraz mamy światło!" A był to słuszny pomysł, gdyż te słowa wprawiły zapewne Jorge w zaniepokojenie i zmusiły do przyspieszenia kroku, to zaś naruszyło magiczne poczucie równowagi człeka, który widzi w mrokach. Wkrótce potem usłyszeliśmy kolejny hałas i kiedy idąc za odgłosem, weszliśmy do sali Y z YSPANIA, zobaczyliśmy go leżącego na ziemi, z księgą jeszcze w dłoniach, – jak próbował dźwignąć się pośród rozrzuconych woluminów, które potrącił i zepchnął ze stołu. Próbował wstać, ale przez cały czas wyrywał stronice, jakby chciał pożreć ile zdoła ze swojego łupu.

Kiedy dotarliśmy do niego, wstał już, po czym, czując naszą obecność, obrócił się ku nam i cofnął. W czerwonym blasku kaganka jego oblicze wydało się teraz straszne; rysy zmieniły się, chorobliwy pot żłobił czoło i policzki, oczy, zwykle białe jak u człeka martwego, teraz napłynęły krwią, z ust sterczały strzępy pergaminu, niby domowemu zwierzęciu, które nabrało za dużo do pyska i teraz nie może przełknąć pokarmu. Zniekształcone przez trwogę, przez nękające działanie trucizny, krążącej teraz obficie w żyłach, przez rozpaczliwą i diabelską determinację, to oblicze, które niegdyś było czcigodnym obliczem starca, jawiło się oto jako wstrętne i groteskowe; w innej sposobności wzbudziłoby śmiech, ale my też staliśmy się w tym momencie podobni zwierzętom, psom, które tropią dziką zwierzynę.

Łatwo mogliśmy go chwycić, gdybyśmy działali spokojnie, lecz rzuciliśmy się nań gwałtownie, on zaś szarpnął się, przycisnął ręce do piersi, broniąc woluminu; ja trzymałem go lewą ręką, podczas gdy prawą starałem się utrzymać w górze światło, ale musnąłem mu twarz płomieniem. Poczuł ciepło, wydał z siebie stłumiony odgłos, ryk prawie, wypluwając strzępy kart, puścił prawą ręką księgę, sięgnął w stronę kaganka, wyrwał mi go nagle i cisnął przed siebie...

Kaganek upadł prosto na stos ksiąg, które zwaliły się ze stołu i leżały z otwartymi stronicami. Oliwa rozlała się, ogień sięgnął zaraz do jakiegoś skruszałego pergaminu, który strzelił ogniem niby garść wyschniętych patyków. Wszystko to stało się w jednej chwili, z woluminów buchnął płomień, jakby te tysiącletnie stronice od wieków wzdychały do żaru i radowały się, zaspokajając nagle niepamiętne pragnienie gorzenia. Wilhelm spostrzegł, co się stało, i puścił starca – który czując, że jest wolny, cofnął się kilka kroków – zawahał się chwilę, z pewnością za długą, niepewny, czy chwycić z powrotem Jorge, czy rzucić się do gaszenia małego stosu. Jakaś księga starsza od innych spaliła się prawie od razu, wyrzucając wysoko język ognia.

Delikatne ostrza wiatru, które mogły ugasić słaby płomyk, jeno rozniecały silniejszy i żywszy, a nawet prószyły z niego rozbiegającymi się na wszystkie strony iskrami.

– Szybko, gaś ogień! – krzyknął Wilhelm. – Wszystko się spali!

Rzuciłem się w stronę stosu, lecz zaraz przystanąłem, bo nie wiedziałem, co robić. Wilhelm ruszył w moją stronę, by mi pomóc. Wysunęliśmy ręce w stronę ognia, wzrokiem szukaliśmy, czym by go stłumić. Ja miałem jakby natchnienie, zerwałem z siebie przez głowę habit i chciałem narzucić go na żar. Ale płomienie były już zbyt wysokie, objęły habit i pożarły. Cofnąłem oparzone ręce, obróciłem się w stronę Wilhelma i tuż za jego plecami zobaczyłem Jorge, który znów się przybliżył. Gorąco było teraz takie, że ślepiec z pewnością czuł je doskonale, wiedział z absolutną pewnością, gdzie jest ogień, i rzucił tam Arystotelesa.

Wilhelm w odruchu złości dał gwałtownego kuksańca starcowi, który zwalił się na szafę, uderzył głową o narożnik i padł na ziemię.

Ale mój mistrz, który – zdało mi się – rzucił straszliwe bluźnierstwo, nie zważał na niego. Wrócił do ksiąg. Zbyt późno. Arystoteles, albo to, co zostało z niego po uczcie starca, już płonął.

W tym czasie iskry przemknęły w stronę ścian i zaraz woluminy z innego almarium poczęły się skręcać w rozszalałym ogniu. Już nie jedno ognisko płonęło w pomieszczeniu, lecz dwa.

Wilhelm pojął, że nie ugasimy ognia gołymi rękami, i postanowił ratować księgi za pomocą ksiąg. Chwycił tom, który wydawał mu się lepiej oprawiony od innych, bardziej zwarty, i starał się użyć go jako oręża, by tłumić wrogi żywioł. Ale waląc oprawą z okuciami w stos rozżarzonych ksiąg, wzbijał jeno w powietrze więcej iskier. Chciał gasić je, zadeptując, ale uzyskał skutek przeciwny, gdyż uniosły się leciutkie strzępy prawie spopielałego pergaminu, które szybowały niby nietoperze, powietrze zaś, sprzymierzone ze swoim wietrznym towarzyszem, zabierało je, by podpalały ziemską materię innych kart. Nieszczęście chciało, że była to jedna z najmniej uporządkowanych sal labiryntu. Z półek almariów zwieszały się zwoje manuskryptów, inne księgi, rozlatujące się już, wypuszczały ze swoich okładek niby spomiędzy rozchylonych warg języki welinu wysuszonego wskutek upływu lat, a stół dźwigał ogromną ilość pism, których Malachiasz (od wielu już dni sam) nie odłożył na miejsce. Także pokój, po ruinie, jaką spowodował Jorge, był wypełniony pergaminami, które czekały jeno na to, by przeobrazić się w inny żywioł.

W mgnieniu oka to miejsce stało się ogniskiem, gorejącym krzakiem. Nawet szafy uczestniczyły w tej całopalnej ofierze i zaczęły już trzeszczeć w ogniu. Zdałem sobie sprawę, że cały labirynt jest teraz olbrzymim stosem ofiarnym, czekającym tylko na pierwszą iskrę...

– Wody, trzeba wody! – mówił Wilhelm, ale zaraz dolał: – Lecz gdzie jest woda w tym piekle?

– W kuchni, na dole w kuchni! – krzyknąłem. Wilhelm spojrzał na mnie zbity z tropu, z twarzą poczerwieniałą od tej wściekłej jasności.

– Tak, lecz zanim zejdziemy i wrócimy... Do diabła! – krzyknął następnie. – Tak czy inaczej, ten pokój jest stracony i przyległy może też. Zbiegnijmy szybko, ja poszukam wody, a ty alarmuj, potrzeba mnóstwa ludzi!

Znaleźliśmy drogę w stronę schodów, gdyż pożoga oświetliła kolejne pokoje, choć każdy następny słabiej, tak że dwa ostatnie pokonaliśmy prawie po omacku. Na dole światło nocne rozjaśniało blado skryptorium; a stamtąd zbiegliśmy do refektarza. Wilhelm popędził w stronę kuchni, ja do drzwi refektarza, szarpiąc się, by otworzyć je od wewnątrz; udało mi się to po wielu trudach, gdyż wzburzenie uczyniło mnie niezdarnym i mało sprawnym. Wybiegłem na równię, ruszyłem w stronę dormitorium, potem zrozumiałem, że nie zdołam obudzić mnichów pojedynczo. Wpadłem wtedy na dobry pomysł i rzuciłem się w stronę kościoła, szukając wejścia do dzwonnicy. Kiedy się tam znalazłem, uczepiłem się wszystkich sznurów i począłem bić na alarm. Ciągnąłem mocno i sznur wielkiego dzwonu porwał mnie do góry. W bibliotece poparzyłem sobie dłonie z wierzchu, od spodu miałem zdrowe, tak że parzyłem je sobie, dopiero ześlizgując się po sznurze, aż spłynęły krwią i musiałem rozluźnić uchwyt.

Ale narobiłem już dosyć hałasu i popędziłem na zewnątrz w momencie stosownym, by zobaczyć, jak pierwsi mnisi wybiegają z dormitorium, a z dali docierają głosy famulusów, którzy wyszli na próg swoich mieszkań. Nie potrafiłem wyjaśnić, o co chodzi, bo nie mogłem dobyć z siebie słów, i pierwsze, jakie mi się nasunęły, wziąłem z mojego macierzystego języka. Krwawiącą dłonią wskazałem na okna południowego skrzydła Gmachu, z których przez alabaster przeświecał niezwyczajny blask. Zdałem sobie sprawę, że kiedy schodziłem i biłem w dzwony, ogień rozprzestrzenił się na dalsze pokoje. Wszystkie okna Afryki i cała fasada między nimi a basztą wschodnią rozbłyskały teraz nierówną łuną.

– Woda, dawajcie wodę! – krzyknąłem.

W pierwszej chwili nikt nie pojął, o co mi chodzi. Mnisi do tego stopnia przywykli do patrzenia na bibliotekę jako na miejsce święte i niedostępne, że nie potrafili przyjąć do świadomości, iż może zagrażać jej jakaś katastrofa pospolita, niby chałupie wieśniaka. Pierwsi, którzy podnieśli wzrok do okien, przeżegnali się, szepcząc słowa przerażenia, i pojąłem, że myśleli o nowych jakichś zjawach. Czepiałem się ich sukni, błagałem, by zrozumieli, aż wreszcie ktoś przetłumaczył moje szlochania na ludzkie słowa.

To Mikołaj z Morimondo rzekł:

– Biblioteka płonie!

– Tak jest – szepnąłem i padłem zemdlony na ziemię.

Mikołaj dał dowód wielkiej energii. Rzucił donośnym głosem rozkazy służbie, udzielił rad otaczającym go mnichom, wysłał kogoś, by otworzył wszystkie drzwi Gmachu, innych pchnął po wiadra i wszelkiego rodzaju naczynia, resztę skierował do źródeł i zapasów wody w obrębie murów. Krowiarzom nakazał, by sprowadzili konwie na grzbietach mułów i osłów... Gdyby te rozporządzenia wydał ktoś obdarzony autorytetem, wysłuchano by go natychmiast. Lecz famulusi przywykli otrzymywać rozkazy od Remigiusza, pisarze od Malachiasza, wszyscy zaś od opata. A tych trzech, niestety, nie stało. Mnisi rozglądali się za opatem, szukając wskazówek i pociechy, lecz nie znajdowali go, i ja tylko wiedziałem, że nie żyje albo umiera w tym momencie, dusząc się, zamurowany w wąskim przejściu, które teraz przemieniało się w piec, w byka Falarysa.

Mikołaj pchał krowiarzy w jedną stronę, ale jakiś inny mnich, ożywiony najlepszymi intencjami, pchał ich w drugą. Niektórzy konfratrzy najwidoczniej stracili spokój, inni byli jeszcze odrętwiali od snu. Ja starałem się wyjaśnić wszystko, gdyż odzyskałem mowę, ale trzeba tu przypomnieć, że byłem prawie nagi, albowiem cisnąłem habit w płomienie, i widok pacholęcia, którym wszak byłem, umazanego krwią, czarnego na twarzy od sadzy, nieprzystojnie pozbawionego owłosienia na ciele, ogłupiałego teraz z chłodu, nie mógł z pewnością budzić ufności.

W końcu Mikołajowi udało się zaciągnąć paru konfratrów i innych ludzi do kuchni, którą w tym czasie ktoś zdążył już otworzyć. Ktoś inny miał na tyle zdrowego rozsądku, by przynieść łuczywa. Zastaliśmy pomieszczenie w wielkim nieładzie i pojąłem, że to Wilhelm musiał przewrócić wszystko do góry nogami, szukając wody i naczyń stosownych do jej noszenia.

Wtenczas właśnie ujrzałem Wilhelma, jak wypadł z drzwi refektarza, z twarzą osmaloną, suknią dymiącą, z wielkim dzbanem w dłoni, i poczułem nad nim wielką litość, nad tą biedną alegorią niemocy. Pojąłem, że jeśli nawet zdołał donieść na drugie piętro kocioł wody, nie rozlewając jej całkiem, i jeśli udało mu się to uczynić więcej niż jeden tylko raz, zyskał niewiele. Przypomniałem sobie historię świętego Augustyna, jak ujrzał dziecię, próbujące przelać wodę z morza za pomocą łyżeczki, dziecię było aniołkiem i czyniło tak, by zadrwić sobie ze świętego, który zamierzał przeniknąć sekrety natury. I jak anioł przemówił do mnie Wilhelm, opierając się, wyczerpany, o obramienie drzwi:

– Nic z tego, nic nie zdziałamy, nawet z pomocą wszystkich mnichów opactwa. Biblioteka jest stracona. – W przeciwieństwie do anioła Wilhelm płakał.

Przywarłem do niego, on zaś zerwał ze stołu jakieś płótno i próbował mnie okryć. Staliśmy teraz, bacząc na to, co dzieje się wokół nas.

Wszyscy biegali bezładnie, niektórzy pięli się z pustymi rękami i zderzali na krętych schodach z tymi, którzy, również z pustymi rękami, pchani głupią ciekawością, już tam się wspięli, teraz zaś schodzili po naczynia. Inni, roztropniejsi, od razu szukali kotłów i rondli, by zaraz spostrzec, że w kuchni nie ma dość wody. Nagle do pomieszczenia wtargnęło kilka mułów z konwiami na grzbietach i krowiarze, którzy je prowadzili, rozładowywali zwierzęta i chcieli nieść wodę na górę. Nie znali jednak drogi do skryptorium i minął jakiś czas, zanim pisarze udzielili im wyjaśnień; idąc zaś do góry, krowiarze napotykali tych, którzy schodzili, ogarnięci przerażeniem. Ta lub owa konew przewróciła się, rozlewając wodę na ziemię, inne przebyły kręte schody podawane chętnymi rękami. Poszedłem za grupą i znalazłem się w skryptorium. Od wejścia do biblioteki napływał gęsty dym; ostatni, którzy próbowali dostać się na górę przez basztę wschodnią, schodzili, kasłąc, z zaczerwienionymi oczami, i oświadczali, że nie da się już do tego piekła wejść.

Ujrzałem wtedy Bencjusza. Zmieniony na twarzy, piął się z niższego piętra, dźwigając ogromne naczynie z wodą. Usłyszał, co powiedzieli ci, którzy zemknęli, i napomniał ich: „Piekło pochłonie was wszystkich, tchórze!" Obrócił się, jakby szukając pomocy, i zobaczył mnie. „Adso! – krzyknął. – Biblioteka... biblioteka..." Nie czekał na moją odpowiedź. Podbiegł do stóp schodów i śmiało zanurzył się w dym. Wtedy widziałem go po raz ostatni.

Usłyszałem jakieś skrzypienie dochodzące z góry. Ze sklepienia skryptorium spadały odłamki kamieni przemieszane z wapnem. Zwornik wyrzeźbiony w kształt kwiatu oderwał się i prawie runął mi na głowę. Zaczęła zapadać się podłoga labiryntu.

Zbiegłem czym rychlej na poziom dolny i wyszedłem na zewnątrz. Niektórzy pełni dobrych chęci famulusi przynieśli drabiny, po których próbowali dostać się do okien górnych pięter, by tą drogą wlewać wodę. Lecz najdłuższe drabiny ledwie sięgały okien skryptorium, a kto tam dotarł, i tak nie mógł otworzyć ich z zewnątrz. Kazali powiedzieć, żeby odemknąć je od środka, ale nikt już nie śmiał wejść na górę.

Przyglądałem się oknom trzeciego poziomu. Cała biblioteka musiała być teraz jednym dymiącym paleniskiem i ogień przemykał od pokoju do pokoju, otwierając jednym podmuchem tysiące wysuszonych stronic. Wszystkie okna rozświetlała teraz łuna, czarny dym dobywał się przez dach; ogień dotarł już do belkowań poddasza. Gmach, który w czworokątnym kształcie zdawał się taki mocny, ujawniał w tej klęsce swoją słabość, swoje pęknięcia, mury przeżarte do środka, rozkruszone kamienie, co pozwalały płomieniowi sięgnąć do drewnianego szkieletu, wszędzie, gdzie tylko był.

Nagle niektóre okna wypadły, jakby naciskane jakąś wewnętrzną siłą, i iskry strzeliły na zewnątrz, kreśląc błędnymi ognikami nocny mrok. Wiatr przycichł i było to nieszczęście, gdyż silny jak przedtem może ugasiłby iskry, słabszy zaś wzbijał je tylko, rozżarzając, a wraz z nimi niósł w powietrzu strzępy pergaminu, lekkie teraz, bo płonące. W tym momencie dał się słyszeć łoskot; podłoga labiryntu ustąpiła w jakimś miejscu, zwalając płonące belki na niższe piętro, gdyż teraz zobaczyłem, jak języki płomieni pojawiają się w skryptorium, także wypełnionym księgami, szafami, luźnymi kartami porozkładanymi na stołach, czekającymi jeno na kaprys iskier. Usłyszałem krzyki rozpaczy dochodzące z grupy pisarzy, którzy rwali sobie włosy z głowy i jeszcze zamierzali piąć się heroicznie, by ratować swoje umiłowane pergaminy. Daremnie, kuchnia i refektarz były już tylko rozdrożem potępionych dusz, które miotały się bezładnie, tak że jedna przeszkadzała drugiej. Ludzie potrącali się, padali; jeśli kto miał naczynie, rozlewał jego zbawienną zawartość. Muły, które znalazły się w kuchni, wyczuły ogień i tratując wszystko, pędziły w stronę wyjścia; nie zważały na ludzi ani nawet na przerażonych stajennych. Widać było dobrze, że tak czy owak ta czereda wieśniaków i ludzi pobożnych oraz mądrych, lecz nader mało zręcznych, przez nikogo niekierowana, uniemożliwiała nawet ten ratunek, który mogła przecież nieść.

Cała równia padła pastwą zamętu. Lecz tragedia dopiero się zaczęła. Dobywające się z okien i z dachu, triumfalne teraz, obłoki iskier, niesione wiatrem, opadały wszędzie, sięgały dachu kościoła. Każdy wie, jak bardzo te wspaniałe katedry są bezbronne wobec ukąszeń ognia; albowiem dom Boga jawi się jako piękny i bezpieczny niby niebiańskie Jeruzalem z powodu kamieni, którymi się pyszni, lecz mury i sklepienia wspierają się na wątłej, choć cudownej, architekturze drewna, i mimo że kościół z kamienia przypomina najczcigodniejsze lasy przez swoje kolumny, co rozgałęziają się wysoko na sklepieniu, śmiałe niby dęby, z dębu ma często ciało – jak i z drewna są wszystkie sprzęty, ołtarze, chóry, deski z malowidłami, ławy, stołki, kandelabry. Tak też było w przypadku kościoła opackiego, ozdobionego owym przepięknym portalem, który tak mnie urzekł pierwszego dnia. Stanął w ogniu bardzo rychło. Mnisi i cała ludność równi zrozumieli wtedy, że chodzi tu o przetrwanie samego opactwa, i wszyscy ruszyli jeszcze śmielej i w jeszcze mniejszym porządku, by stawić czoło zagrożeniu.

Zapewne kościół był łatwiej dostępny, a więc i łatwiejszy do obrony niż biblioteka, skazana właśnie z powodu swojej niedostępności, chroniącej ją tajemnicy, skąpości przystępu. Kościół, otwarty dla wszystkich w godzinach modlitwy, dla wszystkich też otwarty był w godzinie ratunku. Lecz nie było już wody, a w każdym razie było jej mało; niewiele zostało w zbiornikach, gdyż źródełka dostarczały ją z naturalną oszczędnością i z powolnością bez żadnej miary w porównaniu do pilności potrzeby. Wszyscy mogliby gasić pożar kościoła, lecz nikt nie wiedział jak. Poza tym ogień szerzył się od góry, gdzie bardzo trudno było się wspiąć, by bić w płomienie i tłumić je ziemią lub szmatami. A kiedy płomienie dotarły na dół, nie warto było już rzucać ziemi ani piasku, albowiem powała runęła teraz na ratowników, niejednego grzebiąc.

Tak zatem okrzyki żałości z powodu licznych bogactw, które spłonęły, łączyły się teraz z okrzykami bólu z powodu poparzonych twarzy, zmiażdżonych członków, ciał, które zniknęły pod zwaliskiem sklepienia.

Wiatr zerwał się znowu porywisty i tym gwałtowniej podsycał pożar. Zaraz po kościele ogień ogarnął obory i stajnie. Przerażone zwierzęta wyrywały się z pęt, wywalały wierzeje i rozpraszały się po równi, rżąc, becząc, kwicząc okropnie. Zdarzało się, że iskry spadły na grzywę niejednego konia i widać było, jak po równi przebiegają piekielne kreatury, płomienne rumaki, które wywracały wszystko, co stanęło im na drodze, bez celu już ni spoczynku. Ujrzałem starego Alinarda, który krążył zagubiony, nie pojmując, co się stało, jak przewrócił go wspaniały Brunellus otoczony aureolą ognia, jak wlókł go w pyle, aż wreszcie starzec został porzucony, biedna, bezkształtna plama. Lecz nie miałem ni sposobu, ni czasu, by go ratować albo opłakiwać jego koniec, albowiem podobne sceny rozgrywały się wszędzie.

Ogniste rumaki rozniosły ogień tam, dokąd nie zaniósł go jeszcze wiatr; teraz płonęły także oficyny i dom nowicjuszy. Gromady ludzi biegały z jednego końca równi w drugi, bez celu albo w celach złudnych. Ujrzałem Mikołaja, jak ze zranioną głową, szmatami w strzępach, zwyciężony już, klęcząc w alei, przeklinał Boże przekleństwo. Ujrzałem Pacyfika z Tivoli, jak porzucając wszelką myśl o ratowaniu, starał się wstrzymać w pędzie spłoszonego muła, a kiedy mu się udało, krzyknął, bym czynił to samo i uciekał, bym oddalił się od tego marnego pozoru Armageddonu.

Zastanowiłem się wówczas, gdzie jest Wilhelm, i zląkłem się, że leży pogrzebany pod jakimś zwaliskiem. Po długim poszukiwaniu znalazłem go w pobliżu krużganków. Miał w ręku swój wór podróżny; kiedy ogień sięgał już austerii pielgrzymów, poszedł na górę do celi, by ratować przynajmniej własne, jakże cenne rzeczy. Wziął także moją sakwę, w której znalazłem coś do ubrania. Zatrzymaliśmy się, zatrwożeni, by spojrzeć, co się dzieje dokoła. Opactwo było już skazane. Prawie wszystkich budynków dosięgnął ogień, choć jednych mniej, innych więcej. Te jeszcze nietknięte ogarnie wkrótce, gdyż wszystko, począwszy od żywiołów naturalnych, skończywszy na bezładnym dziele ratowników, sprzyjało szerzeniu się pożogi. Bezpieczne pozostały części niezabudowane – warzywnik, ogród przed krużgankami... Nic już nie można było uczynić dla ratowania budowli, ale wystarczało porzucić myśl o ratunku, by móc baczyć na wszystko bez żadnego zagrożenia, stojąc w strefie odkrytej.

Patrzyliśmy na kościół, który teraz palił się powoli, gdyż jest właściwością tych wielkich budowli, że zajmują się gwałtownie w częściach drewnianych, a potem dogorywają przez godziny całe, a czasem dnie. Natomiast płonął jeszcze Gmach. Tutaj materiał palny był znacznie bogatszy, ogień objął całe skryptorium i sięgał do poziomu kuchni. Trzecia kondygnacja, gdzie kiedyś przez setki lat mieścił się labirynt, właściwie już zgorzała.

– Była to największa biblioteka świata chrześcijańskiego – rzekł Wilhelm. – Teraz – dodał – zwycięstwo Antychrysta jest naprawdę bliskie, gdyż żadna wiedza nie wzniesie przed nim zapory. Z drugiej strony widzieliśmy tej nocy jego oblicze.

– Czyje oblicze? – zapytałem osłupiały.

– Jorge, powiadam. W tym obliczu, spustoszonym przez nienawiść do filozofii, po raz pierwszy widziałem oblicze Antychrysta, który nie pochodzi z pokolenia Judasza, jak chcą głosiciele jego przyjścia, ani z odległego kraju. Antychryst może zrodzić się z pobożności, z nadmiernej miłości do Boga lub prawdy, jak kacerz rodzi się ze świętego, a opętany przez demona z jasnowidzącego. Lękaj się, Adso, proroków i tych, którzy gotowi są umrzeć za prawdę, gdyż zwykle wiodą na śmierć wielu innych, często przed sobą, czasem zamiast siebie. Jorge spełnił dzieło diabelskie, gdyż miłował swoją prawdę w sposób tak lubieżny, że ważył się na wszystko, byle zniweczyć kłamstwo. Lękał się drugiej księgi Arystotelesa, gdyż być może naprawdę nauczała ona zniekształcania oblicza wszelkiej prawdy, byśmy nie stali się ofiarami naszych własnych urojeń. Niewykluczone, że zadaniem tego, kto miłuje ludzi, jest wzbudzanie śmiechu z prawdy, wzbudzanie śmiechu prawdy, gdyż jedyną prawdą jest zdobyć wiedzę, jak wyzwalać się z niezdrowej namiętności do prawdy.

– Ależ, mistrzu – ośmieliłem się rzec, stropiony – mówisz tak teraz, gdyż jesteś zraniony w głębi twej duszy. Jednak jest prawda, jest ta, którąś odkrył dziś wieczorem, do której dotarłeś, objaśniając ślady wyczytane w dniach poprzednich. Jorge zwyciężył, ale ty też zwyciężyłeś Jorge, gdyż obnażyłeś jego knowanie...

– Nie było knowania – odparł Wilhelm – ja zaś odkryłem to przez pomyłkę.

Stwierdzenie zawierało w sobie wewnętrzną sprzeczność i nie wiedziałem, czy naprawdę Wilhelm pragnął, by takie się wydało.

– Lecz było prawdą, że odciski kopyt w śniegu prowadziły do Brunellusa – rzekłem – było prawdą, że Adelmus popełnił samobójstwo, było prawdą, że labirynt był urządzony tak, jak sobie to wyobraziłeś, było prawdą, że do *finis Africae* wchodzi się, naciskając na słowo *quatuor*, było prawdą, że tajemnicza księga była dziełem Arystotelesa... Mógłbym wyliczać wszystkie te rzeczy prawdziwe, które odkryłeś, posługując się swoją wiedzą...

– Nigdy nie powątpiewałem w prawdziwość znaków, Adso; są jedyną rzeczą, jaką człowiek rozporządza, by miarkować się w świecie. Tym, czego nie pojąłem, była relacja między znakami. Dotarłem do Jorge przez apokaliptyczny schemat, który zdawał się rządzić wszystkimi zbrodniami, aczkolwiek był przypadkowy. Dotarłem do Jorge, szukając sprawcy wszystkich zbrodni, a odkryliśmy, że w gruncie rzeczy każda ze zbrodni miała innego sprawcę, albo i żadnego. Dotarłem do Jorge, idąc za planem powziętym przez umysł przewrotny i przemyślny, a nie było żadnego planu, lub też Jorge przerósł jego początkowy plan, a potem zaczął się łańcuch przyczyn, współprzyczyn i przyczyn między sobą sprzecznych, które działały każda na swój rachunek, tworząc relacje niezależące od żadnego zamysłu. Gdzież była cała moja mądrość? Zachowałem się jak człek uparty, idąc za pozorem ładu, kiedy powinienem był wiedzieć dobrze, iż nie ma ładu we wszechświecie.

– Lecz wymyślając porządki błędne, coś jednak znalazłeś...

– Powiedziałeś rzecz nader piękną, Adso, i dziękuję ci. Porządek, jaki nasz umysł wymyśla sobie, jest niby sieć albo drabina, którą się buduje, by czegoś dosięgnąć. Ale potem trzeba drabinę odrzucić, gdyż dostrzega się, że choć służyła, była pozbawiona sensu. *Er muoz geli-chesame die Leiter abewerfen, so Er an ir ufgestigen ist...* * Czy tak się powiada?

– Tak brzmi w moim języku. Kto to powiedział?

– Pewien mistyk z twojej ziemi. Gdzieś to napisał, nie pamiętam gdzie. I nie jest konieczne, by ktoś odnalazł pewnego dnia ten ma-

---

* Musi od razu odrzucić drabinę, wszedłszy już po niej (niem.).

nuskrypt. Jedyne prawdy użyteczne to narzędzia, które trzeba odrzucić.

– Nie możesz o nic mieć do siebie żalu, zrobiłeś, co mogłeś.

– I co może człowiek, a to niewiele. Trudno pogodzić się z myślą, że gdyby istniał ład we wszechświecie, stanowiłby obrazę dla wolnej woli Boga i dla Jego wszechmocy. Tak więc wolność Boga jest naszą zgubą, a przynajmniej zgubą naszej pychy.

Po raz pierwszy i ostatni w życiu ważyłem się wypowiedzieć wniosek teologiczny.

– Lecz jak może istnieć byt konieczny, całkowicie utkany z możliwości? Jakaż jest więc różnica między Bogiem a pierwotnym chaosem? Czy utrzymywanie, że Bóg jest absolutnie wszechmocny i absolutnie rozporządzalny względem własnych wyborów, nie jest tym samym co utrzymywanie, że Bóg nie istnieje?

Wilhelm spojrzał na mnie, a żadne uczucie nie odbiło się w rysach jego oblicza. I rzekł:

– Jakże uczony mógłby przekazywać nadal swoją wiedzę, gdyby odpowiedział twierdząco na twoje pytanie?

Nie zrozumiałem sensu jego słów.

– Chcesz powiedzieć – spytałem – że gdyby zabrakło samego kryterium prawdy, niemożliwa byłaby i nieprzekazywalna wiedza, czyli nie mógłbyś już przekazać tego, co wiesz, inni bowiem by ci na to nie pozwolili?

W tym momencie część dachu dormitorium zawaliła się z potężnym łoskotem, wzbijając chmurę iskier. Spore stado kóz i owiec, które błądziły po dziedzińcu, przemknęło obok, przeraźliwie becząc. Biegnący z krzykiem słudzy omal nas nie stratowali.

– Zbyt wielki tu zamęt – oznajmił Wilhelm. – *Non in commotione, non in commotione Dominus**.

---

* Nie w poruszeniu, nie w poruszeniu Pan (łac.).

Ostatnia
karta

Opactwo płonęło przez trzy dni i trzy noce i na nic zdały się ostatnie wysiłki. Już w poranek siódmego dnia naszego pobytu w tym miejscu, kiedy niedobitkowie zdali sobie wreszcie sprawę z tego, że żaden z budynków nie zostanie uratowany, kiedy z najpiękniejszych budowli zwaliły się mury zewnętrzne, kościół zaś, jakby kuląc się w sobie, pochłonął swą wieżę, wtedy wszystkim zabrakło woli walki przeciw Boskiej karze. Z coraz większym znużeniem biegano po nieliczne pozostałe wiadra wody, gdy tymczasem paliła się jeszcze równym płomieniem sala kapitulna wraz ze wspaniałym mieszkaniem opata. Kiedy ogień dotarł do najdalszego krańca rozmaitych oficyn, słudzy mieli już dość czasu, by uratować jak najwięcej sprzętów domowych, i woleli przebiegać wzgórze, by odzyskać przynajmniej część spośród zwierząt, które w nocnym zamęcie uciekły poza mury.

Ujrzałem famulusów, zapuszczających się w to, co pozostało z kościoła; pomyślałem, że chcieli dotrzeć do skarbca, by przed ucieczką zabrać jakiś cenny przedmiot. Nie wiem, czy im się powiodło, czy krypta już się nie zapadła, czy łajdacy nie zostali wgnieceni w trzewia ziemi przy próbie dotarcia pod jej powierzchnię.

Na wzgórze wspięli się tymczasem ludzie ze wsi, by udzielić pomocy albo też zawładnąć jakim łupem. Martwi leżeli w większości wśród rozżarzonych jeszcze zwalisk. Trzeciego dnia, po opatrzeniu rannych i pogrzebaniu trupów znalezionych na powierzchni, mnisi i wszyscy pozostali zabrali swoje rzeczy i opuścili dymiącą jeszcze równię niby miejsce przeklęte. Nie wiem, gdzie się rozproszyli.

Wilhelm i ja opuściliśmy klasztor na dwóch wierzchowcach, które pojmaliśmy zagubione w lesie i które teraz uważaliśmy za *res nullius**. Ruszyliśmy ku wschodowi. Kiedy przybyliśmy do Bobbio, dowiedzieliśmy się złych nowin o cesarzu, który został ukoronowany w Rzymie przez lud. Ponieważ wszelkie układy z Janem zostały teraz uznane za niemożliwe, cesarz wybrał antypapieża, Mikołaja V. Marsyliusza mianowano duchownym namiestnikiem Rzymu, lecz z jego winy i przez jego słabość działy się w tym mieście rzeczy nader smutne. Brano na męki kapłanów wiernych papieżowi, którzy nie chcieli odprawiać mszy, a przeor augustianów został rzucony do

---

* Rzecz niczyją (łac.).

fosy dla lwów na Kapitolu. Marsyliusz i Jan z Jandun ogłosili Jana heretykiem i Ludwik polecił skazać go na śmierć. Ale cesarz rządził źle, zraził do siebie miejscowych panów, brał pieniądze z publicznego skarbca. W miarę jak dochodziły do nas te słuchy, opóźnialiśmy marsz w stronę Rzymu; pojąłem, że Wilhelm nie chciał być świadkiem wydarzeń, które stanowiły upokorzenie dla jego nadziei.

Kiedy dotarliśmy do Pomposy, dowiedzieliśmy się, że Rzym zbuntował się przeciw Ludwikowi, który ruszył na Pizę, podczas gdy do stolicy papieskiej wracali triumfalnie legaci Jana.

W tym czasie Michał z Ceseny zdał sobie sprawę, że jego obecność w Awinionie nie prowadzi do niczego, lękał się nawet o życie, więc umknął, by dołączyć do Ludwika w Pizie. Cesarz w tym czasie zdążył stracić także poparcie Castruccia, pana Lukki i Pistoi, który zmarł.

Krótko mówiąc, przewidując wydarzenia i wiedząc, że Bawarczyk ruszy do Monachium, zawróciliśmy i postanowiliśmy przybyć tam przed nim, również dlatego, że Wilhelm dostrzegał, że Italia staje się dlań niebezpieczna. W ciągu następnych miesięcy i lat Ludwik patrzył, jak rozsypuje się przymierze panów gibelińskich, rok później zaś Mikołaj, antypapież, udał się do Jana i stanął przed nim ze sznurem pokutnym na karku.

Kiedy dołączyliśmy w Monachium do Bawarczyka, musiałem rozstać się wśród łez z moim dobrym mistrzem. Jego los był niepewny, moi rodzice woleli, bym wrócił do Melku. Od tragicznej nocy, kiedy to Wilhelm ujawnił mi swoje rozczarowanie w obliczu ruiny opactwa, nie mówiliśmy już o tej sprawie, jakby kierując się niemą umową. Nie czyniliśmy też aluzji do tamtych wydarzeń podczas naszego żałosnego pożegnania.

Mój mistrz udzielił mi wielu dobrych rad co do dalszych nauk i podarował soczewki, które sporządził mu Mikołaj, miał bowiem z powrotem swoje. Jesteś jeszcze młody – powiedział mi – ale pewnego dnia ci się przydadzą (i w istocie, mam je na nosie, pisząc te linijki). Potem uścisnął mnie mocno z ojcowską czułością i odprawił.

Nigdy go już nie ujrzałem. Dowiedziałem się znacznie później, że zmarł podczas wielkiej zarazy, która srożyła się w Europie mniej więcej w połowie wieku. Stale modlę się, by Bóg przyjął jego duszę i wybaczył liczne akty pychy, które kazała mu popełnić duma z rozumu.

Wiele lat później, gdy byłem już człekiem w sile wieku, zdarzyła mi się sposobność odbycia podróży do Italii z rozkazu mojego opata. Nie oparłem się pokusie i wracając, nadłożyłem kawał drogi, by zwiedzić to, co zostało z opactwa.

Dwie wioski na zboczu góry wyludniły się, ziemie dokoła nie były uprawiane. Wspiąłem się na płaskowyż i obraz smutku i śmierci ukazał się moim oczom, które zaszły łzami. Z wielkich i wspaniałych budynków, które zdobiły to miejsce, pozostały rozrzucone to tu, to tam ruiny, jak to już zdarzyło się z pomnikami starożytnych pogan w mieście Rzymie. Bluszcz okrył szczątki murów, kolumny, nieliczne architrawy, które pozostały nienaruszone. Dzikie zielska wszędzie zawładnęły terenem i nie można było nawet się domyślić, gdzie uprawiano niegdyś warzywnik i ogród. Tylko miejsce cmentarza dało się rozpoznać, gdyż kilka grobów sterczało jeszcze z ziemi. Jedyny znak życia stanowiły latające wysoko drapieżne ptaki, łowiące jaszczurki i węże, które niby bazyliszki kryły się między kamieniami i prześlizgiwały po murach. Z portalu kościoła pozostało niewiele szczątków, pożeranych przez pleśń. Tympanon w połowie ocalał i widziałem na nim zatarte przez odmiany pogody i zmarniałe od wstrętnych porostów lewe oko Chrystusa na tronie i coś z paszczy lwa.

Gmach, wyjąwszy ścianę południową, która była zwalona, zdawał się stać jeszcze mocno, rzucając wyzwanie biegowi czasu. Dwie zewnętrzne wieże wychodzące na urwisko zdawały się prawie nietknięte, ale okna były jeno pustymi oczodołami, z których niby lepkie łzy spływały gnijące pnącza. Wnętrze, owo zniszczone dzieło sztuki, mieszało się z dziełem natury i z kuchni wzrok biegł ku szerokim połaciom otwartego nieba, przenikając przez strzępy wyższych pięter i dachu, zwalonych niby upadli aniołowie. Wszystko oprócz zieleni mchu czarne było jeszcze od dymu sprzed tylu dziesiątków lat.

Szperając pośród gruzów, znajdowałem czasem strzępy pergaminu, które opadły ze skryptorium i biblioteki i przetrwały niby skarby zakopane w ziemi; i zacząłem je zbierać, jakbym miał złożyć na nowo karty jakiej księgi. Potem zobaczyłem, że w jednej z baszt pięły się jeszcze, prawie nietknięte, kręte schody prowadzące do skryptorium, i stamtąd, wdrapując się po stromym zboczu gruzów, można było dotrzeć na wysokość biblioteki; była ona jednak tylko rodzajem galeryjki biegnącej wzdłuż zewnętrznych ścian, wychodzącej na pustkę.

Spostrzegłem zbutwiałą od wody i robactwa szafę, która stała w cudowny sposób przy ścianie; nie wiem, jak przetrwała pożar. W środku pozostało jeszcze kilka kart. Inne strzępy znalazłem, szperając w ruinach na dole. Był to nędzny plon, ale cały dzień zszedł mi na zbieraniu, jakby w tych *disiecta membra** biblioteki czekało na mnie jakieś posłanie. Niektóre kawałki pergaminu były odbarwione,

---

* Rozrzuconych członkach (łac.).

inne pozwalały dostrzec cień obrazu, czasem zjawę jednego słowa lub paru. Niekiedy znajdowałem karty, z których dało się odczytać całe zdania, częściej zaś nietknięte jeszcze oprawy, chronione przez to, co było niegdyś metalowymi krawędziami... Widma ksiąg, z pozoru zdrowych jeszcze z zewnątrz, ale przeżartych w środku; czasem zaś ocalało całe pół karty, przezierał incipit, tytuł...

Zebrałem wszystkie relikwie, jakie udało mi się znaleźć, wypchałem nimi dwie torby podróżne, porzucając rzeczy, które były mi użyteczne, byleby uratować ten nędzny skarb.

Przez całą drogę powrotną, a potem w Melku, wiele godzin spędzałem na odczytywaniu tych szczątków. Często poznawałem po jakimś słowie albo po jakimś obrazie, który przetrwał, o jakie dzieło chodzi. Kiedy w miarę czasu odnajdywałem inne kopie tych ksiąg, studiowałem je z miłością, jakby fatum pozostawiło mi ten spadek, jakby rozpoznawanie zniszczonej kopii było wyraźnym znakiem z nieba, który mówił *tolle et lege**. Po zakończeniu tej cierpliwej rekonstrukcji zarysowała mi się jakby mała biblioteka, znak po tej wielkiej, po której nie został ślad – biblioteka składająca się z ustępów, cytatów, niepełnych okresów, kikutów ksiąg.

Im dłużej czytam ten spis, tym bardziej się przekonuję, że jest dziełem przypadku i nie zawiera żadnego posłania. Lecz te niekompletne stronice towarzyszyły mi przez resztę życia; często zaglądałem do nich niby do przepowiedni i kiedy zapisywałem karty, które ty teraz odczytujesz, nieznany czytelniku, prawie miałem uczucie, że nie są niczym innym, tylko kompilacją, symbolicznym poematem, ogromnym akrostychem, powiadającym i powtarzającym to jedynie, co podsunęły mi owe fragmenty; gdyż nie wiem już, czy to ja o nich opowiadałem, czy też one przemawiały przez moje usta. Lecz w obu tych przypadkach im więcej razy recytuję sobie samemu historię, jaka z tego wyszła, tym mniej mogę pojąć, czy jest w niej jakiś wątek, który wykraczałby poza naturalną sekwencję wydarzeń i czasów, co się z nią wiążą. I ciężko jest staremu mnichowi na progu śmierci, gdyż nie wie, czy litera, którą zapisał, skrywa jakiś utajony sens, może więcej niż jeden, czy też żadnego.

Lecz ta moja niezdolność widzenia jest może skutkiem tego, że zbliżający się wielki mrok rzuca cień na posiwiały ze starości świat. *Est ubi gloria nunc Babylonia?** Gdzie są niegdysiejsze śniegi? Ziemia tańczy taniec śmierci, wydaje mi się czasem, że Dunajem płyną

---

* Weź i czytaj (łac.).
* Gdzie jest teraz chwała Babilonu? (łac.).

statki pełne szaleńców, zmierzające do niewiadomego przeznaczenia.

Pozostaje mi zamilknąć. *O quam salubre, quam iucundum et suave est sedere in solitudine et tacere et loqui cum Deo!** Rychło połączę się z moją zasadą i nie sądzę już, by był to Bóg chwały, o którym powiadali mi opaci mojego zakonu, albo radości, jak sądzili ówcześni minoryci, może nawet nie zmiłowania. *Gott ist ein lautes Nichts, ihn rührt kein Nun noch Hier!** Zapuszczę się wkrótce na tę pustynię rozległą, doskonale płaską i niezmierzoną, w którą serce naprawdę pobożne zapada się szczęśliwe. Zanurzę się w Boskim mroku, w niemej ciszy i w niewysłowionym związku, i w tym zanurzaniu zatraci się wszelka równość i wszelka nierówność, i w tej otchłani mój duch zatraci sam siebie, i nie pozna już ani tego, co równe, ani tego, co nierówne, ani niczego; i zapomniane zostaną wszystkie odmienności, będę od podstaw prosty, będę w pustyni milczącej, gdzie nigdzie nie spotyka się odmienności, w intymności, gdzie nikt nie znajdzie się na swoim miejscu. Opadnę w boskość milczącą i niezamieszkaną, gdzie nie masz ni dzieła, ni obrazu.

Zimno robi się w skryptorium, boli mnie kciuk. Porzucam to pisanie nie wiem dla kogo, nie wiem już o czym; *stat rosa pristina nomine, nomina nuda tenemus**.

---

* Jakże zbawiennie, słodko i przyjemnie jest siedzieć w samotności, i milczeć i z Bogiem rozmawiać (łac.).

* Bóg jest czystą nicością, Jego nie dotyczy żadne teraz, żadne tutaj (niem.).

* Dawna róża pozostała tylko z nazwy, same nazwy nam jedynie zostały (łac.).

Dopiski
na marginesie
Imienia róży

Pierwodruk: „Alfabeta", 1983, nr 49

Rosa que alprado, encarnada,
te ostentas presuntüosa
de grana y carmín bañada:
campa lozana y gustosa;
pero no, que siendo hermosa
también serás desdichada.

Juana Inés de la Gruz

Różo, wezwana do życia
Na łące, wznosisz swą szyję,
Szkarłatem, pąsem rozkwitasz,
Powabu dumnie nie kryjesz,
Lecz chociaż blask twój w oczy bije,
Zły los na ciebie też czyha.

Tytuł i znaczenie

Odkąd napisałem *Imię róży,* dostaję mnóstwo listów od czytelników, którzy pytają, co oznacza kończący książkę łaciński heksametr i dlaczego z niego właśnie wziął się tytuł. Wyjaśniam więc, że chodzi o werset z *De contemptu mundi* Bernarda Morliacensjusza, żyjącego w XII wieku benedyktyna, który snuje wariacje na temat *ubi sunt* (skąd później *mais où sont les neiges d'antan** Villona), tyle że Bernard do obiegowego toposu (niegdysiejsi możni, sławne miasta, piękne księżniczki – wszystko roztapia się w nicości) dorzuca myśl, iż po wszystkich tych przepadłych rzeczach pozostają nam czyste nazwy. Jak sobie przypominam, Abelard używał jako przykładu sformułowania *nulla rosa est,* by wskazać, że język może mówić albo o rzeczach, które przepadły, albo o rzeczach nieistniejących. A teraz niechaj czytelnik wyciąga sobie wnioski.

Pisarz nie powinien objaśniać swojego dzieła, po cóż bowiem pisałby powieść, która jest wszak maszyną do wytwarzania interpre-

---

* „Ach, gdzie są niegdysiejsze śniegi!" (François Villon, *Ballada o paniach minionego czasu;* przeł. Tadeusz Boy-Żeleński).

tacji. Ale jedną z głównych przeszkód, które nie pozwalają wytrwać przy tym zacnym zamiarze, jest właśnie fakt, że powieść trzeba opatrzyć tytułem.

Niestety, już sam tytuł daje klucz do interpretacji. Nie można uchronić się przed sugestiami, jakie podsuwają tytuły *Czerwone i czarne* albo *Wojna i pokój*. Największy szacunek dla czytelnika przejawia się w tych tytułach, które sprowadzają się do imienia bohatera eponimicznego, jak *Dawid Copperfield* albo *Robinson Kruzoe,* ale nawet posłużenie się eponimem może stanowić bezprawną ingerencję ze strony autora. *Ojciec Goriot* ogniskuje uwagę czytelnika na postaci starego ojca, chociaż powieść jest również epopeją Rastignaca albo Vautrina alias Collina. Może trzeba być uczciwie nieuczciwym jak Dumas, gdyż nie ulega wątpliwości, że *Trzej muszkieterowie* to w istocie opowieść o czwartym z nich. Lecz na taki luksus autor może sobie pozwolić rzadko i niewykluczone, że jedynie przez pomyłkę.

Moja powieść miała inny tytuł roboczy, *Opactwo zbrodni.* Odrzuciłem go, gdyż skupia uwagę czytelnika wyłącznie na wątku kryminalnym, a nie miałem najmniejszego prawa doprowadzić do tego, że pechowi klienci księgarni, rozglądając się za pozycją sensacyjną, wezmą do ręki książkę, która przyniesie im zawód. Marzyłem o tym, żeby dać jej tytuł *Adso z Melku.* To tytuł zupełnie neutralny, gdyż Adso jest przecież głosem narratora. Ale w naszych czasach wydawcy nie gustują w imionach własnych i dlatego tytuł *Fermo e Lucia** przybrał w końcu inny kształt, a co do reszty istnieje niewiele przykładów, jak *Lemmonio Boreo, Rubé* lub *Metello...* Ubożuchno, jeśli porównać z zastępami kuzynek Bietek, Barrych Lyndonów, Armancji i Tomów Jonesów, którzy zaludniają inne literatury.

Pomysł z *Imieniem róży* przyszedł mi do głowy prawie przypadkowo i spodobał mi się, gdyż róża jest figurą symboliczną tak brzemienną w znaczenia, że nie ma już prawie żadnego: róża mistyczna i nie masz róży, która by nie zwiędła, wojna Dwóch Róż, róża jest różą, różokrzyżowcy, dziękuję za wspaniałe róże, świeżość i woń róży. Czytelnik gubi się, nie może wybrać interpretacji, a gdyby nawet domyślił się, że można w sposób nominalistyczny odczytać końcowy wers, dociera do niego przecież właśnie na samym końcu, kiedy dokonał już nie wiadomo jakich innych wyborów. Tytuł ma stworzyć zamęt w głowie, nie zaś uszeregować idee.

Nic tak nie podnosi autora na duchu, jak odkrycie sposobów odczytania, o których sam ani pomyślał, a które podsuwają mu czytel-

---

* Pierwotny tytuł *Narzeczonych* Manzoniego.

nicy. Kiedy pisałem prace teoretyczne, przyjmowałem wobec recenzentów postawę sędziego śledczego. Czy zdołali zrozumieć, co chciałem powiedzieć, czy nie? Z powieścią jest całkiem inaczej. Nie twierdzę, że autor nie może natknąć się na sposób odczytania jego zdaniem mylny, ale powinien to przemilczeć, gdyż tak czy inaczej znajdą się tacy, którzy z tekstem w dłoni owo odczytanie zakwestionują. Poza tym większość interpretacji pozwala dostrzec znaczenia, o jakich się nie myślało. Lecz cóż właściwie oznacza stwierdzenie, że się o nich nie myślało?

Francuska uczona, Mireille Calle Gruber, zauważyła, że subtelna gra słów łączy *semplici,* używane dla wskazania ludzi prostych, z *semplici* w znaczeniu prostych leków ziołowych, a następnie doszła do wniosku, że mówię o „chwastach" herezji. Mógłbym odpowiedzieć, że termin ten był w obydwu znaczeniach używany w ówczesnej literaturze, podobnie jak termin „chwast". Z drugiej strony znałem dobrze przykład Greimasa dotyczący podwójnej izotopii, która powstaje, kiedy herborystę definiuje się jako „przyjaciela prostaczków" *(amico dei semplici).* Czy świadomie posłużyłem się grą słów? Dzisiaj to już nieważne, bo tekst jest gotowy i sam tworzy swoje znaczenia.

Czytając recenzje z powieści, poczułem dreszcz ukontentowania, kiedy natknąłem się na krytyka (pierwszymi byli Ginevra Bompiani i Lars Gustafsson), który zacytował słowa, jakie wypowiedział Wilhelm pod koniec postępowania inkwizycyjnego („Co przeraża cię najbardziej w czystości?" – pyta Adso. A Wilhelm odpowiada: „Pośpiech"). Bardzo lubiłem, i lubię nadal, te dwie linijki. Ale potem jakiś czytelnik zwrócił mi uwagę, że na stronie następnej Bernard Gui, grożąc klucznikowi wydaniem na męki, powiada: „Sprawiedliwość nie jest rychliwa, jak sądzili pseudoapostołowie, a sprawiedliwość Boska może czekać wieki". Czytelnik słusznie pytał, jaką relację chciałem ustanowić między pośpiechem, którego lęka się Wilhelm, a brakiem pośpiechu sławionym przez Bernarda. Spostrzegłem, że zdarzyło się coś niepokojącego. Tej wymiany słów między Adsem a Wilhelmem w rękopisie nie ma. Króciutki dialog dopisałem podczas korekty. Czułem, że dla uzyskania harmonijnej równowagi trzeba dodać jeszcze jedną sekwencję, zanim znów oddam głos Bernardowi. I naturalnie, kiedy kazałem Wilhelmowi poczuć nienawiść do pośpiechu (a uczyniłem to z wielkim przekonaniem, dlatego riposta tak mi się później spodobała), zapomniałem zupełnie, że nieco dalej Bernard mówił już o pośpiechu. Jeśli przeczyta się tylko kwestię wypowiedzianą przez Bernarda, jest to po prostu wypowiedź stereotypowa, takich właśnie słów oczekujemy od sędziego, chodzi o gotowe zdanie w rodzaju: „Wobec sprawiedliwości wszyscy są równi". Cała bieda w tym, że pośpiech, o którym mówi Bernard, w zestawieniu z tym, o którym mówi Wilhelm, sprawia, że powstaje określone skojarzenie, i czytelnik ma rację, zastanawiając się, czy obaj mówią o tym samym, czy też nienawiść do pośpiechu wyrażona przez Wilhelma nie jest odrobinę odmienna od nienawiści do pośpiechu wyrażonej przez Bernarda. Tekst jest gotowy i tworzy swoje znaczenia. Świadomie czy nieświadomie, stanąłem oto w obliczu pytania, dwuznacznej prowokacji, i sam jestem zakłopotany, jak mam zinterpretować tę opozycję, aczkolwiek pojmuję, że zagnieździł się w niej jakiś sens (może niejeden).

Autor powinien umrzeć po napisaniu powieści, by nie stawać na drodze, którą ma przed sobą tekst.

Opowiedzieć o procesie twórczym

Autor nie powinien interpretować. Ale może opowiedzieć, dlaczego i jak pisał. Dzieła poświęcone poetyce nie zawsze pomagają zrozumieć utwory, o których traktują, pomagają natomiast zrozumieć, jak rozwiązuje się ten techniczny problem, jakim jest akt twórczy.

Poe, snując rozważania o filozofii kompozycji, opowiada, jak pisał *Kruka*. Nie mówi nam, jak powinniśmy utwór odczytać, lecz jakie zadania sobie postawił, by uzyskać określony rezultat poetycki. A rezultat poetycki zdefiniowałbym jako zdolność tekstu do prowokowania ciągle nowych interpretacji, niewyczerpujących się nigdy do końca.

Każdy, kto pisze (maluje albo rzeźbi, albo komponuje muzykę), wie, co czyni i ile go to kosztuje. Wie, że musi rozwiązać pewien problem. Może się zdarzyć, że dane wyjściowe są niejasne, zmienne, obsesyjne, że są ledwie kaprysem albo wspomnieniem. Ale później problem trzeba rozwiązać, siedząc za biurkiem, badając materię, nad którą się pracuje – materię, która ujawnia rządzące nią prawa naturalne, ale jednocześnie niesie ze sobą wspomnienie kultury, jaką jest brzemienna (echo intertekstualne).

Kiedy autor powiada, że pracował w porywie natchnienia, kłamie. *Genius is twenty per cent inspiration and eighty per cent perspiration**.

---

* Geniusz to dwadzieścia procent natchnienia i osiemdziesiąt procent potu (ang., parafraza słów Tomasza Edisona).

Nie pamiętam już, o jakim swoim sławnym wierszu Lamartine pisze, że narodził się od ręki, pewnej burzliwej nocy spędzonej w lesie. Kiedy poeta umarł, odnaleziono rękopisy z poprawkami i wariantami i stwierdzono, że był to, być może, najbardziej „wypracowany" wiersz w całej literaturze francuskiej.

Kiedy pisarz (albo artysta w ogólności) mówi, że pracował, nie myśląc o regułach procesu twórczego, chce tylko powiedzieć, że pracował, nie wiedząc, iż zna owe reguły. Dziecko mówi świetnie macierzystym językiem, ale nie umiałoby zapisać jego gramatyki. Lecz nie tylko gramatyk zna reguły języka, gdyż dziecko również zna je doskonale, choć sobie tego nie uświadamia. Gramatyk to po prostu ktoś, kto wie, dlaczego i jak dziecko zna język.

Opowiedzieć, jak się pisało, nie jest tym samym, co dowieść, że pisało się „dobrze". Poe powiedział, że „czym innym jest rezultat twórczy, a czym innym znajomość procesu twórczego". Kiedy Kandinsky albo Klee opowiadają nam, jak malują, nie mówią, czy jeden z nich jest lepszy od drugiego. Kiedy Michał Anioł mówi nam, że *rzeźbić* to wyzwalać od nadmiaru posąg wpisany już w kamień, nie mówi nam, czy *Pietà* w Watykanie jest lepsza od *Piety Rondanini*. Zdarza się, że stronice najwięcej mówiące o procesie twórczym piszą artyści pomniejsi, którzy uzyskiwali rezultaty skromniejsze, ale umieli snuć refleksję o tym, jak tworzyli. To Vasari, Horatio Greenough, Aaron Copland...

Oczywiście średniowiecze

Napisałem powieść, ponieważ na to właśnie miałem chęć. Sądzę, że to wystarczający powód, żeby przystąpić do opowiadania. Człowiek jest z natury swej zwierzęciem opowiadającym. Zacząłem pisać w marcu 1978 roku, wychodząc od pomysłu w stadium zalążkowym. Miałem ochotę otruć mnicha. Sądzę, że powieść rodzi się z tego rodzaju pomysłów, a reszta to miąższ, który dorzuca się po drodze. Najpierw potrzebny jest pomysł. Odnalazłem później opatrzony datą 1975 zeszyt zawierający listę mnichów jakiegoś bliżej nieokreślonego klasztoru. I to wszystko. Zacząłem od lektury *Traité des poisons* Orfili – który kupiłem dwadzieścia lat wcześniej u bukinisty nad Sekwaną jedynie z wierności wobec Huysmansa *(Là-bas)*. Ponieważ żadna z trucizn nie zadowoliła mnie całkowicie, poprosiłem znajomego biologa, by doradził mi środek farmakologiczny, który miałby określone właściwości (byłby wchłaniany do organizmu przez skórę, kiedy się bierze coś do ręki). Natychmiast zniszczyłem list z odpowiedzią, że nie zna satysfakcjonującej mnie trucizny – ponieważ byłby to dokument, który przeczytany w innym kontekście mógłby zaprowadzić człowieka na szubienicę.

Najpierw moi mnisi mieli żyć w klasztorze współczesnym (myślałem o mnichu detektywie, który czytałby „II Manifesto"). Ale ponieważ klasztor czy opactwo żyją po dziś dzień wieloma wspomnieniami z czasów średniowiecza, zacząłem szperać w moim archiwum mediewisty w stanie hibernacji (książka o estetyce średniowiecznej w roku 1956, około stu stron na ten temat w roku 1969, jakiś esej po drodze, zwrócenie się ku tradycji średniowiecznej w roku 1962, kiedy przygotowywałem pracę o Joysie, a potem w 1972 roku długie studium o Apokalipsie i o miniaturach zdobiących komentarz Beatusa z Liebany do tejże Apokalipsy, a więc kontaktu ze średniowieczem nie traciłem). Wpadł mi w ręce obszerny materiał (fiszki, fotokopie, zeszyty), gromadzony od 1952 roku, który miał służyć innym, niezbyt jasno określonym celom: napisaniu historii potworów albo analizie średniowiecznych encyklopedii, albo teorii wykazów... Otóż w pewnym momencie powiedziałem sobie, że skoro moja wyobraźnia obcuje ze średniowieczem na co dzień, najlepiej napisać powieść, która rozgrywa się najzwyczajniej w świecie właśnie w średniowieczu. Jak powiedziałem w jednym z wywiadów, teraźniejszość znam wyłącznie z ekranu telewizyjnego, natomiast średniowiecze – bezpośrednio. Kiedyś zdarzało się, że gdy rozpalaliśmy ognisko na łące, żona oskarżała mnie, że nie umiem patrzeć na iskry, które wzbijają się między drzewa i mkną po świetlistych kreskach. Po przeczytaniu rozdziału o pożarze oznajmiła: „Więc jednak patrzyłeś na iskry!" Odparłem: „Nie, ale wiedziałem, jak widziałby je średniowieczny mnich".

Dziesięć lat temu w liście, który posłałem wraz z komentarzem do komentarza Apokalipsy Beatusa z Liebany (wydanego przez Franca Marię Ricciego), wyznałem:

„Jakkolwiek by na to patrzeć, urodziłem się, by badać i penetrować symboliczne lasy zamieszkane przez jednorożce i gryfony, przyrównując strzeliste i solidne konstrukcje katedr do egzegetycznej zręczności, jaka kryje się w tetragonalnych formułach Summulae, wałęsając się między Słomianą ulicą* a cysterskimi nawami, uprzejmie rozprawiając z uczonymi i pysznymi kluniackimi mnichami, pod okiem opasłego i racjonalistycznego Akwinaty, kuszony przez Ho-

---

* Dante Alighieri, *Boska Komedia, Raj,* pieśń X, w. 137.

noriusza Augustodunensisa i przez jego fantastyczne geografie, w których objaśniane jest jednocześnie, *quare in pueritia coitus non contingat**, jak dociera się do Zagubionej Wyspy i jak się chwyta bazyliszka, będąc wyposażonym jedynie w kieszonkowe lusterko i niewzruszoną wiarę w *Bestiariusz*.

To upodobanie i ta namiętność nie opuściły mnie nigdy, nawet jeśli później ze względów moralnych i materialnych (bo uprawianie mediewistyki wymaga często dobrze wypchanego portfela i możności wędrowania po odległych bibliotekach, gdzie trzeba mikrofilmować rękopisy, których nie sposób znaleźć) zapuszczałem się na inne drogi. Tak więc średniowiecze pozostało jeśli nie moim zawodem, to moim hobby i stałą pokusą, i widzę je wyraźnie we wszystkich sprawach, którymi się zajmuję i które na średniowieczne nie wyglądają, a jednak takimi właśnie są.

Sekretne wakacje pod sklepionymi nawami w Autun, gdzie opat Grivot pisze dzisiaj poświęcone diabłu podręczniki, których oprawy są przesycone siarką, chwile upojenia życiem wiejskim w Moissac i w Conques, gdzie omamili mnie starcy z Apokalipsy albo diabły upychające w gotujących się kotłach potępione dusze; a później przywracająca siły lektura oświeconego mnicha Bedy, szukanie racjonalnego wsparcia u Ockhama, by zrozumieć tajemnice Znaku tam, gdzie Saussure jest jeszcze niejasny. I tak ciągle, wraz z bezustanną tęsknotą za *Peregrinatio Sancti Brandani,* sprawdzaniem naszego myślenia dokonywanym na Księdze z Kells*, odwiedzeniem raz jeszcze Borgesa w celtyckich *kenningars,* relacjami między władzą a nakłonionymi do posłuszeństwa masami – według diariusza opata Sugera..."

Maska

Prawdę mówiąc, postanowiłem nie tylko opowiedzieć o średniowieczu. Postanowiłem opowiedzieć o średniowieczu ustami ówczesnego kronikarza. Debiutowałem w roli powieściopisarza, a co więcej, dotychczas na powieściopisarzy patrzyłem z drugiej strony barykady. Wstydziłem się opowiadać. Czułem się jak krytyk teatralny, który nagle stanął w świetle rampy i wie, że patrzą na niego dotychczasowi koledzy z parteru.

---

* Dlaczego w dzieciństwie niemożliwe jest obcowanie cielesne (łac.).
* Chodzi o manuskrypt czterech Ewangelii, iluminowany w klasztorze w Kells w Irlandii (VIII lub IX w.).

Czy można powiedzieć: „Był piękny poranek pod koniec listopada", nie czując się przy tym jak Snoopy? Lecz jeśli właśnie każę to powiedzieć Snoopy'emu? Jeśli owo „Był piękny poranek..." powie ktoś, kto ma do tego prawo, gdyż w jego czasach było to jeszcze możliwe do powiedzenia? Maska, oto czego potrzebowałem.

Zacząłem czytać średniowiecznych kronikarzy i wracać do dawnych lektur, by przyswoić sobie rytm i naiwność ich opowieści. Oni mieli mówić za mnie, a ja byłem wolny od podejrzeń. Wolny od podejrzeń, ale nie od ech intertekstualnych. Odkryłem więc na nowo to, co pisarze od początku wiedzieli (i co tyle razy nam powtarzali): książki mówią zawsze o innych książkach i wszelka opowieść snuje historię już opowiedzianą. Wiedział o tym Homer, wiedział Ariosto, nie mówiąc już o Rabelais'm lub Cervantesie. Dlatego też moja historia musiała zacząć się od znalezienia manuskryptu, a nawet sama miała być cytatem (oczywiście). Tak więc napisałem szybko wstęp, lokując własną narrację na czwartym etapie wkładania szkatułki w szkatułkę, wewnątrz innych narracji: powiadam, że Vallet powiedział, że Mabillon powiedział, że Adso powiada...

W ten sposób wyzwoliłem się od wszelkiego lęku. I w tym punkcie przerwałem na rok pisanie. Przerwałem, gdyż odkryłem jeszcze jedną rzecz, o której już wiedziałem (o której wiedzą wszyscy), ale którą lepiej zrozumiałem, kiedy wziąłem się do pracy.

Odkryłem mianowicie, że w okresie początkowym nic powieści po słowach. Pisanie powieści to przedsięwzięcie kosmologiczne, jak to podjęte w Księdze Rodzaju („Nie obejdzie się bez wybrania sobie jakiegoś wzorca" – powiedział Woody Allen).

Powieść jako fakt kosmologiczny

Mam na myśli to, że jeśli chce się zasiąść do pisania, trzeba sobie najpierw zbudować świat możliwie najdokładniej urządzony, aż do ostatnich szczegółów. Jeślibym wyobraził sobie rzekę, dwa brzegi i na brzegu lewym umieścił rybaka, jeślibym ponadto wyposażył tego rybaka w charakter wybuchowy, przypisał mu spory rejestr występków, mógłbym przystąpić do pisania, przekładając na słowa to, co musiałoby nastąpić. Cóż robi rybak? Łowi ryby (i oto nie da się już całkowicie uniknąć sekwencji pewnych gestów). A co dzieje się potem? Albo ryby biorą, albo nie. Jeśli tak, rybak łowi je, a potem idzie, zadowolony z siebie, do domu. Koniec opowieści? Jeśli jednak nie biorą, może się zirytować, gdyż jest przecież porywczy. Może połamie wędkę. Nic wielkiego, ale już mamy zarys scenki rodzajowej. Mamy jednak jeszcze indiańskie przysłowie, które powiada: „Usiądź na brzegu i czekaj, a trup twojego wroga pojawi się w nurcie rzeki". Gdyby więc prąd przyniósł trupa – wszak taka możliwość wpisana jest w intertekstualną przestrzeń rzeki? Nie zapominajmy, że lista występków naszego rybaka nie uchodzi bynajmniej za małą. Czy zechce on narazić się na to, że napyta sobie biedy? Cóż uczyni? Ucieknie, uda, że nie widział trupa? Będzie miał nieczyste sumienie, gdyż ostatecznie jest to trup człowieka, którego nienawidził? A może przez swoją zapalczywość wpadnie w złość, gdyż nie mógł dokonać własnoręcznie upragnionej zemsty? Jak widzicie, wystarczy jako tako urządzić swój świat, i początek opowieści gotowy. Mamy też zacząć-tek stylu, gdyż rybak siedzący nad rzeką narzuca rytm opowieści powolny, rozlewny, dostosowany do jego czekania, które powinno być cierpliwe, choć również z nagłymi odruchami irytacji. Problem stanowi skonstruowanie świata, słowa przyjdą prawie same. *Rem tene, verba sequentur.* Odwrotnie jest w poezji: *Verba tene, res sequentur.* Pierwszy rok pracy nad powieścią poświęciłem więc budowaniu świata. Długie spisy wszystkich książek, które mogły się znaleźć w bibliotece średniowiecznej. Listy imion i fiszki metrykalne mnóstwa osób, z których jakże wiele zostało potem z opowieści usuniętych. Musiałem wiedzieć też, kim byli inni mnisi, którzy w książce się nie pojawiają. Nie było konieczne, żeby poznał ich czytelnik, lecz ja – owszem. Kto powiedział, że proza literacka winna być konkurencją dla urzędu stanu cywilnego? Ale być może powinna stanowić konkurencję dla pracowni urbanistycznej. Stąd długie studiowanie zdjęć i planów w encyklopedii architektury: trzeba było ustalić plan opactwa, odległości, a nawet liczbę stopni krętych schodów. Marco Ferreri powiedział mi kiedyś, że moje dialogi są filmowe, gdyż trwają odpowiednio długo. Ma rację, bo kiedy dwóch moich bohaterów miało rozmawiać w drodze z refektarza do krużganków, pisałem dialog z planem przed oczyma, a kiedy docierali na miejsce, przestawali mówić.

Trzeba narzucić sobie ograniczenia, by móc puścić wodze fantazji. W poezji ograniczeniem może być stopa, wers, rym, może być to wszystko, co w naszych czasach nazywa się oddechem na słuch... W prozie ograniczenie stanowi założony świat. I nie ma to nic wspólnego z realizmem (chociaż wyjaśnia nawet i realizm). Można skonstruować sobie świat całkowicie nierealny, świat, w którym osły fruwają, a księżniczki wskrzesza się pocałunkiem, lecz ten świat, czysto możliwościowy i nierzeczywisty, musi istnieć zgodnie ze strukturami określonymi w momencie wyjściowym (trzeba wiedzieć, czy w tym świecie księżniczkę może wskrzesić jedynie pocałunek księcia, czy również pocałunek czarownicy i czy pocałunek księżniczki przywraca dawną postać księcia tylko ropuchom, czy może także, powiedzmy, pancernikom).

Część mojego świata stanowiła także Historia i dlatego właśnie tak ślęczałem nad średniowiecznymi kronikami; a czytając je, spostrzegłem, że w powieści musi znaleźć się miejsce dla spraw, o których na początku nawet nie pomyślałem, jak spory o ubóstwo albo inkwizycja przeciw braciaszkom.

Weźmy taki przykład: czemu w mojej książce występują czternastowieczni braciaszkowie? Jeśli chciałem już napisać opowieść średniowieczną, powinienem osadzić ją w XIII albo XII wieku, gdyż znam je lepiej niż XIV. Ale potrzebny mi był detektyw, możliwie Anglik (cytat intertekstualny), który miałby wielki zmysł obserwacji i szczególną wrażliwość na interpretowanie znaków. Te przymioty znaleźć można jedynie w środowisku franciszkańskim, i to po Rogerze Baconie. Poza tym rozwiniętą teorię znaków mamy dopiero u ockhamistów, choć właściwie istniała już dawniej, ale ta interpretacja znaków albo była typu symbolicznego, albo przejawiała skłonność do widzenia w znakach idei i powszechników. Tylko w czasach między Baconem a Ockhamem używano znaków, by kierować się ku poznaniu rzeczy poszczególnych. Musiałem więc usytuować moją opowieść w XIV wieku i bardzo mnie to irytowało, gdyż poruszałem się w nim z większym trudem. Stąd konieczność nowych lektur i odkrycie, że czternastowieczny franciszkanin, choćby Anglik, musiał wiedzieć o sporze na temat ubóstwa, zwłaszcza jeśli był uczniem lub zwolennikiem Ockhama albo jeśli przynajmniej go znał. (Warto tu dodać na marginesie, że początkowo detektywem miał być sam Ockham, ale potem porzuciłem ten pomysł, gdyż z ludzkiego punktu widzenia Venerabilis Inceptor nie budzi mojej sympatii).

Ale dlaczego wszystko rozgrywa się pod koniec listopada 1327 roku? Gdyż w grudniu Michał z Ceseny był już w Awinionie (oto co oznacza urządzić świat w powieści historycznej: niektóre elementy, jak liczba schodków, zależą od decyzji autora, inne zaś, jak przemieszczenie się Michała, zależą od świata rzeczywistego, który przypadkiem w tym typie powieści pokrywa się z możliwościowym światem opowiadanym).

Ale listopad to zbyt wcześnie. Musiałem przecież zabić wieprzka. Po co? Ależ to proste: by móc wetknąć trupa głową w dół do kadzi z krwią. A po co mi to było potrzebne? Ponieważ druga trąba

Apokalipsy powiada, że... Nie mogłem wszak zmienić Apokalipsy, była częścią świata. No dobrze, tak się składa (zasięgnąłem informacji), że świnie zabija się jedynie w okresach chłodu, a listopad mógł być miesiącem zbyt wczesnym. Chyba że umieszczę opactwo na szczycie góry, by leżał tam już śnieg. Gdyby nie to, moja historia mogłaby toczyć się na równinie, w Pomposie albo Conques.

Kiedy skonstruujemy już świat, on sam wskaże, jak opowieść powinna się dalej potoczyć. Wszyscy pytają mnie, dlaczego mój Jorge nosi imię, które kojarzy się z Borgesem, i czemu Borges jest taki niegodziwy. Ale ja tego nie wiem. Chciałem mieć ślepca pilnującego biblioteki (wydawało mi się, że to dobry pomysł literacki), a biblioteka nie mogła dać nic bardziej ślepego od Borgesa, także dlatego, że długi trzeba spłacać. A poza tym właśnie poprzez hiszpańskie komentarze i miniatury Apokalipsa wywierała wpływ na całe średniowiecze. Ale chociaż już umieściłem Jorge w bibliotece, nie wiedziałem jeszcze, że on właśnie będzie mordercą. Jeśli można się tak wyrazić, wszystkiego dokonał sam. I proszę nie sądzić, że jest to stanowisko „idealistyczne", jak w przypadku kogoś, kto mówi, że bohaterowie żyją własnym życiem, piszący zaś w transie autor każe im działać tak, jak oni mu podszeptują. Są to głupoty, nadające się na temat wypracowania maturalnego. Rzecz polega na tym, że bohaterowie muszą działać zgodnie z prawami świata, w którym żyją. Inaczej mówiąc, autor jest więźniem własnych założeń.

Równie smakowita jest historia z labiryntem. Wszystkie labirynty, o których coś wiedziałem – a miałem w rękach piękne studium Santarcangelego – są labiryntami na otwartej przestrzeni. Mogły być nader zagmatwane i mieć mnóstwo zakrętów. Ale ja potrzebowałem labiryntu zamkniętego (czy widział kto bibliotekę na otwartej przestrzeni?), a jeśliby labirynt był zbytnio skomplikowany i miał zbyt wiele korytarzy i sal wewnętrznych, dopływ powietrza okazałby się niewystarczający. Dobry przewiew był zaś konieczny, by podsycić pożar (to, że Gmach na koniec winien spłonąć, wiedziałem niewątpliwie, ale tutaj także w grę wchodziły przyczyny kosmologiczno--historyczne: w średniowieczu katedry i klasztory płonęły jak zapałki, wymyślić opowieść dziejącą się w średniowieczu, ale bez pożaru, to jakby wymyślić film z wojny na Pacyfiku bez samolotu myśliwskiego, który spada, ogarnięty płomieniami). Tak więc pracowałem przez dwa lub trzy miesiące nad zbudowaniem stosownego labiryntu, a w końcu musiałem wyposażyć go w szczeliny, gdyż w przeciwnym wypadku dopływ powietrza byłby nadal niedostateczny.

Kto mówi?

Czekało mnie mnóstwo kłopotów. Chciałem mieć do dyspozycji miejsce zamknięte, świat koncentracyjny, i by lepiej go zamknąć, dogodnie było wprowadzić poza jednością miejsca także jedność czasu (zważywszy na to, że jedność akcji była niepewna). Stąd opactwo benedyktyńskie, prowadzące życie, którego rytm wyznaczają godziny kanoniczne (być może podświadomie za wzór posłużył mi *Ulisses* ze swoją żelazną strukturą godzin, ale też *Czarodziejska góra* – ze względu na wyniosłe i uzdrowiskowe miejsce akcji, które sprzyjało prowadzeniu wielkiej ilości rozmów).

Dialogi nasuwały mnóstwo problemów, lecz rozwiązywałem je już później, w trakcie pisania. W teorii prozy niewiele miejsca poświęcono zagadnieniom *turn ancillaries,* to jest sposobom, do których ucieka się pisarz, przekazując głos rozmaitym bohaterom. Zobaczmy, jakie różnice zachodzą między tymi pięcioma dialogami:

1. – Jak się miewasz?
   – Niezgorzej, a ty?
2. – Jak się miewasz – spytał Jan.
   – Niezgorzej – odparł Piotr. – A ty?
3. – No i jak – spytał Jan – jakże się miewasz? Na to Piotr bez wahania:
   – Niezgorzej, a ty?
4. – Jak się miewasz? – zatroszczył się Piotr.
   – Niezgorzej, a ty? – zachichotał Piotr.
5. Ozwał się Jan:
   – Jakże się miewasz?
   – Niezgorzej – odpowiedział Piotr bezbarwnym głosem. Po chwili dodał z nieokreślonym uśmiechem: – A ty?

We wszystkich przypadkach, poza pierwszymi dwoma, zauważamy to, co definiuje się jako „instancję wypowiedzi": autor wchodzi ze swoim komentarzem i podpowiada, jakie znaczenie mogą mieć słowa rozmówców. Czy jednak taka intencja jest rzeczywiście nieobecna w pozornie aseptycznych rozwiązaniach z dwóch pierwszych przypadków? I czy rzeczywiście czytelnik ma więcej swobody w dwóch przypadkach aseptycznych, kiedy zostaje poddany sugestii emocjonalnej, nie zdając sobie z tego sprawy (pomyślmy tylko o pozornej neutralności dialogu Hemingwayowskiego!), czy też więcej swobody ma w trzech pozostałych przypadkach, kiedy przynajmniej wie, jaką grę prowadzi autor? Chodzi tu o wybór stylu, ideologii, poetyki, tak samo jak w przypadku, kiedy dobiera się rym wewnętrzny, asonans albo wprowadza grę słów. Trzeba, uzyskać pewnego rodzaju spójność. Być może w moim wypadku było to łatwiejsze, gdyż wszystkie dialogi są relacjonowane przez Adsa i nie ulega wątpliwości, że Adso narzuca swój punkt widzenia całemu tokowi opowieści.

Z dialogami wiązało się jeszcze inne zagadnienie. Do jakiego stopnia miały być średniowieczne? Innymi słowy, już pisząc, zdawałem sobie sprawę, że książka przybiera kształt melodramatu w stylu buffo, z długimi recytatywami i rozlewnymi ariami. Arie (na przykład opis portalu) pasowały do wielkiej retoryki wieków średnich, a wzorców tu nie brakowało. Ale co z dialogami? W pewnym momencie zląkłem się, że będą w stylu Agaty Christie, podczas gdy arie były w stylu Sugera albo świętego Bernarda. Zasiadłem raz jeszcze do romansów średniowiecznych, to znaczy epopei rycerskiej, i zdałem sobie sprawę, że jeśli pominąć kilka dowolności z mojej strony, respektowałem jednak pewien zwyczaj narracyjny i poetycki, który nie był obcy średniowieczu. Ale problem ten długo mnie dręczył i nie jestem wcale pewny, czy rozwiązałem kwestię tych zmian rejestru od arii do recytatywu.

Inne zagadnienie: lokowania wypowiedzi albo instancji narracyjnych. Wiedziałem, że opowiadam historię słowami kogoś innego, i uprzedziłem we wstępie, iż słowa te zostały przefiltrowane przez co najmniej dwie instancje narracyjne, Mabillona i księdza Valleta, nawet jeśli założyć, że pracowali nad tekstem jedynie jako filolodzy i że nim nie manipulowali (lecz kto w to uwierzy?). Jednak problem staje na nowo wewnątrz narracji prowadzonej w pierwszej osobie przez Adsa. Osiemdziesięcioletni Adso opowiada to, co przeżył, mając lat osiemnaście. Kto mówi, Adso osiemnastoletni czy Adso osiemdziesięcioletni? Obaj, to oczywiste, i tak właśnie chciałem tę sprawę ustawić. Gra polegała na tym, żeby wprowadzać stale na scenę Adsa starca, snującego rozważania na temat tego, co utkwiło mu w pamięci z wydarzeń, które oglądał i przeżywał jako Adso osiemnastolatek. Modelem (ale nie posunąłem się do tego, żeby na nowo przeczytać książkę, wystarczyły mi odległe wspomnienia) był Serenus Zeitblom z *Doktora Faustusa*. Tę podwójną grę wypowiedzi prowadziłem z wielką fascynacją i pasją. Między innymi z tej przyczyny, że – wracam tu do tego, co powiedziałem o masce – dublując Adsa, dublowałem raz jeszcze dystans i ciąg zasłon między mną jako osobą z krwi i kości albo mną jako opowiadającym autorem, czyli moim opowiadającym „ja", a bohaterami, o których opowiadałem, z głosem narratora włącznie. Czułem się coraz bezpieczniej i całe to doświadczenie przypominało mi (mam na myśli cieleśnie i z całą oczywistością, jaką ma smak magdalenki rozmoczonej w kwiecie lipowym) niektóre dziecięce zabawy, kiedy narzuciwszy na siebie kołdrę, przebywałem w wyimaginowanej łodzi podwodnej, skąd posyłałem meldunki siostrze, która nakryła się kołdrą na innym łóżku, a oboje oddzieleni byliśmy od świata zewnętrznego i całkowicie swobodnie mogliśmy wymyślać długie rejsy po niemych głębinach mórz.

Adso stał się dla mnie kimś bardzo ważnym. Od samego początku chciałem opowiedzieć całą historię (wraz z jej tajemnicami, wydarzeniami politycznymi i teologicznymi, jej dwuznacznościami) głosem kogoś, kto przeżywa wypadki, rejestruje je z fotograficzną wiernością młodzieniaszka, ale ich nie pojmuje (i nie pojmie do głębi nawet jako starzec, tak że w końcu wybiera ucieczkę w boską nicość, a nie tego przecież nauczył go mistrz). Wytłumaczyć wszystko słowami kogoś, kto nie rozumie ni w ząb.

Czytając recenzje, spostrzegam, że jest to jeden z tych aspektów powieści, który mniejsze wrażenie wywarł na czytelnikach wykształconych, albo przynajmniej powiedziałbym, że nikt lub prawie nikt go nie podjął. Ale zadaję sobie teraz pytanie, czy nie był to jeden z tych elementów, które zdecydowały o poczytności powieści wśród czytelników mniej wybrednych. Zidentyfikowali się z naiwnym narratorem i czuli się usprawiedliwieni, kiedy czegoś nie pojmowali. Przywróciłem im lęk przed sprawami płci, nieznanymi językami, złożonością ludzkiej myśli, tajemnicami życia politycznego... To wszystko rozumiem teraz, *après coup,* lecz być może, pisząc, przekazałem Adsowi wiele z moich lęków młodzieńczych, a z pewnością zabarwiłem nimi jego porywy miłosne (choć zawsze z gwarancją, że mogę działać przez osobę podstawioną; Adso przeżywa swoje uniesienie wyłącznie poprzez słowa, jakimi o miłości mówią doktorowie Kościoła). Sztuka jest ucieczką od wzruszeń osobistych, tego nauczyli mnie i Joyce, i Eliot.

Walka z emocjami była trudna. Napisałem piękną modlitwę, wzorowaną na pochwale natury pióra Alanusa ab Insulis, by włożyć ją w usta Wilhelma, przeżywającego chwilę wzruszenia. Potem zrozumiałem, że obaj uleglibyśmy emocjom, ja jako autor, on jako bohater. Ja jako autor nie powinienem ze względu na poetykę. On jako bohater nie mógł, gdyż został ulepiony z innej gliny i jego wzruszenia były czysto umysłowe albo stłumione. Tak więc usunąłem tę stronicę. Pewna znajoma po przeczytaniu książki powiedziała: „Jedynym moim zastrzeżeniem jest to, że Wilhelm nie ma żadnego odruchu pobożności". Powtórzyłem to innemu znajomemu, który odparł: „I słusznie, taki jest styl jego *pietas*". Może i tak. I niechaj już tak zostanie.

Paralipsa

Adso posłużył mi do rozwiązania innego jeszcze problemu. Dzięki niemu mogłem umieścić opowieść w średniowieczu, a przecież pisać tak, jakby bohaterowie rozumieli się w pół słowa. Jak w prozie współczesnej, gdzie jeśli bohater mówi, że Watykan nie zaaprobowałby jego rozwodu, nie trzeba wyjaśniać, czym jest Watykan i czemu nie aprobuje rozwodów. Ale w powieści historycznej nie można było tak zrobić, gdyż opowiada się również po to, by lepiej uświadomić swoim współczesnym, co się zdarzyło, a w pewnym sensie to, co się zdarzyło, liczy się także dla nas.

Pojawia się wówczas niebezpieczeństwo salgaryzmu. Bohaterowie Salgariego, tropieni przez wrogów, uciekają do lasu i potykają się o korzeń baobabu. I oto powieściopisarz zawiesza akcję i przedstawia nam wykład botaniczny o baobabach. Teraz stało się to toposem, miłym jak przywary osób, które niegdyś kochaliśmy, lecz nie można sobie na to pozwalać.

Napisałem na nowo setki stron, żeby uniknąć tego rodzaju pułapki, ale nie pamiętam, bym zdawał sobie sprawę z tego, jak ten problem rozwiązywałem. Spostrzegłem to dopiero dwa lata później i właśnie w chwili, kiedy starałem się wyjaśnić, dlaczego książka jest czytana również przez ludzi, którzy z pewnością nie mogą lubić książek tak „uczonych". Tok opowieści Adsa oparty jest na figurze stylistycznej zwanej paralipsą. Czy pamiętacie sławny przykład? „Cezara zmilczę; że na każdym zboczu..."* Ktoś oznajmia, że nie ma najmniejszego zamiaru zabierać głosu w jakiejś sprawie, którą wszyscy doskonale znają, ale tym samym już o tej sprawie mówi. W trochę podobny sposób Adso mówi o różnych osobach i wydarzeniach jak o czymś dobrze znanym, ale jednak o nich mówi. Co się tyczy osób i wydarzeń, których czytelnik Adsa, Niemiec z końca XIV wieku, nie mógł znać, gdyż rozegrały się w Italii na początku stulecia, Adso relacjonuje je bez żadnych zastrzeżeń, w tonie wyjaśniającym,

---

* Francesco Petrarca, *Le rime*, CXXVIII, w. 49.

bo taki był styl średniowiecznego kronikarza, chętnie wprowadzającego dane encyklopedyczne za każdym razem, kiedy zaczyna o czymś mówić. Po przeczytaniu rękopisu jedna z moich znajomych (inna niż poprzednio) powiedziała, że uderzył ją dziennikarski, nie zaś powieściowy styl opowieści, jakby to był artykuł w „Espresso" – tak powiedziała, o ile pamiętam. Najpierw przyjąłem to źle, lecz potem dostrzegłem, co nieświadomie podchwyciła. Tak właśnie opowiadali dawni kronikarze, a jeśli używamy dzisiaj nazwy „kronika", to dlatego, że wtenczas pisano tak dużo kronik.

Oddech

Ale nie był to jedyny powód wprowadzenia długich ustępów o charakterze wyjaśniającym. Przeczytawszy rękopis, znajomi z wydawnictwa zaproponowali, bym skrócił pierwsze sto stron, gdyż uznali je za nader drobiazgowe i nużące. Odmówiłem bez wahania, twierdząc, że jeśli ktoś chce wejść do opactwa i przeżyć tam tydzień, musi zgodzić się na ten rytm. Jeśli mu się nie uda, nie zdoła też dobrnąć do końca książki. Stąd pokutna, inicjacyjna rola pierwszych stu stron; a jeśli się to komuś nie podoba – trudno, zatrzyma się na stoku wzgórza.

Wciągnąć się w powieść to jak wyruszyć na wyprawę górską. Trzeba nauczyć się oddychać, wpaść w rytm marszu, gdyż inaczej wkrótce trzeba będzie przystanąć. To samo dzieje się w poezji. Pomyślcie tylko, jak trudno znieść poezję recytowaną przez tych aktorów, którzy w pogoni za „interpretacją" nie respektują miary wiersza, dokonują *enjambements,* jakby mówili prozę, idą za treścią, nie zaś za rytmem. Czytając jedenastozgłoskową tercynę, trzeba wydobywać ów śpiewny rytm, jaki chciał narzucić poeta. Lepiej czytać Dantego tak, jakby były to rymy z jakiegoś pisemka dla dzieci, niż uganiać się za sensem, nie zważając na cenę, jaką przychodzi za to płacić.

W prozie kwestia oddechu nie dotyczy frazy, tylko obszerniejszych makrozdań, rytmu wydarzeń. Są powieści, które oddychają jak gazele, i takie, które oddychają jak wieloryby albo słonie. Harmonia polega nie na długości oddechu, lecz na regularności zaczerpywania powietrza, między innymi dlatego, że jeśli w pewnym punkcie (ale nie powinno następować to zbyt często) oddech się urywa i jakiś rozdział (albo sekwencja) się kończy, zanim zaczerpnie się powietrza, może to odgrywać ważną rolę w ekonomii powieści, zaznaczać punkt zerwania, efekt teatralny. Przynajmniej tak robią wielcy. „Na swoje nieszczęście odpowiedziała", po czym kropka i nowy akapit – ma inny rytm niż „Żegnajcie, góry"*, ale kiedy te słowa padają, jest tak, jakby błękitne niebo Lombardii zasnuło się krwią. Autor powieści naprawdę wielkiej zawsze wie, gdzie ma przyspieszyć, a gdzie przyhamować i jak dawkować te zmiany tempa w ramach rytmu podstawowego, który pozostaje stały. Także w muzyce można „kraść" – *rubare* – byleby nie za dużo, gdyż w przeciwnym razie mamy do czynienia ze złymi wykonawcami, którym wydaje się, że grając Chopina, wystarczy przesadzać w stosowaniu *rubato*. Nie mówię o tym, jak rozwiązałem swoje problemy, ale jak je sobie stawiałem. I gdybym powiedział, że stawiałem je świadomie, skłamałbym. Istnieje myśl kompozycyjna, która przejawia się nawet w rytmie, z jakim palce uderzają w klawisze maszyny do pisania. Oto przykład, że opowiadanie może być myśleniem palcami. Jest rzeczą oczywistą, że scena igraszek miłosnych w kuchni została całkowicie zbudowana z cytatów zaczerpniętych z tekstów religijnych, począwszy od Pieśni nad Pieśniami po świętego Bernarda, Jana z Fecamp i świętą Hildegardę z Bingen. Nawet jeśli ktoś nie miał do czynienia z mistyką średniowieczną, ale nie brak mu odrobiny słuchu muzycznego, przynajmniej zdał sobie z tego sprawę. Ale kiedy teraz pytają mnie, skąd jest dany cytat i gdzie kończy się jeden, a zaczyna inny, nie jestem już w stanie powiedzieć.

Zgromadziłem dziesiątki fiszek z wszelkimi tekstami, a czasem całe strony z książek, fotokopie – było tego mnóstwo, znacznie więcej, niż później wykorzystałem. Ale scenę napisałem za jednym zamachem (dopiero później ją oszlifowałem, jakby pociągając ujednolicającym werniksem, żeby szwy były jeszcze mniej widoczne). Tak więc kiedy pisałem, miałem przed sobą wszystkie te rozłożone bezładnie teksty i rzucałem okiem to na jeden, to na drugi; przepisywałem jakiś ustęp i zaraz doklejałem do niego jakiś inny. Pierwszą wersję tego rozdziału napisałem najszybciej ze wszystkich. Pojąłem później, że pisząc na maszynie, starałem się naśladować rytm miłosnego uścisku, a więc nie mogłem się zatrzymać, by dobrać najwłaściwszy cytat. O tym, że w danym miejscu dobierałem właściwy cytat, decydował rytm, w jakim go przepisywałem, odpychając wzrokiem inne, które zakłóciłyby ów rytm wystukiwania słów na maszynie. Nie mogę powiedzieć, że opis wydarzenia trwał tak samo długo jak wydarzenie (aczkolwiek zdarza się, iż trwa ono wystarczająco długo), ale starałem się zmniejszyć, jak tylko mogłem, różnicę

---

* Alessandro Manzoni, *Narzeczem,* przet. Barbara Sieroszewska.

między czasem trwania uścisku miłosnego a czasem pisania. Słowa „pisanie" używam tu nie w sensie Barthes'owskim, ale w znaczeniu maszynopisania, mam na myśli pisanie jako akt materialny, fizyczny. I mówię o rytmie cielesnym, nie zaś emocjonalnym. Wzruszenie, przefiltrowane następnie, było pierwotne, zawierało się w postanowieniu, by skojarzyć uniesienie mistyczne z uniesieniem miłosnym, zostało przeżyte w momencie, kiedy czytałem i wybierałem teksty, których miałem użyć. Później już żadnych wzruszeń, to Adso przeżywał miłość, ja zaś miałem tylko przełożyć jego wzruszenie na grę zerknięć w stronę tekstów i uderzeń w klawisze, jakbym chciał opowiadać historię miłosną, bijąc w bęben.

Konstruowanie czytelnika

Rytm, oddech, pokuta... Dla kogo? Czyżby dla mnie? Nie, z całą pewnością dla czytelnika. Pisze się z myślą o czytelniku. Tak samo malarz pracuje z myślą o tym, kto będzie oglądał obraz. Robi pociągnięcie pędzlem, po czym oddala się na dwa albo trzy kroki i bada efekt, to jest patrzy na obraz tak, jak po zawieszeniu dzieła na ścianie, w stosownym oświetleniu, powinien patrzeć na nie widz. Kiedy utwór jest gotowy, zaczyna się dialog między tekstem a jego czytelnikami (autor nie bierze w nim udziału). Dopóki proces tworzenia nie dobiegnie końca, trwa podwójny dialog: z jednej strony między tworzonym tekstem a wszystkimi innymi napisanymi poprzednio (książki pisze się zawsze, wykorzystując inne książki i odnosząc się do innych książek), a z drugiej – między autorem a modelowym czytelnikiem. Ujęcie teoretyczne – choć nie ja je wymyśliłem – przedstawiłem w innych pracach, jak *Lector in fabula* albo, jeszcze wcześniej, *Dzieło otwarte*.

Może się zdarzyć, że autor pisze z myślą o jakiejś publiczności rzeczywistej, jak czynili to twórcy nowoczesnej powieści, Richardson, Fielding albo Defoe, którzy pisali dla kupców i ich żon. Ale przecież dla publiczności tworzył także Joyce, który miał na myśli czytelnika idealnego, cierpiącego na idealną bezsenność. W obu przypadkach – kiedy autor sądzi, że przemawia do publiczności, która czeka za drzwiami z pieniędzmi w ręku, i kiedy zamierza, pisać dla czytelnika przyszłego – pisanie to konstruowanie za pomocą tekstu własnego wzoru czytelnika.

Co to oznacza: myśleć o czytelniku zdolnym pokonać pokutnicze rafy pierwszych stu stron? Oznacza, dokładnie biorąc, pisanie stu stronic z zamiarem skonstruowania sobie czytelnika odpowiedniego do lektury stron następnych.

Czy jest pisarz, który pisałby tylko dla potomnych? Nie, nawet jeśli tak twierdzi; gdyż może jedynie wyobrażać sobie potomnych na podstawie tego, co wie o współczesnych – chyba że nazywa się Nostradamus. Czy jest autor, który pisałby dla niewielu czytelników? Tak, jeśli mamy na myśli to, że autor ów przewiduje, iż jego czytelnik modelowy ma niewielką szansę wcielić się w większą rzeszę. Ale także w tym wypadku pisarz pracuje z nadzieją, choćby zatajoną, że właśnie jego książka stworzy nowych, i to licznych, reprezentantów tego czytelnika upragnionego i poszukiwanego z tak biegłą przenikliwością, czytelnika, którego postuluje, któremu dodaje otuchy ten właśnie tekst.

Jeśli jest jakaś różnica, to między tekstem, który zmierza do stworzenia nowego czytelnika, a takim, który pragnie wyjść naprzeciw czytelnikom, jakich napotyka się już na drodze. W tym drugim wypadku mamy książkę napisaną, skonstruowaną zgodnie z gotowymi przepisami wytwarzania produktów seryjnych, autor przeprowadza swoistą analizę rynku i dostosowuje się do jej wyników. To, że pracuje według gotowych przepisów, uwidacznia się po dłuższym czasie, po zanalizowaniu kilku jego powieści; łatwo wtedy dostrzec, że we wszystkich snuje tę samą historię, zmieniając tylko imiona, miejsca i wygląd bohaterów. Jest to właśnie taka opowieść, jakiej publiczność już się domagała.

Lecz kiedy pisarz planuje jakąś rzecz nową i obmyśla sobie innego czytelnika, nie chce być specjalistą od rynku, nie chce sporządzać spisów żądań; woli być filozofem, który przeczuwa wątki *Zeitgeist*. Chce wskazać swojej publiczności, czego powinna pragnąć, nawet jeśli sama o tym nie wie. Chce objawić czytelnikowi jego samego.

Gdyby Manzoni zważał na to, czego żąda publiczność, to skorzystałby z gotowej formuły powieści historycznej, z akcją osadzoną w średniowieczu, ze znakomitymi bohaterami, jak w tragedii greckiej, królami i księżniczkami (czyż nie tak jest w *Adelchim*?), pełnej wielkich i szlachetnych namiętności, wypraw wojennych oraz celebrowania chwały, jaką Italia otoczona była w czasach, kiedy stanowiła ziemię możnych. Czyż nie czyniło tego przed nim, współcześnie z nim i po nim mnóstwo lepszych lub gorszych pisarzy historycznych, od rzemieślnika d'Azeglia po płomiennego, niestroniącego od makabry Guerrazziego i nienadającego się do czytania Cantù?

Co natomiast czyni Manzoni? Wybiera sobie wiek XVII, okres zniewolenia, i bohaterów niskiego stanu, jedynym mistrzem szpady czyni łotra, o bitwach nie opowiada, a ponadto ma odwagę obciążyć narrację dokumentami i obwieszczeniami... i okazuje się, że trafia w upodobania wszystkich, wykształconych i niewykształconych, wielkich i małych, bigotów i antyklerykałów. Wyczuł, iż współcześni mu czytelnicy tego właśnie potrzebują, nawet jeśli sami o tym nie wiedzą, jeśli się o to nie dopominali, nawet jeśli sądzili, że byłoby to danie niestrawne. I jak ciężko pracuje, pilnikiem, piłą i młotem, jak oczyszcza z błon, by uczynić swój produkt smaczniejszym, by czytelnicy rzeczywiści stali się czytelnikami modelowymi, za jakimi tęsknił!

Manzoni nie pisał, by podobać się publiczności takiej, jaka była, lecz by stworzyć publiczność, której jego powieść musiałaby się spodobać. I biada, jeśli się nie spodobała! Sami wiecie, z jaką obłudą i pogodą ducha mówi o swoich dwudziestu pięciu czytelnikach. Chce ich mieć dwadzieścia pięć milionów.

Jakiego modelowego czytelnika pragnąłem, kiedy pisałem? Z pewnością chodziło mi o wspólnika, godzącego się na grę, którą podjąłem. Chciałem stać się bez reszty średniowieczny i żyć w wiekach średnich, jakby to były moje czasy. Ale jednocześnie pragnąłem ze wszystkich sił, by zarysowała się postać czytelnika, który po przebrnięciu przez trudy inicjacji padnie moim łupem, czy też łupem tekstu, i uzna, że chce tego tylko, co tekst mu ofiaruje. Tekst winien dać czytelnikowi przeżycie wyobrażenia. Wydaje ci się, że pragniesz seksu, kryminalnej intrygi i odkrycia na koniec winowajcy, że pragniesz żywej akcji, ale jednocześnie wstydziłbyś się zaakceptować świątobliwą tandetę skleconą z ukazujących się szkieletów i klasztornych przestępców. No więc dam ci łacinę, kobiet jak na lekarstwo, teologii w bród i całe litry krwi jak w Grand Guignolu, byś wykrzyknął: „Ależ to fałsz, mam tego dosyć!" I w tym momencie powinieneś być mój i poczuć dreszcz w obliczu nieskończonej wszechmocy Boga, która sprawia, że marnością jest porządek świata. A potem, jeśli nie brak ci przenikliwości, spostrzeżesz, w jaki sposób wciągnąłem cię w pułapkę, bo przecież mówiłem ci o tym na każdym kroku, ostrzegałem dokładnie, że prowadzę cię ku potępieniu, ale w paktach z diabłem piękne jest to, iż składa się na nich podpis, doskonale wiedząc, z kim ma się do czynienia. W przeciwnym wypadku czemu niby mielibyśmy być nagrodzeni piekłem?

A ponieważ chciałem, by jako przyjemną odebrano jedyną rzecz, która sprawia, że zaczynamy dygotać – mam na myśli dreszcz metafizyczny – nie pozostawało mi nic innego, jak wybrać (spośród modeli fabularnych) intrygę najbardziej metafizyczną i filozoficzną, a więc powieść kryminalną.

Metafizyka powieści kryminalnej

Nie przypadkiem książka zaczyna się jak kryminał (i czytelnika naiwnego łudzi do samego końca, tak że ów czytelnik może nawet nie spostrzec, że chodzi tu o kryminał, w którym odkrywa się raczej niewiele, a detektyw ponosi klęskę). Moim zdaniem, ludzie lubią kryminały nie dlatego, że są tam trupy zamordowanych, ani dlatego, że sławi się w nich triumf końcowego ładu (intelektualnego, społecznego, prawnego i moralnego) nad nieładem przestępstwa. Rzecz w tym, że powieść kryminalna przedstawia w stanie czystym historię domysłów. Ale również w przypadku diagnozy medycznej, badań naukowych, a także pytań metafizycznych, mamy do czynienia z domysłami. W gruncie rzeczy podstawowe pytanie filozofii (podobnie jak psychoanalizy) brzmi tak samo jak w powieści kryminalnej: kto zawinił? Chcąc się tego dowiedzieć (chcąc zyskać przekonanie, że się wie), trzeba przypuścić, że wszystkie fakty mają jakąś logikę – logikę, którą narzucił im winowajca. Wszelka historia śledztwa i domysłów dotyczy czegoś, w czego sąsiedztwie żyjemy zawsze (cytat pseudoheideggerowski). Staje się teraz jasne, czemu mój główny wątek (kim jest morderca?) rozgałęzia się na tyle innych, a wszystkie są historiami innych, które obracają się wokół struktury domysłu jako takiego.

Abstrakcyjnym modelem domyślania się jest labirynt. Mamy jednak trzy typy labiryntu. Jednym jest grecki; to labirynt Tezeusza. W takim labiryncie nie można się zgubić. Idzie się w nim do środka, a potem od środka do wyjścia. Dlatego w środku czeka Minotaur, w przeciwnym bowiem wypadku historia pozbawiona byłaby smaku, stanowiłaby zwykłą przechadzkę. Przerażenie bierze się z faktu, że człowiek nie wie, dokąd dotrze i co uczyni Minotaur. Lecz jeśli rozwikłasz labirynt klasyczny, zobaczysz, że masz w rękach nić – nić Ariadny. Labirynt klasyczny jest sam w sobie nicią Ariadny.

Następnie mamy labirynt manierystyczny. Kiedy go rozwikłasz, spostrzeżesz, że masz w rękach jakby drzewo, strukturę z rozgałęzieniami, które często kończą się ślepo. Jest tylko jedno wyjście, ale możesz na nie nie trafić. Nić Ariadny jest ci potrzebna, żebyś się nie zgubił. Ten labirynt jest modelem *trial-and-error process*.

Wreszcie mamy sieć, czyli labirynt, który Deleuze i Guattari nazywają kłączem. Tutaj każda droga może się skrzyżować z dowolną inną. Nie ma środka, nie ma peryferii, nie ma wyjścia, ponieważ kłącze jest potencjalnie nieskończone. Przestrzeń domysłów jest przestrzenią o strukturze kłącza. Labirynt w mojej bibliotece jest labiryn-

tem manierystycznym, ale świat, w którym Wilhelm, jak to sam spo-
strzega, żyje, ma strukturę kłącza albo też można mu taką strukturę
nadać, choć nigdy nie uda się osiągnąć tego do końca.

Pewien siedemnastoletni chłopak powiedział, że nie zrozumiał
nic z dyskusji teologicznych, ale że funkcjonują one jako przedłużenie labiryntu przestrzennego (jakby były niosącą nastrój grozy muzyką w filmie Hitchcocka). Wydaje mi się, że stało się coś takiego:
nawet czytelnik naiwny wyczuł, że ma przed sobą opowieść o labiryntach, i to nie o labiryntach przestrzennych. Możemy powiedzieć,
iż w jakiś osobliwy sposób okazało się, że odczytanie najbardziej
naiwne jest najbardziej „strukturalne". Czytelnik naiwny bezpośrednio, bez mediacji najistotniejszych znaczeń, natknął się na fakt, że
nie może być jednej tylko opowieści.

Zabawa

Chciałem, żeby czytelnik się bawił. Przynajmniej tak, jak bawi-
łem się ja. To sprawa niezmiernie ważna, choć takie podejście wydaje się sprzeczne z wyobrażeniami, jakie w naszym mniemaniu mamy
o powadze problematyki powieściowej.

Rozrywać to jeszcze nie oznacza: odrywać od problemów. *Robinson Kruzoe* ma dać rozrywkę swemu modelowemu czytelnikowi,
opowiadając mu o rachunkach i codziennych dokonaniach dzielnego
homo oeconomicus, dosyć do owego czytelnika podobnego. Ale bliźni
Robinsona, kiedy już zabawił się odnajdywaniem w Robinsonie samego siebie, powinien w ten czy inny sposób zrozumieć coś więcej,
stać się kimś innym. Bawiąc się, w pewnym sensie się uczył. Czytelnik uczy się czegoś albo o świecie, albo o języku – ta różnica wskazuje na odmienne poetyki prozatorskie, ale istota rzeczy się nie zmienia. Idealny czytelnik *Finnegans Wake* winien w końcu bawić się
w tej samej mierze, co czytelnik Caroliny Invernizio. Dokładnie
w tej samej mierze. Ale chodzi o inną zabawę.

Otóż pojęcie zabawy ma charakter zmienny. Są rozmaite sposoby
bawienia się, bawienia innych, zależnie od etapu rozwoju powieści.
Nie ulega wątpliwości, że nowoczesna powieść ma tendencję do usu-
wania zabawy z wątku fabularnego, by dać pierwszeństwo innym
rodzajom zabawiania. Jako wielki admirator poetyki arystotelesow-
skiej zawsze uważałem, że mimo wszystko powieść winna dawać
rozrywkę również, i przede wszystkim, poprzez konstrukcję wątku
fabularnego.

Z pewnością powieść, która daje rozrywkę, uzyskuje poklask publiczności. Otóż przez jakiś czas uważano, że owo uznanie jest czymś niepożądanym. Skoro powieść cieszy się uznaniem, nie mówi nic nowego i daje publiczności to, czego ona już oczekiwała. Uważam jednak, że powiedzieć: „Jeśli powieść daje czytelnikowi to, czego oczekuje, zyskuje uznanie", jest czymś innym niż: „Jeśli powieść uzyskuje uznanie, to dlatego, że daje czytelnikowi to, czego on oczekuje".

Drugie stwierdzenie nie zawsze jest prawdziwe. Wystarczy przypomnieć sobie Defoe i Balzaca, by dojść aż do *Blaszanego bębenka* i *Stu lat samotności*.

Ktoś powie, że równość „uznanie = bezwartościowość" znalazła wsparcie *w* polemicznym stanowisku zajmowanym niekiedy przez nas, członków Grupy 63, także przed rokiem 1963, gdyż książkę, która odniosła sukces, porównywaliśmy do książki budującej, a powieść budującą do powieści z fabułą, natomiast sławiliśmy utwory eksperymentalne, wywołujące skandal i odrzucane przez szeroką publiczność. Rzeczywiście, zostało to powiedziane, trzeba było to powiedzieć i chodzi tu właśnie o stwierdzenia, które najbardziej oburzyły pisarzy konformistycznych i których nigdy nie wybaczyli nam kronikarze życia literackiego – po to zresztą zostały powiedziane z myślą o powieściach tradycyjnych, z założenia służących pokrzepianiu serc i całkowicie wypranych z ciekawych innowacji w stosunku do problematyki dziewiętnastowiecznej. Później potworzyły się stronnictwa i często pakowano wszystko do jednego worka, ale to było nie do uniknięcia. Przypominam sobie, że wrogami byli Lampedusa, Bassani i Cassola, choć, jeśli o mnie chodzi, dokonałbym dzisiaj subtelnych rozróżnień między tymi trzema. Lampedusa napisał dobrą powieść, niemającą nic wspólnego z ówczesnymi sporami, i sprzeciwialiśmy się wrzawie, jakiej wokół niej narobiono, jakby proponował nową drogę dla literatury włoskiej, podczas gdy, przeciwnie, zamykał chwalebnie poprzednią. Co do Cassoli nie zmieniłem poglądu. Jeśli chodzi natomiast o Bassaniego, oceniłbym go dzisiaj znacznie ostrożniej i gdybyśmy mieli rok 1963, zaakceptowałbym jako towarzysza drogi. Ale problem, o którym chcę mówić, na czym innym polega.

Rzecz w tym, że nikt nie pamięta już tego, co zdarzyło się w roku 1965, kiedy cała Grupa zebrała się jeszcze raz w Palermo, by dyskutować nad powieścią eksperymentalną (i pomyśleć, że dokumentacja jest jeszcze dostępna pod tytułem *Il romanzo sperimentale,* Feltrinelli, z datą 1965 na okładce, 1966 zaś w stopce).

Otóż w trakcie tej debaty padły nader interesujące głosy. Przede wszystkim referat wprowadzający Renata Barillego, już wtedy teoretyka wszystkich eksperymentalizmów *nouveau roman.* Barilli zmagał się w tym czasie z nowym Robbe-Grilletem, Grassem i Pynchonem (nie zapominajmy, że Pynchona zalicza się dzisiaj do inicjatorów postmodernizmu, ale wówczas to słowo nie istniało, przynajmniej we Włoszech, a John Barth w Ameryce stawiał pierwsze kroki) i cytował odkrytego na nowo Roussela, który lubił Verne'a, nie cytował zaś Borgesa, gdyż przewartościowanie tego ostatniego nie zostało jeszcze zapoczątkowane. I cóż powiedział Barilli? Otóż powiedział, że dotychczas głoszono śmierć fabuły oraz sprowadzenie akcji do objawienia *sacrum* i ekstazy materialistycznej. Lecz teraz rozpoczyna się nowa faza w rozwoju powieści, połączona z dowartościowaniem akcji, aczkolwiek akcji innej *(autre).*

Ja omówiłem wrażenie, jakie wywarł na nas poprzedniego wieczoru ciekawy kolaż filmowy Baruchella i Grifiego *Verifica incerta,* opowieść poskładana z fragmenciков innych filmów, a nawet z sytuacji standardowych, z *topoi,* z filmów kasowych. Wskazywałem, że publiczność najżywiej reagowała w miejscach, gdzie jeszcze przed kilkoma laty okazywałaby oburzenie, to jest w takich miejscach, gdzie konsekwencje logiczne i czasowe akcji tradycyjnej były naruszone i gdzie wydawało się, że widza spotka rozczarowanie. Awangarda stawała się tradycją, a to, co było dysonansem parę lat wcześniej, stawało się przyjemne dla ucha (i oka). Można było wyciągnąć stąd jeden tylko wniosek. Nieakceptowalność posłania przestała być głównym kryterium prozy (i wszelkiej sztuki) eksperymentalnej, gdyż nieakceptowalne zaczęło się podobać. Zarysowała się możliwość pojednania i zwrotu ku nowym formom tego, co akceptowalne i co się podoba. Przypomniałem, że podczas wieczorów futurystycznych Marinettiego było niezbędne, by publiczność gwizdała, „dzisiaj nietwórczo i niemądrze zabrzmiałoby stwierdzenie, że jakiś eksperyment okazał się nieudany, gdyż przyjęto go jako coś zwykłego. Byłoby to powtórzeniem schematu aksjologicznego historycznej awangardy i w tym zakresie ewentualny krytyk awangardy byłby tylko zapóźnionym wyznawcą Marinettiego. Powtarzamy raz jeszcze, że jedynie w ściśle określonym momencie historycznym nieakceptowalność posiania przez odbiorcę stanowiła rękojmię wartości... Podejrzewam, że powinniśmy wyrzec się *arrière-pensée*,* która dominuje ciągle w naszych dyskusjach, tej mianowicie, że oznaki skandalu winny

---

* Ukrytej myśli (franc.).

być weryfikacją wartości dzieła. Ta sama dychotomia między ładem a nieładem, między dziełem komercyjnym a dziełem skandalizującym, być może zachowa ważność, ale trzeba chyba spojrzeć na nią z nowej perspektywy. Sądzę mianowicie, że da się wytropić elementy zerwania i kontestacji w dziełach, które pozornie poddają się łatwej konsumpcji, i dostrzec, że, na odwrót, bywają dzieła, które jawią się jako skandalizujące i szokujące publiczność, choć w istocie niczego nie kontestują... W tych dniach spotkałem kogoś, kto – pełen podejrzeń, bo jakiś produkt spodobał mu się za bardzo – lokował go w strefie wątpliwości..." I tak dalej, i tak dalej.

Rok 1965. W owych latach zaczynał się pop-art i w związku z tym waliły się w gruzy tradycyjne rozróżnienia między sztuką eksperymentalną, niefiguratywną, a sztuką masową, opowiadającą i figuratywną. W tych czasach Pousseur powiedział mi, mając na myśli Beatlesów: „Oni pracują dla nas", nie zdając sobie jednak sprawy z tego, że także on pracował dla nich (i musiała przyjść Cathy Berberian, by pokazać nam, że Beatlesów, słusznie wprowadzonych do Purcella*, można wykonywać obok Monteverdiego i Erika Satie).

Postmodernizm, ironia, atrakcyjność

Po roku 1965 wyklarowały się ostatecznie dwie idee, a mianowicie że można powrócić do intrygi między innymi poprzez cytowanie innych intryg i że cytowanie może być mniej budujące niż intryga cytowana (zdaje się, że w 1972 roku Bompiani wydał almanach poświęcony „powrotowi intrygi" – *Ritorno dell'intreccio* – sięgając z lekkim szyderstwem, ale i podziwem, do Ponsona du Terrail i Eugeniusza Sue i z odrobinę ironicznym podziwem do niektórych wielkich stronic z Dumasa). Czy można napisać powieść, która nie byłaby budująca, stawiałaby problemy i jednocześnie by się podobała?

To fastrygowanie i zwrócenie się nie tylko ku intrydze, ale także atrakcyjności, miało zostać urzeczywistnione przez amerykańskich teoretyków postmodernizmu.

Na nieszczęście „postmodernizm" jest terminem dobrym *à tout faire*. Mam wrażenie, że dzisiaj ci, którzy go używają, mają na myśli wszystko to, co im się podoba. Z drugiej strony wydaje się, że istnieje tendencja do tego, by sięgnąć nim jak najdalej wstecz. Najpierw stosowano go wobec niektórych pisarzy i artystów działających

---

* Chodzi o Towarzystwo Muzyczne im. Henry'ego Purcella.

w ostatnich dwudziestu latach, potem stopniowo cofnięto się do początku wieku, a wreszcie jeszcze bardziej, i to przesuwanie wciąż trwa, także wkrótce kategoria postmodernizmu obejmie Homera.

Sądzę, iż „postmodernizm" nie jest prądem, który dałoby się opisać w określonych ramach czasowych, lecz kategorią duchową lub raczej *Kunstwollen,* sztuką działania. Można by powiedzieć, że każda epoka ma swój postmodernizm, jak każda może mieć własny manieryzm (zadaję sobie nawet pytanie, czy postmodernizm nie jest współczesną nazwą manieryzmu jako kategorii metahistorycznej). Sądzę też, że w każdej epoce dochodzi do momentów kryzysowych, podobnych do opisanych przez Nietzschego *w Niewczesnych rozważaniach,* gdzie mówi o szkodzie, jaką niosą badania historyczne. Przeszłość nas warunkuje, przytłacza, szantażuje. Historyczna awangarda (ale także tutaj kategorię awangardy pojmuję jako kategorię metafizyczną) chce rozliczyć się z przeszłością. „Precz z blaskiem księżyca" – to motto futurystów jest typowym programem wszelkiej awangardy, wystarczy wstawić coś innego w miejsce blasku księżyca. Awangarda niszczy przeszłość, zniekształca ją. *Panny z Awinionu* to typowy gest awangardy. Potem awangarda idzie dalej, unicestwia zniszczony przedtem symbol, dochodzi do abstrakcji, do bezprzedmiotowości, dalej kolejno do płótna czystego, pociętego, a wreszcie spalonego; w architekturze będzie to wymóg minimalny *curtain wall,* budynek w kształcie walca, czysty prostopadłościan, w literaturze – zniszczenie ciągłości wypowiedzi aż do kolażu w stylu Burroughsa, aż do milczenia albo niezapisanej stronicy, w muzyce – przejście od atonalności do hałasu, do absolutnej ciszy (w tym sensie Cage ze swych początków jest nowoczesny).

Ale nadchodzi moment, kiedy awangarda (modernizm) nie może pójść dalej, gdyż stworzyła już metajęzyk, który mówi o swoich niemożliwych tekstach (sztuka konceptualna). Postmodernistyczna odpowiedź na modernizm to uznanie, że przeszłość trzeba zrewidować, podchodząc do niej ironicznie i bez złudzeń – nie można jej bowiem unicestwić, gdyż to doprowadziłoby do zamilknięcia. O postawie postmodernistycznej myślę jak o postawie człowieka, który kocha jakąś nader wykształconą kobietę i wie, że nie może powiedzieć jej „kocham cię rozpaczliwie", ponieważ wie, że ona wie (i że ona wie, że on wie), iż te słowa napisała już Liala. Jest jednak rozwiązanie. Może powiedzieć: „Jak powiedziałaby Liala, kocham cię rozpaczliwie". W tym miejscu, uniknąwszy fałszywej niewinności, oznajmiwszy jasno, że nie można już mówić w sposób niewinny, powiedziałby jednak ukochanej to, co chciał jej powiedzieć: że ją kocha, ale że ją kocha w epoce utraconej niewinności. Jeśli kobieta zgodzi się na tę grę, będzie to dla niej mimo wszystko wyznanie miłości. Żadne z dwojga rozmówców nie poczuje się niewinne, oboje zaakceptowali wyzwanie przeszłości. Wyzwanie rzucone przez to, co zostało już powiedziane i czego nie da się wyeliminować; oboje uprawiać będą świadomie i z upodobaniem grę ironii... Ale też uda się im raz jeszcze mówić o miłości.

Ironia, gra metajęzykowa, wypowiedź do drugiej potęgi. Jeśli więc ktoś w przypadku modernizmu nie pojmuje gry, może ją jedynie odrzucić, gdy tymczasem w przypadku postmodernizmu można również gry nie rozumieć i wziąć wszystko poważnie. To zresztą właściwość (ryzyko) ironii. Zawsze znajdzie się ktoś, kto wypowiedź ironiczną potraktuje tak, jakby była wypowiedzią serio. Myślę, że kolaże Picassa, Juana Grisa i Braque'a były modernistyczne i dlatego nie akceptowali ich zwykli ludzie. Natomiast kolaże, które robił Max Ernst, zestawiając fragmenty dziewiętnastowiecznych rycin, były postmodernistyczne. Można je również odczytywać jako fantastyczną opowieść, jako relację ze snu, nie uświadamiając sobie, że są wypowiedzią o rycinach i może o samym kolażu. Jeśli na tym właśnie polega postmodernizm, widzimy jasno, dlaczego Sterne albo Rabelais byli postmodernistyczni, dlaczego postmodernistyczny jest bez wątpienia Borges, dlaczego w tym samym artyście mogą współżyć lub następować po sobie w krótkich odstępach moment modernistyczny i moment postmodernistyczny. Wiemy, jak rzecz ma się z Joyce'em. *Portret artysty z czasów młodości* stanowi opowieść o próbie modernistycznej. *Dublińczycy,* chociaż wcześniejsi, są bardziej modernistyczni niż *Portret. Ulisses* to punkt graniczny. *Finnegans Wake* jest książką już postmodernistyczną albo przynajmniej otwiera dyskusję postmodernistyczną; aby tę książkę zrozumieć, nie trzeba negować wszystkiego, co już było powiedziane, tylko przemyśleć to na nowo, przyjąwszy postawę ironiczną.

Na temat postmodernizmu od samego początku powiedziano prawie wszystko (mam na myśli eseje w rodzaju *Literatury wyczerpania* Johna Bartha, napisanej w roku 1967, a opublikowanej ostatnio w „Calibano" w numerze 7, poświęconym amerykańskiemu postmodernizmowi). Bynajmniej nie we wszystkim zgadzam się z cenzurkami, jakie teoretycy postmodernizmu (z Barthem włącznie) wystawiają pisarzom i artystom, obwieszczając, kto jest postmodernistyczny, a kto jeszcze nie. Ale interesujący wydaje mi się wniosek, jaki teoretycy tego prądu wyciągają ze swoich przesłanek: „Idealny pisarz postmodernistyczny ani nie odrzuca, ani nie naśladuje swych dwudzie-

527

stowiecznych czy dziewiętnastowiecznych poprzedników. Pierwsza połowa naszego wieku winna mu być pomocą, a nie kamieniem u szyi... Nie liczy on na dotarcie do zwolenników Jamesa Michenera czy Irvinga Wallace'a – nie mówiąc już o analfabetach ogłuszonych środkami masowego przekazu. Lecz powinien starać się, by dzieła jego docierały i przemawiały nie tylko do kręgu zawodowych zwolenników elitarnej sztuki, nie tylko do tego kręgu odbiorców, których Mann nazywa pierwszymi chrześcijanami... Idealna powieść postmodernistyczna wzniesie się ponad spory między realizmem a irrealizmem, formalizmem a zawartością treściową, literaturą czystą a zaangażowaną, koterią literacką a literaturą brukową... Porównałbym tę idealną powieść z dobrą muzyką jazzową lub klasyczną: można w niej odkryć podczas kolejnych odtworzeń czy studiowania partytury wiele motywów, które umknęły nam przy pierwszym wykonaniu, lecz już to pierwsze zetknięcie z utworem powinno być tak zachwycające – nie tylko dla specjalistów – że następnych oczekuje się z radością"*. Tyle Barth, wracający w roku 1980 do tego tematu, tym razem pod tytułem *Literatura odmowy*. Naturalnie można podjąć tę problematykę z większym wyczuciem paradoksu, jak czyni to Leslie Fiedler. Wspomniany numer „Calibano" publikuje jego esej z 1981 roku, a nowe czasopismo „Linea d'Ombra" drukuje jego dyskusję z innymi pisarzami amerykańskimi. Fiedler prowokuje, to oczywiste. Zachwala *Ostatniego Mohikanina,* powieść przygodową, *gothic novel,* szmirę, którą gardzą krytycy, choć potrafiła niejednej generacji narzucić mity i wyobrażenia. Zastanawia się, czy ukaże się jeszcze coś w rodzaju *Chaty wuja Toma,* co mogłoby być czytane z równym zapałem w kuchni, salonie i pokoju dziecinnym. Zalicza Shakespeare'a do tych, którzy potrafią dostarczyć rozrywki, wrzuca go do jednego worka z *Przeminęło z wiatrem.* Jest krytykiem zbyt subtelnym, byśmy mogli w to uwierzyć. Chce po prostu przełamać barierę, jaką wzniesiono między sztuką a tym, co się podoba. Wyczuwa, że dotrzeć do publiczności szerokiej i zawładnąć jej wyobraźnią oznacza dzisiaj, być może, przynależność do awangardy; i zostawia nam możliwość dodania, że zawładnięcie wyobraźnią czytelników niekoniecznie musi oznaczać podawanie im literatury budującej. Może bowiem oznaczać wzbudzenie ich niepokoju.

---

* John Barth, *Postmodernizm: literatura odmowy;* przeł. Jacek Wiśniewski, „Literatura na Świecie", 1982, nr 5-6, s. 271, 272.

Powieść historyczna

Od dwóch lat odmawiam udzielania odpowiedzi na niepotrzebne pytania. Na przykład: czy twoja powieść to utwór otwarty? Nie wiem, to nie moja sprawa, lecz wasza. Albo: z którymi bohaterami się utożsamiasz? Mój Boże, z kimże utożsamia się autor? Z przysłówkami, to jasne.

Ze wszystkich pytań zbytecznych najbardziej zbyteczne zadają ci, którzy sugerują, że opowiada się o przeszłości, by uciec od teraźniejszości. Czy tak? – pytają. To niewykluczone – odpowiadam. Manzoni opowiadał o wieku XVII, gdyż nie interesował go XIX, Giusti w *San'Ambrogio* przemawia do współczesnych mu Austriaków, Berchet zaś w *Giuramento di Pontida* najwyraźniej opowiada bajki z lat minionych. *Love story* traktuje o czasach sobie współczesnych, natomiast *Pustelnia parmeńska* opowiada o faktach, które zdarzyły się dwadzieścia pięć lat wcześniej... Nie muszę mówić, że wszystkie problemy współczesnej Europy ukształtowały się, tak jak pojmujemy je dzisiaj, w wiekach średnich, od demokracji na szczeblu gminy po system bankowy, od monarchii narodowych po miasta, od nowych technologii po bunty biedoty. Średniowiecze jest naszym wiekiem dziecięcym, do którego trzeba ciągle powracać, by poznać historię naszych schorzeń. Ale o średniowieczu można mówić także w stylu *Ekskalibura**. A więc problem polega na czym innym i nie da się go ominąć. Co to znaczy: napisać powieść historyczną? Sądzę, że istnieją trzy sposoby opowiadania o przeszłości. Jednym jest *romance,* od cykli bretońskich do powieści Tolkiena, a mieści się tu także *gothic novel,* której *novel* zgoła nie sposób nazwać, ale za to jest właśnie *romance*. Przeszłość jako sceneria, pretekst, konstrukcja baśniowa daje wyobraźni pole do popisu. Tak więc *romance* nie musi nawet mówić o przeszłości, wystarczy, by akcja nie toczyła się tu i teraz i by o tu ani o teraz nie mówiono, nawet w sposób alegoryczny. Wiele powieści gatunku science fiction jest czystą *romance*. *Romance* to powieść dziejąca się gdzie indziej.

Następnie idzie powieść płaszcza i szpady, jak powieści Dumasʿ ι. Powieść płaszcza i szpady wybiera przeszłość „rzeczywistą" i rozpoznawalną, a w celu uczynienia jej rozpoznawalną zaludnia osobami wciągniętymi już do encyklopedii (Richelieu, Mazarin) i każe im prowadzić pewne działania, których encyklopedia nie rejestruje (spo-

---

* Film Johna Boormana z 1981 roku.

tkanie z Milady kontakty z niejakim Bonacieux), ale którym i nie przeczy. Naturalnie, chcąc spotęgować wrażenie rzeczywistości, postacie historyczne robią także to, co (jak wynika z kronikarskich zapisów) czyniły naprawdę (oblegają La Rochelle, utrzymują intymne stosunki z Anną Austriaczką, walczą z Frondą). W te ramy („prawdziwe") wpasowuje się postacie wymyślone, przejawiające uczucia, jakie można by przypisać równie dobrze ludziom żyjącym w innych czasach. Po klejnoty królowej do Londynu d'Artagnan mógłby wyruszyć równie dobrze w wieku XX jak XVIII. Nie trzeba żyć w wieku XVII, żeby mieć psychikę d'Artagnana.

W powieści historycznej natomiast nie muszą wkraczać na scenę postacie mające swoje hasła w encyklopedii powszechnej. Pomyślmy tylko o *Narzeczonych,* gdzie najsłynniejszą osobą jest kardynał Federigo, przed Manzonim znany niewielu czytelnikom (znacznie sławniejszy był inny Boromeusz, święty Karol). Ale wszystko, co robią Renzo, Lucia lub Fra Cristoforo, mogło mieć miejsce jedynie w siedemnastowiecznej Lombardii. Czyny bohaterów służą lepszemu zrozumieniu historii, tego, co się zdarzyło. Wydarzenia i osoby są zmyślone, lecz mówią nam o ówczesnych Włoszech rzeczy, których nigdy nie znaleźlibyśmy, tak wyraziście wyłożonych, w podręcznikach historii.

Bez wątpienia chciałem napisać taką właśnie powieść historyczną, a nie chodzi tu o to, że Hubertyn i Michał istnieli naprawdę i mogli wypowiadać mniej więcej słowa, które rzeczywiście padły z ich ust, tylko o to, że wszystko, co mówiły postacie fikcyjne, na przykład Wilhelm, powinno być w owych czasach powiedziane.

Nie wiem, do jakiego stopnia dochowałem wierności celowi, który sobie postawiłem. Nie sądzę, bym się mu sprzeniewierzył, kiedy maskowałem cytaty z autorów późniejszych (jak Wittgenstein), dążąc do tego, by uchodziły za ówczesne. W takich wypadkach wiedziałem doskonale, że to nie moi ludzie średniowiecza są współcześni nam, już raczej współcześni myślą kategoriami średniowiecznymi. Zastanawiam się natomiast, czy nie nadawałem czasem moim fikcyjnym bohaterom zdolności do kojarzenia z *disiecta membra* poglądów całkowicie średniowiecznych paru pojęciowych hybryd, których średniowiecze nie uznałoby za własne. Ale mniemam, że powieść historyczna winna podejmować i to zadanie: nie tylko wyłuskiwać z przeszłości przyczyny tego lub owego późniejszego wydarzenia, ale również szkicować proces, który sprawił, że owe przyczyny zaczęły powoli wytwarzać skutki.

Kiedy któryś z moich bohaterów, zestawiając dwie idee średniowieczne, dochodzi do trzeciej, bardziej nowoczesnej, czyni dokładnie to, co kultura uczyniła później, i jeśli nikt nie napisał słów, jakie wypowiada powieściowa postać, nie ulega wątpliwości, że ktoś musiał, choćby w sposób niejasny, powziąć tego rodzaju myśl (być może tego nie wyjawiając ze względu na nie wiadomo jaką obawę i wstyd). W każdym razie miałem niezłą zabawę, gdyż za każdym razem, kiedy jakiś krytyk albo czytelnik napisali lub powiedzieli, iż któryś z moich bohaterów mówi rzeczy zbyt nowoczesne, okazywało się, że użyłem dosłownych cytatów czternastowiecznych.

W innych znów miejscach czytelnicy rozkoszowali się wybornie średniowiecznym smaczkiem postaw, które ja uznawałem za niesłusznie uwspółcześnione. Rzecz w tym, że każdy ma swoje własne wyobrażenie średniowiecza – zazwyczaj skażone. Tylko my, ówcześni mnisi, znamy prawdę, ale wyjawienie jej może zaprowadzić nas na stos.

Na zakończenie

Dwa lata po napisaniu powieści znalazłem skreśloną moją ręką notatkę z roku 1953, a więc z czasów studenckich.

„Horacy i jego przyjaciel wzywają hrabiego E, by rozwiązał zagadkę widma. Hrabia E, szlachcic ekscentryczny i flegmatyczny. Natomiast młody kapitan gwardii duńskiej stosuje metody amerykańskie. Normalny rozwój akcji zgodnie z linią tragedii. W ostatnim akcie hrabia E zwołuje rodzinę i wyjaśnia tajemnicę: mordercą jest Hamlet. Zbyt późno, Hamlet umiera".

Wiele lat później odkryłem, że podobny pomysł zapisał gdzieś Chesterton. Zdaje się, że grupa Oulipo skonstruowała ostatnio matrycę wszystkich możliwych sytuacji w powieści kryminalnej i stwierdziła, że pozostaje tylko napisać książkę, w której mordercą byłby czytelnik.

Morał: istnieją pomysły obsesyjne, nie ma nigdy naszych własnych, a książki rozmawiają między sobą i prawdziwe śledztwo policyjne powinno wykazać, że winowajcami jesteśmy my.

Spis treści